AF535395

Wilhelm Eichsteller

Der praktische Homöopath

Markante Leitsymptome in der homöopathischen Praxis

12. Auflage

ISBN 3-89575-011-5

Druck: Steinmeier, Nördlingen

Inhaltsübersicht

Vorwort 5
Die Wahl der Potenz, Dosis und Intervalle der Gaben 10
Die alphabetische Reihenfolge der Symptomen-Besprechung
Der Buchstabe A 16
Der Buchstabe B 25
Der Buchstabe D 47
Der Buchstabe E 54
Der Buchstabe F 61
Der Buchstabe G 75
Der Buchstabe H 94
Der Buchstabe I 113
Der Buchstabe K 154
Der Buchstabe L 188
Der Buchstabe M 200
Der Buchstabe N 208
Der Buchstabe O 220
Der Buchstabe P 222
Der Buchstabe R 222
Der Buchstabe S 230
Der Buchstabe T 251
Der Buchstabe U 254
Der Buchstabe V 256
Der Buchstabe W 263
Der Buchstabe Z 267
Arzneimittelverzeichnis 273
Ausführliches Inhaltsverzeichnis 278
Literaturverzeichnis 285

Vorwort

Wer erstmals nach einem der großen Werke über die homöopathische Arzneimittellehre, z. B. Stauffer, Heinigke u. a. greift, sei es, um sich über das Wesen der Homöopathie zu informieren, sei es um das Studium dieser Therapie zu beginnen, und sich nur mal zwei bis drei Mittel der sogenannten Polychreste – das sind Mittel mit besonders großem Wirkungskreis – vornimmt, wird nach dem Durchlesen aller genannten Symptome sich vor einer ungeheuren Riesenaufgabe sehen, deren Bewältigung ihm als ganz unmöglich erscheinen wird; er wird zur Erkenntnis kommen, daß er niemals in seinem ganzen Leben die Symptome *aller* homöopathischen Arzneimittel wird im Gedächtnis behalten und die praktische Nutzanwendung am kranken Menschen ziehen können. – Und das ist in der Tat wirklich so ! Keinem Menschen, auch wenn er über ein Riesengedächtnis verfügt, wird es jemals möglich sein, die Leitsymptome aller homöopathischen Arzneimittel seinem Gedächtnis einzuprägen, am allerwenigsten durch das alleinige Studium eines oder gar mehrerer großer Werke der homöopathischen Arzneimittellehre. –

Das ist zweifellos der Grund, daß sich bis zum heutigen Tage verhältnismäßig nur ganz wenige Ärzte und Praktiker an das Studium der homöopathischen Therapie, dieser *schwersten*, aber auch mit den glänzendsten – alle anderen internen Therapien überragenden – Heilerfolgen, heranwagten und sie im Sinne Hahnemanns, das heißt, nur durch Verabreichung von Einzelmitteln, ausübten.

Ich habe es mir zur Aufgabe gemacht, das Studium der homöopathischen Arzneimittellehre wesentlich zu erleichtern und dadurch zu fördern. Aus dieser Erwägung heraus ist das vorliegende Werk entstanden. Es soll dem Praktiker infolge der Gruppierung und anhand der angeführten, einprägsamen, markanten Leitsymptomen, so wie sie bei den verschiedensten Erkrankungen des menschlichen Organismus auftreten, *weitgehend erleichtert werden*, für all die auftretenden Symptome auch *das passendste Arzneimittel*, das sogenannte Similimum, *zu finden*. Es wird, bei täglichem Gebrauche in der Praxis, dem Praktiker viel leichter sein, sich in dem Gewirr der verschiedensten Symptome zurechtzufinden, die markantesten Symptome, sowie deren Differenzierungen zwischen ähnlich wirkenden Arzneimitteln, erkennen lernen und auf Grund praktischer eigener Erlebnisse, Beobachtungen und Erfahrungen seinem Gedächtnisse unlöschbar einzuprägen vermögen. Das Werk soll eine Gedächtnisbrücke sein, deren stete Benützung das gesamte Rüstzeug der homöopathischen Therapie vermitteln wird. Darüber hinaus aber soll es allen Anhängern der homöopathischen Heilweise und allen denen, die sich für die Homöopathie interessieren, ein vorzügliches, leichtfaßliches Einführungswerk in das Wesen der Homöopathie sein. Ferner wird es in der Familie als Hand- und Hausbuch zur

Pflege und Erhaltung der Gesundheit von großem Nutzen sein, kleinere Unpäßlichkeiten und Erkrankungen leichteren Grades von vornherein mit den richtigen Mitteln bekämpfen zu lernen und damit Schlimmeres zu verhüten, nach dem Grundsatz: „Vorbeugen ist leichter als heilen!"

Es dürfte weitgehend bekannt sein, daß die Wahl des homöopathischen Arzneimittels – mit Ausnahme einiger, physiologisch noch nicht oder nicht genügend geprüfter Mittel, die rein empirisch angewendet werden – in Krankheitsfällen nicht nach dem Namen der Krankheit, sondern nach den *subjektiven und objektiven Erscheinungen*, den sogenannten Symptomen, erfolgt, wie sie sich als *das Bild der Krankheit* abzeichnen. Diese sicht- und fühlbaren Symptome bestimmen also die Wahl des Arzneimittels nach dem Ähnlichkeitsprinzip: Similia similibus curantur, das heißt, Ähnliches wird durch Ähnliches – oder bei der Isopathie, Gleiches wird durch Gleiches – geheilt. Dasjenige Arzneimittel also, welches, beim gesunden Menschen in starken Dosen verabreicht, dieselben Symptome hervorrufen, wie sie bei einer Erkrankung auftreten, wird, in entsprechender Verdünnung, *das Heilmittel der Krankheit sein.* Je genauer die Leitsymptome des Arzneimittels mit den Symptomen der zu Tage getretenen Krankheit übereinstimmen, desto sicherer wird es das Heilmittel für diese Krankheit sein. –

Die vordringlichste Aufgabe des Praktikers am Krankenbett wird also sein, das Similimum für die in Erscheinung tretenden Krankheitssymptome zu finden und es in der richtigen Verdünnung, Dosis und Gabe zu verabreichen. Daß die Gabenlehre weitgehend studiert und beherrscht werden muß, braucht wohl nicht besonders betont zu werden. In Anbetracht der Wichtigkeit habe ich die Gabenlehre in einem besonderen Kapitel eingehend behandelt.

Es gibt tausend Krankheitsnamen, aber, von Verletzungen abgesehen, nur eine einzige Krankheit, die heißt: *Der kranke Mensch in seiner Gesamtheit.* Die Frage: „Was ist Krankheit?" Und wie entsteht sie?, möchte ich wie folgt kurz definieren.

Die *Grundursache jeder Krankheit* liegt in allererster Linie in dem erkrankten Menschen selbst: *in seiner Konstitution und Disposition.* Konstitution ist: *Die Summe aller Abwehrkräfte des Körpers*, oder anders ausgedrückt, *die Beschaffenheit der Blut- und Körpersäfte.* Und *Disposition ist: alle Mängel dieser Abwehrkräfte*, mit anderen Worten: *die Krankheitsbereitschaft.* Kurz zusammengefaßt: *Krankheit ist nichts anderes, als ein Fehlen oder eine Schwäche der natürlichen Abwehrkräfte, der Schutzpolizei unseres Körpers*, wodurch dem Eindringen und der Ausbreitung der sogenannten Krankheitserreger Tür und Tor geöffnet ist.

Und fragen wir weiter: *Wie und wodurch entsteht diese Disposition oder Krankheitsbereitschaft?* Dazu möchte ich kurz und prägnant sagen: *Es ist die Antwort der Natur auf ein naturwidriges Verhalten, die naturgesetzliche Folge der Abkehr von der naturgemäßen Ernährung und Lebensführung während des ganzen eigenen Lebens und das der vorangegangenen Generationen!* –

Es handelt sich also um eine Disposition, wenn der eine Mensch unter sonst gleichen Voraussetzungen erkrankt oder angesteckt wird, der andere dagegen nicht. *Erkältung oder Ansteckung sind also nur die Auslöser der in der*

Anlage vorhandenen Disposition. Stets wird sich dabei die *Krankheit* an der *schwächsten Stelle des Organismus zeigen.* Ebenso wie eine Kette nur so stark ist wie das *schwächste Glied* derselben, wird der menschliche Organismus *nur so gesund sein, wie das schwächste Organ* desselben.

In dieser Erkenntnis ist es daher äußerst wichtig, das Kapitel „Konstitution" und „Konstitutionsmittel" ganz besonders eingehend zu studieren und sich einzuprägen. Die Lehre von der Konstitution und der Konstitutionsmittel bildet mit den Grundstein einer rationellen, erfolgreichen homöopathischen Therapie, weil dieselbe die kausale Behandlung der schwächsten Stelle des Organismus darstellt. Es ist natürlich selbstverständlich, daß der verantwortungsbewußte homöopathische Arzt und Praktiker in jedem Krankheitsfalle alle Methoden der klinischen, röntgen- und serologischen Diagnostik mit heranzieht, um sich ein möglichst genaues Bild der Krankheit zu verschaffen. Aber die Wahl des Arzneimittels wird stets, wie bereits erwähnt, nach den dabei auftretenden Symptomen zu erfolgen haben. Krankheitsnamen sind in der homöopathischen Therapie ganz unwesentlich. Wenn ich im Inhaltsverzeichnis solche angeführt habe, so dienen sie nur dazu, die passenden Mittel für die dabei auftretenden Symptome zu finden. Und – jeder Praktiker wird es betsätigen können – ein wie hoher Prozentsatz Patienten, besonders Frauen, kommen täglich in die Sprechstunde mit einer ganzen Stufenleiter von Erscheinungen und Symptomen, Leiden und Gebrechen! – Was für einen Krankheitsnamen soll man dann diesem Symptomenkomplex eigentlich geben? Da ist doch der *ganze menschliche Organismus krank, in Unordnung, und eine namentliche* Krankheitsbezeichnung eben einfach nicht möglich. Der gewiegte Praktiker wird aber aus dem geschilderten Symptomenkomplex unter Berücksichtigung der Konstitution den hervorstechendsten Kern der Symptome erfassen, die zutreffenden Mittel einsetzen und – sofern es überhaupt noch möglich ist – helfen können. Und das ist das Entscheidende. Das Kapitel „Frauenleiden" bietet eine Menge markanter Symptome, deren Studium interessant und lehrreich zugleich ist. An dieser Stelle möchte ich auch besonders betonen, daß, laut Gesetz über die Geschlechtskrankheiten vom 18. Februar 1924, Krankheiten der Geschlechtsorgane nur durch einen approbierten Arzt behandelt werden dürfen; auch jede Selbstbehandlung ist verboten.

Weitere, interessante und sehr praktische Winke bietet das Kapitel „Modalitäten" und „Geistes- und Gemütssymptome" sowie die Krankheiten der lebenswichtigen Organe, die immer und immer zu beachten und zu studieren sind.

Mein Werk soll nun keineswegs die bekannten Lehrbücher der homöopathischen Arzneimittellehre entbehrlich machen, die nach wie vor zum Studium und als Nachschlagewerke notwendig sein werden. Meine Arbeit bringt nur die markantesten Leitsymptome in übersichtlicher, leicht auffindbarer und einprägsamer Form und Folge und mit den feinsten Differenzierungsmerkmalen zwischen den Mitteln, die viele Symptome gemeinsam haben, wobei die bekanntesten Mittel mit großem Wirkungskreis, die Polychreste, in jeder Sparte den Vorrang einnehmen, die weniger bekannten Mittel erst am Schlusse zur Besprechung kommen. Zuletzt habe ich nach den Einzelmitteln einige Arzneimittelkombinationen und Schematas für die Behandlung einiger Krankheiten angegeben, die sich in solchen Fällen bewährt haben. Im übrigen aber sollte jeder Praktiker die Arzneimittellehre soweit beherrschen, daß er mit möglichst einem oder einigen wenigen Mitteln, im Wechsel oder als Komplex gegeben, in jedem Krankheitsfalle auskommt.

Nun noch ein kurzes Wort über Komplexmittel.

Zunächst: Was ist ein Komplexmittel? Darunter versteht man eine *Vereinigung mehrerer homöopathischer Mittel* zu einem *einzigen Arzneimittel.* Der langjährige Streit im Lager der Homöopathen über die Anwendung von nur Einzelmittel oder Komplexen ist müßig. Sowohl mit Einzelmitteln als auch mit Komplexen – wie sie in hervorragender Qualität und Wirkung von verschiedenen namhaften Firmen hergestellt und verordnet werden – wurden ganz bedeutende therapeutische Erfolge erzielt. Die Anwendung von Einzelmitteln und Komplexen hat ihre Berechtigung am Krankenbett bewiesen. Die Komplexe haben den Vorteil, mit einem einzigen Komplexmittel eine ganze Menge von Symptomen zu decken und in akuten Fällen keine Zeit mit Experimentieren zu verlieren, bis das passende, wirksame Heilmittel gefunden ist. Die Praxis wird damit ganz wesentlich erleichert und vereinfacht. Da in den Komplexen oft eine große Anzahl von Mitteln zusammengefaßt und oft mehrere solcher Komplexe in einem Krankheitsfall im Wechsel zur Verordnung gekommen sind und – geholfen haben, ist der Beweis erbracht, daß eine ganze Anzahl von Mitteln, die nach den Leitsymptomen im angewandten Krankheitsfall nicht indiziert waren, bzw. nicht indiziert sein konnten und demnach, ganz oder teilweise, nur als unnötiger Ballast angesehen werden können, dennoch die Therapie nicht nur nicht gestört, sondern geholfen haben. Andererseits aber sind die größten und großartigsten Heilerfolge, vor allem *in chronischen Fällen,* mit Einzelmitteln und meist *mit Hochpotenzen,* erzielt worden, die nach meiner Ansicht wahrscheinlich niemals mit Komplexmitteln erreicht worden wären.

Auf alle Fälle aber sollte jeder Praktiker den Wirkungsbereich und die Symptomologie *der wichtigsten Einzelmittel* kennen und kann dann mit größerem Vorteil sich der im Handel befindlichen Komplexe bedienen oder, noch besser, selbst mehrere der in einem Krankheitsfalle indizierten Mittel zu einem Komplex vereinigen lassen, wobei ihm in Bezug auf die Potenzen weitester Spielraum verbleibt und wodurch allein genaueste Individualisierung ermöglicht und noch bessere therapeutische Erfolge zu erzielen sein werden.

Und jetzt noch ein Wort über Diät.

Heute weiß bereits jeder Kranke, daß bei Einleitung einer Heilbehandlung, ganz gleich, welches Heilsystem auch zur Anwendung gelangt, die Diät eine wichtige Rolle spielt. Dies gilt in besonderem Maße auch bei der Homöo-Therapie.

Wenn wir wissen, daß jede Krankheit in der Hauptsache ihre Ursache in der schon jahrhundertelangen Abkehr von der naturgemäßen Nahrung hat, so ist es einleuchtend, daß wir in Krankheitsfällen uns wieder der naturgemäßen Lebensweise in Bezug auf die Auswahl unserer Nahrung nähern und damit die Behandlung mit Arzneimittel durch Diät unterstützen müssen. „Unsere Nahrungsmittel sollen Heilmittel und unsere Heilmittel sollen Nahrungsmittel sein!" Dieser Satz hat seine volle Berechtigung. Tatsächlich könnte sich jeder Kranke durch sorgfältig ausgewählte Nahrung gesund essen, ohne Hilfe jedweder Arznei. Dieser Weg ist aber schwierig, erfordert konzentrierten, unbeugsamen Willen, Entsagung beliebter kulinarischer Genüsse, eingehende Kenntnisse in der Zusammensetzung und Zubereitung biologischer Nahrungsmittel und braucht längere Zeit zur Auswirkung. *Diät und Arznei* ist der schnellere Weg, der zur Gesundheit führt. Der Praktiker muß daher neben der homöopathischen Therapie auch die Diät einigermaßen beherrschen, beide miteinander kombinieren und wird dadurch den schnellsten Erfolg sichern. Daß daneben Licht, Luft, Wasser, Ruhe, Bewegung, Atmung eine sehr wichtige Rolle spielt, soll hier noch erwähnt werden. In dieser Hinsicht verweise ich auf meine Arbeiten über all die genannten Faktoren und naturgemäßer Ernährung und Lebensführung auf meine Schriftenreihe „*Der Weg zur Gesundheit*", Band 1–5. Alle diese biologischen Heilweisen lassen sich mit der Homöopathie wunderbar verbinden und die Wirkung der Arzneimittel noch beschleunigen und vertiefen.

Ich hoffe und wünsche, daß meine Arbeit dazu beitragen möge, Samuel Hahnemanns wunderbare homöopathische Heillehre zum Wohle der Kranken im deutschen Volke und darüber hinaus weiter zu verbreiten und zu vertiefen.

W. Eichsteller.

Die Wahl der Potenz, Zeitabstand der Gaben und die Gabengröße (Dosis)

Zunächst, was ist oder was versteht man unter Potenz? Darunter versteht man die Verdünnungsstufe des Arzneimittels. Am gebräuchlichsten ist heute die sogenannte Dezimalpotenz, die wie folgt zur Anwendung gelangt.

Ausgangspunkt der Verdünnungen ist bei pflanzlichen Mitteln die Urtinktur, das ist eine aus der Frischpflanze mittels Alkohol hergestellte Essenz oder Auszug; bei metallischen, tierischen, erdischen Mittel die Ursubstanz. Die Potenzierung geht wie folgt vor sich, wobei bei flüssigen Mitteln als Verdünnungsstoff 60–90prozentiger Alkohol verwendet wird, bei festen, unlöslichen Ursubstanzen der Milchzucker als Verdünnungsstoff mittels Verreibungen zur Anwendung gelangt. Die an sich unlöslichen Ursubstanzen können auch von D 8 an in den flüssigen Zustand überführt werden.

Nun der Arbeitsgang der Potenzierung.

1 Teil der Urtinktur oder Ursubstanz, bezeichnet ∅, mit 9 Teilen des Verdünnungsstoffes innig vermischt, ist die 1. Dezimalpotenz oder D 1, also eine Verdünnung 1 : 10.

1 Teil der D-1-Verdünnung mit 9 Teilen Verdünnungsstoff innig vermischt ist die D 2, also eine Verdünnung der Urtinktur oder Ursubstanz auf 1 : 100.

1 Teil der D 2 mit 9 Teilen Verdünnungsstoff innig vermischt ergibt die D 3, eine Verdünnung auf 1 : 1000.

Und so geht es weiter zu folgendem Bild.

D 4 = eine Verdünnung 1 : 10 000
D 5 = eine Verdünnung 1 : 100 000
D 6 = eine Verdünnung 1 : 1 000 000
D 7 = eine Verdünnung 1 : 10 000 000
D 8 = eine Verdünnung 1 : 100 000 000
D 9 = eine Verdünnung 1 : 1 000 000 000
D 10 = eine Verdünnung 1 : 10 000 000 000
D 11 = eine Verdünnung 1 : 100 000 000 000
D 12 = eine Verdünnung 1 : 1 000 000 000 000
D 13 = eine Verdünnung 1 : 10 000 000 000 000
D 14 = eine Verdünnung 1 : 100 000 000 000 000
D 15 = eine Verdünnung 1 : 1 000 000 000 000 000.

Und nun stelle man sich vor, wieviel Nullen man der Zahl 1 anhängen muß, um die D 30 in Zahlen auszudrücken. Und gar erst die D 100, D 200, D 1000, D 100 000 oder CM, wie die letztere auch geschrieben wird.

Wer die wunderbaren Wirkungen solcher Hochpotenzen am Kranken erlebt hat, steht staunend und unfaßlich vor einem undefinierbaren Wunder. Das sind dynamische, geistige Wirkungen, die mit Stofflichem nichts mehr zu tun haben. Auch hier offenbart sich das geistige Prinzip mit eminenter Deutlichkeit, daß der Geist das Primäre, der Stoff das Sekundäre ist und der Geist den Stoff formt.

Die Gabenlehre war lange Zeit eine Streitfrage unter den Homöopathen. Die einen verwendeten nur die Verdünnungen bis zu D 6, andere schwuren nur auf die mittleren Potenzen und die dritten auf die alleinige Anwendung von Hochpotenzen ab D 30. So hat der alte Dr. Arthur Lutze ausschließlich mit der 30. Potenz gearbeitet. In Amerika gab es viele Verordner der Hochpotenzen von D 100–200–100 000, darunter auch Nash, der fast nur diese hohen und höchsten Potenzen anwendete und in seinem Buche „Leitsymptome in der homöopathischen Therapie“ viele Beispiele und an Wunder grenzende Heilungsberichte bringt. Ich halte Nash übrigens als einen der besten Kenner der homöopathischen Arzneimittellehre, der stets nur Einzelmittel verordnete.

Hahnemann selbst hatte anfangs niedere Potenzen angewendet, ging aber in späteren Jahren zu mittleren und hohen Potenzen bis D 30 über.

Der Streit um die Gabenlehre war müßig. Jede Richtung hatte ihre, teils großartigen Erfole, und – Mißerfolge. Letztere waren oder mußten unausbleiblich sein, weil es eben kein für alle Fälle gültiges starres Dogma oder Schema für die Wahl der Potenz gibt, wie wir aus folgenden Ausführungen noch ersehen werden.

Die Erfahrung am Kranken hat zu entscheiden, welche Potenz die wirksamste ist, wobei folgender Grundsatz zu gelten hat: *Es ist diejenige Verdünnung zu wählen, die, ohne zu schaden, noch eine deutlich wahrnehmbare Wirkung auf den erkrankten Körper ausübt.*

Die treffendste und eindrucksvollste Schilderung der Gabenlehre und der Potenzwirkungen hat uns der Altmeister der Komplexhomöopathie, Theodor Krauss, in seinem Werke: „Die Grundgesetze der Komplexhomöopathie“ **(Verlagsbuchhandlung G. E. Schroeder, Kleinjörl bei Flensburg)** gegeben, die ich im Nachfolgenden in ihren wesentlichsten Zügen kurz zusammengefaßt wiedergebe.

Nun zunächst, was ist Gesundheit? Gesundheit ist die *völlige Harmonie*, das *Gleichgewicht jener Kräfte*, welche im normalen Organismus das Leben unterhalten, kurz: *die ungeschwächte Lebenskraft.* Und worin unterscheidet sich nun der kranke Körper vom gesunden? Dadurch, daß dessen Funktion entweder abnorm erhöht (positive Krankheitsform) oder abnorm herabgesetzt ist (negative Krankheitsform). Wir unterscheiden also zwei Hauptgruppen von Krankheiten, eine solche mit positiver und eine mit negativer Natur. Wollen wir nun das Gleichgewicht der Lebenskräfte, die Harmonie der Funktionen, welche wir mit Gesundheit bezeichnen, wieder herstellen, so müssen wir durch Arzneireize, die den gestörten Funktionen entgegengesetzt sind, auf den Organismus einwirken. Die Formel der zu wählenden Potenz muß also heißen: *Einem bestimmten positiven Krankheitsreiz muß ein entsprechend großer negativer Arzneireiz entgegengesetzt werden.* –

Die Schwelle, der Wendepunkt oder Indifferenzpunkt, den ein Arzneireiz von der positiven bis zur negativen Wirkung, überschreitet, soll an Hand eines Beispieles und einer schematischen Zeichnung näher illustriert werden. Ziehen wir also als Beispiel gleich ein drastisch wirkendes Mittel, Arsenicum album, heran.

Das weiße Arsenik ist konzentriert ein stark wirkendes Gift und zeigt bei fortgesetzter Verabreichung in starken Dosen kurz zusammengefaßt folgendes Prüfungsbild.

Veränderung der Blutzellen und der Nervenzellen, Schwächegefühl tritt ein und steigert sich bis zur Lähmung; Sinken aller Kräfte, Zersetzung und Zerfall der Gewebe und schließlich tritt der Tod ein. Dabei treten folgende Symptome auf: Brennende Schmerzen, große Unruhe, Verzweiflung, Todesangst. Im Magen- und Darmkanal: Rötung, entzündliche, geschwürige Entartung, Erweichung, Schwellung der Schleimhäute usw.

Wird nun dieser, in konzentrierter Form an sich hochgiftige Stoff homöopathisch aufgeschlossen und fortschreitend verdünnt, potenziert, so wird die Giftwirkung des Mittels immer schwächer und schwächer und hört schließlich ganz auf und ist damit für den normalen menschlichen Körper unwirksam oder neutral geworden. In diesem Augenblick ist also der Wendepunkt oder Indifferenzpunkt erreicht. (Bei Arsenicum album dürfte diese Grenze die 6. Dezimalpotenz sein.)

Setzt man nun die Verdünnung unterhalb dieses Indifferenzpunktes weiterhin fort, dann zeigen sich gerade die entgegengesetzten Wirkungen wie oben geschildert. Die höheren, unter dem Indifferenzpunkt liegenden Verdünnungen wirken nun als Gegengift, *das ursprüngliche Gift wird zum Balsam, zum Heilmittel* bei all den Krankheiten, welche die oben geschilderten Erscheinungen oder Symptome zeigen. Mit fortschreitender Verdünnung verstärkt sich die heilende Wirkung immer mehr, bis zu einem gewissen Maximum. Hier die zeichnerische Darstellung des Gesagten.

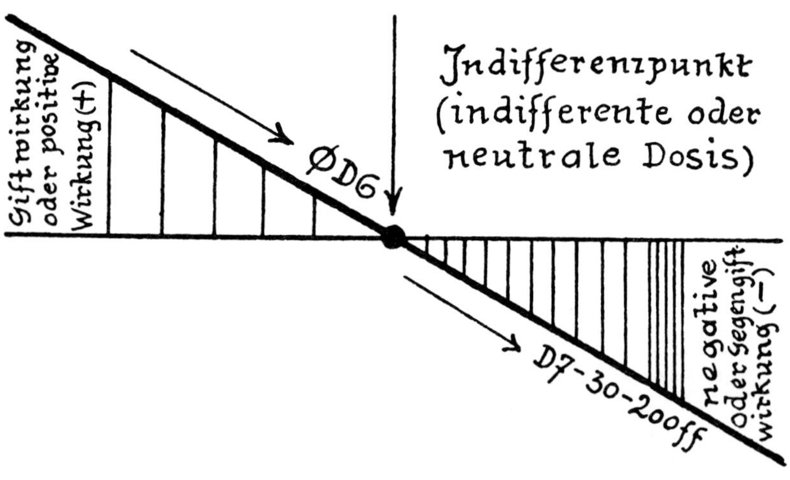

Aus diesem Beispiel geht hervor, wie ungemein wichtig es ist, bei dem nach den Leitsymptomen richtig gewählten Mittel auch die richtige Potenz zu treffen.

Alle *positiven Krankheitszustände* erfordern *negative* oder *schwache Lösungen*, das sind also *höhere Potenzen* oder solche, die unterhalb des Indifferenzpunktes liegen. Alle *negativen Krankheitszustände* erfordern *positive oder stärkere Lösungen*, das sind *niedere Potenzen*, also solche, die über dem Indifferenzpunkt liegen, natürlich immer unter der Voraussetzung, daß das Mittel nach dem Simili-Gesetz gewählt wird.

Positive Krankheiten sind alle Formen aktiver, entzündlicher, fieberhafter Krankheitserscheinungen, nervöse Reizzustände mit ihren Folgen und Verbindungen, sowie die chronischen Krankheiten im allgemeinen.

Negative Krankheiten sind alle Zustände der Erschlaffung, Schwund, allgemeine Schwäche, Organschwäche, Gewebsschwäche, Nervenschwäche.

Es gibt wohl Richtlinien und Grundsätze, die beachtet und studiert werden müssen, aber dennoch bleibt die Wahl der richtigen Potenz eine Kunst, die nur der intuitiv begabte Meister der Heilkunst in ihrer ganzen Auswirkung beherrschen wird.

Daneben spielen bei der Wahl der Potenz auch Alter und Persönlichkeit des Kranken, ferner Klima, geographische und Höhenlage eine große Rolle. Der Norden erfordert höhere Potenzen als der Süden, das Hochgebirge ebenso gegenüber der Niederungen.

Es gibt einen Weg, die schwierige Potenzwahl zu überbrücken. Ist man in einem vorliegenden Krankheitsfall im Zweifel welche Potenz wohl die *richtige* sein wird, dann mische man einfach *drei verschiedene Potenzen ein und desselben Mittels* zu *einer* Arznei zusammen, zum Beispiel D 6, D 15, D 30, dann ist die richtige Potenz mit ziemlicher Sicherheit dabei. (Siehe auch „Akkordpotenzen“ in dem Kapitel „die Dyskrasische Konstitution“, letzter Absatz.)

Neben der Wahl des Mittels, der Potenz und der Gabengröße spielt das Zeitintervall, das heißt die Pause, die zwischen der Verabreichung eines oder mehrerer Mittel eingeschaltet wird, eine *wichtige Rolle*. Hinsichtlich der akuten Krankheiten waren sich die Vertreter der Homöopathie noch immer einig, jedoch bei der Behandlung chronischer Krankheiten gingen die Meinungen weit auseinander.

Im allgemeinen gelten nun folgende Regeln, aber ich betone: Es gibt Ausnahmen, die den Grundregeln direkt widersprechen. So wie es keine Regel ohne Ausnahme gibt, so bei der angewandten Homöopathie erst recht.

In akuten Krankheitsfällen wird das gewählte Mittel, je nach der Schwere des Falles, in $^1/_2$–1–2stündlichen Pausen gegeben; bei besonders drohenden Krankheitsformen sogar alle 5–10–15 Minuten. Bei Eintritt der Besserung – ein Zeichen der richtigen Wahl des Mittels und der Potenz – werden die Intervalle immer mehr verlängert oder auch die Potenz geändert.

In chronischen Fällen wird das gewählte Mittel, je nach der Höhe der Potenz, täglich 1–3mal bis wöchentlich 1–2mal bzw. monatlich 1–2 Gaben verabreicht. Allgemeiner *Grundsatz* dabei ist, *nach Eintritt der Besserung die*

Arznei abzusetzen und so lange nachwirken zu lassen, bis Stillstand der Besserung oder Heilung eintritt. Das gleiche gilt auch bei Eintritt einer Verschlimmerung, der sogenannten Erstverschlimmerung, die stets ein Zeichen dafür ist, daß das Mittel zwar richtig gewählt, aber die Potenz zu niedrig war. In solchen Fällen ist die Arznei sofort abzusetzen und die Verschlimmerung erst vollständig abklingen zu lassen. Zweckmäßigerweise gibt man dann eine eventuell notwendige Gabe desselben Mittels in entsprechend höherer Potenz.

Bei alten chronischen Leiden darf die Arznei nicht oft und nicht wiederholt das gleiche Mittel gegeben werden. Jeder Gabe muß reichlich Zeit zur Auswirkung gelassen werden. Diesen Grundsatz verfocht besonders der alte Dr. Arthur Lutze, der einer Gabe mindestens 3 Monate, oft aber 5–6 Monate Zeit zur Auswirkung ließ und mit dieser Methode außergewöhnliche Heilerfolge erzielte und in seinem Lehrbuch der Homöopathie einige sehr lehrreiche Beispiele aus der Praxis anführte. Dr. Lutze verordnete übrigens ausschließlich die 30. Dezimalpotenz ! ! –

Auch der Amerikaner Nash berichtet in seinem Werke über außerordentliche Heilerfolge mit nur einer oder ganz vereinzelten Gaben und diese fast ausschließlich in hohen und höchsten Potenzen bis D 1000 und darüber.

Es liegen aber auch in der Literatur viele präzise Angaben über die Wirkung von Hochpotenzen in chronischen Fällen mit täglich einer Gabe und wöchentlich 1–2, sowie monatlich 1–2 Gaben, vor. Man ersieht daraus, daß die Ermittelung der richtigen Potenz eines Heilmittels sowie das Intervall der Gaben keine leichte Sache ist. Allgemein gültige Regeln hierfür lassen sich eben nicht aufstellen. Man beachte aber folgende Faustregel: **Je älter ein Leiden, desto höher die Potenz und je höher die Potenz, desto größer die Pausen zwischen den einzelnen Arzneigaben.**

Tritt ein Stillstand der Besserung ein, dann muß – immer unter Befolgung der Grundregel – in der Regel die Dosis verstärkt werden; es kann aber auch der Fall eintreten, wo die Dosis abgeschwächt werden muß. Hier gibt es viele Varianten, die intuitiv und logisch erfaßt werden müssen.

Neben der richtigen Wahl des Mittels nach dem Simili-Prinzip ist also die Wahl der Potenz, der Dosis und das Intervall der Gaben von ausschlaggebender Bedeutung für den therapeutischen Erfolg. Dies wolle sich jeder, der sich mit der Homöo-Therapie befaßt, nachdrücklichst ins Gedächtnis einprägen.

Die bei jedem Mittel angegebenen Potenzen sollen nur Richtlinien oder Anhaltspunkte für die Wahl der Potenz sein, wobei bei denjenigen Mitteln, die erfahrungsgemäß ihre besten Wirkungen vornehmlich in Hochpotenz entfalten oder meist in solcher verabreicht werden, die höhere Potenz zuerst genannt ist, z. B. D 30–15–6.

Es gibt viele Mittel, deren Ausgangsform die Verreibungen sind oder überhaupt nur in solchen hergestellt werden, also entweder in Pulver- oder Tablettenform in den Handel kommen. Dazu gehören alle biochemischen Funktionsmittel nach Dr. Schüssler, die, weil es sich ebenfalls um homöopathische Arzneimittel handelt, in diesem Werke mit aufgenommen sind.

Wie eingangs erwähnt, können die an sich unlöslichen Ursubstanzen, das sind alle erdischen und metallischen Mittel, ab D 8 in den flüssigen Zustand überführt werden.

Arzneimittel in Körnerform sind Streuzuckerkügelchen, die mit dem flüssigen Arzneimittel getränkt und getrocknet sind. Daraus geht hervor, daß nur flüssige Arzneimittel in der Körnerform hergestellt und geliefert werden können.

Die Gabengröße (Dosis).

Im allgemeinen gibt man 5–10–15 Tropfen der flüssigen Arznei, 1 Tablette der Tablettenform und 5–10–15 Körner der Streuzuckerkügelchen pro Gabe. Akute Krankheiten erfordern eine *stärkere Dosis*, chronische Krankheiten eine *schwächere*.

Symptomen-Besprechung,

in alphabetischer Reihenfolge

Abmagerung

Abmagerung allgemeine, trotz bestem Appetit und reichlicher Nahrungsaufnahme; *Heißhunger, fühlt sich nach oder während des Essens am wohlsten.* **Jodum D 30–15–6.**

— von oben nach unten, trotz gutem Essen, mit Hunger und Durst; besonders auffällig ist die Abmagerung am Hals. Brennen und Schneiden in der Harnröhre beim Urinieren; krampfhaftes Zusammenziehen im Unterleib; anämisches Aussehen. **Natrium muriaticum D 30–15–6.**

— oben am Halse mit Faltenbildung. Ein wichtiges Symptom ist: *heftiger, fast unerträglicher Schmerz gegen Ende des Harnens* mit gleichzeitigem Drang in der Blase; weißer Sand mit spärlichem schleimigen oder flockigem Urin. **Sarsaparilla ∅–D 3.**

—, *sehr starke und schnelle;* allgemeine oder teilweise Lähmung; Bleivergiftung, deutliche, blaue Linie längs des Randes am Zahnfleisch (Bleisaum). **Plumbum D 6–15–30.**

—, besonders im Gesicht, an den Händen, Oberschenkel, bei großer *allgemeiner* und *geschlechtlicher* Schwäche als Folge erschöpfender Krankheiten oder Pollutionen. Es besteht starker Geschlechtstrieb aber *physische Impotenz*. **Selenium D 30–15–6**

—, schnelle, allgemeine *Erschöpfung* mit zehrenden Fiebern: *Kachexie* bei schweren, langwierigen Krankheitsprozessen, *Geschwulst-*, *Geschwürkrankheiten. Atrophie* bei Kindern. Leitsymptome: Große *Unruhe*, Erschöpfung, *Brennen*, die Beschwerden werden durch Hitzeanwendungen gebessert; Verschlimmerung gegen Mitternacht. **Arsenicum album D 200–30–6.**

— bei *chronischen Durchfällen*, bei *septischen Prozessen;* bei *Blutarmut*, *Leukämie*, Kachexie, bei bösartigen Geschwülsten und Geschwüren. *Kräftigungsmittel* bei und nach schweren Krankheiten. **Chininum arsenicosum D 4–6.**

— bei alten Leuten; Erschöpfung, Neurasthenie, Gedächtnisschwäche, Muskelschwäche, Nervenschwäche. **Kalium phosphoricum D 6,** das Nerven-Aufbau- und -Funktionsmittel nach Schüssler.

— von unten nach oben, trotz gutem Appetit; Blutarmut und allgemeine Schwäche, besonders bei Kindern; skrofulöse, rheumatische Konstitution. Kräfteschwund; Rekonvaleszenten- und Blutbildungsmittel. **Abrotanum D 1–3.**

— von oben nach unten trotz gutem Appetit und reichlichem Essen. **Sanicula D 3–30.**

—. Skrofulose, magere, in der Entwicklung zurückgebliebene Kinder, geistig und körperlich schwach, Drüsenschwellungen; Schwachsinn. Abmagerung mit geistiger und körperlicher Schwäche im Alter, kindisches Benehmen, Gedächtnisverlust oder Auftreten solcher Erscheinungen nach Schlaganfall. **Baryum carbonicum D 6–15–30.**

Abmagerung. Ferner sind noch viele Krankheiten mit Abmagerung verbunden: Magenleiden, Darmleiden, Nierenleiden, Leber-, Lungenleiden, Krebs, Würmer usw. Die Behandlung erfolgt nach der Ursache des Leidens und ist bei den genannten Krankheiten nachzulesen.

Altersbrand

Altersbrand (Gangrän). *Zehen und Füße eiskalt*, aber dem Kranken ist es unerträglich dieselben bedeckt zu haben. Die *Haut* sieht *trocken* aus, ist meist *runzlig* und *gefühllos* und es kann dabei starkes Jucken und Brennen, als ob ein Stückchen Kohle darauf läge, bestehen. **Secale cornutum D 2–6.**

— feuchter, geschwüriger Art. *Siehe Geschwüre!*

Alterserscheinungen

Alterserscheinungen. Der ganze Körper ist schwach, wackelig; kindisches und gedankenloses Benehmen; *Schlaganfall* alter Leute oder Neigung hierzu; Verkalkung der Arterien; geistige und körperliche Schwäche, Gedächtnisschwäche; **Baryum carbonicum D 4.**

—, *Gedächtnisschwäche* oder gänzlicher Verlust desselben, bei alten geschwächten Leuten. **Anacardium D 30–15.** Seltene Gaben, gehörig nachwirken lassen.

—. Bei *Erschöpfungszuständen* im höheren Alter sind **Baryta jodata D 4,** sowie **Conium D 4** und **Coca D 4** gute Mittel. Bei chronischer *Schlaflosigkeit* **Senecio aurens D 3** und **Radium carb. D 30.**

—. Erschöpfungszustände, große Schwäche; eisig kalte Haut, besonders kalte Knie, bis zu den Füßen; kalte Schweiße an den Gliedern, kalter Atem; Brennen in der Brust, wie von glühender Kohle; Brennen der Schleimhäute; wichtiges Mittel im Alter. **Carbo vegetabilis D 30–15–6.**

—. Siehe auch Abmagerung Seite 16–17.

—. Vorzeitiges Altern bei Erwachsenen und Kindern; Abmagerung; nervöse Erschöpfung; Vergeßlichkeit; Kältegefühl; Kribbeln, Taubsein, Einschlafen einzelner Körperteile. **Ambra D 2–4.**

Angst

Angst, große und *Unruhe*, als Folge eines Reizzustandes des Gehirns und Nervensystems. Der Kranke fürchtet das Alleinsein, ist dann furchtsam und ängstlich. Angst bei Gewittern; Angst bei Dunkelheit. Brennen im Kopf, in den Schulterblättern. **Phosphorus D 30–15.**

— über die Straße oder in Gesellschaft zu gehen; Angst, daß sich etwas ereigne; stete, *unbeschreibliche*, *grundlose Angst* und *Unruhe*. *Herzangst; Todesfurcht*, sagt seine Todesstunde im voraus an; *Brennschmerzen* überall; *Hitze*, *Röte*, *Wallungen*. **Aconitum D 30–15–6.**

— und *Unruhe*, fürchtet sich von entgegenkommenden Personen berührt oder geschlagen zu werden; *Angst und Überempfindlichkeit* gegen Schmerzen. Fühlt sich am ganzen Körper *wie geschlagen*. **Arnica D 4–15–30.**

—. *Platzangst*, *Angstzustände; Todesfurcht;* Melancholie; gedrückte Stimmung, unzufrieden; *nervöse Depressionen; sexuelle Neurasthenie*. **Agnus castus D 6.**

Appetitlosigkeit

Appetitlosigkeit. Diese ist nichts anderes als ein Zeichen der Stoffwechselstörung und Anhäufung von Stoffwechselschlacken im Organismus. Man forsche nach der Ursache, sorge für vermehrte Ausscheidung und Entgiftung durch Anregung der Ausscheidungsorgane Lunge, Nieren, Darm, Haut und behandle die ursächlichen Organe nach den jeweils in Erscheinung tretenden Begleitsymptomen.

Ärger

Ärger. Das führende Mittel für *ärgerliche*, *mürrische*, *reizbare* und *boshafte Kranke* ist **Chamomilla D 200–30.** Siehe auch Geistes- und Gemütssymptome!

Arterienverkalkung

Arterienverkalkung. Die Symptome hierfür sind: *Schwindel*, *Ohrensausen*, oft – nicht immer – *hoher Blutdruck*, *Unruhe*, *Angst*, *Schlaflosigkeit*. Dann die Herzsymptome: *Herzangst*, *Herzklopfen*, *Herzflattern*, *Atemnot*, *Todesfurcht*, *Zusammenschnürungsgefühl*.

Unter Beachtung der auftretenden Symptome kommen folgende Mittel in Frage: **Aurum D 4–6** als Anfangsmittel; **Baryta carbonica D 3–6–12** in wechselnder Potenz, gegen die Kalkablagerungen; **Baryta jodata D 3–4** wirkt noch tiefer, **Baryta muriatica D 3–6** wenn starker Schwindel besteht; **Crataegus** ∅ + **Cactus grandiflorus** ∅ im Wechsel bei Herzschwäche. Bewährt hat sich auch die Mischung von 10 Teilen Crataegus ∅ und 4 Teilen Cactus grand ∅; **Glonoinum D 4–6** bei Herzkrampf, Herzklopfen, starkem Pulsieren im Kopf und an den Schläfen mit Atemnot und schwachem Puls; **Kalium jodatum D 2–4** + **Natrium jodatum D 2–4** bei erhöhtem Blutdruck. **Arnica D 30–200** bei innerer Unruhe und Angst, Neigung zu *Blutungen* und *Schlaganfall.* **Kalium carbonicum D 3–4 + num D 3** bei *wassersüchtigen Anschwellungen.*

Asthma

Asthma alter Leute mit *großer Schwäche*, schlimmer in feuchter Luft, hauptsächlich abends; alte, hoffnungslose Fälle von Asthma und *Bronchialkatarrhe.* **Carbo vegetabilis D 30–15–6.** Das Mittel paßt besonders gut, wenn die Lebenskraft durch irgendeine frühere Erkrankung oder Folgen einer solchen geschwächt ist. **China D 30–15–6** ist ein sehr gut passendes Ergänzungsmittel und folgt gut auf Carbo veg.

—, hauptsächlich im ersten Stadium, mit folgenden Symptomen: *Hochgradige Atembeklemmung* mit *Keuchen* und starkem *Druck* und *Angstgefühl um die Herzgrube; Krampfhusten* mit *Brechreiz; Übelkeit;* empfindlich gegen feuchtwarmes Wetter; Verschlimmerung bei Bewegung, gegen abend und nachts; Schleimrasseln in der Brust mit wenig oder gar keinem Auswurf. **Ipecacuanha D 6–4–2.**

— mit Husten und schaumigem Auswurf, stärkste Atemnot, ist nicht imstande sich zu bewegen ohne außer Atem zu kommen; große Unruhe, dazu große Erschöpfung; Verschlimmerung gegen Mitternacht. **Arsenicum album D 30–200.**

—, *starke Anfälle* mit *Husten* und großer *Schleimansammlung*, der die Brust zu füllen scheint, mit starkem *Rasseln*, *Keuchen* und *Atembeschwerden*; *Gesicht und Hände blaurot.* **Senega ∅,** 6–8 Tropfen in 1/4 Liter Wasser, 2–3stdl. ein Schluck.

—. Anfälle bei kleinen Kindern und Erwachsenen mit folgenden Symptomen: *Die Anfälle treten plötzlich nachts auf*, starke *Blaufärbung des Gesichts*, ringt nach Atem und scheint zu sterben, schläft ein und erwacht immer wieder mit einem solchen Anfall; *trockene Hitze während des Schlafes* und großer, *profuser Schweiß beim Wachsein.* **Sambucus nigra D 30–100–200.**

—. Besonders *nervöses Asthma.* **Atropinum sulfuricum D 4.**

— mit reichlichem, aber schwer löslichem Auswurf und mit Verdauungsstörungen verbunden.

Ferner bei *chronischer Bronchitis* und *Emphysem.* Leitsymptome: Plötzliches Erwachen nach dem Einschlafen mit Erstickungsgefühl. **Grindelia D 6–12.**

—, durch große Schleimansammlung verursacht. **Yerbasanta ∅ – D 4.**

—, *heufieberartige Zustände* mit *Wundheitsgefühl* in der Brust. **Aralea D 3–4.**

—, chronisches, wird in trockener, kalter Luft schlimmer und bei trübem, feuchtem Wetter, bedeutend besser. **Hepar sulfur D 30–15–6.**

—, chronisches, mit Verschlimmerung bei feuchtem Wetter und gegen Morgen, mit folgendem Durchfall. **Natrium sulfuricum D 4.**

—. Weitere, bewährte Mittel in kombinierter Anwendung unter Berücksichtigung der Grundursache des Asthma die in erster Linie in Leber- und Nierenstörungen zu suchen sind. Ferner spielen Verdauungsstörungen,

Blähungen in Magen- und Darm mit Beteiligung des Herzens und der Lunge eine wichtige Rolle mit. Man spricht deshalb von Herz- und Bronchialasthma. Die Erscheinungen und Symptome sind vorangehend beschrieben.

Nun zur kombinierten Therapie. Hauptmittel sind: **Ipecacuanha D 4** und **Antimonium arsenicosum D 4.** Weitere, gute Mittel zur ursächlichen Behandlung sind **Conium D 6 +, Gelsemium D 6 + Bryonia D 3–4** im Wechsel. Ferner **Arsenicum album D 30–15–6** bei nächtlichen Erstikkungsanfällen mit Angst; **Kalium jodatum D 1–2** als bestes Schleimlösungsmittel, 1–2stündlich 6–8 Tropfen; **Spongia D 3–4** bei großer Atemnot. **Lobelia D 1–3** bei Zusammenschnürungsgefühl in der Brust mit keuchender Atmung und Magenbeschwerden; **Ipecacuanha D 3–4 + China D 3–4 + Cedron D 3–4** im Wechsel, zweistündlich 6–8 Tropfen und 2–3 Stunden vor Eintritt des Anfalles ¼stündlich. Gegen *periodisches, stets zur bestimmten Stunde wiederkehrendes Asthma,* oft mir *Schüttelfrost* oder *Schweiß* auftretend (Pseudo-Wechselfieber).

Atmung

Atmung, häufiges Verlangen einen tiefen Atemzug zu tun, sogenanntes Luftschnappen **Bryonia D 30–15–6** ferner kann Cactus, Ignatia, Natrium sulfuricum in Frage kommen, man beachte die Leitsymptome dieser Mittel

Aufstoßen

Aufstoßen saures, Sodbrennen, saurer Geschmack, saures Erbrechen, saure Stühle, *der ganze Körper riecht sauer.* **Magnesium carbonicum D 4–6.**

— saures, saurer Geschmack, saures Erbrechen, Sodbrennen, saure Durchfälle, schleimig, grün, scharf; Magen-Darmstörungen mit Säureüberschuß und Gallenmangel; harnsaure Diathese. **Natrium sulfuricum D 6.**

— nach jeder Mahlzeit, *als ob der Magen von den Blähungen platzen wollte,* es kommt *Luft mit Ungestüm und Geräusch* herauf; Unwiderstehliches Verlangen nach Zucker; *Magenbeschwerden, Verdauungsschwäche, Magenschmerzen, Magengeschwüre.* **Argentum nitricum D 4–6.**

Siehe auch Magen.

Augen

Augen. Überanstrengung, Übermüdung, Schmerzen der Augen; Sehstörungen durch geschwächte Akkomodation. **Ruta D 1–3.** Äußerlich über und unter den Augen leicht einreiben mit **Ruta ∅.** Weitere Mittel bei Überanstrengung oder Schwäche der Augen sind **Senega ∅ + Natrium muriaticum D 6.**

—. Tränen, Brennen, Beißen der Augen, Schnupfen, die Absonderungen dabei sind mild; Verschlimmerung abends, durch Zimmerwärme, durch Nässe und Kälte; Besserung im Freien. **Cepa allium D 6.**

—. Lähmung der Augenlider; Sehstörungen als ob ein Flor, Wolke oder Nebel davor wäre (beginnender grauer Star). **Causticum D 12–30.**

Gaben nicht oft wiederholen, Wirkung abwarten.

—. Herabfallen der Augenlider. **Conium D 6, Gelsemium, Causticum, Sepia.** Die Begleitsymptome entscheiden über die Wahl des Mittels.

—. Halbsichtigkeit (Hemiopie), sieht nur die *untere Hälfte* des Gegenstandes. Netzhautablösung; Glaskörpertrübung. **Aurum D 30–200.**

—. Halbsichtigkeit durch Netzhausablösung, sieht nur die *linke Hälfte* des Gegenstandes; Funkensehen; Altersstar bei allgemeiner Schwäche. Konstitution: psorisch, dyskrasisch. **Lycopodium D 30–15–6.**

—. Halbsichtigkeit, *sieht nur die linke Seite des Gegenstandes;* Sehschwäche, die Augen schmerzen bei angestrengtem Sehen. Konstitution: rheumatisch, gichtisch, harnsaure Diathese. **Lithium carbonicum D 1–3.**

—. Bei *Sehschwäche* und *Augenschwäche* hat sich folgender Komplex als ausgezeichnetes Mittel zur Stärkung der Augen sehr bewährt. **Bellis perennis D 3–6–30 + Ononis spinosa D 3–6–30 + Euphrasia D 3–6–30 + Ruta D 3–6–30 + Taraxacum D 30 + Conchae D 30** zu gleichen Teilen. Bei starker Augenschwäche nimmt man niedere Potenzen und geht langsam bis zu D 30; bei nur geringer Schwäche kann man gleich mit den hohen Potenzen beginnen.

Augenkrankheiten

Augenkrankheiten. Akute und chronische Augenleiden mit den Symptomen: *Lichtscheu, tränende Augen* mit *Fließschnupfen,* besonders bei Masern; Augenleiden mit Ansammlung von *zähem Schleim auf der Hornhaut.* **Euphrasia D 4–12.**

—. Hagelkorn, Gerstenkorn; Lidentzündung; Glaskörpertrübung; Starbildung. **Calcium fluoricum D 12.**

In chronischen Fällen muß das Mittel lange Zeit hindurch – wöchentlich 1–3 Gaben – gegeben werden.

—. Augenentzündung, entzündliche Schwellung der Bindehaut mit profusem, eitrigem Ausfluß, trübe Hornhaut. Ein gutes Leitsymptom ist eine rote, schmerzhafte Zungenspitze, erhabene vorstehende Papillen. **Argentum nitricum D 6–30–200.**

—. Augenentzündung, eitrige; brennende Tränen- und Schleimabsonderungen mit heftigen Schmerzen nachts. **Mercurius solubilis D 4–6.**

—. Katarrhe mit Zusammenkleben der Augenlider, besonders in Verbindung mit wunder Mundschleimhaut, Mundfäule. Psorische Konstitution; paßt gut bei Kindern. **Borax D 3–6–15–30.**

—. *Gerstenkörner, Hagelkörner, Knötchenbildung,* eines erscheint nach dem andern, zuweilen mit Geschwürbildung. Jucken mit Ekzembildung, akute und chronische Lidentzündung. Psorisch, sykotische Konstitution mit Neigung zu Hautausschlägen. **Staphysagria D 4–6–30.**

—. *Gerstenkörner, Kondylome, warzenartige Gebilde, Tumoren* in den Augenlidern; Schleimhautwucherungen, Papillome; Bindehautentzündung, Lichtscheu, brennender, scharfer Tränenfluß. Folgen von Erkältung, Impfung, Infizierung. Lymphatische, sykotische, lithämische Konstitution. **Thuja D 200–30–6.**

—. Ekzem der Augenlider, klebrige Ausschläge, rissige, mit Schuppen und Schorfen bedeckte Lidränder; wunde Augenwinkel, brennend, juckend skrofulose Lid- und Bindehautentzündung; Starbildung. Psorische Konstitution; blasse Haut und Schleimhäute; fette, träge, gedunsene Körperbeschaffenheit. **Graphites 30–200–15–12.**

—. Augenentzündung bei Kropfkranken mit dem hervorstechenden Symptom: *Intensive Lichtscheu, Schmerzen nachts schlimmer, verschlimmern sich fürchterlich bei dem geringsten Lichtstrahl;* Besserung im Dunklen und durch Druck. **Conium D 6.**

—. *Sehstörungen* bis zur *Blindheit;* undeutliches Sehen, *Dopeltsehen, Mükkensehen; schwarzer Star.* **Tabacum D 30–200.** Nervensymptome beachten!

—. Augenentzündung, besonders nach Erkältung immer wiederkehrend; geschwollene, rote, juckende Lider mit stechender, trockener brennender Bindehaut; reichliches Tränen; Gerstenkorn; Binde- und Hornhautentzündung. Lymphatisch, nervöse Konstitution; paßt besonders für zarte, helle, blonde Frauen, mit Hang zum Weinen. **Pulsatilla D 2–6–30.**

—. *Augenentzündungen auf skrofulöser, rheumatischer Grundlage nach Erkältungen infolge Durchnässung oder nassen Füßen; scharfes Tränen,* rote, geschwollene Augenlider; *Lichtscheu,* Zucken der Lider; Verschlimmerung nachts, Besserung durch Wärme. *Augenhöhlenentzündung; Herabfallen der Augenlider.* Rheuma, Nervenschmerzen, Hydrogenoide Konstitution. **Rhus toxicodendron D 30–15–6.**

—. Entzündung des inneren Auges und des Augapfels **Aconitum D 4 + Apis D 4** im Wechsel. Als spezielle Mittel **Bellis perennis D 6–30** und **Ononis spinosa D 6–30** zusammen in Mischung mit dem Konstitutionsmittel. **Conchae D 30.**

—. *Hornhautgeschwüre,* **Arsenicum album D 6 + Mercurius sol. D 4,** auch **Aurum D 12** kommt in Frage. Bei langwierigen, geschwürigen Hornhauterkrankungen **Kalium bichromicum D 6.**

—. *Skrofulöse Augenentzündung.* **Bellis D 30 + Ononis spinosa D 30 + Conchae D 30** in Mischung als Komplex, dreimal täglich 4–6 Tropfen. Als Zwischengabe **Natrium muriaticum D 6–30–200.**

—. *Blutschwamm* des Auges **Abrotanum D 3** im Wechsel mit **Phosphorus 6** dazu die vorgenannte Komplexmischung.

—. *Grauer Star.* **Calcium carbonicum D 3–4** im Wechsel mit **Lycopodium D 3–4,** dazu die Komplexmischung wie oben.

—. *Grüner Star.* Dieser erfordert meist eine Operation. Jedoch gibt man daneben als unterstützenden Faktor die spezifischen Augenfunktionsmittel wie oben in der Komplexmischung angegeben.

—. *Netzhautablösung* und Entzündung durch Verletzungen und Kontusionen. **Arnica D 3–30.**

—. *Netzhautablösung* verbunden mit akuten Entzündungen. **Apis D 4 + Belladonna D 4.**

—. *Netzhautablösung;* Infiltrate unter der Netzhaut; *Nebelsehen, Glaskörpertrübung; Nervenschmerzen im Auge;* seröse Entzündung im Augapfel. **Gelsemium D 3–6.**

—. *Netzhautablösung* wurde schon oft mit folgenden Mitteln geheilt. **Carboneum sulfuricum phosphoratum D 3** im Wechsel mit **Gelsemium D 4.** Nachfolgend **Phosphorus D 6** im Wechsel mit **Bryonia D 6.** Als Zwischengabe **Hepar sulfur D 3.**

—. *Sehnerventzündung,* linksseitig, **Euphrasia D 3–6–30.** äußerlich als Auflagen **Euphrasia ∅.** Rechtsseitige Sehnerventzündung **Ruta D 3–6–30** und äußerlich **Ruta ∅.**

—. *Sehstörungen,* undeutliches Sehen wie im Nebel; feste Gegenstände scheinen zu schwanken; *Gefühl als seien die Augen zu groß* oder als ob sie in den Kopf gezogen würden. Schwindel nach dem Lesen; Nackenschmerzen, aufwärts bis über den Scheitel ziehend. Rheumatisch, gichtische Konstitution. **Paris quadrifolia D 3–4.**

—. Bei allen Augenentzündungen ist neben den speziell indizierten Mitteln **Aconitum** oder **Belladonna,** je nach den Leitsymptomen dieser Mittel, mit heranzuziehen. In chronischen Fällen **Sulfur** als Konstitutions- und Zwischenmittel nicht vergessen.

—. Doppeltsehen; Funken, Flecke, Regenbogenfarben vor den Augen; *Zucken, Zittern* der Lider; *Oberlidlähmung;* neuralgische Schmerzen in und über der Augenhöhle; Schielen; Verschlimmerung durch Kälte; nachts; Besserung durch Wärme. **Magnesium phosph. D 3–6.**

Aussehen

Aussehen. Die *Haut hat ein schmutzig-schmieriges, fahlgelbes bis schwarzbraunes Aussehen,* wie ungewaschen, übler Körpergeruch, selbst nach einem Bad; *übelriechender Nachtschweiß* in der Bettwärme; stinkende *Fußschweiße, Handschweiße,* juckende, langwierige, fressende Ekzeme, *Ausschläge.* Psorische, skrofulöse Konstitution. **Psorinum D 30–100–200.**

—. Heißes, rotes Gesicht mit glühender Röte auf beiden Backen, ohne Fieber, abwechselnd mit einem blassen, kränklichen Gesicht und mit dunklen Ringen um die Augen; oder aber ein rotes Gesicht mit starker Blässe um Mund und Nase. *Heißhunger* abwechselnd mit völliger *Appetitlosigkeit.* Meist sind Spulwürmer vorhanden. **Cina D 30–200.**

—. *Ein Backen rot und heiß, der andere dagegen blaß und kalt;* oder das Gesicht schwitzt nach Essen oder Trinken. Stimmung gereizt, zornig, ungeduldig, bösartig, eigensinnig. **Chamomilla D 30.**

—. *Aschfahles, bleiches oder grünliches Gesicht; große Blässe der Schleimhäute,* besonders in der Mundhöhle; Schmerzen in den Gelenken oder Extremitäten; Schwäche; alle Symptome werden *durch Umhergehen gebessert.* Oft weicht die Blässe einer gedunsenen Röte; oder *blühendes Aussehen* durch Gefäßerweiterung (blühende Bleichsucht); Frost bei rotem Gesicht, Glieder kalt, Durst. **Ferrum D 6–12.**

—. Blasses, gelbliches Gesicht, eingesunkene Augen mit dunklen Ringen, *klopfende Kopfschmerzen, Nachtschweiße,* schwitzt nach der geringsten Anstrengung; große *Schwäche* und *Hinfälligkeit;* Verschlimmerung durch Kälte, Luftzug, nachts. **China D 2–3–6.**

—. *Kränkliches, gelbes Gesicht* (nicht Gelbsucht); *große Schwäche,* melancholische Stimmung; *allmählich* erscheinende *Lähmung, örtliche Lähmung,* rheumatischen oder psorischen Ursprungs; *Ohrensausen;* schlimmer bei schönem klaren Wetter, besser bei trübem feuchten Wetter. **Causticum D 15–30.**

—. *Galliges, gelbliches, dunkelfarbiges Gesicht,* mit Falten, *altes Aussehen.* Haut trocken, juckend mit oder ohne Ausschlag; Muskeln schlaff, schwach; *Abmagerung; Drüsenschwellungen;* psorische, Lithämische, *dyskrasische Konstitution;* tiefwirkendes Lebermittel. **Lycopodium D 30–15–6.**

—. Hautfarbe blaß, kreidebleich, blaue Augen, blondes Haar; *konstitutionelle Fettsucht besonders bei Kindern;* Abmagerung, besonders am Halse infolge mangelhafter Ernährung, *Wachstumsstörungen besonders der Knochen und Zähne;* profußer Kopfschweiß, partielle Schweiße; Kältegefühl, innerlich und äußerlich. **Calcium carbonicum D 30–15.**

—. *Altes, abgezehrtes, vertrocknetes Aussehen mit fortschreitender Abmagerung,* besonders bei Kindern; Verlangen nach Zucker und Süßigkeiten. **Argentum nitricum D 6–15.**

—. *Junge Leute sehen alt aus;* trockene, rauhe Haut; *unerträgliches Jucken; scharfe, stinkende, wundmachende Schweiße* an den Füßen und Händen; Wärme wird nicht vertragen, Kälte bessert. *Dyskrasie,* Tonikum allgemein. **Acidum fluoricum D 30.** (Seltene Gaben, lange nachwirken lassen.)

—, *blutiges, rohes,* der *Lippen, Mundhöhle, Nase,* die Kranken bohren und nagen an den rohen Stellen. Die Absonderungen der Schleimhäute sind scharf, ätzend, brennende Schmerzen. **Arum triphyllum D 2–6.**

—. *Das Gesicht hat ein schmutziges, fettiges oder glänzendes Aussehen.* Haut sehr empfindlich gegen Berührung, Reibung verursacht *Brennen und Jucken;* Neigung zu nässenden, eiternden *Flechten, hartnäckigen Hautgeschwüren, Kondylome* und *Warzenbildung;* Haare trocken, glanzlos. Konstitution sykotisch, lithämisch, lymphatisch. **Thuja D 30–100–200.**

—. Siehe auch „Blut- und Blutkrankheiten“, „Blutandrang“, „Flecken“, „Herz“, „Röte“ !

Auswurf

Auswurf dick, rahmig, grünlich-gelb, *schmeckt bitter* oder fade, hauptsächlich früh morgens; Mund trocken, ohne Durst; gefühllose Zunge; *Verlust des Geruches oder Geschmackes.* **Pulsatilla D 6–15–30.**

— reichlich, schleimig-eitrig, *schmeckt süß;* große Schwäche auf der Brust kann kaum sprechen; stechende Schmerzen in der linken Brust; starkes Schleimrasseln. **Stannum D 6–15–30.**

B

Basedowsche Krankheit

Basedowsche Krankheit (Glotzaugenkrankheit). *Symptome:* Stürmische Herztätigkeit, Puls bis zu 160 Schlägen, Herzklopfen, Herzstiche, Herzangst mit großer Schwäche und Mattigkeit; Verschlimmerung durch rechte Seitenlage. Kompensationsstörungen mit wassersüchtigen Anschwellungen. Schilddrüsenanschwellungen; Glotzaugen, starr, gläsern, das Weiß der Augen sieht porzellanartig aus, der Lidschlag ist selten und nur die unteren Lider bewegen sich. Abmagerung trotz Heißhunger, Zittern, Unruhe, Schlaflosigkeit.

Basedow hat seine Ursache in einer Überfunktion der Schilddrüse mit überreichlicher Bildung und Abgabe von Schilddrüsen-Inkreten in das Blut, wodurch es zu allgemeinen Vergiftungserscheinungen kommt, die ihren Ausdruck in den obengenannten Symptomen findet. Hauptmittel zur spezifischen Behandlung ist **Thyreoidin D 1000–500–200–30** je nach dem Grade und der Schwere der Krankheit und in seltenen Gaben. Jede Gabe bedarf gehöriger Auswirkung und darf nur wiederholt werden, wenn die eingetretene Reaktion vollständig abgeklungen ist. Mit fortschreitender Besserung ist die Potenz dem Grade dieser anzupassen und entsprechend zu verringern. Neben dem Hauptmittel gibt man entsprechend den besonders zu Tage tretenden Symptomen weitere Mittel, wie sie unter den Leitsymptomen bei „Blutkrankheiten“, „Blutandrang“, „Kropf“, „Herz“, „Unruhe“ zu finden sind.

Bauch

Bauch. Empfindlichkeit des Bauches, leichte Erschütterung verschlimmert; Drängen nach unten, häufig Schmerzen im Rücken, schlimmer morgens. Auffahren und Zucken im Schlaf und Stöhnen; schläfrig und kann trotzdem nicht einschlafen. **Belladonna D 4–15–30.**

— stark eingezogen, oder auch nur das Gefühl als ob der Bauch stark eingezogen wäre, mit heftigen Schmerzen. Dies ist ein sehr charakteristisches Symptom für **Plumbum D 12–30** und tritt meist bei Koliken, aber auch bei Unterleibsstörungen der Frauen auf.

—. Kahnförmige Einziehung des Bauches tritt bei Hirnhautentzündung auf; die weiteren Symptome sind unter „Gehirnkrankheiten“ beschrieben.

—, siehe auch „Blähungen“ !

Bauchfellentzündung

Bauchfellentzündung, akute und chronische Form. Die Bauchfellentzündung tritt selten als primäre Krankheit auf sondern meist sekundär als Folge von

Magen-Darmgeschwüren mit Durchbruch der Geschwüre zur Bauchhöhle, bei Blinddarmentzündung, eingeklemmten Brüchen, Gallensteine, Abszessen u. a. Die Symptome der akuten Form sind: plötzlich auftretende, oft engumgrenzte, heftige Schmerzen der Bauchdecke. Diese ist stark gespannt, aufgetrieben und äußerst schmerzhaft und druckempfindlich mit Exsudat- oder Eiterbildung. Atemnot, hohes Fieber, Schüttelfröste, Erbrechen, heiße Haut, trockene Zunge mit großem Durst sind weitere Begleiterscheinungen. Puls sehr schnell, klein. Symptome der chronischen Form: Wie vorstehend, nur sind sie nicht so heftig und stürmisch und nicht so hervortretend vorhanden. Meist ist der *ganze* Bauch empfindlich und schmerzhaft gegen Druck; Fieber mittelmäßig oder überhaupt keines; Exsudatbildung. Der Krankheitsverlauf ist schleppend. Oft ist Tuberkulose oder Krebs das Grundleiden. Zur Behandlung kommen folgende Mittel in Betracht. **Aconitum D 4** oder **Belladonna D 3–4, Ferrum phosph. D 6** je nach den Leitsymptomen (siehe Fieber !). **Bryonia D 4 + Nux vomica D 3–4** im Wechsel. **Carbo vegetabilis D 30 + Pyrogenum D 30** bei bösartigem Verlauf. **Lachesis D 15–30 + Echinacea** ∅ bei septischen Erscheinungen. **Hepar sulfuricum D 3 + Mercurius solubilis D 3–4 + Silicea D 6–12** bei Eiterungen oder drohender Eiterung. **Arsenicum album D 15–30 + Arsenicum jodatum D 4** bei der chronischen Form und wenn Abmagerung, Brennschmerzen, Durchfälle und Verschlimmerung nachts, besonders gegen Mitternacht, vorhanden sind. **Tuberculinum D 30–100–200** bei tuberkulosen Prozessen oder hereditärer (erblicher) Anlage als Zwischenmittel. Als weitere Mittel können noch in Frage kommen: **Kalium jod D 1–2, Sulfur jod. D 3–6, Calcium carb. D 6–30, Calcium phosph. D 6.** Man beachte die Leitsymptome dieser Mittel und setze sie gegebenenfalls ein.

Begierde

Begierde, anormale, nach Kochsalz, salzt alles was er ißt. Eine Gabe **Natrium mur. CM** stellt diesen Mißbrauch ab.

— nach Schinkenschwarte, **Calcium phosph. D 6–30.**

— nach Eiern, **Calcium carbonicum D 30.**

— nach Fleisch, bei skrofulösen Kindern; das Kind riecht sauer, saures Aufstoßen. **Magnesium carbonicum D 6–12.**

Belastung

Belastung, hereditäre (erbliche), tuberkulöser Art. In hartnäckigen Erkrankungsfällen, wo andere Mittel versagen oder nicht befriedigten, forsche man nach, ob bei dem Patienten selbst oder dessen Familie nicht irgendein tuberkulöser Krankheitsprozeß vorliegt oder zu irgendeiner Zeit vorgelegen hat. Ist dies der Fall, dann gibt man als Zwischenmittel *eine* Gabe **Tuberculinum D 200–1000.**

Besserung

Besserung durch Druck. Patient will auf der schmerzhaften Seite oder Stelle liegen. **Bryonia D 3–6.**

— *durch Ruhe und Stilleliegen*, die geringste Bewegung verschlimmert sehr. **Bryonia D 3–6.**

— *durch Wärme und Hitze;* durch Schwitzen; brennende Schmerzen, ganz gleich wo sie auch auftreten, werden durch Hitze oder Wärmeanwendungen feucht oder trocken, gebessert. **Arsenicum album D 6–15–30.**

— durch *Wärme* und *Bewegung*. **Rhus toxicodendron D 30–15–10.**

— durch *heiße Aufschläge* bei *krampfhaften Schmerzen*. **Magnesium phosphoricum D 6–30.**

— in der *Bettwärme* bei chronischem Rheuma der Füße und Gelenke. **Siliciea D 12–30.**

— aller Symptome *durch Schwitzen*. **Natrium muriaticum D 6–30.**

— *durch Kälte* oder *kalte Umschläge* bei Rheuma oder Schmerzen der Gelenke und Füße. **Ledum D 3–6.**

— in kalter Luft und bei Anwendung von Kälte. **Pulsatilla D 6–30.**

— in *frischer*, *kühler Luft*, bei rheumatischen, neuralgischen, wandernden Schmerzen. **Kalium sulfuricum D 6–12.**

— *in feuchter Luft*. **Hepar sulfur D 6–30.**

— bei trübem, feuchtem Wetter. **Causticum D 15–30.**

— *durch langsames Umhergehen trotz größter Schwäche*. **Ferrum D 6–12.**

Betäubung

Betäubung, (Benommenheit), Delirium, in milder Form aber anhaltend, bei entzündlichen, fieberhaften Krankheiten gleich welcher Art, mit trockener, oder dunkel belegter Zunge mit einem dreieckigen, roten Fleck an der Spitze, mit *Unruhe* und Besserung bei Bewegung und Verschlimmerung durch Ruhe. **Rhus toxicodendron D 30–15–10.**

Betäubung, Benommenheit. Betäubender Schlaf mit *rasselndem Atem*, *Gesicht rot*, gedunsen, *Augen halb geöffnet* und *blutunterlaufen*, *kalter Schweiß* auf der Haut; *bewußtlos*, *ohne Reaktion auf Licht*, *Geräusch*, *Berührung*. Diese Symptome bedeuten eine *hochgradige Überfüllung der Blutgefäße des Gehirns* und kommt bei vielen Krankheiten, z. B. Schlaganfall, Lungenentzündung, Typhus u. a. vor.

Bei jeder Krankheit, wo diese Symptome vorherrschen, ist **Opium D 30–200** das erste Mittel das einzusetzen ist. Ferner bei allen *Zuständen wo jede Reaktion fehlt*, bei vollkommener *Schmerzlosigkeit* bzw. *Unempfindlichkeit gegen Schmerzen; Unempfindlichkeit gegen Arzneiwirkungen*, *Lähmung bzw.*

Atonie der Därme, aufgehobene Peristaltik derselben, es besteht gar kein Verlangen nach Stuhlgang; *Unempfindlichkeit* und *teilweise* oder *völlige Lähmung.*

—. *Unüberwindliche Schlafsucht; Unempfindlichkeit* mit *Gedächtnisschwäche* oder *Gedächtnisverlust;* launenhafte Stimmung; außerordentliche Trockenheit des Mundes. **Nux moschata D 30–200.**

—, Gesicht und Augen haben einen *verschleierten, blöden Ausdruck*, das *Sensorium* ist *getrübt*, der Kranke schläft während des Sprechens oder einer Antwort ein; *auf der Zungenmitte entsteht zuerst ein weißer, dann brauner, scharf abgegrenzter Streifen;* wälzt sich im Bett umher und hat das *Gefühl als ob der Körper zerstückelt wäre; Stuhl, Urin* und Schweiß sind sehr übelriechend. **Baptisia D 2–6.**

— mit *unwillkürlichem Kot- und Harnabgang, blaue Flecken* erscheinen unter der Haut; verfällt während des Sprechens in tiefe Betäubung ohne ausreden zu können, fällt schnell wieder in diese zurück wenn er daraus geweckt wird. **Arnica D 3–6–30.**

—, Benommenheit, mit Schwindel; Verschlimmerung durch geistige Anstrengung. **Natrium carbonicum D 3–30.**

Bettnässen

Bettnässen während des ersten Schlafes; Druck auf die Blase mit häufigem urinieren und *Auftreibung im unteren Bauch;* Urin sehr übelriechend, rötlich oder blutig, Bodensatz im Urin wie gebrannter Lehm. **Sepia D 30–15–6.**

— während des ersten, sehr tiefen Schlafes, bei *reichlichem blassem* Harn; plötzlicher, heftiger Harndrang; Urin kann nur im Liegen gelassen werden. **Kreosotum D 4–6.**

— der Kinder bei *Schließmuskelschwäche;* Harndrang bei wenig und dunklem Urin. **Plantago major ∅ – D 2.**

— kommt meist bei blutarmen, skrofulösen, nervösen Kindern vor. *Man beachte vor alle Dingen die Konstitution der Bettnässer und setze die entsprechenden Konstitutionsmittel ein.* Ferner ist meist großer Mangel an Wirkstoffen – Vitamine – besonders der B-Gruppe, vorhanden. Man sorge für Ausgleich und Auffüllung durch geeignete Präparate unter Bevorzugung der natürlichen pflanzlichen Vitamine. Reizlose Kost, entsprechende Auswahl der Abendmahlzeit und der Getränke tragen neben den indizierten Arzneimittel mit dazu bei, das Leiden mit Erfolg zu bekämpfen. Als weitere wirkungsvolle Unterstützungsfaktoren sind feinst abgestufte Hochfrequenz- und galvanische Ströme anzusprechen.

Weiter ist nach Wurmkrankheiten zu fahnden und diese erst zu beseitigen. Die wichtigsten und mit bestem Erfolge einzusetzenden Mittel sind: **Belladonna D 4 + Equisetum D 1–3 + Uva ursi D 2–4 + Ferrum phosphoricum D 6 + Kalium phosph. D 6 + Kal. carb. D 6–30.** Bei Mädchen kommen noch **Pulsatilla D 4–6 + Sepia D 6** hinzu. Beachte auch die unter „Blasenleiden“ angeführten Symptome und Mittel.

Bisse

Bisse oder Stiche von Tieren, Insekten oder Kratzwunden werden vorteilhaft mit **Ledum-Tinkfur,** 10–15 Tropfen auf 1/4 Liter abgekochtes warmes Wasser, behandelt, besonders wenn dabei Kältegefühl damit verbunden ist. Innerlich gibt man gleichzeitig **Ledum D 3–6.** 3–4mal täglich 8–10 Tropfen ein.

Blähungen

Blähungen, übermäßige *im Magen.* Der Magen ist voll und gespannt; *heftiger Magenschmerz mit Gasauftreibung*, schlimmer besonders beim Niederlegen; Brennen im Magen. Die Flatulenz kann sich auch auf den oberen Bauch erstrecken und sich derart verbreiten, daß *allgemeiner Meteorismus* entsteht, hauptsächlich bei Typhus und Ruhr. Daneben besteht große Schwäche. **Carbo vegetabilis D 4.**

— vorwiegend *im unteren Teil des Bauches; fortwährend gasige Gärung* mit *lautem Poltern* und *Knurren.* Dieser Zustand kommt meistens in Verbindung mit Leberleiden vor. Auffallend ist der *Wechsel von Hunger und Sattheit:* „Patient setzt sich sehr hungrig zu Tisch, aber schon nach einigen Bissen ist er völlig gesättigt und fühlt sich unbehaglich voll.“ **Lycopodium D 6–12–30.**

—. *Unbehagliche Auftreibung des ganzen Bauches* mit Verlangen aufzustoßen. Gefühl als ob der Bauch voll bepackt wäre, Aufstoßen erleichtert nicht. **China D 2–6.** Das Mittel ergänzt vorzüglich Carbo veg.

—. *Blähungskolik mit dem Gefühl als ob der Leib voll spitzer Holzstücke oder Steine wäre.* Auch bei Durchfall mit Aufgetriebenheit des Bauches, *heftige, kneipende, krampfhafte Schmerzen mit großer Schwäche*, so daß Patient kaum stehen, gehen oder sprechen kann. **Coccolus D 6–30.**

—. *Blähungskolik; krampfhafte Schmerzen im Unterleib* wechseln plötzlich die Stelle und treten woanders auf (Finger, Zehen); *heftige, reißende, schießende Schmerzen im Leib*, fängt um den Nabel an, *mit Ausstrahlungen bis zu den Schultern, Brust, Kreuz*, schlimmer morgens und beim Aufstehen, besser durch vorbeugen oder ausstrecken des Körpers. Durchfälle morgens. **Dioscorea D 6–12.**

—. *Auftreibung des Bauches* mit *Rumpeln, Gurgeln* und *Geräusch wie von Wasser;* schmerzlose, farblose oder gelblich wäßrige Stühle; Diarrhoe akut und chronisch. **Acidum phosphoricum D 2–4.**

— mit *Aufstoßen.* Ist *voller Gase, die nur nach oben* drücken. Durch den Gasdruck umgekehrte Peristaltik (Darmbewegungen). Alle Absonderungen sind übelriechend auch solche von Geschwüren; große Empfindlichkeit gegen Berührung. **Asa foedita D 2–6.**

—. *Windkolik, Bauch wie eine Trommel aufgetrieben*, Winde gehen wenig ab und ohne Linderung; Durchfälle gallig, wäßrig, wie Spinat oder gehackte Eier aussehend und faulig riechend. **Chamomilla D 2–6.**

— heftige, Bauch ungeheuer aufgetrieben, besonders unmittelbar nach dem Essen. Nervöse Konstitution. **Nux moschata D 2–4.**

— mit starker Auftreibung des Bauches. Ekel, Übelkeit, Brechreiz beim Geruch kochender Speisen ist Hauptsymptom. **Colchicum D 3–6.**

—. Gasbildungen und Auftreibungen im Magen. Heftiges Aufstoßen, das etwas Erleichterung bringt. Übelkeit, Brechwürgen. Magenschleimhautentzündung als Folge übermäßigen, fortwährenden Alkoholgenusses. *Unwiderstehliches Verlangen nach Zucker* und Gefühl als sei der Kopf eingespannt, sind weitere, wichtige Leitsymptome. Die Magensymptome werden durch Aufnahme von Speise und Trank verschlimmert. **Argentum nitricum D 10–15–30.**

Blasenleiden

Blasenleiden. Bei allen akuten Blasenentzündungen ist zuerst oder gleichzeitig neben den durch die Leitsymptome angezeigten Mittel **Aconitum D 4–6** einzusetzen.

—. *Harndrang mit brennenden, schneidenden Schmerzen;* vor, während und nach dem harnen *fürchterlich schneidende Schmerzen in der Harnröhre; der Urin brennt* und *geht tropfenweise ab;* fortwährender Harndrang mit unerträglichem Stuhlzwang. *Ganz gleich, wo und bei welcher Krankheit diese Symptome vorherrschen,* ist *das erste Mittel* **Cantharis D 6–12–30.**

—. *Beständiger, erfolgloser Harndrang, es gehen nur einige Tropfen ab,* mit Krampf im Mastdarm und Stuhlverstopfung. *Jucken der Harnröhrenmündung;* Blasenschwäche; *unwillkürlicher Harnabgang* beim Husten, Niesen, Schneuzen, beim Gehen, nachts im Schlafe. Der Urin ist mit harnsauren Salzen überladen; dicke, verschieden gefärbte Harnsedimente. Verschlimmerung bei schönem Wetter, Besserung bei trübem Wetter. Ein weiteres, *hervorragendes Leitsymptom* ist: *Empfindung von Wundheit oder Roheit.* **Causticum D 12–30.**

—. *Entzündungszustand des gesamten Harnapparates; Harnröhre sehr empfindlich gegen Berührung oder Druck,* häufig besteht heftiger Rückenschmerz alle paar Minuten; Harn kann auch blutig sein. Brennen, Schneiden in der Harnröhre mit heftigem Harndrang; Entzündung der Vorsteherdrüse; des Samenstranges. **Cannabis sativa D 6–12.**

—. Akuter und chronischer *Blasenkatarrh* mit Harndrang, Brennen der Harnröhre, schleimiger Urin, Blutstauungen in Nieren und Blase, Blutharnen; *Entzündung des Nierenbeckens* infolge Grieß- und Steinbildung. **Uva ursi D 2–6.**

—. *Heftiger, plötzlicher* Drang zum Wasser lassen; *Jucken, Brennen, Kribbeln* vom Damm aus durch die ganze Harnröhre. Blasenkrampf; Urin scharf und brennend. **Petroselinum D 2–6.**

—. *Heftiger Harndrang, starker, kaum erträglicher Schmerz gegen Ende des Harnens;* Unwillkürliches *Harnträufeln* beim Sitzen; *Blasenkrampf;* heftige *Nierenschmerzen* mit Abgang von Grieß und Steinchen. Verschlimmerung bei feuchtem Wetter und nachts. **Sarsaparilla ∅ – D 3.**

—. Brennen und Schneiden in der Harnröhre nach dem Harnen; heller, wäßriger Ausfluß aus den Schleimhäuten; krampfhaftes Zusammenziehen im Unterleib; fortwährende Abmagerung trotz reichlichem Essen, besonders am Hals. Anämische Zustände und Erscheinungen. **Natrium muriaticum D 6–30.**

—. *Häufiger Drang zum harnen* und nachfolgendes *Harnträufeln bei alten Leuten* und *Prostataleiden; Brennen* und *Schneiden in der Harnröhre wenn kein Wasser gelassen wird,* während des urinierens hört das Brennen auf. **Staphisagria D 3–6–30.**

—. Schmerz in der Blase mit Harndrang als ob die Blase überfüllt wäre; Brennen in der Harnröhre beim harnen; übermäßige Schleimabsonderung. **Equisetum D 3–6.**

—. *Akute* und *chronische Entzündung* mit großen Mengen zähem Schleim im Harn. Ein weiteres Leitsymptom ist: „*Gefühl einer Anschwellung in der unteren Blasengegend* oder nahe dem After als ob man auf einem Ball säße.“ Dieses Gefühl kommt oft bei *Prostataleiden* vor. **Chimaphilla umbelata D 1.**

—. *Unwillkürliche Unterbrechung des Harnstrahles* beim urinieren ist sehr charakteristisch bei *Prostatahypertrophie.* **Conium D 4–6.**

—. *Lähmung des Blasenschließmuskels.* Unempfindlichkeit; *Harn geht unwillkürlich ab. Harnverhaltung* der Kinder *bei Lähmung des Harnaustreibemuskels,* oder *Folgen von Schreck.* **Opium D 6–30.**

—. *Schwäche, Erschlaffungszustand* der Blase, muß eine Weile warten bis Harn abgeht; *Harn fließt spärlich,* tröpfelt, *kann nicht völlig entleeren. Schleimhautkatarrh* trockene. **Hepar sulfuris D 6–30.**

—. *Druck auf die Blase* mit häufigem harnen und Auftreiben des Unterbauches; *Gefühl als ob im Unterleib etwas heraus oder nach unten drängen wollte;* Bettnässen bei Kindern während des ersten Schlafes. **Sepia D 6–30.**

—. Heftiger Harndrang; der Drang kann im Mastdarm beginnen und sich auf die Blase ausdehnen oder umgekehrt. Entleerung lindert nicht. **Mercurius corrosivus D 6–12.**

—. *Blasenentzündung als Folge von Prostatahypertrophie;* Harndrang, schmerzhaftes harnen; *Schmerzen in der Blasengegend bis zur Magengegend und der linken Niere ausstrahlend. Hodenentzündung;* Geschlechtsschwäche. Bei Frauen: *Schmerzen* in den *Eierstöcken, Gebärmutter; Verlagerungen,* Entzündung der Harnröhre, schmerzhafte Regel. **Sabal serrulata ∅ – D 3.**

—. *Blasenkatarrh mit schleimig, eitrigem Urin;* heftiger *Harndrang,* besonders *bei alten Leuten; schmerzhaftes urinieren mit brennend heißem Urin;* Schmerz hinter dem Schamberg nach dem urinieren; *Blasen-Harnröhrenentzündung. Prostatahypertrophie.* **Populus tremuloides D 3–4.**

—. *Heftigste Schmerzen* in der *Harnröhre* bis zum Ausgang derselben; *steter Harndrang mit Unvermögen Wasser zu lassen.* Die Schmerzen können zuweilen so heftig sein, daß sich der Patient auf Hände und Füße niederläßt um Urin lassen zu können, wobei oft nur wenige Tropfen dicker, schleimiger, eitriger Urin abgeht. *Die Schmerzen strahlen bis in die Oberschenkel aus. Entzündung* und *Verhärtung* der *Harnröhre; Vergrößerung* der *Vorsteherdrüse* mit Harnverhaltung; *veraltete Blasenkatarrhe. Nierenkolik.* **Pareira brava D 3–4.**

—. Blasenreizung; Harndrang mit Abgang von wenig Urin; stechende, reißende Schmerzen; Neuralgien im Gesicht, Ohren, Brust. **Verbascum D 1–3.**

—. Blasen- und Harnbeschwerden bei Frauen; chronische Nierenentzündung. **Eupatorium purpureum D 4–6.**

—. Bei *langwierigen, chronischen Blasenleiden, chronischen Katarrhen* der Blase und Harnleiter hat sich folgender *Komplex* sehr *bewährt*: **Equisetum D 30 + Petasites D 30 + Evonymus europ. D 30 + Pulsatilla D 30 + Conchae D 30** zu gleichen Teilen, 1–2mal täglich 8 Tropfen.

—. Ebenfalls bewährt hat sich bei *Blasenlähmung* der Komplex **Equisetum D 30 + Petasites D 30 + Evonymus D 30 + Conchae D 30,** als Zwischenmittel **Phosphorus D 6–12.**

—. Siehe auch „Urin“ !

—. Siehe auch Krebs !

Blase

Blase. Harnverhaltung, spärlicher, dunkler Urin mit Schmerzen oder Druck in der Blase oder Nieren; heller Urin mit niedrigem spezifischem Gewicht und reichlichem Abgang; Wassersucht; chronische Nierenbeckenentzündung; **Juniperus D 4–6.** Das Mittel hat eine kräftige harntreibende Wirkung. (Bei akuter Nierenentzündung *nicht anwenden.*)

Blase. Unwillkürliches Harnträufeln beim Gehen, nach dem Harnen oder nach dem Stuhlgang. **Selenium D 30–200.**

Bleivergiftung

Bleivergiftung. Bleikolik; Bleisaum deutlich blaue Linie am Zahnfleischrande; Lähmungen. **Plumbum D 200.**

Blinddarmentzündung

Blinddarmentzündung. Diese Krankheit meldet sich meist *frühzeitig* durch Schmerzen in der Blinddarmgegend mit Fieber, Pulsbeschleunigung, Übelkeit, Erbrechen an. Fortschreitend erfolgt starke Spannung der Bauchdecke mit intensiver Schmerz- und Druckempfindlichkeit. Gefahr des Eiterdurchbruches nach dem Bauchfell mit anschließender Bauchfellentzündung. Wenn die letztgenannten Erscheinungen, Bauchdeckenspannung, hohes Fieber über 39^0, intensiver subjektiver und objektiver Schmerz, öfteres Erbrechen gleich anfangs vorhanden sind oder in kürzester Zeit auftreten, dann ist dringend schnellste Operation geboten.

Zu Beginn der Erkrankung sind folgende Mittel und Anwendungen einzusetzen: Feuchte, heiße – bei hohem Fieber solche von 22^0 C – Kompressen mit 2–3 Eßlöffel voll **Bryonia** ∅ oder **Farnkraut-Tinktur** pro Kompresse, in öfterem Wechsel, aufzulegen. Auch die Komplexmittel der Iso-Werke **Fluid grün, G 7 + Fb 2,** je 30 Tropfen bzw. Korn auf ein Liter Wasser, haben sich glänzend bewährt. Innerlich bei Fieber das den Leitsymptomen entsprechende Fiebermittel – meist **Belladonna D 3–4** oder **Ferrum phosph. D 6** und **Bryonia D 3–4 + Felix mas D 4–6 + Apis D 3–4 + Pulsatilla D 4** in Mischung als Komplex ¼–½stündlich 6–8 Tropfen im Wechsel mit **Mercurius solubilis D 3–4,** man beachte die Zungensymptome. Auch mit den Komplexen der Iso-Werke **G 11 D 4, G 12 D 4, Fb 1 D 4** in Lösung, je 10 Korn auf je ¼ Liter gelöst, davon ½stündlich ein Schluck, als Zwischenmittel **W 1 + Fl grün,** kann ich über ganz ausgezeichnete Erfolge in verschiedenen schwereren Fällen berichten.

Schüttelfrost und klopfende Schmerzen ist ein Symptom für Eiterbildung und erfordert den Einsatz von **Calcium jod. D 3,** im Wechsel mit den erstgenannten Mitteln. Nach Rückgang und Besserung der Symptome schaltet man einige Gaben **Sulfur jodatum D 3–4** als Zwischengabe ein. Bei schwierigen Fällen und drohender Sepsis kommen je nach den Leitsymptomen **Dioscorea D 6, Echinacea ∅, Lachesis D 30, Pyrogenium D 30** in Frage.

Blindheit

Blindheit bei Kopfschmerz, diese tritt vor Beginn des Kopfschmerzes auf und vergeht wieder sobald der Kopfschmerz anfängt. **Kalium bichromicum D 4–6–12.**

Blut- und Blutkrankheiten

Blut- und Blutkrankheiten. Anämie, Blutarmut; Bleichsucht; aschfahles, bleiches oder *grünliches Gesicht, Schleimhäute,* besonders in der Mundhöhle, *außerordentlich blaß;* die geringste Erregung oder Anstrengung ruft *plötzliches Erröten hervor;* plötzlicher *Blutandrang nach dem Kopfe, fliegende Hitze* im Gesicht; hämmernde, klopfende Kopfschmerzen. *Herumgehen bessert,* trotz großer Schwäche die zum niedersitzen zwingt. Monatsregel zu stark, zu früh, zu lange anhaltend, dabei blaß, wässrig, entkräftigend; Gesicht ist feuerrot mit Blutandrang nach dem Kopf, der Brust oder andere örtliche Kongestionen, mit Blutungen aus Nase, Lunge, Nieren, Gebärmutter und mit Entzündungserscheinungen. **Ferrum D 6–12,** oder wenn die zuletztgenannten Symptome vorherrschen **Ferrum phosphoricum D 6–12.**

—. *Amämie, Blutarmut, Bleichsucht,* durch Säfteverlust, Regelstörungen, Kummer oder seelischer Leiden; *große Niedergeschlagenheit* ist charakteristisch, weint viel, Zuspruch verschlimmert (Zuspruch tröstet **Pulsatilla**); *Herzflattern, Herzklopfen* oder *zeitweiliges Aussetzen der Herztätigkeit* ist meist damit verbunden. Blässe und *Abmagerung trotz starker Nahrungsaufnahme,* fühlt sich aber nach dem Essen matt, schläfrig, verdrießlich, *Vollheitsgefühl* in der Magengegend; es besteht Widerwillen gegen Brot; anfallweise auftretende *chronische Kopfschmerzen,* die meist nach der Monatsregel auftreten;

Lippen, Mundwinkel sind trocken, geschwürig, rissig, oder es besteht *starkes Gefühl von Trockenheit im Munde; Taubheitsgefühl und Kribbeln der Zunge*, Lippen und Nase in Verbindung mit Leber- und Verdauungsstörungen. **Natrium muriaticum D 30–200–6.**

—. *Anämie, Blutarmut, Bleichsucht*; große Schwäche, milchweise Haut, ödematöse Anschwellungen der oberen Augenlider; Schmerz und Schwächegefühl in der Lendengegend. Die Monatsregel erscheint verspätet. Dieser Zustand kommt oft bei jungen Mädchen in der Pubertätszeit und im späteren Alter in den Wechseljahren vor, wo Neigung zu Wassersucht besteht und die genannten ödematösen Anschwellungen im Gesicht auftreten. Dabei besteht meist schwache, unregelmäßige oder intermittierende Herztätigkeit und als weiteres charakteristisches Symptom *beständiger Rückenschmerz* mit dem *Gefühl als ob der Rücken und die Beine den Dienst versagen müßten.* Patientin ist in diesem Falle völlig erschöpft und fällt ermattet auf einen Stuhl oder ins Bett um sich auszuruhen. Der Rückenschmerz strahlt oft bis zu den Hüften oder den Gesäßmuskeln aus. Schweiß tritt dabei auf. Diese eigenartige Verbindung von *Schweiß*, *Schwäche* und *Rückenschmerz* ist sehr charakteristisch und einzigartig. Das Mittel hierfür ist **Kalium carbonicum D 30–200–6.**

—. *Anämie, Blutarmut, Bleichsucht.* Die Kranke ist *blaß, schwach, müde*, muß sich setzen um auszuruhen. Der Monatsfluß ist spärlich, blaßfarbig, verzögert, Patientin darnach bleich und erschöpft. Häufig besteht dabei ein sonderbares Verlangen nach ungenießbaren Dingen wie Kreide, Stärke, Kohlen usw., kann keine Kartoffeln essen, sie bekommen nicht. **Alumina D 3–6–30.** Konstitutionsmittel bei hartnäckigen Leiden, Dyskrasie, Psora; ein tiefwirkendes Mittel paßt hauptsächlich bei chronischen Krankheiten und in solchen Fällen sind hohe und höhere Potenzen, in seltenen Gaben, angezeigt.

—. *Anämie, Blutarmut; perniziöse Anämie; bleiches, wächsernes Aussehen*, Veränderung und *Verschlechterung des Blutbildes*, mangelhafte Gerinnungsfähigkeit desselben; *Blutfleckenkrankheit; hämorrhagische Diathese* (Neigung zu Blutungen und Blutergüssen). Ein wichtiges Symptom ist: *Kleine Wunden bluten stark.* Blutungen bei schwammigen Wucherungen, Fibroiden, Krebs usw. Ödematöse Anschwellungen des *ganzen* Gesichts oder der *ganzen Umgebung* der Augen; intensives *Hitzegfühl* das den ganzen Rücken *hinauf* läuft; Brennen der Haut, der Hände; große, *allgemeine Unruhe*, muß sich fortwährend bewegen, kann nicht einen Augenblick ruhig sitzen oder stehen. **Phosphorus D 6–12–30.**

—. *Blutarmut, schlechte Blutmischung, Blutverwässerung; Blutungen* aus den Schleimhäuten, besonders *Nase*, auch *Mund, Gebärmutter;* Blutzersetzung, schlecht heilende Wunden; Blutharnen. Leitsymptome: *Eisige Kälte der Füße bis zu den Waden; blasses Gesicht*, schlaffe abgespannte Gesichtszüge; körperliche und geistige Müdigkeit und Mattigkeit, schwerer eingenommener Kopf; schläft abends schlecht ein, ist morgens noch schläfrig und matt nach dem Erwachen, will nicht aufstehen. Die Beine sind schwer wie zerschlagen. Abmagerung und große Schwäche mit viel Durst und Schwitzen.

Natrium nitricum D 3–6. Bei Blutungen 1–3stündlich eine Gabe; als Konstitutionsmittel täglich 1–2 Gaben längere Zeit hindurch.

—. *Blutarmut* und *Bleichsucht*, oft mit trockenem Hüsteln nachts, bei blassen, nervösen Frauen mit *schmerzhafter Regel*, Schmerz an der Blase mit Harndrang, *fehlende*, oder *unterdrückte Regel*, Neigung zu Gebärmutterverlagerungen oder Vorfall. Besserung aller Beschwerden bei Eintritt der Regel oder nach Stuhlgang. **Senecio aureus D 2–3.**

—. Bei *Blutarmut*, *Bleichsucht* bei schwächlichen, unterernährten Personen, hat sich nach Burnett **Rubia tinktorum** ∅ in Gaben von 10 Tropfen täglich, ausgezeichnet bewährt. Ferner bei *Ausbleiben und Fehlen der Monatsregel* bei blutarmen Mädchen und Frauen; bei Erkrankungen der Milz.

—. *Anämie*, zu deutsch *Blutarmut*. Unter Anämie versteht man eine krankhafte Veränderung des Blutes, die durch eine Verminderung der roten Blutkörperchen, den Erythrozyten, und des roten Blutfarbstoffes, des Hämoglobins, gekennzeichnet ist. Als Ursache kommen Blutverluste durch Verletzungen, bei Geburten, Fehlgeburten, Eileiterschwangerschaft mit Platzen der Tube; ferner durch chronische Blutungen bei Magen- und Darmgeschwüren; durch Einfluß giftiger und infektiöser Stoffe auf Blut und die blutbildenden Organe; durch bösartige Geschwüre und Geschwülste infolge Auflösung und Zerstörung der Erythrozyten, der sogenannten hämolytischen Anämie. In letzterem Falle spricht man von einer *sekundären Anämie*, weil bösartige Geschwülste, Krebs, Tuberkulose die Grundleiden, die Auflösung und Zersetzung der Erythrozyten die Folgen dieser Leiden sind und damit *das Blutbild der Anämie* in Erscheinung tritt. Die subjektiven und objektiven *Symptome* sind im Vorangegangenen bzw. Nachfolgenden bei der Mittelwahl bereits geschildert.

Neben den unter den Leitsymptomen besprochenen Einzelmittel kommen zur *allgemeinen Blutreinigung* **Natrium carbonicum D 2–3 + Kalium permanganicum D 3–4** als wirksame Mittel in Betracht. Zur konstitutionellen Umstimmung sind wichtig: **Calcium carb. D 30 + Phosphorus D 30 + Arsenicum album D 30.** Zur Anregung der blutbildenden Organe, zur vermehrten Blutbildung ist **Millefolium D 2** ein gutes Mittel, ebenso der Schafgarbentee.

—. Die bösartige Blutarmut, progressive perniciöse Anämie, eine der schwersten Blutkrankheiten, die alle Erscheinungen der gewöhnlichen Anämie und noch folgende Symptome aufweist: Wachsbleiches Gesicht, Ohren, Hände, Fingernägel fallen besonders auf; sehr blasse Schleimhäute, Neigung zu Blutungen; Haarausfall; Herzklopfen bei der geringsten Anstrengung oder Erregung; Atemnot, Durst, Fieberkurven bis zu 40°. Klinisch wird die Diagnose gesichert durch Auszählung der roten Blutkörperchen, die rapid bis auf 1,5 Millionen und noch darunter, pro cmm absinken (Normalzahl 5 Millionen). Die weißen Blutkörperchen sind dabei *nicht* vermehrt. Netzhautblutungen sind oft vorhanden, diese sind als Frühsymptom zu werten. Die Krankheit gilt als unheilbar und führt in der Regel in ein bis zwei Jahren zum Tode.

Die Bekämpfung dieser Krankheit erfolgt mit **Arsenicum album D**

30–200, wöchentlich eine Gabe und **Camphora Rubini** 3–4mal täglich 5–6 Tropfen. Als Mittel das auf die Milz einwirkt, ist **Ceanothus americanus D 3** in Betracht zu ziehen. Außerdem sind in jedem Falle *Leberpräparate* einzusetzen, wie sie verschiedentlich in der pharmazeutischen Industrie, zum Einnehmen und zum Einspritzen, hergestellt werden. Zu empfehlen ist noch Wermut-Tee, kalt angesetzt 12 Stunden ziehen lassen, dreimal täglich ein Schluck.

—. Eine weitere schwere Blutkrankheit ist die *Leukämie oder Weißblütigkeit*, wobei es sich um eine Vermehrung der in Lymphdrüsen und Milz gebildeten weißen Blutkörperchen, den sogenannten Leukozyten und Lymphozyten handelt. In diesem Falle spricht man von einer lymphatischen Leukämie. Sind viele Jugendformen der im Knochenmark gebildeten Leukozyten vorhanden, dann spricht man von einer myeloiden Leukämie. Nun die Symptome: Beide Formen zeigen alle Erscheinungen der Anämie. Daneben sind die Lymphdrüsen stark vergrößert, unempfindlich, keine Neigung zu Vereiterungen; Milz stark vergrößert, hart; wassersüchtige Anschwellungen mit Herzstörungen; Schwindel, Ohnmacht, Schweiße, Erbrechen, Durchfall; Blutungen, die überall und in allen Organen auftreten können (haemorrhagische Diathese). Fieberattacken bis zu 40°. *Klinisches Blutbild:* Die Leukozyten sind sehr stark vermehrt bis zu 100–500 000 (normal 6–8000 pro cmm), die roten Blutkörperchen vermindert. Auch diese Krankheit gilt als unheilbar und führt in der Regel in 2–3 Jahren zum Tode, kann aber auch sehr akut verlaufen und dann in kurzer Zeit das Leben beenden.

Jedes Lebensalter kann von dieser Krankheit erfaßt werden, häufiger aber Männer in mittleren Jahren. Zur *Bekämpfung* gelangen die bei den Leitsymptomen besprochenen Mittel zum Einsatz.

—. Die *Pseudo-Leukämie*, das heißt, falsche Leukämie, ist eine Krankheit des Lymphsystems. Die subjektiven und objektiven Symptome sind wie die der echten Leukämie. Die *Lymphdrüsen vergrößern sich langsam und stetig, sind hart, schmerzlos* und neigen nicht zu Verkäsungen und Eiterungen; dagegen haben sie aber die Neigung mit ihrer Umgebung zu verwachsen und *Tumoren* zu bilden, die zu den bösartigen Geschwülsten zu zählen sind. Oft verursachen diese Anschwellungen und Geschwülste Atemnot, Schlingbeschwerden usw. durch den kompressiven Druck auf die Organe.

Klinisch zeigt das *Blutbild* nur *eine Verminderung der roten Blutkörperchen* auf, wogegen die Zahl der weißen Blutkörperchen, im Gegensatz zur echten Leukämie, nicht vermehrt, sondern normal ist.

Die Krankheit führt in 1–2 Jahren zum Tode, jedoch ist die Aussicht auf erfolgreiche Behandlung gegeben, wenn diese frühzeitig, ehe das Leiden schon zu weit vorangeschritten ist, einsetzt. Als Mittel kommen in Betracht: Sämtliche **Arsenicum-Präparate und -Verbindungen** *als Hauptmittel.* Leitsymptome siehe Drüsen! Ferner alle **Calcium- und Jodverbindungen. Carbo animalis und Carbo veg. D 6–30** gegen die kachetischen Erscheinungen. **Mercur-Präparate.** Als konstitutionelle Mittel **Sulfur, Phosphorus, Silicea,** siehe Konstitution!

—. *Die Bleichsucht*, Chlorose. Symptome: Wie die der Anämie. Die Beschwerden treten aber ziemlich rasch auf und erreichen in wenigen Tagen ihren Höhepunkt. Besonders fällt große Müdigkeit und Mattigkeit auf. Die Arbeit, das Treppensteigen, fällt schwer und wird nur mit Mühe bewältigt. Schlafsucht, der Schlaf ist nicht stärkend und erfrischend, die Kranken sind morgens schlechter Laune, unlustig, oft mit Kopfschmerzen. Erst gegen Abend kommen sie in Stimmung, leben auf, werden heiter und ausgelassen und wollen nicht ins Bett. Der Appetit läßt nach, oft bestehen sonderbare Gelüste nach Kreide, Kohle oder sonstigen Unverdaulichem oder nach sauren, stinkenden Sachen. Die Gesichtsfarbe kann anfangs ganz normal sein, wird später blaß, wachs-alabasterartig, zuweilen können die Backen auch rot sein – blühende Bleichsucht – um so auffallender ist dann die Blässe der übrigen Gesichtspartien. Neigung zu Anschwellungen der Hände und Füße mit Frösteln. Die Venen schimmern violett durch die Haut. Menstruationsstörungen sind meist vorhanden; entweder bleibt die Monatsblutung ganz aus, oder sie ist zu kurz und wässrig oder zu lange und zu stark, zuweilen tritt Weißfluß an ihre Stelle. Klinisch wird die *Diagnose durch* das *Blutbild gesichert*, das vor allem eine *starke Verminderung des roten* Blutfarbstoffes, des Hämoglobins, bis zu $^1/_3$ der Norm, aufweist. Die roten Blutkörperchen sind fast nicht oder nur wenig vermindert, erscheinen aber blasser. Das Blut ist hellrot und wässrig. Die Zahl der weißen Blutkörperchen ist normal.

Der Verlauf der einfachen Bleichsucht ist günstig und kann bei richtiger Behandlung in wenigen Monaten behoben sein. Rückfälle kommen gar nicht so selten vor und sind schwieriger zu behandeln. Komplikationen entstehen durch Hinzukommen von Magengeschwüren, Thrombosen, Embolien, Basedow.

Die Krankheit kommt nur beim weiblichen Geschlecht, besonders vom 12.–25. Lebensjahre vor und ist heute selten geworden. Zur Behandlung ist folgendes zu sagen: Man wähle die Mittel nach den Leitsymptomen aus, wie sie im Vorangegangenen unter „Blut- und Blutkrankheiten“, ferner unter „Menstruation“ und „Schwäche“ geschildert sind. Konstitution beachten und die passenden Mittel als Zwischengabe nicht vergessen !

Blutandrang

Blutandrang, plötzlicher, starker, nach dem *Kopf*, mit heftigem, *klopfendem Kopfschmerz, Vollheitsgefühl* und *Einschnürung der Blutgefäße des Halses*, das *Klopfen* ist an den *Halsschlagadern sichtbar;* kongestive entzündliche *Gehirnkrankheiten* im ersten Stadium. *Rückwärtsbeugen* des Kopfes, sowie Wärme *verschlimmert*, kann bedeckten Kopf nicht vertragen; geringste *Erschütterung* oder *Schütteln des Kopfes verschlimmert* den Schmerz *sehr;* neben dem Klopfen besteht das Gefühl als ob sich das Gehirn mit dem Puls in Wellen bewege, oder als ob sich der Kopf infolge Vollseins ausdehne; Klimakteriumsbeschwerden bei ausbleiben der Regel mit Hitze und starken Schweißen. **Glonoinum D 6–12.**

— nach dem *Kopf* mit *Vollheitsgefühl, Klopfen* und *Kopfschmerzen. Kopf* ist *heiß*, die *Extremitäten kalt*, Augen rot, blutunterlaufen, Gesicht ebenfalls rot, es können dabei heftige Delirien auftreten. *Besserung* durch *Rückwärtsbeugen* oder *Bedecken des Kopfes, Verschlimmerung* durch *Niederlegen oder hinunterbeugen.* Akute Entzündungen mit hohem Fieber und Schweiß an bedeckten Körperteilen; vorgeschrittenes Stadium entzündlicher, kongestiver Gehirnkrankheiten. **Belladonna D 6–30.**

— nach dem Kopf und Gehirn mit Schmerzen, Vollheitsgefühl und Klopfen der Halsschlagadern. Hervorragende Symptome sind: „*Glühende Röte des Gesichtes*" und „*die Kopfsymptome werden durch profuses Nasenbluten gebessert*". Wenn diese Symptome ausgeprägt vorhanden sind, ganz gleich, wie die Krankheit auch heißen mag, dann ist **Melilotus D 6–30** das Mittel der Wahl. (Nash berichtet in seinem Werke Seite 333–335 über die Heilung von Gehirn- und Geisteskrankheiten mit dem Mittel auf diese Symptome hin.)

— zum *Kopf. Wallungen, chronisches Erröten* des Kopfes bei der geringsten körperlichen Arbeit oder seelischen Erregung; *stürmische Herztätigkeit; Gefäßerweiterungen durch vasomotorische Lähmungen; Epilepsie, Eklampsie* in der Aura (Vorboten dieser Anfälle). Migräne infolge Gefäßlähmung. **Amylium nitrosum D 6–30.**

— zum Kopf, *plötzliche* Wallungen im Klimakterium mit extremen Schwankungen im Sensorium, Erregung wechselt mit Depression ab; Kreislaufstörungen. **Lachesis D 15–30.**

— zum Kopf, chronischer Art, *die Hitze* und der Blutandrang *scheinen vom Rückgrat aufzusteigen;* Gefühl von *Brennen* im Gehirn; *Schwindel*, besonders im Alter. **Phosphorus D 6–12–30.**

— plötzlicher, nach dem Kopf; *fliegende Hitze im Gesicht;* hämmernde, klopfende, pulsierende Kopfschmerzen; Kopfadern geschwollen; Blutandrang mit Nasenbluten; bei anämischen Erscheinungen. **Ferrum D 6–12.**

— heftiger, nach dem Kopf oder sonstige, *örtliche* Kongestionen; entzündliche Erscheinungen bei bleichen, blutarmen Kranken, sowie bei Nachtschweißen solcher. **Ferrum phosphoricum D 6–12.**

— nach dem *Kopf* mit *rotem Gesicht* und Fieber, sowie *Nasenbluten. Hauptsymptom neben der Blutung ist heftige Mastdarm- und Blasenreizung. Blutungen* sind *hellrot, heftig,* kommen *stoßweise, Bewegung verschlimmert.* **Erigeron D 6–30.**

— Hitzewallungen, Brennen der Schleimhäute im Klimakterium, mit heißen Handflächen und Fußsohlen. Verschlimmerung früh und abends, nachts. **Sanguinaria D 6–12–30.**

Blutfleckenkrankheit. Siehe Flecken !

Blutungen

Blutungen aus der Nase, das Blut hängt wie Eiszapfen herunter. **Mercurius solubilis D 6.**

— aus der Nase beim Waschen des Gesichtes, besonders bei zarten, schwächlichen Personen mit lymphatischer Konstitution. Neigung zu Blutungen. **Ammonium carbonicum D 2–6.**

— aus den *Schleimhäuten*, aus der *Nase*, *Lunge*, *Magen*, *Darm*, ***mit großer Schwäche***, sehr ***blasses*** *Gesicht* und *Haut*. **Carbo vegetabilis D 6–15–30.**

— aus *Niere*, *Blase*, *Darm*, selbst *Blutfleckenkrankheit*, mit dem charakteristischen Symptom: *Glatte*, *glänzende*, *rote Zunge **und ungemein aufgetriebener** Bauch*. **Terebenthina D 3–6–12.**

—. *Kleine Wunden bluten stark*, ein wichtiges Symptom; Nasenaffektionen wo Blut ausgeschneuzt wird, oder kleinere, wiederholte Blutungen aus der Nase; ***mangelhafte** Gerinnungsfähigkeit* des Blutes; ***Blutfleckenkrankheit;*** *hämorrhagische Diathese;* Neigungen zu ***Blutungen*** bei schwammigen *Wucherungen*, *Fibroiden*, *Krebs* usw. **Phosphorus D 6–15–30.**

— aus der *Nase* mit *Blutandrang **nach dem** Kopf*, rotem Gesicht und Fieber; *Bluterbrechen **mit** Würgen **und** Magenbrennen;* blutende Hämorrhoiden; ***Blutharnen*** bei Blasenkatarrh; *Gebärmutterblutungen. Hauptsymptome **neben*** den Blutungen ist: *heftige Mastdarm- **und** Blasenreizung*. **Erigeron D 6–30.**

— häufige Anfälle von ***starkem** Nasenbluten*, welchem *Blutandrang zum Kopf* mit ***intensiver** Rötung des Gesichts **und** klopfenden Halsschlagadern* vorausgeht. **Melilotus D 30.**

— aus *allen Körperöffnungen*, Blut meist hellrot, besonders bei Typhus und Hämorrhoiden. **Acidum nitricum D 4–6–12.**

— aus *allen Körperöffnungen;* ***Blutfleckenkrankheit; blutunterlaufene*** *Flecken* unter der Haut. Dyskrasische Konstitution; große Schwäche und Mattigkeit zum Umfallen; Magenblutungen. **Acidum sulfuricum D 2–6–4.**

— *aus der Lunge* mit trockenem Husten, Blut morgens hellrot, abends dunkelrot. **Acalypha indica D 2–6.**

— aus Nase, Lungen, Magen, Darm, Uterus. ***Blut ist dunkel, klebrig, klumpig***, bildet *lange*, *dunkle Fäden*. Blutandrang zum Kopfe, drückender Kopfschmerz, Gesicht heiß, dunkelrot. **Crocus D 3–6,** vorwiegend Kinder- und Frauenmittel.

— aus Nase, Lungen, Darm, Gebärmutter, ***sehr dunkles, geronnenes, venöses*** Blut; passive Blutungen, *Hämorrhoidalblutungen; Zerschlagenheitsgefühl **in allen** Gliedern*, Schmerzen im Bauch und Rücken, besonders während der Regel, schmerzhafte und zu starke Regel. **Hamamelis D 2–6–30–200.**

—, *passive*, *aus allen Körperöffnungen*, ***Blut dunkel und flüssig**, als Folge **von** Blutentmischungen **und** Blutzersetzungen; heftiges Nasenbluten;* Hauptmittel bei Diphtherie, wenn das übermäßige Nasenbluten auftritt; *Blutbrechen*, *blutige Durchfälle; septische Prozesse **mit** Neigung zu Blutungen*, mit Fieber; Herzschwäche, große Erschöpfung, plötzlicher Kräfteverfall. **Crotalus D 15–30.**

—, *akute*, *profuse*, aus allen Körperöffnungen, mit ***erschwertem** Atem* und *Übelkeit. Blut ist hellrot* und ***nicht*** zersetzt; Blutungen nach der Geburt. **Ipecacuanha D 4–6.**

—, *passive*, *anhaltende*, *nach Geburten* oder *Fehlgeburten* mit Schwächegefühl und innerliches Zittern; starke Monatsblutung, Gebärmutterblutung; Krämpfe bei der Regel; Frauenmittel. **Caulophyllum D 3–6.**

—, akute und passive, hellrotes Blut, besonders wenn die Regel alle 14 Tage kommt, eine Woche anhält und sehr profus ist. Daneben *heftige Rücken- und Lendenschmerzen, Gefühl als wolle der Rücken auseinanderbrechen;* drohender Abortus mit einsetzender Blutung. **Trillium D 2–4.**

— aus *Schleimhäuten* und Körperhöhlen; dyskrasische Erscheinungen; *Drüsenschwellungen* und *Verhärtungen; Karzinomatöse Prozesse;* Skrofulose. **Jodum D 6–15–30.**

—, passive, profuse, als Folge von *Blutzersetzung*, Dyskrasie; *kleine Wunden haben die Neigung stark zu bluten* in Verbindung mit scharfem, *ätzendem Weißfluß* und *Gebärmutterblutungen; blutige, stinkende Geschwüre* krebsartigen Charakters. **Kreosotum D 3–6.**

—, *passive, anhaltende Gebärmutterblutungen* aller Art; starke, *anhaltende Regel*, meist ohne Schmerzen, zuweilen gleichzeitig Schmerzen in den Eierstöcken, besonders wenn diese Symptome im Klimakterium auftreten. **Ustilago maidis D 3–6–30–200.**

—, meist *anfallweise auftretende*, profuse *Gebärmutterblutungen*, bei Abortus, nach der Entbindung, zu starke Menstruation. *Hauptsymptom ist: Schmerzen vom Rücken nach der Schamgegend.* Dieses Symptom kann auch bei drohender Fehlgeburt und Regelstörungen auftreten. Bei Neigung zu Fehlgeburten und um eine solche zu verhindern gibt man **Sabina D 4–6–12** gleich zu Beginn der Schwangerschaft einmal täglich 10 Tropfen in D 6.

—. *Gebärmutterblutungen* passiver Art, besonders bei mageren, knochigen, kachektischen oder altersschwachen Personen. Blut dunkel, flüssig, bei der geringsten Bewegung Verschlimmerung; Blutungen während und nach der Geburt; *Hitze* innerlich, *Kälte* äußerlich; *kalte Schweiße, Schwäche, Angst; Krämpfe, Krampfwehen;* ausbleiben der Regel infolge Krampfwirkung *Blutaustritt aus den Gefäßen; Brechdurchfälle, Cholera, Ruhr.* **Secale cornutum D 3–6.**

— passiver Art; klimakterische Blutungen mit *Hitzewallungen* und *gereizter Stimmung;* Myomblutungen; Menstruation zu lange und zu stark. *Lungenblutungen* bei Schwindsucht; *Stauungen im venösen Kreislauf, Krampfadern, Unterschenkelgeschwüre.* **Sanguisorba D 4–6.**

—. *Abnorme Blutungen jeder Art;* übermäßige und unregelmäßige Menstruationsblutungen nach Geburt, Fehlgeburt oder bei Myomen; *Blutharnen, Blutspucken, Nasenbluten, Hämorrhoidalblutungen.* **Thlaspi Bursa pastoris D 3–30.**

In solchen Fällen und bei den verschiedensten Blutungen jeder Art hat sich mir das Iso-Komplexmittel **Fluid blau** in langjähriger Praxis auf das Beste bewährt. Es dürfte alle vorgenannten Einzelmittel in der Wirkung übertreffen und ist dazu geeignet Blutungen jedweder Art auf einfache Weise zu unterbinden. Anwendung: Je nach dem Grade der Blutung, innerlich ein Tropfen in 1/4–1 Liter Wasser gelöst, davon öfters ein Schluck. Bei äußeren Blutungen Auflegen eines Gaze- oder Wattebausches, Tampons, mit Fluid blau getränkt bringt die Blutung zum Stillstand.

— nach Fall oder Verletzungen; schwächendes Nasenbluten; Blutungen bei Lungenkrankheiten, wurden durch Kauen von der frischen Wurzel der Schafgarbe (Millefolium) geheilt.

Blutungen aus der Nase, besonders bei Blutarmut, Bleichsucht **Ferrum phosphoricum D 6.** Wenn sich das Nasenbluten bei jüngeren Leuten beim Waschen einstellt, dann ist **Ammonium carbonicum D 3** das Hauptmittel.

Blutungen durch Schlag, Stoß, Quetschungen oder Fall **Arnica D 3.**

—. In allen Fällen von Blutungen gibt man neben dem indizierten Mittel noch einige Gaben **Calcium carb. D 30.**

—, Blutstürze, schwerste Blutungen bei Fehlgeburten. **Ferri chlorati aethera.**

—. Hämorrhagien der Schleimhäute, Blutungen aus allen Organen. **Geranium D 6–12.**

—, passive, nachts im Bett oder frühmorgens, Blut dunkel; hartnäckige Gebärmutterblutungen mit starker Blutarmut und Herzstörungen als Folge der Blutverluste; hämorrhagische Diathese, skrofulöse Konstitution. **Bovista D 4–6–30.**

Blutvergiftung

Blutvergiftung, septische Prozesse aller Art; septische und typhöse *Fieber, Kindbettfieber;* Schüttelfröste mit starkem Frostgefühl; Hitze und Fieber bei allen Infektionskrankheiten; *Vereiterungen, Abszesse* aller Art besonders der Drüsen; bösartige Erscheinungen und *tiefsitzende Krankheiten des Drüsensystems* und der *Verdauungsorgane; Blinddarmentzündung.* **Echinacea ∅ – D 4.**

—, infektiöse, chirurgische, puerperale, septische Fieber und *alle Erscheinungen einer beginnenden oder drohenden Blutvergiftung.* Exantheme aller Art, Drüsenverhärtungen, Drüsenerweiterungen, Geschwürbildungen, Karbunkel, Brand, Knochen- und Knochenhautentzündungen, Gelenkanschwellungen. Das *Hauptleitsymptom* ist: *Unruhe, Brennen, Erschöpfung. Besserung durch Hitzeanwendungen, Verschlimmerung gegen Mitternacht.* **Arsenicum album D 6–30.**

—, *septische Prozesse schwerer und schwerster Art,* mit Fieber; *Kindbettfieber;* Autointoxikationen vom Darm aus; Vergiftungen; chronische Leiden als Folge von schweren Infektionskrankheiten; *Gesichtsrose schwerster Art mit geistiger Verwirrung;* drohende *allgemeine Blutvergiftung; Furunkulose.* Leitsymptome: Fauliger Geruch des ganzen Körpers, Zersetzungsprozesse; aashafte stinkende Absonderungen mit Brennschmerz; große Unruhe und Ängstlichkeit; Zerschlagenheitsgefühl, das Bett wird zu hart empfunden; Delirien; *Zunge dick, schlaff,* rein, *glatt wie lackiert, feuerrot,* trocken, rissig, spricht schwer. **Pyrogenium D 15–30–200.**

—, *septische, geschwürige Prozesse* und Anschwellungen an allen Körperteilen *mit der besonders charakteristischen, dunkelblauen bis schwarzblauen Färbung* mit *großer Empfindlichkeit gegen Berührung;* chronische, *bösartige Blutgeschwüre, Furunkel, Blutschwamm, Blutzersetzung;* Wunden bluten stark und lange anhaltend, das Blut gerinnt nur mangelhaft oder überhaupt nicht mehr und sieht blauschwarz oder wie verkohlt aus; **Lachesis D 15–30,** ist auch *eines der besten Mittel* gegen *Blutfleckenkrankheit.*

—. Septische, infektiöse Prozesse, septische Fieber; *Hautgeschwüre, Furunkel, Karbunkel,* mit brennenden, schneidenden, lanzierenden Schmerzen; *brandige Geschwüre,* blau-schwarz, mit stinkenden, aashaften Absonderungen. **Anthracinum D 30.**

—, septische, *akuteste Entzündungen, Infektionskrankheiten mit septischen Fiebern und rapidem, lebensbedrohendem Verlauf; Krämpfe; Kindbettfieber, Zellgewebsentzündungen, Hirnhautentzündungen, Rose; schwerste* Formen von *akuten Gelenkrheumatismus* mit Herzschwäche; *Entzündungen der Herzhäute. Übelkeit, Brechreiz und Erbrechen* bei den genannten Erscheinungen ist *sehr charakteristisch;* Verschlimmerung bei jeder Bewegung, Besserung im Liegen. **Veratrum viride ∅ – D 4.**

—. Bei allen septischen, infektiösen, akutesten Prozessen mit Fieber, Entzündungen, haben sich als Einleitungsmittel, gleich zu Anfang gegeben, folgende Maßnahmen sehr bewährt. Als Anfangsmittel sofort 3–5 Tropfen **Camphora Rubini,** dann **Echinacia** ∅ – **D 1** im Wechsel mit **Veratrum viride** ∅ ¼–1 stündlich 8–10 Tropfen. Als weitere Mittel können noch in Betracht kommen, **Chinin arsenicum D 3, Apis D 2–4, Carbo veget. D 30, Arsenicum jod. D 6.** Man beachte die Leitsymptome der angeführten Mittel und setze sie dementsprechend ein.

Bei allen Krankheiten, bei denen durch zerfallene Geschwüre Gifte im Körper zur Auswirkung kommen, bei Blutvergiftung, Blutzersetzung ist **Kalium arsenicosum D 4** in Betracht zu ziehen.

—. Siehe „Fieber", „Geschwüre".

Blutzersetzung

Blutzersetzung, Blutentmischung; bösartige Gelbsucht (haemolytischer Ikterus); übermäßiges Nasenbluten, *Blut dunkel* und flüssig; *Blutbrechen, blutige Durchfälle;* septische Prozesse mit Neigung zu Blutungen, mit Fieber; *große Erschöpfung,* plötzlicher *Kräfteverfall* (Kollaps). **Crotalus D 15–30.**

—, siehe **Lachesis** unter Blutvergiftung.

—, siehe auch „Geschwüre", „Krebs".

Brennen

Brennen in *allen Organen,* besonders bei *akuten* Krankheiten und mit *Unruhe* verbunden. *Wärme,* örtliche und allgemeine *bessert* bedeutend; *Kälte verschlimmert;* große *Erschöpfung, Kräfteverfall; Verschlimmerung gegen Mitternacht.* **Arsenicum album D 6–15–30.**

— in *allen Organen,* besonders bei *chronischen* Krankheiten; *rote Lippen, rote Augenlider, rote Ohren, Schleimhäute sind rot,* wie von Blut strotzend; *Jucken* und *Brennen der Haut,* Brennen der *Füße;* Konstitutionsmittel. **Sulfur D 6–15–30.**

— in *allen Organen*, mit oder ohne Fieber; besonders charakteristische Symptome sind: *Intensives Hitzegefühl das den Rücken hinaufläuft; Brennen der Hände*, Brennen *der Haut*. Ferner *Überempfindlichkeit der Sinne gegen äußere Eindrücke; große allgemeine Unruhe*, kann nicht einen Augenblick ruhen, sitzen oder stehen, später, bei fortgeschrittener Erkrankung, Verlust der Beweglichkeit, der Empfindung, des Gefühls; Konstitutionsmittel. **Phosphorus D 6–15–30.** Das Mittel wirkt kräftig und tief, sorgfältige Wahl der Dosis, je nach den Umständen und geistigen und körperlichen Zuständen des Kranken, ist erforderlich.

— auf der Zunge, Speiseröhre, Magen, After; bei Magenstörungen mit Übelkeit und Erbrechen von zähem, fadenziehendem Schleim; Sodbrennen; Kopfschmerz und Migräne. **Iris versicolar D 4–6.**

—, *heftiges, in den Schleimhäuten*, gleich wo und bei welchen Leiden, *mit der Empfindung „als ob Pfeffer auf die Stellen gestreut worden wäre"*. Brennen der Zungenspitze mit Frostgefühl; neben dem Brennen vermehrte, dickschleimige Absonderungen der Schleimhäute; schlaffe, phlegmatische Konstitution mit Neigung zu Fettsucht, rotes, robustes Aussehen. **Capsicum D 4–6–12.**

—. *Brennender, schneidender Schmerz beim Harnen, fortwährender Harndrang;* Brennen der Augen, im Hals, in der Brust, großer Durst mit brennendem Schmerz im Mund und Magen; heftig brennender Schmerz, Hitze und Kolik im ganzen Leib; Brennen, Beißen, Stechen im After; brennender Schmerz in der Gegend der Eierstöcke; Bauchfellentzündung mit brennenden Schmerzen; Brennen der Haut mit Exanthemen. Ganz gleich, welches Leiden sonst noch vorhanden sein mag, wenn brennender, schneidender Schmerz beim Harnen mit fortwährendem Harndrang, vorhanden ist, ist **Cantharis D 6–12–30** das erste Mittel, es fördert auch die Ausscheidung der Schleimhäute mit sicherer Wirkung.

— in der *Harnröhre*, aber nicht beim Harnen – während des Harnens hört das Brennen auf –. Das einzige Mittel hierfür ist **Staphisagria D 3–6.**

— und *Schneiden* in der *Harnröhre nach dem Harnen;* Hautausschläge mit Jucken und Brennen; Verschlimmerung bei feuchtem Wetter und nachts. **Sarsaparilla D 2–4.**

—, *subjektives an allen Körperteilen*, als ob Funken darauf gefallen wären; *Brennen in den Füßen* mit oder ohne Wadenkrämpfe; *Taubheitsgefühl, Kribbeln, Lähmungen* der Extremitäten, besonders bei schwachen kachektischen Personen mit eisiger Kälte der Körperoberfläche, kann trotzdem das Zudecken nicht vertragen; *inneres Brennen* und *äußerlich Kälte;* Verschlimmerung durch Bettwärme, Bewegung, Berührung. **Secale D 6–4–3.**

— und *schießende Schmerzen im Magen*, Mageneingang und -ausgang, in den *Brüsten*, in der *Gebärmutter*, bei geschwürigen Prozessen dieser Organe. **Lapis albus D 4–30.** Nach Nash wurden *Tumoren*, *Gebärmutterkrebs* mit diesem Mittel in C 30, wöchentlich eine Gabe, geheilt.

— *in der Brust* wie von glühender Kohle; Brennen im *Magen;* Brennen der *Schleimhäute; eisig kalte Haut*, besonders die Knie, bis hinab zu den

Füßen; *kalte Schweiße* an den Gliedern, kalter Atem, kalte Zunge; *größte Schwäche* und *Erschöpfungszustände;* Dyskrasie; wichtiges Altersmittel. **Carbo vegetabilis D 30–15–6.**

— *zwischen den Schultern*, besonders mit Kongestionen zum Kopfe verbunden. **Glonoinum D 6–12.**

— mit *Wund- und Roheitsgefühl;* trockene Hitze, besonders nachts mit Schlaflosigkeit; langsam fortschreitende chronische Leiden mit zunehmender Schwäche und Schmerzen bis zur Lähmung. **Causticum D 12–30.**

— mit *Stechen*, heftige, *brennende*, *stechende Schmerzen* bei akuten und subakuten entzündlichen Erkrankungen, besonders *der serösen Häute*, *des Zellgewebes* mit Hitze, Rötung und Schwellung, Infiltrationen, Ödeme. **Apis D 3–6.**

—, *heftiges* und *eisige Kälte im Magen oder Darm.* Besonderes Leitsymptom: Übelkeit bis zur Ohnmacht bei dem Geruch kochender Speisen. **Colchicum D 3–6.**

— *der Füße*, Patient streckt diese aus dem Bett oder sucht sonst eine kühle Stelle. **Sanicula D 3–30.**

—. *Brennschmerzen* an allen Organen, besonders aber *an den Schleimhäuten.* Verschlimmerung nachts, bei Berührung, in der Ruhe. **Euphorbium offic. D 6–12.**

Bruchleiden

Bruchleiden. Brüche jeder Art erfordern chirurgische Behandlung. Das Tragen von Bruchbändern ist eigentlich nur ein Notbehelf zur Verhinderung des Darmaustrittes an der Bruchpforte. In jedem Falle eines Bruchleidens und besonders nach einer Operation, ist die Festigung der Gewebe und des Netzes durch geeignete innere homöopathische Mittel anzustreben und in vielen Fällen auch zu erreichen. Die Hauptmittel hierfür sind: **Calcium fluoricum D 12, Silicea D 12–30.** Daneben als Konstitutionsmittel **Calcium carbonicum D 30, Sulfur D 30.** Bei rechtsseitigen Leistenbrüchen hat sich **Lycopodium D 12–30** in vielen Fällen bewährt. Weitere Mittel, die je nach den Leitsymptomen noch in Betracht kommen, sind **Nux vomica D 3–6** und **Aurum muriaticum natr. D 4–6.** Frische, neu entstandene Brüche bei Kindern und Erwachsenen können unter Anwendung eines gutsitzenden Bruchbandes, mit den genannten Mitteln geheilt, die Bruchstelle zum Verwachsen gebracht werden. Die äußere Einreibung mit einer guten Bruchsalbe unterstützt die Behandlung wesentlich. Bruchsalben sind verschiedentlich im Handel, mir hat sich in der Praxis die Bruchsalbe Iso-Werk und die Lord-Salbe nach Mattei bewährt.

Brust

Brust. Große Schwäche in der Brust, so schwach, daß der Kranke nicht oder kaum sprechen kann, besonders bei Kehlkopf-, Bronchial- und Lungenleiden, aber auch bei allgemeiner großer Schwäche oder in Verbindung mit Unterleibsleiden der Frauen. *Bei Brustleiden* besteht *meist Husten, mit profusem*, dicken, klumpigen, hellgrünen *Auswurf von sehr süßem Geschmack;* vorhandene Schmerzen nehmen langsam bis zum höchsten Grade zu und ebenso langsam wieder ab. **Stannum D 6–15–30.**

—. *Schwächegefühl in der Brust vom Sprechen;* geistige, körperliche, seelische Schwäche und Erschöpfung. Dabei teilnahmslos, apathisch, schweigsam; Husten mit reichlichem, eitrigem Auswurf von widerlichem Geruch. Die Ursache kann Onanie, geschlechtliche Ausschweifungen oder schnelles Wachstum sein. **Acidum phosphoricum D 2–6.**

—. *Große Ansammlung von Schleim in der Brust mit starkem Schleimrasseln und Unvermögen diesen auszuwerfen.* Ganz gleich, ob dies bei Bronchitis, Lungenentzündung, Keuchhusten oder Asthma auftritt, dann ist **Tartarus emedicus D 6–30–100** *das erste Mittel* bei allen Altersstufen und Konstitutionen, ganz besonders aber bei Kindern und alten Leuten. In diesen Fällen ist *meist große Müdigkeit* und *Schläfrigkeit* – zuweilen bis zur Bewußtlosigkeit, Betäubung gesteigert – als charakteristisches Symptom vorhanden.

—. *Bronchialkatarrh und Asthma bei alten geschwächten Leuten* in hoffnungslos erscheinenden Fällen; *Brennen wie von glühender Kohle;* Schwäche, Ermüdungsgefühl in der Brust. Schwere Fälle von Lungenentzündung, wenn Tartarus emed. die großen Mengen Schleim nicht beseitigen konnte und Blausucht und Lähmung aus Schwäche drohen, mit übelriechendem Auswurf, kaltem Schweiß und Atem. **Carbo vegetabilis D 30–15–6.**

—. Akute und chronische Erkrankungen der Atmungsorgane, ergreifen zuerst den Kehlkopf und verbreiten sich dann auf Bronchien und Lunge; Krupphusten, trocken, zischend oder klingend, mit hohem Fieber, Aufregung und Angst. **Aconitum D 4–6.** Ein weiteres oder das nächste Mittel ist **Spongia D 2–4,** wenn das Erstere nicht bessert.

—. *Chronische Leiden der Atmungsorgane;* Heiserkeit, Schmerz und Brennen bei Bronchitis, Kehlkopfentzündung; Husten wird schlimmer durch Reden, Singen oder Schlucken, wird besser durch warme Getränke oder Speisen; Brennen, Wundheitsgefühl, Roheit oder Schwere in der Brust. **Spongia D 1–4.**

—. *Stechende* Schmerzen in der Brust, *gleichbleibend und anhaltend sowohl in der Ruhe als auch bei Bewegung.* Diese stechenden Schmerzen können an jeder Körperstelle auftreten, *besonders gerne aber in der rechten unteren Brust*, meist bis zum Rücken durchstrahlend und *bei Ergüssen in seröse Höhlen*, sowie bei *Brust-, Rippenfell-, Lungenentzündung*, ferner *bei Entzündungen der serösen Häute des Herzens.* Verschlimmerung durch Liegen auf der erkrankten Seite; durch Kälte; morgens gegen 3 Uhr. Besserung durch Wärme. **Kalium carbonicum D 30–15–6.**

—. *Stechende, scharfe Schmerzen* in der Brust – auch an anderen Körperstellen –, Seitenstechen, *besonders rechts*, Gefühl des Wundseins hinter dem Brustbein; schmerzhafter Keuch- und Krampfhusten, trocken, mit wenig oder gar keinem Auswurf; *große Trockenheit der Schleimhäute*, mit Durst; häufiges Verlangen einen tiefen Atemzug zu tun, muß die Lungen ausdehnen; *Bronchitis, Lungen-, Rippenfellentzündung, Bauchfellentzündung, akuter Gelenkrheumatismus. Verschlimmerung durch die geringste Bewegung; Besserung durch Druck,* durch Liegen auf der kranken Seite, durch Kälte, kalte Luft, kalter Trunk. **Bryonia D 3–6–30.**

—. *Chronische Katarrhe* der Atmungsorgane; *Lungenabszeß;* verstopfte Nase; *Krupphusten* mit *Pfeifen* und *Rasseln, vor allem durch Einwirkung trockener, kalter Luft entstanden,* mit *Verschlimmerung gegen Mitternacht* oder frühmorgens; Husten wenn irgendein Körperteil entblößt wird; Neigung zu *serösen Ausschwitzungen der Schleimhäute;* kräftiges antipsorisches Mittel bei Leiden der Atmungsorgane als Folge unterdrückter Hautleiden; *profuse Schweiße* Tag und Nacht *ohne Erleichterung; Eiterungen* an allen Geweben und Organen; psorische, rheumatische, luetische Konstitution. **Hepar sulfuris D 6–30.**

—. *Stechen auf der linken Seite,* das sich durch Druck darauf verschlimmert; *starke Atembeklemmung* bei akuten und chronischen Lungenkrankheiten, *Lungen-, Rippenfellentzündung; Druck wie von einer schweren Last auf der Brust, Zusammenschnürungsgefühl;* kann nicht auf der linken Seite liegen; Auswurf zäh, weiß-glasig oder rostfarbig. **Phosphorus D 30–15–6.**

—. Starke *Verschleimungen mit Erstickungsgefahr;* Asthma, Krampfhusten; *hochgradige Atembeklemmung mit Keuchen,* starkem *Druck unter der Herzgrube mit Agnst; erstickender Husten* mit *Blauwerden* des *Gesichtes.* Besonders wenn bei allen genannten Erscheinungen *beständige Übelkeit und Brechreiz* besteht. **Ipecacuanha D 4–6.**

—. *Stechende Schmerzen* in der *rechten unteren Brust* mit *gleichzeitigem Schweiß ohne Linderung* des Leidens, *feuchter Mund* mit üblem Geruch und *intensivem Durst.* Zunge geschwollen, schlaff, zeigt die Eindrücke der Zähne. **Mercurius solubilis D 4–6.**

—. *Schmerzen und Stiche durch die Brust bis zu den Schulterblättern durch;* reichlicher Auswurf mit lange bestehendem Husten, besonders morgens früh gegen 4 Uhr; *alte, hartnäckige Katarrhe* mit Rauheit auf der Brust; beginnende Lungenschwindsucht mit lästigem Husten morgens, Durchfall und Nachtschweiß; kruppöse Lungenentzündung im Stadium der Verdichtung (Hepatisation); Auswurf weißlich-schleimig, grünlich oder mit salzigem Geschmak. Bronchialasthma; feuchte oder eitrige Rippenfellentzündung. **Kalium jodatum D 1–3.**

—. *Heftiger Schmerz durch die untere linke Brust* mit lockerem Husten und Wundheitsgefühl. Patient springt beim Husten im Bett auf und preßt die Hände gegen die schmerzende Stelle. Dieses Symptom wird bei chronischen Leiden der Atmungsorgane, Asthma, Lungenentzündung, Lungentuberkulose usw. beobachtet. **Natrium sulfuricum D 6.**

—. Heftiger Schmerz durch die *obere linke Brust nach dem Schulterblatt;* drohende Lungenschwindsucht, hartnäckiger, trockener Husten. **Myrtus communis D 2–6.**

—. Schmerz durch die *obere, rechte Brust;* Nachtschweiße; chronische Bronchitis. **Calcium carbonicum D 30–15–6.**

—. Schmerz durch die *untere, rechte Brust*, oft periodisch und nachts auftretend; Keuchhusten, Grippe; Leber- und Gallenmittel, Funktionsstörungen dieser Organe; hauptsächlich rechtsseitig wirkendes Mittel. **Chelidonium D 2–6.**

—. Leiden der Atmungsorgane mit *Schmerzen in der Brust* und *Kältegefühl im Rücken* zwischen den Schulterblättern. **Ammonium muriaticum D 4.**

—. Brust- und Rippenfellentzündung tuberkulöser Art. **Arsenicum jodatum D 3–4** oder **Arsenicum album D 6** ist Hauptmittel. Daneben die entsprechenden *Konstitutionsmittel* je nach den Leitsymptomen.

—. Schmerzen am dritten rechten Rippenknorpel; eitriger Auswurf, drohende Lungenschwindsucht. **Anisum stellatum D 4.**

—. Bei Brust- und Rippenfellentzündung mit eitrigen oder serösen Ergüssen mit Fieber setzt man am besten gleich zu Beginn der Erkrankung starke Gaben von **Aconitum D 3** und **Bryonia D 1–3,** ¼stündlich 6–8 Tropfen, im Wechsel, Tag und Nacht, ein. Zur Anregung der Nierentätigkeit **Cantharis D 6** und **Cannabis D 6** als Zwischenmittel. Evtl. weitere Mittel je nach den auftretenden Symptomen. Bei heftigen, stechenden Schmerzen linksseitig, – Patient kann vor Schmerzen kaum atmen oder sich rühren – besonders bei rheumatischer Anlage, **Ranunculus D 2–3;** bei rechtsseitiger Ausschwitzung, mit Stechen, Brennen, Hitzen, Fieber ohne Durst **Apis D 3–6;** bei großer Atemnot mit Schleimrasseln, bebenden Nasenflügeln, drohender Kollaps, bei Brustfell- und Lungenentzündung **Tartarus emeticus D 6.**

Brüste, Brustdrüsenentzündung siehe Frauenleiden!

Darm

Darm. Mastdarmvorfall mit Stuhldrang, statt des Stuhles oder mit diesem drängt der Darm hervor. Patient fürchtet sich vor dem Stuhlgang, oder sich zu bücken oder etwas zu heben wegen der Gefahr des Vorfalles. Dem meist harten Stuhlgang folgt ein zusammenziehender, heftiger Schmerz, der 1–2 Stunden anhält; ein weiteres, wertvolles Symptom ist: *Heftig stechende Schmerzen aufwärts in den Mastdarm hinein.* **Ignatia D 30.**

—. *Mastdarmvorfall* meist *in Verbindung mit Durchfall;* profuse, sehr übelriechende Stühle, schlimmer morgens und bei heißem Wetter; Brechwürgen, Poltern im Bauch. **Podophyllum D 2–6–12.**

—. *Mastdarm fällt leicht vor*, ist dann sehr schmerzhaft und empfindlich gegen die geringste Berührung; kann nicht urinieren ohne daß der Mastdarm austritt. **Acidum muriaticum D 6–12.**

—. *Mastdarmvorfall* oder *Gefühl als ob alles unten herausdrängen würde;* durch Gase außerordentlich aufgetriebener Leib, druckempfindlich; vergeblicher Stuhldrang, besonders bei Schwangeren. **Sepia D 30–15–6.**

—. *Mastdarmvorfall*, schlimmer beim Bücken, Heben oder bei Stuhlgang; Zerschlagenheitsschmerz an allen Körperstellen. **Ruta D 1—3.**

—. In allen Fällen von Mastdarmvorfall ist neben dem indizierten Mittel stets **Calcium fluoricum D 12** zur Festigung und Stärkung der erschlafften elastischen Fasern und Gewebe, längere Zeit hindurch, wöchentlich 1–2 Gaben, zu verabreichen.

—. *Kolikartige Schmerzen* in *Darm und Bauch* nach allen Richtungen ausstrahlend; Gefühl als ob der Bauch eingezogen wäre oder er ist wirklich eingezogen. Die Ursache kann Unterleibsstörungen oder auch Verstopfung sein. **Plumbum D 6–10–30.**

—. *Knurren* und *Brummen* im Darm oder *Bauch dick aufgebläht*, an einzelnen Stellen hie und da hervorstehend; After rissig, oder von weichen, verschieden geformten Kondylomen umgeben. **Thuja D 6–15–30.**

—. *Darmlähmung* (Atonie), Stuhlgang fehlt ganz. **Opium D 30.**

—. *Atonie des Darmes*, die Stühle werden sehr schwer entleert, auch wenn sie weich sind. **Hepar sulfuricum D 6–15–30.**

—. *Chronische Darmkatarrhe*, besonders im Dickdarm, oft mit Geschwürbildung, Stuhl mit schleimig-eitrigen Sekreten bedeckt; Stuhldrang mit Angst vor dem Stuhl; habituelle Verstopfung; brennende Durchfälle mit Abmagerung und Verfall; chronische Blinddarmentzündung. **Sulfur jodatum D 6–4.**

—. Typhöse *Darmblutungen*, das Blut kommt in großen, festen Klumpen die wie Leber aussehen. **Alumina D 4–6–30.**

—. Darmblutungen, Flocken von zersetztem Blut in kleineren oder größeren flachen Stücken die wie verkohltes Stroh aussehen. **Lachesis D 30.**

—. Kolikartige Schmerzen mit hartnäckigster Verstopfung, starken Blähungen und Hämorrhoidalbeschwerden. **Collinsonia D 2–6.**

—. Akute Darmkatarrhe und Darmentzündungen gehen immer mit Durchfällen einher, die erforderlichen Mittel sind also unter „Durchfall“ zu finden.

Chronische Darmkatarrhe und Darmleiden zeigen sich meist durch Verstopfung, auch oft abwechselnd mit Durchfall, an. Man beachte also auch die Rubrik „Verstopfung“ sowie „Geschwüre“, „Geschwülste“, „Krebs“, Verdauungsstörungen.

Delirium

Delirium, hochgradiges, die Raserei ist manchmal furchtbar. Singen, Lachen, Pfeifen, Schreien, klägliches Beten, gräßliches Fluchen wechselt in bunter Reihenfolge; große *Geschwätzigkeit;* wirft sich in alle möglichen und unmöglich erscheinende Lagen, macht sich steif oder *fährt plötzlich mit dem Kopf aus den Kissen in die Höhe*. Der innere Mund ist wie roh, die Zunge kann steif oder gelähmt werden. Stühle schwärzlich, aashaft riechend, oder kein Stuhl und Urin. Später kann vollständiger Verlust der Sinne und Sprache eintreten mit erweiterten, starren Pupillen und profusem Schweiß ohne Linderung. **Strammonium D 30–200.**

—, heftiges, mit geringerem wechselnd; *Benommenheit, Betäubungszustand* herrscht vor mit zeitweisen Ausbrüchen der heftigen Form; große, geistige und körperliche Erschöpfung, blasses Gesicht, Stuhl und Urin gehen unwillkürlich ab. Wenn das akute Delirium zur chronischen Manie übergeht, wird der Patient sehr argwöhnisch, will keine Arznei nehmen, weil er glaubt, man wolle ihn vergiften oder es sei ein Anschlag gegen ihn geplant, oder er ist eifersüchtig; oder er entblößt sich, singt und spricht verliebte Dinge; ist manchmal sanft und ängstlich, dann wieder heftig, greift an, kratzt und beißt; klonische Konvulsionen, jeder Muskel im Körper zuckt von den Augen bis zu den Zehen. **Hyoscyamus D 30–15.**

—, heftiges, *hochgradiges*, mit *Blutüberfüllung des Gehirns, Kongestionen des Kopfes. Kopf und Gesicht heiß, rot, fast purpurrot*, die *Augen ebenfalls rot und blutunterlaufen*, die *Extremitäten kalt.* Das Klopfen der Halsschlagader ist deutlich sichtbar, es besteht heftiger Schmerz oder Druck oder das Gefühl des Benommenseins; Patient fürchtet sich vor eingebildeten Dingen, sieht Geister oder schreckliche Gesichter, lacht oder schreit, knirscht mit den Zähnen, beißt und schlägt um sich und ist schwer zu bändigen. **Belladonna D 6–15–30.**

—, siehe auch „Geistes- und Gemütssymptome".

Drüsen

Drüsen. Schmerzhafte, harte Drüsenschwellungen am Hals und Nacken; Schleimhäute trocken; brennende, scharfe Sekrete; großer Durst; skrofulöse, anämische Erscheinungen, Abmagerung, besonders am Hals, trotz Hunger und reichlichem Essen; Taubheitsgefühl und kribbeln der Zunge, Lippen und Nase im Zusammenhang mit Leber- und Verdauungsstörungen. **Natrium muriaticum D 30–200.**

—. *Anschwellungen* und *Verhärtungen* der Drüsen mit Prickeln, stechenden, schießenden, brennenden Schmerzen nach Kontusionen und Quetschungen; monatliche Anschwellung der Brüste, empfindlich und schmerzhaft bei Erschütterung, besonders rechtsseitig. Knoten und Geschwülste in den Brüsten, Magen, Gebärmutter, besonders wenn durch Stoß oder Verletzung entstanden. **Conium D 6–12–30,** wenn die Erscheinungen vorwiegend links auftreten **Silicea D 6–12–30.**

—. *Skrofulöse, tuberkulöse Drüsenverhärtungen* mit wenig oder gar keinen Schmerzen; Krebsdisposition, besonders bei blauäugigen, blonden Personen mit heller, zarter Haut. **Bromum D 3–6.**

—. Drüsenschwellungen bei Kindern, besonders der Mandeln und mit Vereiterungen. **Baryum carbonicum D 30–7–4.**

—. Drüsenschwellungen, Drüsenverhärtungen, chronische, langwierige, veraltete Fälle, an Hals und Nacken, ebenso der Mandeln; *Anschwellungen der Schilddrüse, Kropf;* Schwellungen der Schleimhäute in Nase und Rachen mit Reizhusten, von den oberen Luftwegen ausgehend; chronische Mittelohreiterungen bei durchlöchertem Trommelfell; gutes Resorptionsmittel bei Skrofulose. **Calcium jodatum D 4.**

—. Verhärtungen, Geschwülste, Knotenbildungen, steinhart, schmerzlos, reaktionslos; krebsverdächtige Tumoren, Geschwülste der Brustdrüse; Drüsenvereiterungen, Fistelbildungen. **Calcium fluoricum D 12** im Wechsel mit **Silicea D 12,** dreistündlich eine Gabe. Bei schon lange bestehenden chronischen Fällen wöchentlich 2–3 Gaben längere Zeit hindurch. Als konstitutionelles Umstimmungsmittel **Tuberculinum D 200–300** wöchentlich eine Gabe.

—. *Drüsenanschwellungen, besonders der Schilddrüse* und *Mesenterialdrüsen;* Verschlimmerung aller Symptome im warmen Zimmer; Nervenüberreizung, Aufregung, Angstgefühl; Entkräftung und *starke Abmagerung trotz Heißhunger; fühlt sich nur beim Essen oder unmittelbar darnach wohl.* **Jodum D 30–15–6.** Nash betont die außerordentliche Wichtigkeit der letztgenannten Symptome, die, wenn ausgeprägt vorhanden, alle anderen Mittel ausschließen, ganz gleich um welche Krankheit es sich auch handelt. Nash hat viele Fälle von *Kropf* mit **Jodum C.M.-D 100 000,** 4 Tage lang abends *eine* Gabe, *nach* Vollmond, geheilt.

—. *Drüsenschwellungen* bei skrofulöser Konstitution; chronische Ohreneiterungen; eines der besten Mittel bei *harten Bindegewebskröpfen; Geschwülste* gutartige und bösartige *der Gebärmutter* mit Blutungen; *Weißfluß.* **Lapis albus D 6–30.**

—. *Chronische Lymphdrüsenschwellungen,* chronische Mandelschwellungen, mit Kratzen, Brennen, Trockenheit im Halse, mit zäher Schleimabsonderung; *Hyperthrophie der Schleimhäute* im Nasen-Rachenraum; *Polypen;* Knoten, Fibrome der Brustdrüse. **Sulfur jodatum D 3–6,** ein ausgezeichnetes Resorptionsmittel.

—. *Harte Anschwellungen* der Lymphdrüsen, der Brustdrüse; hartrandige Geschwüre der Brustdrüse; Brustkrebs; Müdigkeitsgefühl, Zerschlagenheitsgefühl am ganzen Körper; äußerste Empfindlichkeit gegen Zugluft; Verschlimmerung aller Beschwerden durch Verdruß und Ärger; ein besonders linksseitig wirkendes Mittel. **Cistus canadensis D 6–30.**

—. *Drüsenschwellungen, Entzündungen;* die zu Eiterungen neigen und nach außen aufbrechen sollen: Brustdrüsengeschwülste, Brustkrebs. **Myristica sebifera D 3–6–30,** das Mittel wird auch „das homöopathische Messer“ genannt.

—. *Unterfunktion der Schilddrüse; Myxödem; Wachstumsstörungen;* Kropfbildung; trockene, schuppige Haut, kalte Hände und Füße; trockene Ekzeme; stupide, schwerfällige, langsame Bewegung und geistige Auffassung. **Thyreoidinum D 1–4.**

—. Drüsenschwellungen, gummöse Drüsengeschwülste, mit heftigen, pulsierenden, stechenden Schmerzen. **Kalium jodatum D 2–4, 6–15,** ein ausgezeichnetes Resorptionsmittel bei gummösen Tumoren. Das Mittel hat daher auch den Namen „Das flüssige Messer“ erhalten.

Durchfall

Durchfall, gelbe, wäßrige Stühle, plötzlich herausschießende Ausleerungen; plätschern in den Därmen; Verschlimmerung durch die geringste feste, oder flüssige Nahrungsaufnahme. **Croton tiglium D 4–6.**

—. *Plötzlicher Stuhldrang mit Entleerung in einem Guß; gelbe, wäßrige, bis fast feste Stühle, die stets in einem Akt* und mit einem Gefühl großer Erleichterung *entleert werden;* häufig heftiges Kollern in den Därmen; zuweilen Brennen im After nach dem Stuhl; Brechdurchfälle. **Gutti-Gambogia D 6–12.**

—, *gelbe, wäßrige Stühle die mit großer Gewalt herausspritzen.* (Sommerdurchfälle der Kinder, besonders wenn sie viel kaltes Wasser getrunken haben.) **Gratiola D 6–12.**

—. *Schmerzlose, dünne, wäßrige Stühle, in einem Strahl herausspritzend oder schießend. Erbrechen* von *massenhaft herausstürzender, wäßriger Flüssigkeit,* mit krampfhaftem, brennendem oder zusammenschnürendem *Magenschmerz;* allgemeines *sinken der Kräfte;* große Angst; allgemeine *Kälte des Körpers* oder *der Extremitäten,* mit blauen Fingernägeln und Zehennägeln; heftige Wadenkrämpfe. **Jatropha D 4–6.**

—. Stühle *gelb, blutig* oder *schleimig, gallertartig, in großer Menge.* Die *Stühle gehen oft unwillkürlich,* fast *unbemerkt* bei Abgang von Blähungen oder beim Harnen infolge Schwäche des Schließmuskels, *ab* (auch feste Stühle). Im Mastdarm besteht das Gefühl, als ob er voll schwerer Flüssigkeit wäre, die sich entleeren will oder auch entleert. Dieses Gefühl kann auch im ganzen Unterleib bestehen; heftiges Kollern im Bauch; heftiger Stuhldrang mit Hitze im Mastdarm; blaue, heftig juckende *Hämorrhoiden;* Erschöpfung bis zur Ohnmacht; ausgedehnte kaltfeuchte Schweiße; Verschlimmerung durch gehen oder stehen, essen und trinken; **Aloe D 6–15–30.** Das Mittel paßt besonders gut für subakute und chronische Zustände.

— mit *Abgang unverdauter Speisen; unwillkürlicher Stuhl beim Abgang von Blähungen,* der geringste Abgang einer Blähung ist *stets* von etwas Stuhl begleitet. (Siehe Beispiel Nash S. 343.) **Oleander D 30–200.**

—, *profuse, wäßrige Stühle, wie aus einem Hydranten herausschießend,* mit weißem, klumpigem Schleim; blutige Stühle mit kleinen, weißen Klümpchen; *unfreiwillige Stühle,* die beständig aus dem offenen After heraussikkern, oder ruhrartige Stühle aus dem weitgeöffneten After mit starkem Drang. **Phosphorus D 6–12–30.**

—, *gegorene Stühle; grasgrüne Stühle,* schleimig, wäßrig; *ruhrartige Stühle,* schleimig, blutig; *beständige Übelkeit, Brechreiz.* **Ipecacuanha D 30–200–6–4.**

—, braune, flüssige, stinkende, unverdaute Stühle mit Hautausschlag von dicker, honigartiger Absonderung oder nach einem solchen unterdrückten Ausschlag. **Graphites D 30–200.**

—. Brechruhr, Brechdurchfall der Kinder; profuse, sehr stinkende Stühle, schlimmer morgens, bei heißem Wetter, bei der Zahnung, oft mit Aftervorfall oder Gebärmuttervorfall – besonders nach Anstrengung – verbunden; Brechwürgen, Poltern im Bauch. **Podophyllum D 30–200.**

—, *dunkelbraune, wäßrige Stühle* von *unerträglichem, widerlichem Geruch; alle Ausscheidungen haben einen aashaften Geruch,* der ganze Körper einen Schmutzgeruch. **Psorinum D 30–200.**

—, wäßrig, gelb oder bräunlich, *unverdaut und schmerzlos, mit großer allgemeiner Schwäche*, blassem, *gelblichem Gesicht*, eingesunkene Augen mit dunklen Ringen. **China D 3–6.**

—, *akut* und *chronisch;* heftiges Kollern, vorwiegend in der rechten Bauchseite; profuse Stühle mit Abgang von Blähungen; bei chronischer Diarrhoe *fast immer Leberbeschwerden* mit Schmerz unter dem rechten Rippenbogen, empfindlich gegen Berührung und Erschütterung. *Verschlimmerung bei feuchtem Wetter*, morgens; nach Bewegung. **Natrium sulfuricum D 6.**

—. *Brechdurchfall der Kinder* (Cholera infantum), plötzlich auftretend, mit rapidem Verlauf. *Stühle wäßrig, profus, schmerzlos, aashaft* riechend, *dabei Erbrechen großer Massen, Wassererbrechen*, heftiger Durst. Es besteht *große Schwäche* wie bei Arsenicum oder Veratrum, jedoch ist die Körperoberfläche warm und oft mit warmen Schweiß bedeckt. Gesicht leichenblaß mit dunklen Ringen um die Augen. **Bismutum D 200–6–3.**

—. *Herbstruhr, weiß-* oder *blutigschleimige, mit Schleimhautfetzen durchsetzten Ausleerungen*, mit heftigem Drang; heftiges Brennen oder eisige Kälte im Unterleib. Charakteristisches Leitsymptom ist: der Geruch kochender Speisen erregt Ekel bis zur Ohnmacht. **Colchicum D 3–6–200.**

—, *wie vorstehend, aber mit zusammenkrümmenden, kolikartigen Schmerzen.* **Colocyntis D 6–12.**

—, *wie vorstehend*, aber der *Schmerz und Drang erstreckt sich noch auf die Blase.* **Cantharis D 6–12.**

—, *grüne, schaumige, schleimige* Stühle mit vorausgehenden *kneipenden, kolikartigen, krampfartigen Schmerzen. Stühle sind sauer, saures Aufstoßen* oder *Erbrechen, der ganze Körper riecht sauer.* **Magnesium carbonicum D 4–6.**

— mit grünen, spritzenden Stühlen, unverdaut, mit lauten, stinkenden Blähungen. **Calcium phosphoricum D 4–6.**

—. *Brechdurchfall* der Kinder (Cholera infantum), lockere Stühle vorherrschend; chronischer Durchfall mit Abmagerung, Hunger und Durst. **Natrium muriaticum D 6–30–200.**

— mit gewaltsamen, glucksenden, reichlichen Entleerungen. **Thuja D 30–15–6.**

—. *Brechdurchfall;* Brechreiz beim Geruch oder Sehen von Speisen; saures, galliges Erbrechen; Verschlimmerung durch Milchgenuß. **Sepia D 6–12–30.**

—, häufiger, erfolgloser Drang oder ungenügende Entleerung; Schmerzen nach jedem Stuhlgang für kurze Zeit sehr gemindert. Dieses Symptom ist bei Ruhr stets vorhanden und tritt auch bei Verstopfung auf. **Nux vomica D 6–30.**

—, *chronischer; blutig-schleimiger* – Blut meist hellrot – *brennende, schneidende, stinkende Stühle*, mit Drang; Afternässen; Aftervorfall; Hämorrhoiden, blutend mit Splitterschmerz; Aufgetriebenheit mit Kollern und Blähungskolik. **Acidum nitricum D 6–12.**

— im Wechsel mit Verstopfung, besonders bei alten Leuten; mit Erschöpfung, Schlafsucht, Abmagerung; paßt meist bei chronischen Zuständen und bei rheumatisch, gichtischer Anlage; dick belegte, milchweise Zunge. **Antimonium crudum D 4–6.**

— morgens früh, von brauner Farbe, meist mit Affektionen der Luftwege, Reizhusten, Katarrhe mit Schmerzen und Brennen begleitet. **Rumex D 3–6.**

—. *Brechruhr*, mit schmerzlosem oder überhaupt keinem Stuhl; *Kräfteverfall, Kollaps* und *Herzschwäche* schwerster Art; *große Kälte der Körperoberfläche* mit dem eigentümlichen Symptom: *der Kranke will trotzdem nicht zugedeckt sein.* **Camphora D 1** oder **Camphora Rubini** und **Secale cornutum D 6–3.**

—. *Brechruhr; profuse reiswasserähnliche* Entleerungen; *große Kälte der Körperoberfläche, hippokratisches Gesicht; kalter Schweiß*, besonders auf der Stirn; *große Schwäche und Hinfälligkeit.* **Veratrum album D 3–6.** Das Mittel hat nur eine kurze Wirkungsdauer. Man gibt es in akuten Fällen 1–2stündlich, in chronischen 1–2 mal täglich. Wenn das Mittel – in akuten und chronischen Fällen – nicht bald hilft, dann paßt es überhaupt nicht.

—. *Sommerdurchfälle; Typhus, Ruhr;* grüne Durchfälle nach Erkältung oder Diätfehler; Zwölffingerdarmkatarrhe mit *Gelbsucht, besonders bei Kindern.* **Mercurius dulcis D 4–6.**

— bei Kindern mit profusen, wäßrigen, olivgrünen Stühlen; *Brechdurchfall, Brechruhr* mit galligen Stühlen; *Gelbsucht* bei Neugeborenen. **Elaterinum D 4–6.**

—, bestehend aus *Stühlen, die fortwährend die Farbe wechseln*, so daß keine zwei aufeinanderfolgenden Stühle in der Farbe gleich sind. **Sanicula D 3–30.**

—, *Ruhr, im ersten Stadium*, mit großen Mengen Blut im Stuhl. Ein sehr wertvolles Mittel hierfür ist **Ferrum phosphoricum D 12** das oft in kurzer Zeit heilt.

—. *Brechdurchfall* mit *ekelhaftem, faulig riechendem Stuhl* und im Zusammenhang mit *schmerzhafter Zahnung, geschwollenes schmerzhaftes, dunkelrot* oder *blaß* aussehendes *Zahnfleisch mit hohlen Zähnen.* **Kreosotum D 30–200.**

—. *Saure Stühle*, mit kolikartigen Schmerzen vor dem Stuhl und anhaltendem Drang nach demselben; *das ganze Kind riecht sauer so oft es auch gebadet wird.* **Rheum D 2–3.**

—. *Durchfälle jeder Art*, mit oder ohne Kolik; *Ruhr* bis zu den schwersten Formen. **Uzara D 1–3,** ein bewährtes und empfehlenswertes Mittel.

—. *Chronische Dyspepsie* des Magens oder Darmes mit *Verfalls-Abmagerungserscheinungen*, besonders bei Kindern, mit Durchfall begleitet. Ein charakteristisches Merkmal ist: der *Stuhl riecht sauer* oder das ganze Kind riecht sauer. **Hepar sulfuris D 4–12–30.**

—. *Brechdurchfall;* heftige Blähungsbeschwerden mit aufgetriebenem Bauch, außerordentliche Trockenheit des Mundes, mit Störungen im Gehirn- und Nervensystem; Betäubung, Schlafsucht, Gedächtnisverlust, Erschöpfungszustand der Nerven. **Nux moschata D 4–6.**

—. *Ruhr.* Ein weiteres, sehr bewährtes Mittel ist die Blutwurzel, Radix Potentillae in Rotwein gekocht und schluckweise einnehmen.

—. *Brechdurchfall*, wäßrige, stinkende, dunklere Stühle. Angstgefühl an der Herzgegend, Unruhe; Urin spärlich mit Eiweiß; quälender Durst mit brennenden, trockenen, ausgedörrten Lippen. Trotz des starken Durstes kann Patient nur kleine Schlucke Wasser zu sich nehmen; Verschlimmerung gegen Mitternacht. **Arsenicum album D 6–15–30.**

—. *Brechdurchfall, Cholera.* Übelkeit und Erbrechen; gallig-grüne, oder Reiswasserstühle mit schneidender Kolik; *Krämpfe* in Zehen, Fingern, Bein- und Bauchmuskeln; Zusammenschnürungsgefühl und Druck auf der Brust. **Cuprum metallicum od. arsenicosum D 4.**

—. Chronische, schleimige Durchfälle, stinkend. Hämorrhagische Durchfälle; ständiger Stuhldrang mit Unvermögen den Stuhl zu entleeren; Pupillen erweitert; trockener Mund, Brennen der Zungenspitze. Wirksames Mittel bei allen ausgedehnten Schleimhautkatarrhen und Schleimhautblutungen **Geranium D 6–12.**

Durst

Durst unbeschreiblich stark, Lippen brennend trocken, ausgedörrt und aufgesprungen, Mund trocken oder mit Schwämmchen besetzt, geschwürig oder brandig. Trotz des Durstes kann Patient nur ganz wenig Wasser auf einmal zu sich nehmen. Besserung durch Hitze, Verschlimmerung gegen Mitternacht. **Arsenicum album D 6–15–30.**

—, eigentümlicher, mit Verlangen nach kalten Sachen, die aber wieder erbrochen werden; meist in Verbindung mit Hunger, muß oft essen, auch nachts. **Phosphorus D 6–15–30.**

—, heftiger, mit Hunger und trotzdem Abmagerung; bei anämischen Zuständen; Diabetes. **Natrium muriaticum D 200–100–30.**

—, intensiver, feuchter Mund mit üblem Geruch; Zunge geschwollen, schlaff, zeigt die Eindrücke der Zähne. **Mercurius solubilis D 4–6.**

Eiterungen

Eiterungen der *Mandeln, der Drüsen*, der *serösen Häute des Brust- und Rippenfelles;* bei örtlichen Entzündungen; Impfvergiftungen; nach Verletzungen. Klopfender, ziehender Schmerz mit Frostschauer oder Fieber zeigt den Beginn der Eiterung an. **Hepar sulfuricum D 3–7–12–30.** Wenn sich Eiterungen zu bilden beginnen wird das Reifen eines Geschwürs und der Eiterabfluß durch Verordnung niederer Potenzen sehr gefördert. Im allgemeinen aber dürfte die D 6–12–30 die geeignetste sein.

— der *Drüsen, Haut, Zellgewebe; Abszesse, Furunkel, Karbunkel; septische Prozesse*, septische Fieber. **Echinacea** ∅, ein ganz ausgezeichnetes, sehr bewährtes Mittel zum *innerlichen* und *äußerlichen* Gebrauch. Innerlich gibt man je nach Schwere des Falles $^1/_2$–1–2–3stündlich 5–10 Tropfen. Äußerlich zu Umschlägen unverdünnt oder in Salbenform.

—, drohende, der *Drüsen;* Erkältungsfieber; *schleichende Sepsis* (Blutvergiftung) mit Frostschauern und klebrigen Schweißen, welche keine Linderung bringen. **Mercurius solubilis D 6–15–30.**

—, *akute* und *chronische; kalte Abszesse;* tiefsitzende *Eiterungen* und *Entzündungen des Zellgewebes* einschließlich der Sehnen und Bänder; Drüsen- und Knocheneiterungen. Leitsymptome des Mittels siehe unter Konstitution. **Silicea D 4–7–12–30–200.** Hochpotenzen nur in seltenen Gaben, 2–4mal eine Gabe monatlich.

—, profuse, der Bindegewebe, Haut, Drüsen, Lunge, Knochen; *Hornhautabszesse* und *-Geschwüre;* das Mittel folgt gut nach Hepar sulf., wirkt tiefer als dieses. Hat sich auch bei *Niereneiterungen* bewährt. **Calcium sulfuricum D 6–12.**

E

—, *Abszesse* und *Geschwülste der Knochen* und *Gelenke; chronische Eiterungsprozesse* der *Lungen*, des *Darmes*, *Hüftgelenks*, der *Knochen; tuberkulöse Prozesse; chronische Hornhautgeschwüre.* Das Mittel paßt besonders gut bei Personen mit zartem, schwächlichem Körperbau, hellen Augen und Haaren; bei Abmagerung und Schwäche, erschöpfenden Schweißen und Blässe der Haut. **Calcium hypophosphorosum D 1,** das Mittel hat *große* resorbierende Wirkung und hat schon oft Eiterherde und Tuberkeln vollständig resorbiert.

— der *Drüsen; Anschwellungen* und *Verhärtungen*, mit *großer Schwäche* und *Erschöpfung; Dyskrasie;* Kräfteverfall bei alten Leuten und Kindern; psorisch, sykotisch, luetische Konstitution. **Carbo animalis D 4–D 12–30.**

—, siehe auch „Entzündung", „Fieber", „Geschwüre".

Empfindlichkeit

Empfindlichkeit, große, gegen Schmerzen jeder Art in Fällen, die meist in gar keinem Verhältnis zur Schwere des Leidens stehen. Wärme verschlimmert, aber Kälte und kalte Luft *bessert nicht*, sondern führt im Gegenteil Beschwerden herbei; *Benommenheit bei Schmerzen;* Patient ist übelgelaunt, ärgerlich, boshaft, schnippisch. (Siehe Beispiel Nash Seite 109.) **Chamomilla D 6–15–30.**

—. *Überempfindlichkeit gegen Berührung, Schmerz und kalte Luft;* fällt beim geringsten Schmerz in Ohnmacht. Die Überempfindlichkeit erstreckt sich auf Geist und Psyche, die geringste Ursache reizt zu Heftigkeit im Sprechen, Tun und Handeln. **Hepar sulfuris D 12–15–30.**

—, *äußerste, der Haut, gegen Berührung*, Erschütterungen; bei Entzündungen, Schmerzen, Geschwülsten, Lähmungen. **Plumbum D 6–15–30.**

—, *große, gegen kalte Luft oder Witterungswechsel.* Der Kranke kleidet sich warm an auch bei heißem Wetter. **Psorinum D 30–200.**

— der Organe *gegen Druck*, oder Gefühl des Zusammenschnürens. **Lachesis D 15–30.**

—. *Überempfindlichkeit; Nervosität;* jedes, selbst harmlose, Wort beleidigt; jedes geringste Geräusch erschreckt; kann keine Arzneien vertragen; eigenartige, hitzige, vorsichtige, mißtrauische Personen, leicht erregt, zornig, gehässig, boshaft. **Nux vomica D 30–15–6.**

—, *äußerste*, des *Nervensystems, der Haut* gegen die leiseste Berührung, selbst die Haare tun weh, aber, seltsam, *starker Druck lindert.* **China 30–15–6.**

—, *große*, gegen *den geringsten*, oder unscheinbaren *Eindruck;* das geringste, anscheinend unrechte Wort wird als sehr verletzend empfunden. **Staphisagria D 30–15.**

—. *Überempfindlichkeit aller Sinne; allgemeine nervöse Erregung;* reißende Schmerzen an verschiedenen Körperteilen, schlimmer beim Stehen, besser beim Liegen; *Gefühl als ob der Körper in der Luft schwebe.* **Valeriana D 3** oder bei überwiegen der Schmerzsymptome dürfte **Zincum valerianum D 3–4** noch besser wirken.

—, *große*, infolge *Nervenschwäche;* erschrickt sehr leicht, schreit wegen eingebildeter Erscheinungen auf; *fährt bei der leisesten Berührung zusammen*, besonders empfindlich sind die Füße. *Säckchenförmige, ödematöse Anschwellungen der oberen Augenlider* ist ein weiteres, sehr wertvolles Leitsymptom. **Kalium cabonicum D 30.**

—. *Überempfindlichkeit gegen Eindrücke und Geräusche* mit *außerordentlicher Unruhe;* Hyperesthesie oder Kongestionen der weiblichen Unterleibsorgane; *Hysterie; Veitstanzartige Zustände; krampfhaftes Muskelzucken;* Ruhelosigkeit bei Frauen, kann in keiner Stellung ruhig bleiben, muß sich immer bewegen, obwohl Bewegung alle Symptome verschlimmert; geschlechtliches Verlangen oder *Jucken der Geschlechtsteile.* **Tarantula D 30–200,** hauptsächlich ein Frauenmittel und wirkt allgemein auf die Geschlechtsorgane.

—. *Sehr starke, allgemein erhöhte Empfindlichkeit; ungewöhnliche, geistige und körperliche Lebhaftigkeit;* alle Sinne schärfer, schnell im Handeln, lebhafte Phantasie, macht Zukunftspläne; seelische Erschütterungen; *Überreizung der Nerven; Schlaflosigkeit.* **Coffea D 30–200.**

—, *große, gegen Geräusche jeder Art;* fährt oder zuckt bei nahen oder entfernteren Geräuschen zusammen; Furcht zu fallen bei Bewegungen nach unten. **Borax D 30–15.**

—. *Außerordentliche Überempfindlichkeit der Nerven.* Schon das Kratzen auf Leinwand, das Knistern oder Knittern von Seide oder Papier ist unerträglich; Schwindel und Brechreiz, besonders bei geschlossenen Augen; Migräne; Kopfschmerzen periodisch wiederkehrende. **Theridion D 30–200.**

—, siehe auch „Gefühl", „Nervenleiden".

Entzündungen

Entzündungen. Diese treten hauptsächlich in allen akuten Erkrankungsformen auf und können *alle Organe* und *Organteile* des menschlichen Körpers befallen.

Alle speziellen Entzündungen, z. B. der Augen, der Brust, des Gehirns, der Gelenke, Lungen, Knochen, des Herzens, der Venen usw. sind unter dem betreffenden Schlagwort besprochen. Ferner unter Fieber, Eiterungen, Blutvergiftung, Geschwüre, Infektionskrankheiten, die ja alle mit mehr oder weniger Entzündungserscheinungen verbunden sind.

Im Nachfolgenden sind nun einige wenige Mittel angeführt, die bei fast allen Entzündungskrankheiten indiziert sind und gegebenenfalls neben weiteren passenden Mitteln, im Wechsel mit diesen oder als Komplex gegeben, die Grundlage der Behandlung bilden.

— infolge Erkältungen in trockener, kalter Luft, *große Hitze mit Durst, trockene, heiße Haut, ohne Schweiß*, harter, frequenter voller Puls; *große grundlose Unruhe und Angst*, wirft sich in Todesangst hin und her, *unerträgliche reißende, schneidende Schmerzen*, ganz gleich, wo diese auch auftreten, wenn sie von großer Unruhe, Angst und Furcht begleitet sind; *schlimmer gegen abend und nachts*, oft wechselnd mit Taubheitsgefühl, Kribbeln oder Ameisenlaufen. **Aconitum D 6–12–30.**

—. *Örtliche Entzündungen im ersten Stadium, plötzlich auftretend*, mit schnellem Verlauf. *Große Hitze an der Körperoberfläche, besonders* aber *am Kopf* mit *Blutandrang* oder *Blutüberfüllung des Gehirns*. Rotes Gesicht, rotunterlaufene Augen, sichtbar klopfende Halsschlagadern, *Schweiß an bedeckten Körperteilen. Benommenheit* oder *Delirien*, Furcht vor eingebildeten Dingen; alle Beschwerden werden *schlimmer durch Niederlegen* oder Hinunterbeugen. **Belladonna D 6–12–30.**

— der *serösen Häute* in der *Lunge, Brust-, Rippenfell, Gehirn, Herz, Bauchfell*, meist im zweiten Stadium der Entzündung und bei serösen Ergüssen mit dem charakteristischen Symptom: *stechende Schmerzen* die *bei der geringsten Bewegung kommen oder sich verschlimmern;* Besserung durch Druck oder Liegen auf der erkrankten Seite. **Bryonia D 4–6–12–30.**

— der *serösen Häute* in der *Lunge, Brust-, Rippenfell, Herz. Stechende Schmerzen, unabhängig von Bewegung oder Druck*, hauptsächlich in der unteren rechten Brust, meist nach dem Rücken durchgehend. **Kalium carbonicum D 30–15–6.**

— mit stechenden, brennenden Schmerzen, die den Patienten aufschreien lassen. Schmerzen wie Feuer, heftig, wie der Stich einer Biene. Röte und Anschwellung der Haut, akute Exantheme (Ausschläge, Ausschwitzungen); entzündliche Erkrankungen des Gehirns und der Hirnhäute, der Gelenke. **Apis D 3–4–6.**

—, *akuteste*, mit *hohem Fieber, Kongestionen* in Gehirn, Lunge, Magen; *akute Infektionskrankheiten mit rapidem Verlauf;* Entzündungen der Herzhäute; *akute, schwere Formen von Rheuma der Muskeln und Gelenke;* Herzkomplikationen bei den genannten Zuständen. Leitsymptome: *Große* Erschöpfung, *kalte Schweiße;* auf der Mitte der Zunge ein schmaler, gut abgrenzter Streifen; oft Übelkeit und Erbrechen; Verschlimmerung bei jeder Bewegung. **Veratrum viride D 3–6–12.**

— im zweiten Stadium und bei Anschwellungen der Gelenke, bei Exsudaten, Ergüssen, Eiterungen; chronische Entzündungen des Nasen-Rachenraumes, der Ohren. **Kalium chloratum D 6.**

—. Verschleppte *Rippenfellentzündung*, wenn Ausschwitzungen, Ergüsse (pleuritisches Exsudat) aufgetreten sind. *Leitsymptome: Stechende* Schmerzen tief in der Brust oder in der rechten Rippengegend; *Wundheitsschmerz*, Brustweh *mit Ausstrahlungen bis zu den Schulterblättern.* **Kalium jodatum D 3–6** ein ausgezeichnetes Resorptionsmittel, das schon in vielen Fällen eine Punktion oder operative Entfernung des Exsudates verhütet hat.

— welche in Eiterung übergeht; Entzündungen und Eiterungen der Zellgewebe, der Drüsen, Knochen. Die Beachtung der Konstitution ist wichtig für die Wahl des Mittels. **Silicea D 6–12.**

—, allgemeine, besonders bei bleichen, blutarmen Kranken, bei Infektionskrankheiten, Grippe, Fieber, Exantheme. **Ferrum phosphoricum D 6–7–8–12.**

Das Schüßlersche Funktionsmittel für alle entzündlichen fieberhaften Krankheiten im ersten Stadium.

— der Hoden und Samenstränge. **Hamamelis D 1–4.**

— der *Schleimhäute*, der *Gefäße* mit Hitze und Frost, Schweiße; Brennen der Fußsohlen, Kälte der Haut; Neigung zu Blutungen; Krämpfe der Gefäße, Krampfwehen, Gebärmutterkrämpfe. Verschlimmerung durch Bettwärme, Bewegung. Frauenmittel, paßt besonders gut für magere, blasse, elend aussehende, knochige Frauen. **Secale cornutum D 6.**

Epilepsie

Epilepsie. Die verschiedenen Formen der Epilepsie müssen vor allen Dingen *konstitutionell angegangen* und bekämpft werden, da diese Krankheit auf Vererbung beruht und diese erforscht und erfaßt werden muß. Die Behandlung muß sich vor allem auf Vorbeugen und Verhütung bei erblich belasteten Jugendlichen, wo epileptiforme Anfälle beobachtet werden, erstrecken. Voll ausgebildete, besonders schwere Formen der echten Epilepsie gelten als unheilbar. Dagegen sind Fälle der sogenannten Reflex-Epilepsie, die ihre Ursache in Verletzungen und alten Narben der Gehirnrinde, sowie als Folge von Gehirn- und Hirnhautentzündungen haben, vielfach mit Erfolg behandelt und auch geheilt worden.

Nun zur Mittelwahl. Man beginnt zunächst mit der Wahl des für den jeweiligen Status passenden Konstitutionsmittel, siehe unter dieser Rubrik. Dann wähle man das nach den Leitsymptomen passendste Mittel – wobei die Wahl der Potenz von ausschlaggebender Bedeutung sein kann – und lasse es gehörig und nachhaltig auswirken und evtl. in wechselnden Potenzen. Folgende Mittel, deren Leitsymptome unter „Entzündungen“, „Gehirnkrankheiten“, „Geistes- und Gemütssymptome“, „Krämpfe“, beschrieben sind, kommen als wichtigste in Betracht. Die Reihenfolge ist nach der Wichtigkeit geordnet. **Belladonna D 30–15–6, Lachesis D 30–15, Ignatia D 3–6, Hyoscyamus D 30–15, Cuprum D 30, Zincum D 30, Opium D 30, Plumbum D 30, Stramonium D 6–30, Argentum nitr. D 6–30, Verbena ∅ – D 4 u. a.** Daß gerade bei dieser Krankheit oder Anlage hierzu, reizlose, hauptsächlich vegetabile, naturgemäße Ernährung eine große Rolle spielt, bräuchte eigentlich nicht besonders betont zu werden.

Erbrechen

Erbrechen bei Kindern. Die genossene Milch kommt sofort unter großer Anstrengung wieder herauf oder sie wird später in großen, sehr sauren Massen, erbrochen. Wird dieser Zustand nicht beseitigt, geht die Erkrankung meist in Brechdurchfall über, mit grünen, wäßrigen oder schleimigen Stühlen, Kolik und Krämpfen. Gesicht eingefallen mit durchsichtig blassen Oberlippen und *nach unten gerichteten Augen; Durst fehlt völlig; große Erschöpfung* und Angst. **Aethusa D 4–6–30.**

—. Erscheinungen und Symptome wie vorstehend, aber *mit Trockenheit, Brennen* im Mund, *mit Durst.* **Arsenicum album D 6–15–30.**

— großer Mengen geronnener Milch zugleich mit sauren Stühlen, Kopfschweiß und offenen Fontanellen. (Calcium Temperament.) **Calcium carbonicum D 30–12–6.**

— mit Übelkeit. Das Erbrochene ist meist sehr sauer; übermäßige Absonderung von zähem, fadenziehendem Speichel oder erbrochenem, eiweißartigem, zähem, später dunkelfarbigem Schleim; Magenbeschwerden mit charakteristischem Brennen auf der Zunge, Hals, Speiseröhre, Magen, After. **Iris versicolar D 3–30.**

—, Brechwürgen, beständige Übelkeit bei allen Beschwerden, mit dem charakteristischen Symptom: Erschlaffungsgefühl im Magen und Darm als ob sie herabhingen. Erbrechen bessert nicht. **Ipecacuanha D 4–6.**

—, *Durchfall. Unbeständige Übelkeit, durch Erbrechen gebessert; Erschöpfung, kalter Schweiß, Stupor oder Schläfrigkeit, große Müdigkeit* bis zum Komma gesteigert. **Tartarus emeticus D 30–CM.** (Nash nennt das Mittel bei diesen Symptomen ein Juwel.)

— und *Übelkeit,* schlimmer beim Aufstehen oder bei Bewegung, besser im Liegen; ein besonders charakteristisches Zeichen ist: *„ein schmaler, gut abgegrenzter, roter Streifen durch die Mitte der Zunge.“* **Veratrum viride D 6–12.**

— und Übelkeit, abwechselnd Durchfall; Seekrankheit; Schwangerschaftserbrechen; Brechdurchfall der Kinder mit eisiger Kälte abwärts von den Knien, heißer Kopf mit kalten Händen; Gesicht leichenblaß, Körperoberfläche kalt, mit kaltem Schweiß bedeckt. **Tabacum D 4.**

— bei *Schwangerschaft,* besonders wenn scharfer, ätzender Weißfluß besteht, der die Wäsche gelb färbt; *Erbrechen bei schweren Magenleiden,* Magenerweichung, besonders wenn in Verbindung mit folgenden Symptomen: Krankes Zahnfleisch und schlechte Zähne; *stinkende, scharfe, ätzende Ausflüsse; große Schwäche* und Neigung zu Blutungen. **Kreosotum D 30–200.**

— oder *Aufstoßen nach dem Essen.* Die Speisen liegen den ganzen Tag im Magen und werden nachts erbrochen. Wichtige Leitsymptome: Leichtes Erröten des Gesichts. *Langsames Herumgehen bessert,* trotz größter Schwäche; bleiches anämisches Aussehen. **Ferrum D 12–30.**

—. *Schwangerschaftserbrechen;* Übelkeit und Brechwürgen früh morgens mit Speichelfluß; Besserung durch kleine Mengen Speise und Trank. **Lobelia D 3–6.**

— mit Übelkeit *durch verdorbenen Magen.* Erbrechen allgemein; Schwangerschaftserbrechen bei Personen mit dunkler Hautfarbe und braunen Augen; Erbrechen der Trinker. **Nux vomica D 4.**

— von Wasser und wäßrigen, zähem Schleim; Schwangerschaftserbrechen bei blondem Konstitutionstyp. **Natrium muriaticum D 6.**

— bei blassen, nervösen Menschen und mit auftretenden, krampfhaften Schmerzen. **Magnesium phosphoricum D 6.**

Bei allen Erbrechen als Tee *stets Melissentee,* kein Pfefferminztee.

— saures; saures Aufstoßen; Sodbrennen; der ganze Körper riecht sauer. **Magnesium carbonicum D 4–6.**

Ergüsse

Ergüsse (Exsudate) *in seröse Höhlen bei Brust-Rippenfellentzündung* mit scharfen, *stechenden Schmerzen* bei der geringsten Bewegung oder bei der Atmung. **Bryonia D 3–6.**

— in *seröse Körperhöhlen mit stechenden Schmerzen,* die *anhaltend und unabhängig von Bewegung* sind, vorwiegend in der unteren rechten Brust und meist nach dem Rücken durchgehend. **Kalium carbonicum D 6–15–30.** Säckchenförmige Anschwellung der *oberen* Augenlider ist ein ausgezeichnetes Leitsymptom.

— in *Brust-* und *Rippenfell, Hirnhäute, Bauchfell;* Anschwellungen der *Gelenke.* **Sulfur D 6–30.** Das Mittel paßt gut vor oder nach Kalium carbonicum und ergänzt dieses.

—, *Exsudate, Oedeme, Zellgewebsentzündung, wassersüchtige Anschwellungen, allgemein* oder *örtlich,* besonders aber im Mund, Rachen, im Gesicht; Unterlider hängen wie Wassersäcke herab; meist mit stechenden, brennenden Schmerzen. Durst *fehlt* fast völlig. **Apis D 3–4.**

— in *Brust-* und *Rippenfell* mit *Brennen* und *Unruhe* verbunden; *Erschöpfung, Kräfteverfall;* Wärme bessert bedeutend; *Verschlimmerung* durch Kälte und *gegen Mitternacht.* **Arsenicum album D 6–15–30.**

— *nach Entzündungen im zweiten Stadium;* bei Anschwellungen der Gelenke. **Kalium chloratum D 6.**

—, siehe auch „Brust", „Eiterungen", „Wassersucht".

— in Brust- und Rippenfell bei akuter Rippenfellentzündung mit Atemnot, Stechen. Wundheitsschmerz und quälendem Husten, schlimmer abends. **Kalium jodatum D 3–4,** ein ausgezeichnetes Resorptionsmittel.

—. Oedematöse Anschwellungen der *linken* Hand, Bein oder Fuß, mit Zusammenschnürungsgefühl am Herzen. **Cactus grandiflorus D 1–3.**

Erkältung

Erkältung. Siehe Entzündung; Fieber; Rheuma.

Erschöpfung

Erschöpfung. Siehe Schwäche.

Fersen

Fersen. Bohrende Schmerzen in Knochen, Knochenhaut, wechselnd, schlimmer nachts; psorisch, rheumatische Konstitution. **Manganum aceticum D 6–7–15–30.**

—. Schmerzen in denselben als ob sie geschwürig wären. **Amonium muriaticum D 3–4.**

—. Schmerzen in denselben. **Phytolacca D 4–6–30, Cyclamen D 6–30, Ledum D 6–30, Causticum 6–30, Valeriana D 3–6.** Man beachte die Leitsymptome.

F

Fettsucht

Fettsucht. Dieselbe kann ihre Ursache in Funktionsstörungen bzw. Ausfallerscheinungen der endogenen Drüsen, besonders der Keimdrüsen, sein, z. B. beim Klimakterium (Wechseljahre) der Frauen und bei der infantilen Fettsucht Jugendlicher. Es kann eine konstitutionelle Anlage dazu vorhanden sein und endlich durch zu reichliche oder falsche Ernährung und mangelhafte Bewegung bedingt sein. Man forsche also zunächst nach der Ursache und, wenn diese auf Ernährungsfehler beruht, beseitige man diese. Eine streng durchgeführte, reine Rohkostdiät, bestehend aus Obst, Nüssen, Salaten, fein geriebenem Wurzelgemüse wie Rettichen, gelben Rüben, Sellerie, dazu höchstesn am Abend ein bis zwei Scheiben Vollkorn-Butterbrot, zwei bis drei Wochen lang durchgeführt, läßt das überschüssige Körperfett schmelzen wie den Schnee an der Sonne. Eine anschließende, vernünftige Ernährung mit höchstens drei Mahlzeiten täglich, die aus $^1/_5$ eiweißhaltigen Aufbaustoffen, wie Milch, Käse, Hülsenfrüchte, Nüsse, $^1/_5$ kohlehydrathaltige Nahrungsmittel, wie Getreidespeisen, Kartoffel, Vollkornbrot usw., und $^3/_5$ Obst, Gemüse, Frischsalate bestehen soll unter Beachtung der goldenen *Faustregel:* Gründliches Kauen, *Aufhören mit dem Essen, wenn es am besten schmeckt,* wird keinen Fettansatz mehr aufkommen lassen und gute Gesundheit und volle Leistungsfähigkeit bis ins hohe Alter erhalten.

Als Mittel zur Unterstützung einer Entfettungskur oder für solche, die sich zu einer Diätkur nicht aufraffen können, sowie gegen Fettsucht infolge Drüsenfunktionsstörungen kommen folgende Mittel in Betracht: **Fucus vesiculosus** ∅, dreimal täglich 10–20 Tropfen $^1/_4$ Stunde vor dem Essen in wenig Wasser. **Calcium carb. D 3–4–30 + Sulfur D 4–6–30. Graphites D 30** als Konstitutionsmittel je nach den Leitsymptomen. **Antimonium crudum D 4–6** für die rheumatisch, gichtische Konstitution; für Vielesser mit Magenbeschwerden und Verstopfung abwechselnd Durchfall; Blähungen, Schlafsucht, Schweiße, Hautausschläge. **Capsicum D 6** für vollblütige, überernährte, aufgeschwemmte Kranke mit schlaffen Muskeln, ein bewährtes Mittel, muß aber längere Zeit gegeben werden. **Mercurius dulcis D 2–4** bei harnsaurer Diathese und Gallenfunktionsstörungen. Das Mittel regt den Stoffwechsel stark an und läßt Fettansätze, besonders am Bauch, schnell verschwinden. Man dosiere vorsichtig, gebe nur wenige Gaben und mit Pausen. **Kalium carbonicum D 6–30** für aufgeschwemmte, matte, seelisch niedergeschlagene Kranke mit saurer Dyspepsie, schlechte Blutzirkulation, Herzmuskelentartungen. **Phosphorus D 12** ist Hauptmittel bei fettiger Entartung des Herzens und Zerstörung der Muskelfasern. **Aurum muriaticum D 4–6** ist bei einfacher Herzverfettung das beste Mittel. **Arnica D 1–2–3** bei Herzverfettung, zweistündlich 10 Tropfen in Wasser.

—, *konstitutionelle*, oder Neigung dazu; Stoffwechselstörungen mit Neigung zu Drüsenschwellungen; weiße, bleiche Hautfarbe, schwerfällig und langsam in der Bewegung; kalte, feuchte Füße und Beine mit Nachtschweißen; Gefühl innerlicher oder äußerlicher Kälte an einzelnen Körperteilen oder an verschiedenen Stellen des Kopfes, als ob ein Stück Eis daran läge, mit blassem, gedunsenen Gesicht; Widerwillen gegen frische Luft, der leiseste Luftzug geht durch und durch; profuse Kopfschweiße oder partielle Schweiße einzelner Körperteile, dabei ist die Haut kalt, besonders die der unteren Extremitäten – sehr charakteristisch; Konstitutionsmittel. **Calcium carbonicum D 30–15–6.**

Fieber

Fieber, *große Hitze* mit *Durst*, *trockene*, *heiße Haut*, *ohne Schweiß*, harter, frequenter, voller Puls; große, grundlose Unruhe und Angst, wirft sich in Todesangst hin und her; Entzündungen infolge Erkältung in trockener, kalter Luft; unerträgliche, reißende, schneidende Schmerzen, gleich wo sie auch auftreten, wenn sie von großer Angst und Furcht begleitet sind; schlimmer gegen Abend und nachts oft wechselnd mit Taubheitsgefühl, Kribbeln oder Ameisenlaufen. **Aconitum D 4–6.**

—, *große Hitze* an der Körperoberfläche, *besonders aber am Kopf* mit *Blutandrang* oder *Blutüberfüllung* des Gehirns; *rotes Gesicht*, rotunterlaufene Augen, *sichtbar klopfende Halsschlagadern; Schweiß* an bedeckten Körperteilen; *Benommenheit*, *Delirien*, Furcht vor eingebildeten Dingen, glaubt Geister oder schrechliche Gesichter zu sehen, schreit, lacht, schlägt um sich; örtliche Entzündungen im ersten Stadium, plötzlich auftretend, mit schnellem Verlauf und den oben genannten Symptomen. Dieser Zustand kommt besonders bei Kinderkrankheiten vor. Das Kind ist mal wohl, dann wieder plötzlich krank mit hohem Fieber, sehr heißem und rotem Gesicht, fährt alle Augenblicke in die Höhe oder zuckt im Schlafe zusammen. Ein weiteres zuverlässiges Symptom ist: *Alle Beschwerden werden durch Niederlegen oder Hinunterbeugen schlimmer.* **Belladonna D 6–15–30.**

— mit *Bewußtseinstrübung*, *Betäubung* oder *Delirium* in milder aber anhaltender Form; *trockene* oder *dunkel belegte Zunge mit einem dreieckigen roten Fleck an der Spitze.* Ganz gleich, ob die Krankheit nun Lungenentzündung, Blinddarm- oder Bauchfellentzündung, Scharlach, Diphtherie, Typhus, Rheumatismus oder sonstwie heißt, wenn die genannten Symptome ausgeprägt vorhanden sind, dann ist **Rhus toxicodendron D 6–30–200–1000** das Mittel.

—, hohes, schneller Puls, Hitze meist in Kopf und Gesicht, Körper und Glieder kalt; Schmerz und Zerschlagenheitsgefühl am ganzen Körper; Bewegung verschlimmert sehr; große Schwäche, Erschöpfung, sieht elend aus. Grippemittel; Dyskrasie; rheumatische Anlagen. **Phytolacca D 3–6.**

— mit *eigenartigem, langsam aufsteigendem Frösteln* (kein Schüttelfrost) als erstes Vorzeichen einer beginnenden Erkrankung infolge Erkältung oder beginnender Vereiterung einer Geschwulst oder Abszesses. Dieses Frösteln wird am häufigsten abends empfunden und steigert sich in der Nacht, auch mit Hitzewallungen wechselnd.; *profuse Schweiße ohne* jede *Linderung*, ja *die Beschwerden nehmen mit dem Schweiße noch zu*, besonders *nachts* und *in der Bettwärme.* **Mercurius solubilis D 30.** Eine Gabe, gleich zu anfang des Fröstelns gegeben, wird oft den Ausbruch der angezeigten Krankheit verhindern und rasche Heilung herbeiführen.

—, der *ganze Körper brennend heiß, besonders das Gesicht* ist *rot* und *heiß* und *trotzdem Frösteln* bei der geringsten Entblößung oder Bewegung. Ganz gleich, um welche Krankheit es sich auch handelt, wenn dieser geschilderte fieberhafte Zustand in Verbindung mit Frösteln vorkommt, dann ist **Nux vomica D 30–15–6** *das Mittel* der Wahl.

—. Trockene Hitze während des Schlafes und ausgedehnter Schweiß beim Wachsein. **Sambucus D 3–6–30.**

—. *Intermittenzfieber* (Wechselfieber) mit folgenden Symptomen: 1. Durst nur während des Frostes; 2. Frostgefühl durch äußere Wärmeanwendungen gebessert; 3. Hitze, durch äußere Bedeckung verschlimmert; 4. rotes Gesicht während des Frostes. **Ignatia D 200.**

—. *Wechselfieber* mit folgenden charakteristischen Symptomen: 1. Frost zwischen 7–9 Uhr; 2. heftige Schmerzen in den Knochen vor dem Frost; 3. Erbrechen von Galle zwischen Frost und Hitze. **Eupatorium perfoliatum D 4–6–30.** Wenn der Frost im Kreuz anfängt und von da sich aufwärts und abwärts verbreitet **Eupatorium purpureum D 4–6–30.**

—. alte, *gefährliche Wechselfieber, perniziöse Fieber; Magen-Darmgrippe; rheumatische Fieber* mit Anschwellung der Gelenke, kann nur unter großen Schmerzen gehen. **Eucalyptus ∅–D 3.**

—. *Wechselfieber;* Fieber mit typhusartigem Charakter und bei schlimmsten Formen von Infektionskrankheiten, wenn die charakteristischen Symptome: Unruhe, Brennen, Erschöpfung, Verschlimmerung gegen Mitternacht, vorherrschen. **Arsenicum album D 6–15–30.**

—. Wechsel- oder kalte Fieber *mit beständiger Übelkeit.* **Ipecacuanha D 4–6.**

—. *Wechselfieber, heftige Frostanfälle* mit folgendem *hohen Fieber mit Delirium* und den Symptomen: *Schmerz in der rechten Unterbauchseite mit Ausstrahlung nach dem rechten Oberschenkel.* **Podophyllum D 6–12–30.**

—. *Wechselfieber*, auch als Folge von Malaria, mit Frost und Durst, regelmäßig wiederkehrend; *Frostigkeit* und *allgemeines Kältegefühl, besonders der*

Extremitäten; Verschlimmerung bei nassem, feuchtem Wetter und in Sumpfgegenden. **Aranea diadema D 2–3.**

—. *Hartnäckiges Wechselfieber,* mit Frost vormittags 10–11 Uhr **Natrium mur. D 30–200,** mit Frost vormittags 7 Uhr **Eupatorium D 4–6–30,** mit Frost nachmittags 3 Uhr **Apis D 4–6,** mit Frost nachmittags 4 Uhr **Lycopodium D 12 –30,** mit Frost nachts 1–2 Uhr oder mittags 1–2 Uhr **Arsenicum album D 6–30.**

—. Wechselfieber oder ähnliche fieberhafte Zustände mit Verdauungs- und Schlafstörungen verbunden. **Cornus florida** ∅ zweistündlich 5–10 Tropfen, im Fieberanfall einstündlich 5 Tropfen in D 3.

—. *Wechselfieber mit dem charakteristischen Symptom: Gefühl als ob die Sehnen zu kurz wären.* Zuweilen besteht eine wirkliche Kontraktion, daß die Beine nicht ausgestreckt werden können. **Cimex D 30–200.**

—. *Wechselfieber; kaltes Fieber; Malaria.* Es kommen außer den bereits besprochenen Wechselfiebermitteln noch folgende Mittel, die sich bewährt haben, in Betracht. **Ipecacuanha D 3, Cedron D 3, China D 3,** zweistündlich eine Gabe im Wechsel und außerdem zwei Stunden vor dem Anfall ¼stündlich 6 Tropfen **Cedron D 3.** Die Mittel müssen längere Zeit hindurch gegeben werden. Zur Umstimmung folgt **Chininum sulf. D 2** dreistündlich eine Messerspitze. Als Nachkur **Sulfur jod. D 3 + Carbo veg. D 3.**

—, *septische typhöse Prozesse,* mit folgenden Symptomen: Große Nervosität, Frost, heftige Schmerzen im ganzen Körper, besonders im Kopf, Rükken und Gliedern; große Empfindlichkeit, fühlt sich wie zerschlagen. Sensorium abgestumpft, verschleierten, blöden Gesichtsausdruck. Der Kranke schläft mitten in der Antwort auf eine Frage ein. In der Mitte der Zunge entsteht ein weißer, scharf abgegrenzter Streifen, der dann braun wird. Bei fortschreitender Krankheit fängt der Kranke an zu murmeln, im Bett umher zu tasten und hat das Gefühl, als liege der ganze Körper zerstückelt umher. Die Gedärme fangen an zu kollern, Stuhl, Urin, Schweiß sind sehr übelriechend. (Das typische Bild eines Typhus.) **Baptisia D 2–4–30.**

—. Wenn bei Fieber jeder Art die nach den Leitsymptomen eingesetzten Mittel aus irgendeinem Grunde nicht oder nur ungenügend wirken sollten, setzt man **Sulfur D 6** im Wechsel mit dem angezeigten Mittel ein, wonach sich die gute Wirkung des richtig gewählten Mittels prompt einstellen wird.

—. *Septische Fieber bei Infektionen jeder Art und Umfanges,* bei *Blutvergiftungen, septischen Geschwüren* usw., sind folgende Hauptmittel in Betracht zu ziehen, deren Leitsymptome unter „Blutvergiftung" Seite 41 ausführlich beschrieben sind: **Echinacea, Arsenicum album, Pyrogenium, Lachesis, Anthracinum.**

—. Siehe auch Entzündungen.

Fingernägel

Fingernägel oder Zehennägel wachsen gespalten, mit hornartigen Auswüchsen. **Antimonium crudum D 4–6.**

—, dick, verkrüppelt, wachsen aus der Form. **Graphites D 12–30, Silicea D 12.**

—, spröde, bröckelig, verunstaltet **Thuja D 6–12–30.**

Fissuren

Fissuren (Risse, Schrunden). *Mundwinkel rissig, geschwürig, schorfig; Nase* ebenso; *After* rissig mit eigentümlichen Schrunden oder mit Hämorrhoiden die bersten und bluten mit dem sehr *charakteristischen Symptom: Heftiger Schmerz nach dem Stuhlgang*, selbst nach weichem Stuhl; *stechende Schmerzen* wie von Splittern. Aphten, Mundentzündung mit Speichelfluß; geschwüriger, geschwollener Zustand des Zahnfleisches der sich bis zum Schlund erstrecken kann. Ganz besonders, wenn all die genannten Erscheinungen Folgen von Quecksilbermißbrauch (Syphilis-Kur) sind. **Acidum nitricum D 4–6–30.**

—. Aufgesprungene, rissige Hände und Fußsohlen, schlimmer im Winter; Hautverletzungen eitern leicht; Ausschläge, eitrige Ekzeme. **Petroleum D 3–6–30.**

— an den Fingerspitzen, zwischen den Zehen, an Brustwarzen, am After, mit stechenden Schmerzen, besonders wenn Neigung zu klebrigen Ausschlägen besteht oder solche bestanden haben. **Graphites D 6–12–30–200.**

—, Risse und Schrunden an Lippen und Mundwinkeln. **Natrium muriaticum D 6–30.**

Flecken

Flecken – Hautverfärbungen. Gelbe oder braune Flecken im Gesicht, über dem oberen Teil der Backen und Nase, im Leib oder im ganzen Körper mit Regelstörungen oder Gebärmutterleiden. **Sepia D 6–15–30.**

—, blaue, blutunterlaufene Flecken in der Haut, im Auge, nach Druck, Schlag, Quetschungen oder Stoß. **Ledum D 6–30, Arnica D 4–6.**

—, kupferfarbige Ausschläge auf der Haut. **Carboa nimalis D 6–30.**

—, sogenannte Leberflecken, welche die Auswirkungen einer Funktionsstörung der Leber oder der Drüsen sind, werden mit **Cadmium sulfuricum D 4–6 + Chelidonium D 3–4 + Salvia D 2** bekämpft.

—. Muttermale, Warzen, blutende, schwammige Wucherungen. **Thuja D 6–12–30.**

—. Blutunterlaufene Flecken unter der Haut; Blutfleckenkrankheit. **Acidum sulfuricum D 2–4–6.**

—. Blutfleckenkrankheit; blutet leicht und anhaltend. **Lachesis D 15–30.**

—. Siehe auch Röte.

Frauenkrankheiten

Frauenkrankheiten. Bei *akuten Entzündungen* der *weiblichen Brustdrüsen* und der *Unterleibsorgane* kommen die unter „*Entzündungen*" und „*Fieber*" beschriebenen Mittel, je nach den Leitsymptomen zur Anwendung.

—. Beginnende *Brustdrüsenentzündung;* Schmerzen beim Stillen; scharfe Stiche in den Milchkanälen, bis zum Leib ausstrahlend. **Phellandrium D 6.**

—. *Brustdrüsenentzündung mit großer Empfindlichkeit und Schmerzen* bei Erschütterung; Schwellung und Schwere der Brüste im Wochenbett mit Milchbeschwerden; die Schmerzen wandern und wechseln die Seiten. **Lac caninum D 6–15–30.**

—. *Monatliche Anschwellung der Brüste,* besonders rechtsseitig, empfindlich und schmerzhaft bei Erschütterung; *Verhärtungen* und Anschwellungen mit Prickeln, stechenden, schießenden, brennenden Schmerzen Kontusionen oder Quetschungen; *Knoten und Geschwülste* in den Brüsten, Gebärmutter, besonders, wenn durch Stoß oder Verletzung entstanden. **Conium D 6–15 –30,** wenn vorwiegend linksseitig **Silicea D 6–7–12–30.**

—. *Verhärtungen, Eiterungen, Geschwülste* der Brustdrüsen – auch Achsel- oder Leistendrüsen – oder der Unterleibsorgane, mit *großer Schwäche, Erschöpfung, Kräfteverfall; Geschwürsbildungen der Schleimhäute* mit stinkenden, brennenden Sekreten; *Geschwülste* nehmen einen *krebsartigen Charakter* an; *zu starke Monatsregel* infolge Gebärmutterverhärtung. **Carbo animalis D 30–8.** Dieses Mittel hat besondere Beziehungen zum Drüsensystem, zur Gebärmutter, zu bösartigen Neubildungen mit Neigung zu jauchigem Zerfall.

—. Ungewöhnliche oder zu starke *Milchsekretion;* Milchabsonderungen außer der Stillperiode und ohne daß Schwangerschaft vorliegt; Krankheitserscheinungen als Folge von unterdrückter Milchsekretion; ausbleibende Monatsregel; Weißfluß. **Urtica urens D 30–200.** Zur *Förderung der Milchsekretion* bei Stillenden gibt man das Mittel in niederen Potenzen D **2–1–** ∅.

—. *Geschwülste, Knotenbildung an der Brust,* mit eingeschrumpfter Brustwarze, sehr *empfindlich* und *schmerzhaft* bei Berührung. **Arsenicum jodatum D 4–6.** Das Mittel ist nicht lange haltbar, man verwendet es am besten in Verreibungen und möglichst frisch.

—. *Harte Anschwellungen der Brüste; hartrandige Geschwüre der Brustdrüse, Brustkrebs,* besonders linksseitig. Äußerst empfindlich gegen Zugluft; Müdigkeits- und Zerschlagenheitsgefühl am ganzen Körper; Verschlimmerung aller Beschwerden durch Verdruß und Ärger. **Cistus canadensis D 6–30.**

. *Entzündete, geschwollene Brustdrüsen, Brustdrüsengeschwülste,* die zur Eiterung neigen und nach außen aufbrechen sollen. **Myristica sebifera D 3–6–30,** wird auch „das homöopathische Messer" genannt.

—. *Schmerzlose Fisteln* an der Brustdrüse, mit wäßriger, übelriechender Absonderung. **Silicea D 12,** wenn Eiter mit dabei ist **Calcium jodatum D 4.**

—. *Verhärtungen* und *Geschwüre der Brustdrüse.* Äußerlich **Calendula-Salbe.**

—. Schmerzlose, reaktionslose, krebsverdächtige *Knotenbildungen, Verhärtungen, Geschwülste der Brustdrüse; Vereiterungen, Fistelbildungen* **Calcium fluoricum D 12** im Wechsel mit **Silicea D 12** dreistündlich eine Gabe. Bei schon lange bestehenden chronischen Fällen wöchentlich 2–3 Gaben längere Zeit hindurch. Als konstitutionelles Umstimmungsmittel **Tuberculinum D 300–200–100.** wöchentlich 1–2 Gaben.

—. Knoten-Tumorenbildungen in den Brüsten. Siehe unter Krebs.

—. *Schmerzen über Kreuz und Hüften*, durch Gehen oder Bücken bedeutend verschlimmert, mit allgemeinem *Vollheitsgefühl* besonders im Becken und mit *Hämorrhoiden.* Diese Erscheinungen treten meist in Verbindung mit Gebärmutterleiden – Verlagerung, Entzündung, Weißfluß – auf; *Gefühl von Hämmern oder Klopfen.* **Aesculus D 1–3–6.**

—. *Fehlende*, oder *unterdrückte Monatsregel*, *schmerzhafte Regel*, bei blassen, blutarmen, nervösen, leicht erregbaren Frauen und Mädchen; durch Kälte unterdrückte Regel mit rheumatischen Erscheinungen und Blasenreizung mit Harndrang; *rheumatische*, *wandernde*, *schneidende Schmerzen*, besonders an den Extremitäten auftretend; *Rücken*, *Kreuz*- und *Lendenschmerzen; Gebärmutterverlagerungen*, Vorfall; trockenes, nächtliches Hüsteln bei drohendem Lungenleiden. Der Eintritt der Regel bessert alle Beschwerden. **Senecio D 1–3.**

—. *Äußerst schmerzhafte Monatsregel bei kleiner oder unentwickelter Gebärmutter;* Abortus, das Austragen der Frucht ist infolge der verkümmerten Gebärmutter nicht möglich; *Überempfindlichkeit der Geschlechtsteile*, kann nicht den geringsten Druck vertragen. Verschlimmerung durch Anstrengung, durch Erregung; Besserung durch starken Druck. **Plumbum D 30–200.**

—. *Allgemeine Schwäche mit Unterleibsbeschwerden;* Erschöpfung durch schwere geistige, oder körperliche Arbeit; *Blutarmut* als Folge zu starker Regel oder Gebärmutterblutungen; Blutarmut mit *Eiweißharnen*, besonders bei schwangeren Frauen; *Depressionen*, *Melancholie; Gebärmutterverlagerungen*, besonders Vorfall; Ermüdungsschmerzen, *Rückenschmerzen in der Kreuzbeingegend*, *Lendengegend*, mit *Lahmheit*, *Steifheit*, *Schwere*, *Hitze* oder Brennen; *Diabetes; Frauenmittel und Tonikum.* **Helonias dioica D 2–4–6–12.**

—. *Zerschlagenheitsgefühl* in der *Gebärmuttergegend*, kann nicht aufrecht gehen; *Schmerzen im Unterleib nach der Geburt*, als Folge von Verletzungen; *Wund- und Blutmittel.* **Arnica D 2–4.**

—. *Blutarmut* mit *großer*, *allgemeiner Schwäche;* milchweiße Haut, *ödematöse Anschwellungen im Gesicht*, besonders der *oberen* Augenlider. Dieser Zustand kommt oft bei jungen Mädchen in der Pubertätszeit vor, die Regel erscheint infolge der Schwäche verspätet oder sie ist spärlich. Ferner beobachtet man diese Zustände und ödematösen Anschwellungen im höheren Alter, in den *Wechseljahren*, mit *Neigung zu Wassersucht*, meist *in Verbindung mit schwacher, unregelmäßiger Herztätigkeit* und als weiteres charakteristisches Symptom: *Beständiger Rückenschmerz, mit dem Gefühl als ob der Rücken und die Beine den Dienst versagen müßten.* Patientin ist in diesem Falle völlig erschöpft und fällt ermattet auf einen Stuhl oder ins Bett, um sich auszuruhen. Schweiß tritt dabei gern auf. Der Rückenschmerz strahlt oft bis zu den Hüften oder den Gesäßmuskeln aus. *Diese eigenartige Verbindung von Schwäche, Schweiß* und

Rückenschmerz ist *sehr charakteristisch* und einzigartig. **Kalium carbonicum D 30–15–6.**

—. *Neuralgie, Anschwellung, Verhärtung, Geschwulst, Eiterung der Eierstöcke*, besonders linksseitig, meist mit großer Überempfindlichkeit gegen Druck und Berührung oder Zusammenschnürungsgefühl. Die *Schmerzen in der Unterbauchgegend* nehmen nach und nach zu, bis nach einem Blutfluß Linderung eintritt. Dieser Zyklus wiederholt sich nach Stunden oder Tagen; *klimakterische Beschwerden* jeder Art, heiße *Wallungen*, heißer Scheitel, blasses Gesicht, *Störungen im Kapillargefäßsystem*, Neigung zu *Ohnmachtsanfällen, Erstickungsgefühl.* **Lachesis D 30–15,** ein *Frauenmittel ersten Ranges*, das neben **Sepia** und **Sanguinaria** die meisten Wechseljahrbeschwerden beseitigt.

—. *Große, allgemeine Schwäche*, bei mageren entkräfteten Frauen mit Unterleibsstörungen, *Gebärmutterkatarrhen, -Verlagerungen, -Vorfall;* oder *große Schwäche in der Brust*, so schwach, daß Patientin nicht oder kaum sprechen kann, mit profusem, dickem, gelb-grünlichem, süß schmeckendem Auswurf; Patientin ist niedergeschlagen, mutlos, zum Weinen geneigt. **Stannum D 6–12–30.**

—. *Überempfindlichkeit* oder *Kongestionen der weiblichen Unterleibsorgane; Hysterie;* außerordentliche *Empfindlichkeit gegen Geräusche* jeder Art, besonders Musik; *Veitstanzartige Zustände, krampfhaftes Muskelzucken;* außerordentliche *Unruhe*, kann keinen Augenblick in ruhiger Stellung verharren, muß sich fortwährend bewegen, obwohl Bewegung alle Symptome verschlimmert; starkes, *geschlechtliches Verlangen* oder *Jucken der Geschlechtsteile; Rücken empfindlich* und *schmerzhaft.* **Tarantula hispanica D 30–15.**

—. *Schwere im Unterleib mit dem Gefühl als ob der ganze Beckeninhalt durch die Scheide herausdringen wollte; Gebärmutterverlagerungen, Vorfall; heftige, schmerzhafte, beunruhigende*, mehr *akute Erscheinungen* in den Unterleibsorganen. *Häufiger Harndrang* mit *Schmerzen im Mastdarm* sind oft Begleiterscheinungen der Unterleibssymptome. Ferner *sehr heftige Herzsymptome;* starkes *Herzflattern* mit *Schmerzen; Gefühl als ob das Herz von einem eisernen Reifen zusammengehalten oder zusammengeschnürt würde* (wie Cactus grand.). Bei allen diesen Herz-, Harn-, Darmsymptomen handelt es sich wahrscheinlich um Reflexwirkungen, während Ursache und Sitz des Leidens die Gebärmutter mit ihren Anhängen ist.

Auch *Geist* und *Gemüt* sind vielfach in Mitleidenschaft gezogen. Patientin *weint viel* und oft; beständiges *Unruhegefühl*, glaubt gebieterische Pflichten zu haben aber Unvermögen diese zu erfüllen; *religiöse Manien*, zweifelt an der Seligkeit. **Lilium tigrinum D 3–6–30,** ein ausgesprochenes Frauenmittel, es hat große Ähnlichkeit mit Sepia, paßt besser als dieses für akute, stürmische, heftigere Fälle bei denen die Herz- und Harnsymptome mehr in Erscheinung treten.

—. *Herabdrängende, pressende Schmerzen in der Gebärmuttergegend*, vom Rükken bis zum Bauch, *mit dem Gefühl als ob alles unten herauskommen wollte; Verlagerungen, Vorfall, Verhärtungen* der Gebärmutter und der Scheide. Dieselben Erscheinungen können sich auch auf Blase und Mastdarm erstrecken, überhaupt auf die ganzen Beckenorgane; *große Schwäche, Ohnmachtsgefühl, ermüdet sehr rasch nach geringster Anstrengung; chronische Geschwüre, Entartungen, Verhärtungen* der Unterleibsorgane; *Beschwerden* in den *Wechseljahren, Hitzewallungen* mit Schweiß und Schwäche, Hände und Füße sind abwechselnd heiß und kalt, d. h., wenn die Hände heiß sind, sind die Füße kalt und umgekehrt. Folgende *Gemütssymptome* sind meist vorhanden: *Traurigkeit, Betrübtheit*, ohne zu wissen warum; *Patientin wird* ganz gegen ihre sonstige Gewohnheit *gleichgültig gegen ihre Pflichten im Haus und Familie.* **Sepia D 30–200–6–4.** Ein *hervorragendes Frauenmittel*, paßt mehr für chronische Zustände.

In Bezug auf die oben angeführten Wechseljahrebeschwerden mit Hitzebeschwerden hat **Murex purpureus D 6–12** ähnliche Erscheinungen, nur besteht hierbei unbezähmbarer Geschlechtstrieb bis zur Mannstollheit, während Sepia meist Abneigung gegen Geschlechtsverkehr hat.

—. *Schmerzen in der Gebärmuttergegend; unregelmäßige, krankhafte, falsche Wehen;* langanhaltende *Gebärmutterblutungen* nach Geburt oder Fehlgeburt, *mit Schwäche und das Gefühl von „innerlichem Zittern"* – objektiv nicht wahrnehmbar; *rheumatische Schmerzen der kleinen Gelenke in Verbindung mit Gebärmutterstörungen;* **Caulophyllum D 30–200.** In niederen Potenzen **D 3–6** verstärkt es die Wehen oder ruft diese hervor und verhilft dadurch zu einer leichten und schnellen Geburt. **Caulophyllum** ist ein *ausgesprochenes Frauenmittel* mit spezifischer Wirkung auf die Gebärmutter.

—. *Schmerzen in der Gebärmuttergegend mit gleichzeitigem Herzklopfen oder Herzflattern, Gefühl als wolle das Herz still stehen.* Ganz gleich, welche Krankheit auch vorliegt, wenn diese Symptome ausgesprochen vorhanden sind, dann ist **Convallaria D 6–12–30** das Mittel. (Der wirksame Bestandteil des Mittels zersetzt sich leicht, es sind daher möglichst frische Präparate zu verwenden.)

—. *Gebärmutter-* oder *Mastdarmvorfall*, besonders nach Überanstrengung, Überheben oder Entbindung; *Schmerzen im rechten Eierstock bis in den Oberschenkel hinabstrahlend*, zuweilen von Betäubungsgefühl begleitet. *Eierstocksgeschwülste* haben sich unter der Wirkung dieses Mittels zurückgebildet, wenn vorgenanntes Symptom vorhanden war. **Podophyllum D 6–15–30.**

—. Bei *Verlagerungen, Vorfall* der Gebärmutter gibt man zur Stärkung und Kräftigung der Gebärmutterbänder längere Zeit hindurch **Calcium fluoricum D 12 + Silicea D 12** im Wechsel täglich je 1–2 Gaben. Als unterstützendes Mittel ist das tägliche Reibesitzbad oder Nervenbad besonders zu empfehlen.

—. *Gebärmuttervorfall* mit dem *Gefühl von Hitze, Schwere, Vollsein im Bauch, Becken* und *Mastdarm.* **Aloe D 6–12.**

—. *Hitzewallungen* in den *Wechseljahren* mit heißen Handflächen und Fußsohlen. **Sanguinaria D 1–1000.**

—. Zu *starke, schmerzhafte Monatsregel* mit *heftigem Rückenschmerz die Schenkel hinab über die Hüften* mit *schwerem Druck nach unten;* heftige *Kopfschmerzen* die nach außen drücken, *als ob die Schädeldecke auseinanderspringen wollte*, oder die in die *Augen* gehen oder im *Hinterkopf* sitzen und *den Nacken hinunterschießen; Schmerzen unterhalb der Brüste*, auf der linken Seite, während der Wechseljahre; *Zuckungen*, *Krämpfe*, *Neuralgien*, *Niedergeschlagenheit*, *Schlaflosigkeit*, *Furcht geisteskrank zu werden*, *Hysterie;* Verschlimmerung bei naßkaltem Wetter, bei Bewegung, während der Regel. **Cimicifuga D 2–4, 6–12, 15–30.** Ein spezifisches Frauenmittel. Die Wahl der richtigen Potenz ist wichtig, bei vorwiegend Gebärmuttersymptomen D 2–4; bei rheumatisch-neuralgischen Schmerzen und Kopfschmerzen D 6–12; bei nervösen und hysterischen Erscheinungen D 15–30.

—. *Schmerzhafte Gebärmutterleiden*, *schmerzhafte Regel*, besonders neuralgischer Art. *Hauptsymptom: Schmerz der im Rücken anfängt, um die Lenden herum bis zur Gebärmutter geht und dort mit Krämpfen endet; drohender Abortus* mit vorgenanntem Hauptsymptom. **Viburnum opulus ∅–D 4.** *Zur Verhütung von habituellem Abort wirkt* **Viburnum prunifolium ∅ – D 4** noch besser, es ist ein wirksames Kräftigungsmittel für die Gebärmutter. Außerdem wird es bei schmerzhafter oder zu starker Regel empfohlen.

—. *Herabdrängende Schmerzen* mit Verschlimmerung morgens; Gefühl als ob die Gebärmutter herabdränge und man sich setzen muß um einen Vorfall zu verhüten, besonders dann, wenn *Hypochondrie*, *Verstopfungs- und Aftersymptome*, *Kopfschmerzen* nach der Regel, oder klopfende, mit schmerzenden Augen, Rückenschmerzen und *Neigung zu Blutarmut* vorhanden sind. Besserung durch Schwitzen. **Natrium muriaticum D 200–30.**

—. *Gebärmutterverlagerungen*, *Senkung*, *Vorfall; schmerzhafte Regel* zu schwach oder zu stark und zu früh; *Katarrhe und Flüsse der Schleimhäute; Schwangerschaftserbrechen*, hartnäckiges mit Ekel, Schwindel; *Neigung zu Abortus;* hartnäckige *Verstopfung* mit dumpfen Kopfschmerzen, Stuhl wird nur mit Mühe entleert mit folgendem Afterschmerz; *Blutarmut* mit großer *Müdigkeit*, *Mattigkeit* und *Schwäche;* anämischer Kopfschmerz in Stirne, Schläfen, Hinterkopf. **Aletris farinosa D 4–6–12.** Wird das „bittere Tonikum" der Gebärmutter, oder das „China" der weiblichen Geschlechtsorgane genannt.

—. *Drohender Abortus im 3. Monat* mit dem charakteristischen *Schmerz vom Rücken nach der Schamgegend;* bei *Neigungen zu Fehlgeburt* und um eine solche zu verhüten, gibt man gleich zu Beginn der Schwangerschaft einmal täglich 10 Tropfen **Sabina D 6;** bei meist anfallweise auftretende, *profuse Gebärmutterblutungen* bei Abortus, nach der Entbindung, bei *zu starker Regel* **D 12–6,** wenn das *Hauptsymptom: Schmerzen vom Rücken nach der Schamgegend* vorhanden ist.

—. *Gebärmutterblutung* oder *profuse Regel*, *Blut dunkel*, klumpig; *Gebärmuttervorfall*, *Eierstocksgeschwülste*, *Eierstockserkrankungen; außerordentliche Empfindlichkeit der Geschlechtsteile* bei Berührung oder beim Geschlechtsverkehr bis zur Ohnmacht gesteigert; *außerordentliche Geschlechtslust* bis zur *Mannestollheit*, verstärkt im Wochenbett, mit Jucken und Kitzeln im Unterleib; frühzeitige, *übermäßige Entwicklung des Geschlechtstriebes*. Die Stimmung ist meist dabei deprimiert, ängstlich. **Platinum D 6.**

—. *Regelstörungen. Regel zu stark*, oder *Gebärmutterblutungen* passiver Natur, meist mit mehr oder weniger Schmerzen und Reizung in den Eier-

stöcken; ein besonders wertvolles Mittel in den Wechseljahren. **Ustilago Maydis D 200–30.**

—. *Regelstörungen. Regel zu stark*, mit betäubendem Kopfschmerz, Schwindel, Sehstörungen, Doppeltsehen, Flimmern. **Cyclamen D 6–15–30.**

—. *Regelstörungen. Regel zu stark* oder *passive Gebärmutterblutungen*, besonders bei schwachen, mageren, knochigen oder kachektischen Frauen mit schlaffer Muskulatur. Blut dunkel, flüssig, bei der geringsten Bewegung stärker fließend. **Secale cornutum D 3–6.**

—. *Regelstörungen. Regel zu stark*, mit Krämpfen, Blut hellrot. **Atropinum sulfuricum D 4.**

—. *Regelstörungen. Regel zu stark, lange anhaltend* und *alle zwei Wochen erscheinend*, das *Blut ist hellrot. Gebärmutterblutungen* mit dem Gefühl als ob Lenden- und Kreuzbein auseinanderbrechen wollten. Blutungen vor und nach der Geburt, in den Wechseljahren, bei fibrösen *Geschwülsten der Gebärmutter* und Eierstöcken; Begleiterscheinungen: allgemeines Schwächegefühl; Stirnkopfschmerz; Schwindel morgens; Hitze, Eingenommenheit im Kopf; Blausehen. **Trillium pendulum D 4–6–30.**

—. *Regelstörungen. Regel zu stark*, wird *schlimmer nachts* im Bett *oder* tritt manchmal überhaupt *nur nachts* auf; lang anhaltende Gebärmutterblutungen. **Bovista D 30–200.**

—. *Regelstörungen. Regel zu früh* und *ausgedehnt*, *blaß*, *wäßrig*, schwächend, mit feuerrotem Gesicht, Ohrenklingen, dazu häufig Blutandrang nach dem Kopf, Brust. **Ferrum D 12.**

—. *Regelstörungen. Regel einige Tage vor der Zeit*, etwas zu stark oder mehrere Tage länger dauernd, mit Beschwerden beim Eintritt, welche bleiben auch wenn die Regel schon vorüber ist. **Nux vomica D 6–12–30.**

—. *Regelstörungen. Regel erscheint zu spät*, *ist spärlich oder unterdrückt*, hauptsächlich durch nasse oder kalte Füße; schmerzhafte Regel mit großer Unruhe; Veränderlichkeit des Flusses, er stockt und fließt wiederholt. **Pulsatilla D 1–6.**

—. *Regelstörungen. Regel unterdrückt*, *durch Kälte*, vor allem durch *kaltes Baden*, *Durchnässungen*, Waschungen; Kaltbaden verschlimmert oder verursacht Beschwerden. **Antimonium crudum D 4–6.**

—. *Regelstörungen. Regel spärlich*, *verzögert*, *blaßfarbig*, besonders *bei bleichsüchtigen*, *schwächlichen Frauen*, die nach der Regel sehr erschöpft, müde und blaß sind; weinerliches Temperament; magere, dürre Körperbeschaffenheit; häufig besteht absonderlicher Appetit nach ungenießbaren Dingen, kann keine Kartoffel essen; Verschlimmerung durch Kälte und Wetterwechsel. **Alumina D 6–15–30.**

—. *Regelstörungen. Plötzliches Verschwinden der Regel* mit nervösem Kopfweh, hysterische Anfälle, Übelkeit, Erbrechen, eiskalte Hände und Füße, der ganze Körper eiskalt, kalter Schweiß und kalter Atem; Gesicht erdfahl, blaß, bläulich. **Veratrum album D 3–6.**

—. *Regelstörungen.* Unterdrückte Regel, wenn sich darauf Kopfdruck,

Bauchschmerzen, Kreuzschmerzen, Nasenbluten, ziehende, stechende Schmerzen im Leib und Stuhlverstopfung einstellen. **Bryonia D 4–6.**

—. *Regelstörungen.* Regel unterdrückt, infolge Erkältung, Durchnässung, nach Überarbeitung; rheumatische, nervöse Konstitution. **Nux moschata D 2–4.**

—. *Regelstörungen. Ausbleiben der Regel* durch Schreck, oder Erkältung durch trockene, kalte Luft. **Aconitum D 4–6.**

—. *Regelstörungen.* Bei *Ausbleiben oder Fehlen der Monatsregel* bei blutarmen oder bleichsüchtigen Frauen und Mädchen wird **Rubia** ∅ in Gaben von 10 Tropfen täglich als bewährt empfohlen.

—. *Regelstörungen. Regel sehr schmerzhaft, neuralgischer Art,* mit Krämpfen. Die *Schmerzen* sind *schießend, durchdringend, schneidend, stechend, bohrend,* kommen und vergehen blitzartig, stoßweise, in Anfällen und sind fast unerträglich. Ein wichtiges Symptom ist: Besserung durch heiße Auflagen. **Magnesium phosphoricum D 6–8–15–30–200.**

—. *Regelstörungen. Regel sehr schmerzhaft, mit heftigem Krampf,* der sich bis zu allgemeinen, hysterischen Krämpfen steigern kann. Kommt dann noch Verstopfung mit harten, knotigen, zerbröckelnden Stühlen mit hinzu, dann ist **Magnesium muriaticum D 6–30** *das gegebene* Mittel.

—. *Regelstörungen. Regel schmerzhaft, neuralgische Form.* Hauptsymptom: *Die Schmerzen fangen im Rücken an, gehen um die Lenden herum zur Gebärmutter und enden mit Krämpfen.* **Viburnum obulus** ∅ – **D 4.**

—. *Regelstörungen. Regel schmerzhaft mit Krämpfen,* schlimmer morgens; *unterdrückte Regel* mit Blutandrang zum Kopfe; die Absonderungen sind ausgedehnt, heiß, hellrot, übelriechend. **Belladonna D 6–30.**

—. *Regelstörungen. Krampfhafte, kneipende Schmerzen,* mit aufgetriebenem Leib; *große, allgemeine Schwäche, so schwach, daß Patientin kaum stehen, gehen oder sprechen kann.* Dies ist ein sehr wichtiges Symptom. Die Schwäche steht nicht mit dem Blutverlust in Zusammenhang, dieser kann sogar spärlich sein oder zwischen der Regel Weißfluß bestehen. **Cocculus D 6–15–30.**

—. *Regelstörungen. Blutiger Ausfluß zwischen den Perioden,* durch jede geringe Anstrengung oder Pressen beim Stuhlgang verursacht. **Ambra D 1–3.** Das Mittel paßt gut bei nervösen Leiden, funktionelle Nervenstörungen, bei mageren, schmächtigen, müden Frauen mit zerrütteten Nerven.

—. *Regelstörungen. Monatsregel schlimmer nachts* oder *fließt nur beim Liegen* und hört beim Gehen auf, *besonders,* wenn Patientin *sauer riecht.* **Magnesium carbonicum D 4–6.**

—. *Regelstörungen.* Das Blut fließt nur im Liegen, hört beim Sitzen oder Umhergehen auf. **Arsenicum album D 6–30.**

—. *Regelstörungen.* Das Blut fließt nur beim Gehen und hört im Liegen auf. **Lilium tigrinum D 3–6–30.**

—. Beschwerden der verschiedensten Art im Klimakterium. **Oophorin D 30.**

—. Menstruation, schmerzhafte, auf nervöser Grundlage. Die Schmerzen erscheinen anfallweise, blitzartig, nach allen Richtungen ausstrahlend. **Dioscorea D 6–12–30.**

—. Menstruation zu stark, zu lange dauernd oder zu früh kommend; klimakterische Blutungen mit Hitzewallungen und gereizter Stimmung. **Sanguisorba D 6.**

—, krankhafte, schmerzhafte Menstruation bei Blutarmen und Bleichsüchtigen. **Kalium permanganicum D 3–4.** Das Mittel hat sich sehr bewährt und oft dauernd geheilt, wenn es längere Zeit hindurch regelmäßig 1–2mal täglich gegeben wird.

—. *Brustdrüsenentzündung. Harte Knoten* an der Brust, stark geschwollen, *heiß und schmerzhaft.* Frösteln, dann *steigendes Fieber, heftiger Kopf- und Rükkenschmerz.* Wenn sich die Brust mit Milch füllt oder das Kind saugt, *strahlt der Schmerz von der Warze bis über den ganzen Körper aus.* **Phytolacca D 6.** Beginnende Eiterung weicht in der Regel dem Mittel, wenn es rechtzeitig (1–2stündlich) eingesetzt wird. Auch bei Eiterung und Durchbruch das Mittel weiter geben, wenn die angeführten Symptome vorherrschen. Evtl. daneben **Hepar sulf. D 4** und **Silicea D 4–6** im Wechsel einsetzen. *Komplementärmittel* zu Phytolacca ist **Bryonia.**

—, siehe auch Blut- und Blutkrankheiten, Blutungen, Geistes- und Gemütssymptome, Krebs.

Frostbeulen

Frostbeulen, Frostschäden, Röte und juckende, brennende Schmerzen im Gesicht, Ohren, Füße, Haut. **Agaricus D 30–200.**

— und Frostschäden im Gesicht, an den Händen, die jeden Winter wiederkommen, anschwellen, blau, rissig oder blutig werden; nässende, juckende Frostbeulen die bei kaltem Wetter heftig brennen. **Petroleum D 6–30–200.** Daneben, bei sehr blauer Haut, **Lachesis D 15–30.**

— und Frostschäden, aufbegrochene, oder mit der Neigung zum aufbrechen. Frostschäden hartnäckigster Art, die alljährlich wiederkommen. Paßt gut für geschwächte, blutarme Personen. **Abrotanum D 2–3.**

— an Händen und Füßen, akute Frostschäden. **Symphytum D 2** im Wechsel mit **Bryomia D 3–4.**

— mit allgemeinem Kältegefühl, von mißfarbenem oder bläulichem Aussehen mit Schmerzen. **Ledum-Tinktur,** – 10–15 Tropfen in 1/4 Liter warmen Wasser aufgelöst – als feuchte Umschläge oder Einreibungen. Gleichzeitig innerlich 3–4mal 8 Tropfen **Ledum D 3–6.**

— siehe auch Geschwüre.

Frösteln

Frösteln, nervöses, läuft den Rücken auf und nieder, wellenartig vom Kreuz bis zum Hinterkopf. Dabei *besteht heftiges Schütteln und Zähneklappern,* ohne objektive Kälte. *Der Kranke verlangt gehalten zu werden, weil er so geschüttelt wird.* Diese Art Frost findet man häufig bei hysterischen Leiden und bei organischen Herzleiden. **Gelsemium D 30–15–6.**

— *mit rotem Gesicht während des Frostes.* **Ignatia D 30–200.**

—. *Frost am vormittag,* vorher *heftiger Schmerz in den Knochen, wie zerschlagen,* zu Ende des Frostschauers Galle-Erbrechen. **Eupatorium perfoliatum D 4–6,** ein altbewährtes *Grippemittel* im Wechsel mit einem passenden Entzündungsmittel wobei sich **Ferrum phosphoricum** besonders bewährt hat.

—. *Frostgefühl zwischen den Schultern* beginnend; Frösteln oder Schaudern nach jedem Getränk. **Capsicum D 30–200.**

—. *Frieren, Frostigkeit über den Rücken,* empfindlich gegen Zug; Empfindung von Kälte im Hinterkopf, Nacken, wie von Zugwind; die Schmerzen und Empfindungen breiten sich von oben nach unten aus; Saußen im Kopf, Ohrgeräusche; Blutandrang zum Kopf mit folgendem Nasenbluten. **Pimpinella D 3.**

—, siehe **Mercurius solubilis, Nux vomica** unter Fieber Seite 63; ferner unter demselben Schlagwort Seite 63–64 bei Besprechung der Wechselfieber.

Furunkel

Furunkel, siehe Geschwüre.

Fußschweiß

Fußschweiß, unterdrückter und als Folge aufgetretener akuter oder chronischer Mandelentzündung. **Baryum carbonicum D 30–15–6.**

—, widerlicher, der durch Kälte leicht unterdrückt wird; bestehende Schweiße werden geheilt, unterdrückte wieder hervorgerufen und dann geheilt, indem die Ursache der Schweißbildung beseitigt wird. **Silicea D 12–30–200.**

—. Als weitere Mittel sind zu beachten: **Psorinum D 30–200 + Sanicula D 3–30.**

Fußsohlen

Fußsohlen sind beim Gehen empfindlich und schmerzen sehr, besonders bei rheumatischen Leiden oder rheumatoider Konstitution; Besserung durch Kälte, Verschlimmerung in der Bettwärme. **Ledum D 3–6–30.**

— brennen; Brennen der Füße; brennende Schmerzen; der Kranke streckt die Füße aus dem Bett oder sucht sonst eine kühle Stelle für diese aus; Verschlimmerung durch Bettwärme, Besserung durch Kälte **Sanicula D 4–15–30.**

— schmerzen sehr, Patient kann nicht gehen, muß auf den Knien rutschen; Brennschmerz der Fußsohlen mit Verschlimmerung durch Wärme oder bei naßkaltem Wetter; rheumatische Schmerzen; sykotisch-rheumatische Konstitution. **Medorrhinum D 30–15.**

— infolge scharfen Fußschweiß wund. **Baryum carbonicum D 30–15–6.**

— schmerzen und sind empfindlich. **Pulsatilla D 6.**

— geschwollen und schmerzhaft. **Lycopodium D 12–30.**

—. Heiße Fußsohlen und Handflächen mit Brennen; Hitzewallungen in den Wechseljahren. Verschlimmerung früh und abends, nachts im Bett. **Sanguinaria D 6–15–30.**

—. Hornartige Schwielen und Hühneraugen, sehr schmerzhaft, hart und empfindlich beim Gehen; Schrunden, Flechten, Pusteln; Kälte oder Kaltbaden verschlimmert. **Antimonium crudum D 4–6.**

G

Gallenblasenentzündung

Gallenblasenentzündung. Das Funktions- und Heilmittel für die Gallenblase ist **Coccus cacti D 3–6.** Leitsymptome: Reißende, ziehende Schmerzen; harnsaure Diathese; Neigung zu Steinbildung; Harn braun, rötlich, spärlich, trüb, sandig, sauer; dumpfer Druck in der Nierengegend mit Kältegefühl im Rücken. Daneben die Entzündungsmittel **Bryonia D 3, Arnica D 3, Apis D 3** je nach den Leitsymptomen wie unter Entzündungen beschrieben. Äußerlich zur Unterstützung heiße Kompressen mit oder ohne Arzneimittel oder Kräuterzusätze. (Ich verwende hierzu seit Jahren die Iso-Mittel G 7, Fb 2, St 5, Fluid grün oder gelb, 30 Korn bzw. Tropfen auf einen Liter Wasser.)

—, Gallenstauungen, mangelhafte Gallensekretion, Leberfunktionsstörungen. **Mercurius dulcis D 2–4.**

Gallensteinkrankheit

Gallensteinkrankheit. In Kolikanfällen gebe man 2–4 Tabletten **Magnesium phosphoricum D 4–6** in ein Glas heißes Wasser und lasse dies schluckweise austrinken. Daneben heiße Kompressen mit Zusatz der Iso-Mittel G 8 und Fluid gelb, je 30 Korn und Tropfen. Bei krampfartigen Schmerzen kann noch **Colocynthis D 4–30,** bei reißenden, die Stelle wechselnden Schmerzen **Dioscorea D 2–12** mit eingesetzt werden, falls die zuerst genannten Maßnahmen nicht ausreichen. In diesem Falle gibt man am besten 20 Tropfen des angezeigten Mittels in ein Glas Wasser und läßt alle 5–10 Minuten davon einen Schluck trinken. Als weiteres Mittel zur Schmerzbekämpfung kommt noch **Atropinum sulfuricium D 3–4,** 10 Tropfen in einem Löffel heißen Wasser, 2–3 Gaben in kurzen Abständen, oder als Einspritzung in Ampullenform, in Frage. Gute Erfolge erzielte ich auch mit Rufebran 6-Injektionen.

Die Behandlung der Gallensteinkrankheit in der anfallfreien Zeit ist besonders wichtig und geschieht wie folgt: Das Hauptmittel für Leber- und

Gallenkrankheiten ist **Carduus marianus** ∅ – **D 1**. Leitsymptome: *Vollheitsgefühl in der Lebergegend mit stechenden, nach dem Rücken hin ausstrahlenden Schmerzen, bitterem Mundgeschmack*, in der Mitte weißbelegte Zunge, *Übelkeit, Erbrechen, Gelbsucht*, dumpfe Schmerzen im Kopf. Das Mittel wirkt besonders auf den rechten Leberlappen – **Chelone D 2** ist das Mittel für den linken Leberlappen, welcher auch oft miterkrankt ist –. **Chelidonium D 2–12** ist das *Hauptmittel bei* der *chronischen Form*, bei *chronischem Katarrh der Gallengänge, Gelbsucht*. Leitsymptome: *Drückender, festsitzender Schmerz in der Lebergegend mit Ausstrahlung nach dem unteren, inneren rechten Schulterblattwinkel*, bitterem Mundgeschmack, Zunge dick, gelb belegt, mit roten Rändern, welche die Zahneindrücke zeigen; *Gelbfärbung der Haut*, der Lederhaut des Auges; *Übelkeit, Erbrechen*. Sonstige Symptome mehr rechtsseitig, z. B. rechter Fuß eiskalt, linker natürliche Wärme. **Lycopodium D 6–12–30** bei sehr druckempfindlicher Leber; *chronische Verstopfung mit ungeformten, unvollständigen Stühlen; gelbe Hautfarbe*. Das Mittel hat nachhaltige Wirkung auf die Leber, paßt gut für chronische Fälle und ist, besonders in höheren Potenzen, in größeren Zeitabständen zu geben. **Berberis** ∅ – **D 2–12** kommt bei Gallen- und Nierengrieß, grauen Stühlen, Leberschwellung, harnsaurer Diathese, ziegelmehlartiger roter Niederschlag im Urin, in Frage. **Dolichos D 2–6** bei Gelbsucht mit hellen Stühlen, heftigem Hautjucken, aufgetriebener rumpelnder Bauch. **Natrium sulfuricum D 6** bei *Stoffwechselstörungen, Leber- und Darmfunktionsmittel;* chronische Leberschwellung; Gelbsucht und Galle-Erbrechen; Durchfälle früh morgens; chronische Verstopfung. **Podophyllum D 2–4** bei Schmerzen in der Leber- und Milzgegend, fauliger Geschmack, weißlicher Zungenbelag; Verlangen nach Saurem; Übelkeit, Erbrechen, Sodbrennen; heftiger Durst; Gallen- und Bluterbrechen; Kolik mit eingezogenen Bauchdecken. **Cholesterinum D 15–30** als *wichtiges und bedeutendes Konstitutionsmittel* zur Verhütung der Neubildung von Gallensteinen.

Daß bei Gallensteinkrankheit oder Anlage hierzu eine naturgemäße Ernährung mit möglichst viel Frischkost unerläßlich ist, braucht wohl nicht hervorgehoben zu werden.

—, siehe auch Leberleiden.

Gedächtnis

Gedächtnis. Große Vergeßlichkeit, kann einen angefangenen Satz oder die Antwort auf eine Frage nicht beenden infolge Verwirrung oder Zerstreutheit. **Cannabis indica D 6–12.**

—. Gedächtnisschwäche alter Leute. Das Gedächtnis läßt nach, sie gebrauchen falsche Worte, verwechseln die Buchstaben beim Schreiben, kurz: sie sind wegen Nachlassen der Verstandeskraft zu gewöhnlicher geistiger Arbeit unfähig. **Lycopodium D 30–200.**

—. Gedächtnisschwäche, Verlust des Gedächtnisses; Ausfallen der Gedanken beim Sprechen, Schreiben, Lesen; Geistesabwesenheit, muß erst seine Gedanken sammeln ehe auf die einfachste Frage geantwortet werden kann; Betäubung, Unempfindlichkeit, unüberwindliche Schlafsucht; launenhafte Stimmung. **Nux moschata D 4–6.**

—. Schwäche, Verlust desselben, besonders bei alten, geschwächten Leuten. **Anacardium D 30–15.**

—. Geistige und körperliche Schwäche des Alters; Gedächtnisverlust; kindisches, gedankenloses Benehmen. **Baryum carbonicum D 6–30,** besonders bei Schlaganfall oder Neigung hierzu.

—. Gedächtnisschwäche; zerstreut, vergeßlich, Sprache behindert; schwache Auffassungsgabe. **Manganum sulfuricum D 6, Glechoma hederacea D 1–3.**

—, siehe auch Geistes- und Gemütssymptome.

Gefühl

Gefühl. Zerschlagenheitsgefühl, Schwäche, Müdigkeit; fühlt sich am ganzen Körper *wie zerschlagen, alles, worauf der Kranke liegt, scheint ihm zu hart; Zerschlagenheitsgefühl in der Gebärmuttergegend,* kann nicht aufrecht gehen; Schmerzhaftigkeit der Geschlechtsteile nach der Geburt; Kopf oder das Gesicht ist heiß, der übrige Körper kühl; Stuhl und Urin gehen unbewußt ab; Betäubung; blaue Flecken erscheinen unter der Haut; akute und chronische Leiden als Folge von früheren Verletzungen. **Arnica D 30–200.**

—, *wie zerbrochen oder geschlagen* im ganzen Körper, *von einem tiefliegenden, heftigen Schmerz in den Gliedern oder im Rücken begleitet,* als ob die Knochen gebrochen wären; Knochenschmerzen, Schmerzen in den Armen, Handgelenken, als ob sie gebrochen oder verrenkt wären; Empfindlichkeit und Schmerzen in den unteren Extremitäten mit Steifheit und Schmerz beim Aufstehen. **Eupatorium perfoliatum D 4–6.**

—. *Zerschlagenheitsgefühl, Lähmungsgefühl* im ganzen Körper, wie nach einem Fall, schlimmer in Gliedern und Gelenken, *besonders in den Handgelenken;* alle Körperstellen auf welchen der Kranke liegt, sind schmerzhaft, wie zerschlagen; Verschlimmerung bei feuchtem kaltem Wetter; Besserung bei Bewegung. **Ruta graveolens D 1–3.**

—. *Steifheit und Schmerzen* in den Muskeln, *Zerschlagenheitsgefühl* als Folge von Erkältungen, Überanstrengungen, Verrenkung; *rheumatische Schmerzen; Nervenschmerzen;* Verschlimmerung bei naßkaltem Wetter, in der Ruhe nachts; Besserung bei anhaltender Bewegung; hydrogenoide Konstitution. **Rhus toxicodendron D 30–15–6.**

—. *Steifheit und Schmerzen* vom Kopf bis zu den Füßen; *Muskeln schmerzhaft und steif,* kann sich kaum bewegen; *Muskelkrämpfe, beißt die Zähne aufeinander;* elendes Aussehen, *Dyskrasie, Schwäche, Erschöpfung;* rheumatisch-sykotische Konstitution; Verschlimmerung bei naßkaltem Wetter, bei Bewegung, bei Druck, in der Bettwärme; Brennen, Kratzen, Schlingbeschwerden im Hals. **Phytolacca D 3–6–30.**

—. *Zerschlagenheitsgefühl*, wirft sich im Bett umher, greift um sich, *hat das Gefühl als liege der ganze Körper zerstückelt umher* und muß erst wieder zusammengesetzt werden. *Weißer bis brauner, scharf abgegrenzter Streifen auf der Mitte der Zunge* ist ein besonders charakteristisches Symptom; Stuhl, Urin, Schweiß ist sehr übelriechend; septische Prozesse, hohes anhaltendes Fieber. **Baptisia D 6–4–2.**

—. *Zerschlagenheitsgefühl* besonders bei Rheumatismus, Venenstauungen, Krampfadern, Hämorrhoiden mit Schmerzen, Blutungen von sehr dunklem, geronnenem, venösem Blut. **Hamamelis ∅ – D 4–30.**

—, allgemeines *Vollheitsgefühl*, besonders im Becken, *mit Rückenschmerzen über Kreuz und Hüften*, durch Gehen und Bücken bedeutend verschlimmert, *in Verbindung mit Hämorrhoiden, Gebärmutterverlagerungen, Weißfluß;* Gefühl von Klopfen und Hämmern. **Aesculus hippocastanum ∅ – D 3–6.**

—. *Ausdehnungsgefühl* oder *Gefühl des Geschwollenseins* am Kopf, Händen, Füßen; psorisch, rheumatische Konstitution; Neigung zu Dyskrasie. **Manganum aceticum D 4–6–30.**

—. *Ausdehnungsgefühl* als ob der ganze Körper oder einzelne Teile sich ausdehnen. **Argentum nitricum D 4–6–30.**

—. *Erschlaffungsgefühl* im Magen und Darm als ob sie herabhingen und ganz besonders, wenn mit Übelkeit verbunden. **Ipecacuanha D 4–6.**

—. *Druck wie von einem Reif um einzelne Körperteile;* oder *Gefühl wie von einem Pflock* in inneren Organen, Kopf, Brust, Magen, Darm. Dieser Druck wie von einem Reif umspannt, wird auch bei Rückenmarksleiden beobachtet. **Anacardium D 30–200.**

— *des Zusammenschnürens* im Herzen, oder Brust, Blase, Mastdarm, Scheide. **Cactus grandiflorus D 1–3.**

— *des Zusammenschnürens, Druck, Schwere,* im Kopf, Hals, Genick; oder Empfindlichkeit gegen Druck und Berührung. **Lachesis D 15–30.**

— *des Zusammenschnürens* in Schlund und Speiseröhre, es schmerzt beim Schlucken. **Alumina D 12–30.**

—. *Leerheitsgefühl.* **Cocculus D 6, Sepia D 6, Phosphorus D 12.**

— des *Herabdrängens.* **Sepia D 6, Lilium tigrinum D 4–6, Belladonna D 4–6.**

— oder die *Empfindung* von *Herabfallen des Herzens.* **Capsicum D 6.**

— von *Wundheit oder Roheit der Schleimhäute*, mit Schmerzen. **Causticum D 12–30.**

— Empfindung von *innerlichem Zittern* (subjektiv) bei entkräfteten Kranken. **Acidum sulfuricum D 2–6.**

— *als ob man in der Luft schwebte;* als ob ein Faden im Halse herabhinge. **Valeriana D 1–4.**

— *als ob die Beine in der Luft schwebten;* oder der Kranke fühlt sich so leicht, wie schwebend, als ob er nicht mehr im Bett läge (hysterische Zustände). **Sticta D 1–3.**

— oder Empfindung *als ob der Magen erschlafft herunterhinge oder im Unterleibe etwas herabsinken oder wegfallen wollte.* Verschlimmerung nach fester oder flüssiger Nahrungsaufnahme. **Staphisagria D 4–6–30.**

—. *Fühlt sich leicht, körperlos, oder frei in der Luft schwebend* – hysterische Erscheinungen. **Asarum europaeum D 2–4–6.**

— *als ob die Sehnen zu kurz wären.* Zuweilen besteht eine wirkliche Kontraktion, so daß die Beine nicht ausgestreckt werden können. Dieser Zustand kommt bei Wechselfieber oder nach körperlichen Anstrengungen, Erschütterungen, Verstauchungen, vor. **Cimex lectularius D 4–6.**

— als ob eine *Kugel vom Magen zum Schlund hinaufsteigt* und Atemnot verursacht, oder *Brennen im Mastdarm wie glühendes Eisen; Ausdehnungsgefühl,* als ob der Kopf sehr groß wäre; Brennen und Taubsein der Zunge mit dem Gefühl als ob sie zu groß wäre. **Kalium arsenicosum D 3–4.**

—. Kältegefühl, siehe unter „Kälte".

—, siehe auch Gripppe, Modalitäten, Rheuma.

—, siehe auch Gehirnkrankheiten, Phosphorus, Seite 80.

Gehirnkrankheiten

Gehirnkrankheiten. Entzündungen der serösen Häute, akute Hirnhautentzündung. Leitsymptome: Drückende, stechende Schmerzen im ganzen Kopf herumziehend; Zittern, Zuckungen, lähmungsartige Zustände, Ohnmacht, Mattigkeit, Sinken der Kräfte. Verschlimmerung bei Berührung. **Mezereum Daphne D 30** ist ein Hauptmittel für die Hirnhaut. **Apis D 4** bei brennenden, stechenden Schmerzen; tiefer, betäubender Schlaf, durch plötzliches, schrilles Aufschreien unterbrochen (cri encéphalique); Hirnhautentzündungen, besonders wenn diese durch Unterdrückung von Hautkrankheiten entstanden sind. **Aconitum D 4** und **Bryonia D 4,** Leitsymptome dieser Mittel siehe unter Entzündungen. Die nach den Leitsymptomen indizierten Mittel $1/4$–$1/2$stündlich eine Gabe im Wechsel. Zur *Entlastung Ableitung über den Darm* mittels Klistier. Hinter beide Ohren Zugpflaster auflegen oder Einreibung mit einem Hautreizöl oder Baunscheidieren. Auflagen auf den Kopf und die Fußsohlen mit zerquetschten Zwiebeln, 1–2-stündlich erneuern.

—. Bei *Gehirnerschütterung* durch Fall, Stoß oder Schlag mit folgendem Kopfschmerz gibt man sofort $1/2$stündlich **Apis D 3–4** im Wechsel mit **Arnica D 3–4.**

—. Kopfdruck, Benommenheit, Schlafsucht, epilepsieartige Krämpfe, Aufschreien aus dem Schlafe; völlige geistige und körperliche Erschöpfung mit blassem, fahlem Aussehen; heftiges Unruhegefühl in den unteren Gliedern, muß sie fortwährend bewegen; krampfhaftes Zucken und Rucken verschiedener Muskeln; allgemeines Zittern über den ganzen Körper, das das Bett erschüttert, verliert die Herrschaft über seine Bewegungen. Wein und andere Reizmittel, auch die geringste Menge, verschlimmern sehr. **Zincum D 30–200.**

—, *schwere*, wo Exsudat droht oder schon besteht; Unruhe mit Schreien, betäubter Schlaf; Urin spärlich oder ganz verhalten; gieriges Wassertrinken, kalter Schweiß, erweiterte Pupillen; sieht und hört nichts, nimmt nichts mehr wahr; bewegt ständig nur eine Extremität, während die anderen wie gelähmt daliegen. **Helleborus D 30–300.**

—. *Apathie*, *Schwerfälligkeit*, spricht langsam oder überhaupt nicht; der Kranke *fürchtet das Alleinsein*, *Angst im Dunkeln*, *Angst bei Gewittern; Erschöpfung*, *Zittern*, *Schwindel*, *Benommenheit*, *Lähmung*, alles Symptome wie sie bei Gehirnerweichung oder Atrophie auftreten. Anfangssymptome: Hochgradiges *Gefühl von Brennen*, kann in allen Organen, mit oder ohne Fieber auftreten; *intensives Hitzegefühl*, das den Rücken hinaufläuft; *Überempfindlichkeit der Sinne gegen äußere Eindrücke;* große, allgemeine Unruhe, kann nicht einen Augenblick ruhen, sitzen oder stehen. Später, bei fortgeschrittener Erkrankung, Verlust der Beweglichkeit, der Empfindung, des Gefühls. **Phosphorus D 30–200.**

—. *Gehirn- und Rückenmarksleiden* mit allgemeiner, nervöser Erschöpfung, besonders als Folge geschlechtlicher Ausschweifungen, Große *Mattigkeit*, oder *beständiges Müdigkeitsgefühl* im ganzen Körper; Willensschwäche, Gleichgültigkeit, große Niedergeschlagenheit; starker Geschlechtstrieb mit heftigsten Erektionen und mit folgender Schwäche; sexuelle Neurasthenie; Kräftigungs- und Auffrischungsmittel bei geistiger Überarbeitung. **Acidum picrinicum D 6–12–30.**

—. *Lähmungserscheinungen* im vorgeschrittenen Stadium akuter Krankheiten, bei Hirnhautentzündungen, Typhus, Lungenentzündung u. a. m. *Patient liegt wie betäubt da*, *Pupillenreflex fehlt*, der Unterkiefer fällt herab; chronische *Depression des Sensoriums bei alten Leuten*, das Gedächtnis läßt nach, sie verwechseln oder gebrauchen falsche Worte beim Sprechen oder Schreiben, sie sind infolge nachlassender Verstandeskraft unfähig zu gewöhnlicher, geistiger Tätigkeit. **Lycopodium D 30–200.**

—. *Schwindel*, *Taumeln*, *Zittern* mit Schwäche; *heftig drückender Kopfschmerz*, besser im Freien; *Migräneanfälle* mit großer Übelkeit und Erbrechen; Verwirrung, unfähig zu denken; Bewußtlosigkeit, Lähmungen, Urämie; klonische *Muskelkrämpfe*. **Tabacum D 30–200.**

—. *Seltsame Stellungen und gewaltsamste Verdrehungen* des Kopfes, Hals, Rückgrat; bei Cerebro-Spinalmeningitis (epidemische Genickstarre). **Cicuta virosa D 200.**

—. *Schwindel* mit *Gesichtstrübung*, erweiterte Pupillen, *Doppeltsehen*, Gefühl von Berauschtsein. **Gelsemium D 6–30.**

—. *Gummöse Gehirngeschwülste* mit folgenden Symptomen: Reißende, stechende, pulsierende Schmerzen im Kopf und Schädel mit dem Gefühl als werde er auseinandergetrieben, schlimmer abends, besser im Freien und durch Druck. **Kalium jodatum D 2–4.**

—. Siehe auch Geistes- und Gemütssymptome, Nervenleiden.

Geistes- und Gemütssymptome. Hypochondrie; Apathie; hartnäckiges Verweilen bei geschlechtlichen Vorgängen oder sonstigen Ereignissen, durch unverdiente Kränkungen; heftiger Unwille über Dinge die andere, oder Patient selbst, getan haben, grämt sich über die Folgen; sehr empfindlich gegen den geringsten Eindruck, das geringste, anscheinend oder angeblich unrechte Wort verletzt sehr stark; wirft Sachen unwillig weg oder stößt sie vom Tisch; Kinder sind übel gelaunt und schreien nach Dingen, die sie dann ärgerlich wegwerfen, wenn sie diese erhalten haben; Gedächtnisschwäche, verursacht durch geschlechtliche Exzesse; Beschwerden durch Unwillen, Verdruß oder verhaltenen Ärger; Verschlimmerung aller Symptome morgens. **Staphisagria D 4–6–30.**

—. *Hochgradiges Delirium;* rast, singt, lacht, pfeift, schreit, betet, flucht; große Geschwätzigkeit; wirft sich in alle möglichen Lagen; Gesicht stark gerötet und gedunsen; *akute und chronische Manien; religiöse Wahnideen* und Einbildungen; bildet sich ein, daß einzelne Körperteile oder Glieder ungeheuer ausgedehnt seien; Furcht vor Wasser und Widerwillen gegen alles Flüssige; **Stramonium D 6–100.** (Nash berichtet in seinem Werke Seite 71 über einen sehr interessanten Fall einer Heilung von Manie in 24 Stunden.) Weitere Symptome dieses Mittels sind: Verlangen nach Helligkeit und Gesellschaft; Augen weit geöffnet, hervortretend; glänzende, stark erweiterte Pupillen.

—. *Geschwätzigkeit; religiöse Manie;* zeitweise große *Heftigkeit wechselnd mit Schweigsamkeit,* aber, wenn gereizt, wütend; *frivole,* oder *erotische Redensarten;* sucht Sachen zu zerreißen oder zu zerschneiden, besonders Kleider; Gesicht ist eingefallen, blaß, hippokratisch; Kollaps, kalter Schweiß, der ganze Körper ist eiskalt. **Veratrum album D 6–30.**

—. Chronische Manien; Patient ist argwöhnisch, will die Arznei nicht nehmen, weil er glaubt, man wolle ihn vergiften; entblößt sich, deckt sich auf, singt und schwatzt verliebtes Zeug; ist zeitweise sanft und ängstlich, dann wieder heftig, greift an, schlägt und kratzt; akute Deliriums-Ausbrüche mit folgendem Betäubungszustand; klonische Konvulsionen, jeder Muskel im Körper zuckt, von den Augen bis zu den Zehen. **Hyoscyamus D 30–15–6.**

—. Stolz, Überheblichkeit, sieht hochmütig auf andere herab, fühlt sich über andere geistig und körperlich erhaben; eigenartige Sinnestäuschungen, z. B. bei der Rückkehr ins Haus nach einem Fortsein erscheint alles zu klein; veränderliche Stimmung abwechselnd heiter und traurig körperliche Symptome, beispielsweise Schmerzen, verschwinden und die Geistessymptome treten auf und umgekehrt; Schmerzen werden allmählich heftiger und nehmen ebenso allmählich wieder ab; die Schmerzen sind von Taubheit der befallenen Körperteile begleitet. **Platinum D 6–15–30.**

—. *Fixe Ideen:* als wären Seele und Körper getrennt; als ob jemand an der Seite stehe; als wären Körperteile aus Glas und zerbrechlich; als stehe er unter dem Einfluß einer höheren Macht; Größenwahn; will sich nicht berühren oder jemand nahe kommen lassen. **Thuja D 15–30,** besonders bei sykotischer Konstitution, bei Neigung zu Warzenbildung oder wenn früher mal solche vorhanden waren.

—. *Hysterische Zustände* mit *großer Veränderlichkeit der Symptome.* Heiterkeit wechselt mit Niedergeschlagenheit, Weinen mit Wut, ab. Dabei besteht die *Empfindung als ob sich im Körper etwas bewege.* **Crocus D 30–15–6.**

—. Hysterie; launenhafte, veränderliche Stimmung, bald ernst, bald heiter; Gedanken fallen aus beim Sprechen, Lesen oder Schreiben; unfähig zu denken, muß erst die Gedanken sammeln; Betäubung, Unempfindlichkeit und unüberwindliche Schlafsucht; außerordentliche Trockenheit des Mundes. **Nux moschata D 2–4–30.**

—. *Unwiderstehliche Neigung zu fluchen und zu schwören;* Gefühl als ob im Inneren zwei, einander entgegengesetzte, Willen wären. **Anacardium D 30–200.**

—. Bildet sich ein, Ratten oder Mäuse durch das Zimmer laufen zu sehen. **Aethusa D 200.**

—. *Hypochondrie;* der Anblick hoher Gebäude macht schwindlig, sie scheinen sich zu nähern und Patienten zu zerquetschen; beim Gehen auf der Straße scheinen die Straßenecken hervorzuspringen und er fürchtet dagegen zu stoßen; hastiges Benehmen und Gebahren; Erregungszustände, kann sich über jede Kleinigkeit ärgern, Toben, Rasen; Furcht vor Krankheit, Furcht vor Mißerfolgen, wagt nichts zu unternehmen; wechselnde Laune; Geisteskraft und Gedächtnis lassen stark nach; Verlust des Bewußtseins; unwiderstehliches Verlangen nach Zucker; die Spannung vor einem Ereignis führt Durchfall herbei; *Ausdehnungsgefühl* des ganzen Körpers oder einzelner Körperteile; Patient sieht abgezehrt und vertrocknet aus, besonders auffällig bei kleinen Kindern. **Argentum nitricum D 30–15–6.**

—. *Abnehmen der geistigen Fähigkeiten,* kann weder klar denken noch seine Aufmerksamkeit auf einen Punkt richten. Dabei schläfrig, träge, scheut Bewegung, will ungestört sein. Empfindlichkeit gegen Gemütsstörungen durch plötzliche Erregung, schlimme Nachrichten oder Ahnungen, als Folgen tritt Durchfall auf; Schwindel mit Gesichtstrübung, erweiterte Pupillen, Doppeltsehen, Gefühl von Berauschtsein. **Gelsemium D 6–15–30.** *Komplementärmittel* **Argentum nitr. D 6–15–30.**

—. Extreme Schwankungen im Sensorium. Erregung oder Depression wechselt miteinander ab. Symptome bei Erregung: Schnelle Auffassung, feines Empfindungsvermögen, Ekstase oder Trance-Zustand. Ungewöhnliche Redseligkeit mit schnellem Wechsel des Themas, springt plötzlich von einem Gedanken zum anderen. – Symptome der Depression: Gedächtnisschwäche, macht Schreibfehler, verwechselt die Zeit; spricht langsam, schwerfällig; ist sehr traurig, niedergeschlagen, unglücklich, bedrückt; nachts Delirium, murmelt. Diese Zustände pflegen sich morgens nach dem Erwachen, oder überhaupt nach jedem Schlaf, zu verschlimmern. Man findet die genannten Symptome oft bei Frauen in den Wechseljahren, bei geschwächten Konstitutionen, bei unbeständigem Blutkreislauf. **Lachesis D 15–30.**

—. *Hypochondrie;* sieht alles schwarz, *ist voll Trübsinn und Verzweiflung;* weint, betet, glaubt nicht mehr in diese Welt zu passen, sehnt sich nach dem Tode, hat *Selbstmordgedanken.* Diese Symptome findet man häufig in Verbindung mit Leber- und Gebärmutterleiden, Geschwülsten, Verhärtungen. **Aurum D 6–30.**

—. *Depressionen, Kummer, Sorgen;* Zustand von *Bewußtlosigkeit* oder *Betäubungsschlaf,* ohne zu wissen was um sich her vorgeht, beim Erwachen aber bei vollem Bewußtsein ist. Zuweilen *Kopfschmerzen wie von einem zermalmenden Druck auf den Scheitel,* oder Schmerzen im Hinterkopf oder Nacken; *Patient wird durch das Schuldbewußtsein* einer früheren Tat oder Lasters beunruhigt, grämt sich darüber, neigt zur Verzweiflung; Nervenschwäche, Nervenzerrüttung. **Acidum phosphoricum D 4–6–30.**

—. *Traurigkeit, unterdrückter tiefer Kummer* mit langgezogenen Seufzern; Zustand wird zu verbergen gesucht; *Hysterie;* Veränderlichkeit der Stimmung; quälende Gedanken, Selbstvorwürfe. **Ignatia D 30–15.**

—. *Große Traurigkeit mit Todesgedanken;* Zerstreutheit, *Nachlassen der Verstandeskraft;* Minderwertigkeitsgefühl; *Unbesinnlichkeit; Schlafsucht.* **Agnus castus D 6–30.**

—. *Große Niedergeschlagenheit, gedrückte, traurige Stimmung; Hypochondrie;* unfähig zu denken oder geistige Arbeit zu verrichten; Verschlimmerung durch geistige Anstrengung. **Natrium carbonicum D 6.**

—. *Starke Depressionen des Gemütes;* größte Verzweiflung, macht sich und anderen das Leben fast unerträglich; *Traurigkeit, Hoffnungslosigkeit.* Psorisch-sykotische Konstitution. **Psorinum D 30–100–200.** ein tiefwirkendes Mittel.

—. Weint viel und um alles; jammert über alles, ist traurig und verzagt; Neigung zu stillem Gram und Ergebenheit; sanfte, freundliche, nachgiebige Anlage; rötlich-blondes Haar, blaue Augen, bleiches Gesicht. Zuspruch bessert und tröstet. **Pulsatilla D 30–15–6.**

—. Weint viel und oft; zweifelt an ihrer Seligkeit; Unruhe; (Meist als Rückwirkungen von Unterleibsstörungen. Siehe die Leitsymptome unter Frauenleiden.) **Lilium tigrinum D 6–15–30.**

—. Weint viel, *Zuspruch verschlimmert.* **Natrium muriaticum D 200–100–30.**

—. Traurigkeit, häufiges Weinen ohne zu wissen warum, meist in Verbindung mit Unterleibsstörungen; Patientin wird, entgegen ihrer sonstigen Gewohnheit, gleichgültig gegen ihre Pflichten im Haushalt, gegen ihre Angehörigen oder sonst geliebte Menschen (ein typisches Leitsymptom). **Sepia D 30–15–6.**

—. Patient ist ärgerlich, übelgelaunt, boshaft, schnippisch, sieht es auch selbst ein, sagt, da kann er sich eben nicht helfen, daß er so ist oder sich so benimmt. Kinder schreien ohne jeden Grund, verlangen nach diesem oder jenem und wenn man es ihm anbietet wird es weggestoßen, kurz: *das Kind weiß nicht was es will;* weitere Symptome: Unruhe, Schlaflosigkeit, Überempfindlichkeit gegen Schmerzen bis zur Benommenheit; erstes *Leitmittel gegen Zorn und Ärger.* **Chamomilla D 200–100–30.**

—. Geistige *Depressionszustände in der Pubertät* und im Klimakterium, verbunden mit geschlechtlicher Aufregung; Furcht verrückt zu werden; Gedanken verschwinden plötzlich; Leeregefühl im Kopf; Hitzegefühl im Hals und Magen. **Manicella D 6–15–30.**

—. *Depressionen;* traurig, versunken, brütend, mürrisch, schweigsam; *Schwäche bis zur Erschöpfung* (charakteristisch); Schlaflosigkeit, spätes Einschlafen weil die Gedanken nicht zur Ruhe kommen; nervöse Symptome mannigfacher Art: Zittern, Schwindel, Krämpfe, Lähmungen, Hohl- und Leerheitsgefühl im Kopf. **Cocculus D 30–15–6.**

—. *Melancholie, Traurigkeit, Hoffnungslosigkeit,* pflegt alles von der schwärzesten Seite anzusehen, als *Folge von Kummer, Sorge, Trauer.* Diese Symptome können aber auch mit ängstlicher, reizbarer, oder hysterischer Stimmung abwechseln; psorisch-rheumatische Konstitution; fahles gelbes Aussehen mit Schwäche und Müdigkeit. **Causticum D 30–15.**

—. Jugendliches Irresein (Chizophrenie), Verdrießlichkeit, Schwermut, Überanstrengung, Zerstreutheit, Vergeßlichkeit, Gedächtnisschwäche, behinderte Sprache. **Manganum sulfuricum D 6.**

—. Furcht zu fallen bei abwärts gehender Bewegung. **Sanicula D 4–30.**

—, siehe auch Nervenleiden.

Gelbsucht

Gelbsucht. Gelbfärbung der Augen, des Gesichtes, der Hände, der Haut; graue, lehmfarbige oder goldgelbe Stühle; goldgelber oder dunkelbrauner Urin, welcher im Nachtgeschirr nach dem Entleeren eine gelbe Farbe hinterläßt; Druckschmerz in der Lebergegend und rechtem Schulterblatt; Zunge dick, gelb belegt, mit roten Rändern welche die Zahneindrücke zeigen; kein Appetit, Ekel, Übelkeit oder Galle-Erbrechen. Außer heißen Getränken kann der Magen nichts behalten. **Chelidonium D 2–12.**

— bei chronischen Leberleiden. Schmerzen in der Lebergegend, Leber geschwollen, druckempfindlich. Augen, Haut gelb, Urin dunkel bis bierbraun, Stühle hell bis grau; Bauch unbehaglich aufgetrieben, Gefühl als ob der Bauch vollgepackt wäre. Aufstoßen erleichtert nicht. **China D 3–6.**

— mit Leberstörungen; Kopf benommen, schlechter Mundgeschmack, belegte Zunge, Schmerz in Lebergegend und Schulter; erst weiße Stühle, dann Durchfall mit dunklen oder schwarzen Stühlen; Galle-Erbrechen. **Aurum muriaticum D 200–100.**

—. Augen, Haut, Stuhl, Urin, alles ist sehr gelb. Ein sehr charakteristisches Leitsymptom ist: der Bauch ist stark eingezogen, oder es besteht das Gefühl als ob der Bauch eingezogen wäre, meist mit kolikartigen Schmerzen. **Plumbum D 6–30.**

—, *bösartige; hämolytischer Ikterus;* die gelbe Hautfarbe ist meist die *Folge von Blutzersetzung,* weniger von Leberleiden herrührend; *septische Prozesse* mit hohem Fieber; *Hämorrhagische Diathese; plötzlicher Kollaps,* mit *Blässe,*

Angst und *Atemnot; zunehmende Herzschwäche* mit kleinem oder unfühlbarem *Puls*. **Crotalus D 15–30.**

— als Folge des Verschlusses der Gallengang-Öffnung im Zwölffingerdarm infolge Katarrh des Zwölffingerdarmes, wodurch der Abfluß der Galle behindert wird und diese dann in das Blut übergeht. Das Heilmittel für den Zwölffingerdarmkatarrh ist **Condurango D 6–30.** Daneben zur Einwirkung auf Leber und Galle **Myrica cerifera D 3–6, Chelidonium D 4** und **Carduus marianus D 1** im Wechsel (siehe die Leitsymptome dieser Mittel unter Leberkrankheiten). In langwierigen Fällen mit Anschwellung der Füße **Lycopodium D 4–12.** Als weiteres, vortreffliches Mittel kommt noch **Nux vomica D 3–4** in Frage.

—. Bei Gelbsucht durch Gallenstauung infolge Zwölffingerdarmkatarrh, besonders bei Kindern, ist nach Stauffer **Mercurius dulcis D 2** eines der zuverlässigst wirkenden Mittel.

— siehe auch Gallenblasenentzündung, Gallensteinkrankheit, Leberleiden.

Gelenkerkrankungen

Gelenkerkrankungen. Akute Entzündungen der Gelenke; Kniegelenkentzündung; Hüftgelenkentzündung. Zunächst kommen die Entzündungsmittel **Aconitum D 4, Belladonna D 4, Apis D 4, Bryonia D 3–4** unter Beachtung der Leitsymptome, wie sie unter „Entzündungen" Seite 56 ausführlich beschrieben sind, zum Einsatz. Die Mittel können im Wechsel, oder mit Ausnahme von Aconitum, in Mischung gegeben werden. Äußerlich feuchte Kompressen mit Zusatz von **Arnica** ∅ 22–25° C oder auch heiß je nach den Umständen. Als weitere Mittel kommen in Betracht: **Arnica D 3** bei Verletzungen; **Origanum vulgare D 2–4** bei Enztündung des Knorpels; **Thymus vulgare D 3** für die Sehnen und Gelenkkapseln; **Rhus toxicodendron D 3–6** bei Exsudaten mit Schmerz und Reiben bei Bewegung und rheumatische Form; **Symphytum D 2** für die Beinhaut; **Hepar sulfuris D 3** bei Eiterung und Fistelbildung neben **Silicea D 3** oder **Aqua silicata,,** im Wechsel mit **Calcium jodatum D 3.** Letzteres ist ein ganz hervorragendes Mittel bei Eiterungen jeder Art. **Sulfur jodatum D3–4** wenn Verdickungen zurückgeblieben sind. **Calcium phosphoricum D 6** bei Gelenkentzündungen tuberkulöser Art, zur Umstimmung **Kalium carbonicum D 4** in öfteren Gaben und als Konstitutionsmittel **Tuberculinum D 200–1000** wöchentlich eine Gabe.

—, chronische, erfordern im Wesentlichen dieselben Mittel wie vorstehend angeführt mit Ausnahme von Aconitum und Belladonna. Zusätzlich in Frage kommen noch **Conium D 6** im Wechsel mit **Kalium jodatum D 6.**

—. Hier ein *Beispiel einer Heilung von schwerer tuberkulöser Kniegelenksentzündung:* 1. Woche. **Aconitum D 4 + Bryonia D 3** im Wechsel, 2–3stündlich. 2. Woche: **Bryonia D 3 + Sulfur D 12** je zwei Gaben täglich im Wechsel. 3. Woche: **Sulfur D 12 + Kalium carb. D 6** je zwei Gaben täglich. 4. Woche: **Arsenicum jodatum D 4 + Silicea D 30** je zwei Gaben täglich und **Tuberculinum D 200** zweimal 3 Tropfen in der Woche. 5. Woche: **Silicea D 30 + Arsenicum jodatum D 6** täglich eine Gabe im Wechsel.

—. Gichtische Anschwellungen der Hand- und Zehengelenke, besonders wenn mit Gebärmutterblutungen oder zu starker Monatsregel verbunden. **Sabina D 6.**

—. Schmerzen und Knacken der Gelenke bei chronischem Rheuma. **Petroleum D 4–6, Causticum D 6.**

—. *Gelenkgicht* mit unerträglichen, wühlenden, spannenden und juckenden Schmerzen, besonders in der Knochenhaut, oft halbseitig; schlimmer nachts. **Manganum aceticum D 4–6.**

—. *Schwäche der Fußknöchel* bei Jugendlichen. **Natrium carbonicum D 3–6.**

—. Gefühl als ob die Sehnen zu kurz wären. **Cimex lectularius D 4–6.**

—. Schmerzhafte Spannung in den Gelenkbeugen als ob die Sehnen zu kurz wären; Fußknöchel sind schwach und knicken leicht um; Rückrat reizbar, empfindlich gegen Berührung, starker Druck bessert jedoch; besonders bei Neigung zu Anämie. **Natrium muriaticum D 6–30.**

—. *Gelenkrheumatismus* siehe „Rheumatismus".

—, siehe auch **Ruta** unter Rheumatismus.

Geruch

Geruch, fauliger aus dem Munde, übel riechendes Aufstoßen und wie faule Eier riechende Blähungen. **Arnica D 3–6.**

—, sehr widerlicher aus dem Munde, man kann ihn durch das ganze Zimmer riechen. **Mercurius solubilis D 6.**

—. *Der ganze Körper riecht sauer;* saurer Geschmack, *saures Aufstoßen,* saures Erbrechen, saure Stühle; Sodbrennen; harnsaure Diathese, Rheuma, Neuralgien; Ruhelosigkeit; schlimmer nachts in der Bettwärme. **Magnesium carbonicum D 4–6.**

—. *Saurer Geruch, Geschmack; saures Aufstoßen,* saures Erbrechen, saure Durchfälle; alles riecht sauer; harnsaure Diathese; Säureüberschuß und Gallenmangel. **Natrium sulfuricum D 6.**

—. Der *Patient riecht sauer* oder der *Stuhl* bei Durchfall *riecht sauer; chronische Verdauungsstörungen mit saurem Aufstoßen, saurem Geruch.* Es besteht ein *Verlangen nach sauren Sachen.* **Hepar sulfuris D 4–15–30.**

—. Sauer riechende Entleerungen; der ganze Patient riecht sauer, ganz gleich wie oft er gebadet und gewaschen wird. **Rheum D 4–6.**

—. Saure Schweiße, saure Durchfälle, saures Erbrechen, Sodbrennen; saurer Geruch des ganzen Körpers; Verschlimmerung durch Kälte, Nässe, Zug; Calcium-Thyp. **Calcium carbonicum D 6–30.**

—. Intensiver, fürchterlicher Geruch des dunkelbraun, aber ohne Bodensatz, gefärbten Urin. Kleidung, Wäsche, das ganze Zimmer riecht nach Urin. **Acidum benzoicum D 4.**

—. Stinkende, ekelhafte, scharfe Ausflüsse, Geschwüre, besonders der Schleimhäute. **Kreosotum D 4–6–200.**

Geschlechtstrieb

Geschlechtstrieb. Mannestollheit, verstärkt im Wochenbett, Jucken und Kitzeln im Unterleib; übermäßige Geschlechtslust, besonders bei Jungfrauen, frühzeitige, übermäßige Entwicklung des Geschlechtstriebes; Geschlechtsteile ungemein empfindlich, kann Berührung nicht vertragen, wird bei solcher von Krampf befallen und bei Geschlechtsverkehr meist ohnmächtig; Neigung zu Anämie. **Platinum D 4–6–30.**

—. *Außerordentlich starker, fast unbezähmbarer Geschlechtstrieb* der Frauen bis zur Mannestollheit (Nymphomanie). Der Geschlechtstrieb wird durch die geringste Berührung der Geschlechtsteile erregt. **Murex purpureus D 6–12.**

—. Große geschlechtliche Reizbarkeit bei der geringsten Berührung der Geschlechtsorgane. Wohllüstige Träume, starkes Verlangen nach Geschlechtsverkehr; nächtliche Pollutionen; Onanie; Hysterie; Mannestollheit; Juken und Anschwellen der Brustwarzen und Schmerz in den Brüsten. **Origanum vulgare D 2–4.**

—, unwiderstehlicher, extremer, bei beiden Geschlechtern, der zu Manien, Selbstentblößung führt. Als entgegengesetztes Extrem Impotenz, bei bleibender Begierde, aber unfähig dieser körperlich nachkommen zu können. **Phosphorus D 6–12,** man beachte die Leitsymptome dieses Mittels unter „Nervenleiden".

—, starker, mit heftigsten Erektionen mit folgender Schwäche oder völliger Impotenz; Folgen von Onanie. **Acidum picrinicum D 6–12–30.**

—. *Seelische, geschlechtliche Erregung* mit Schlaffheit der männlichen Geschlechtsorgane und *körperlicher Impotenz*. Kälte der Genitalien, besonders der Hoden und juckend; melancholische, hypochondrische Stimmung; erhöhten Geschlechtstrieb mit heftigen Erektionen ohne Veranlassung; nächtliche Pollutionen; Unfruchtbarkeit und Widerwillen der Frauen gegen Geschlechtsverkehr; Milchmangel bei Wöchnerinnen; frühes Altern nach geschlechtlichen Ausschweifungen und Onanie; Melancholie nach Geburt mit Versiegen der Milch oder verringerter Milchabsonderung; bei unterdrückter Monatsregel wie Kongestionen und Schmerzen der Gebärmutter. **Agnus castus D 6–30.** (Das Mittel unterdrückt – in starken Gaben verabreicht – den Geschlechtstrieb bei Männer und Frauen.)

—. *Große Schwäche bei Männern mit heftigem Verlangen* und Liebesgedanken, *aber körperlich unfähig, diesem nachzukommen;* Pollutionen bei Gedanken an eine Frau oder bei Gegenwart einer solchen; die Erektionen sind mangelhaft, kurz, mit folgender Mattigkeit und Verdruß, es tritt ein hypochondrischer Gemütszustand ein. Dieser Gemütszustand kann bei beiden Geschlechtern bestehen, als Folge geschlechtlicher Ausschweifungen, aber auch von seltener oder ungenügender Befriedigung oder Enthaltsamkeit. **Conium D 6–30.**

—. *Große Schwäche der männlichen Geschlechtsorgane mit allgemeiner Schwäche;* ist nach geistiger oder körperlicher Arbeit, nach Geschlechtsverkehr sehr erschöpft; die Erektionen erfolgen langsam und schwach, die Samenergüsse beim Coitus zu schnell mit folgender Verdrießlichkeit und Schwäche; die Geschlechtsschwäche steigert sich bis zur völligen *Impotenz*, trotz bestehender Geschlechtslust; *Pollutionen*, wöchentlich 2–3mal mit Schwäche und lahmem Rücken. **Selenium D 30–200.**

—. *Nervöse Überreizung, geschlechtliche*, mit folgender Schwäche; Erektionen die ganze Nacht; atonische Pollutionen, nachts mehrmals auftretend; Kreuzschmerzen früh morgens, die Knie versagen den Dienst; starke Ausdünstung und Schweiß an den Genitalien. **Dioscorea D 6–12–30.**

—. *Onanie* mit Geistes- und Gemütssymptomen; Rückenschmerzen, nachts im Bett und morgens vor dem Aufstehen schlimmer. **Staphisagria D 4–6–30.** (Siehe unter Geistes- und Gemütssymptomen Seite 81.)

—. *Impotenz; Unfruchtbarkeit* infolge mangelndem Geschlechtstrieb und Erschlaffung der männlichen und weiblichen Geschlechtsorgane; Pollutionen, Krankheiten der Vorsteherdrüse; bei nervösem, allgemeinem Schwächezustand, Schlaflosigkeit, Nervenschwäche, Migräne. **Damiana ∅.** Man gibt in allen Fällen 2–3mal 5–8 Tropfen täglich, eine Woche lang.

—. *Schwäche* oder *völlige Impotenz* im mittleren oder schon vorgeschrittenem Alter, oder als Folge sexueller Exzesse. Leitsymptome: Völlegefühl selbst bei geringer Nahrungsaufnahme; Blähsucht mit sehr lauten Winden; Dyspepsie. **Lycopodium D 30–200.**

—. Weitere Indikationen unter Nervenleiden, Schwäche.

Geschmack

Geschmack, schlechter im Munde, besonders morgens; oder nichts schmeckt, oder überhaupt kein Geschmack. **Pulsatilla D 6–30–200.**

—, saurer, nach dem Essen. 1–2 Stunden darauf Magendrücken mit hypochondrischer Stimmung, Sodbrennen, Spannung um die Lenden, Aufgetriebenheit, muß die Kleidung lockern; kann 2–3 Stunden nach dem Essen nicht geistig tätig sein. **Nux vomica D 4–6–30.**

—, bitterer, schlechter, mit belegter Zunge und Durst. **Bryonia D 4–6.**

—, saurer, Sodbrennen, saures Erbrechen, saure Stühle, der ganze Körper riecht sauer. **Magn. carb. D 4–6**

Geschwülste

Geschwülste, Verhärtungen, Drüsenerweiterungen, vorwiegend in Achsel-, Brüste-, Leistengegend, mit großer Schwäche, Kräfteverfall und Erschöpfung, Mangel an Energie; Geschwülste nehmen einen krebsartigen Charakter an; Dyskrasie, Krebskonstitution allgemeine; Geschwürsbildungen an den Schleimhäuten, mit stinkenden, brennenden Absonderungen; zu starke

Monatsregel infolge Gebärmutterverhärtungen. **Carbo animalis D 30–6.** Dieses Mittel hat besondere Beziehungen zum Drüsensystem, zur Gebärmutter, zu bösartigen Neubildungen mit Neigung zu jauchigem Zerfall.

—, Verhärtungen, Drüsenanschwellungen, besonders wenn nach Schlag, Stoß oder Quetschungen entstanden, mit brennenden, stechenden oder schießenden Schmerzen; Verschlimmerung nachts, in der Ruhe, durch Kälte. **Conium D 6–30–200.**

—, harte, große, von bläulicher Farbe, mit heftigen Schmerzen und äußerste Empfindlichkeit bei Berührung oder Bewegung; starke, schnelle Abmagerung. **Plumbum D 200.**

—, krebsverdächtige Knoten oder Tumoren in den Brüsten, die schon jahrelang bestanden, wurden, nach Nash mit einer monatlichen Gabe – bei abnehmendem Monde – **Phytolacca C.M.** geheilt; weitere Indikationen sind: Dyskrasie, Abmagerung, Kräfteverfall.

—, *Anschwellungen, Geschwüre* an allen Körperteilen mit der besonders *charakteristischen Farbe: Blau-rötlich bis blauschwarz*, mit *großer Empfindlichkeit gegen Berührung.* **Lachesis D 15–30.**

—, Verhärtungen der Gebärmutter, der Hoden in Verbindung mit den entsprechenden Geistes- und Gemütssymptomen, siehe daselbst Seite 81. **Aurum D 6–30.**

—. Alte und harte Knoten in den Brüsten; Balggeschwülste; dies besonders wenn Neigung zu Fettleibigkeit besteht oder bei klebrigen Ausschlägen oder Folgen derselben. **Graphites D 6–15–30.**

—. Geschwüre krebsartiger, oder luetischer Natur an allen Organen und Körperteilen. Lupus; Hautgeschwüre; Kachexie. **Condurango D 6–30.**

—. Geschwüre bösartiger Natur; Brustkrebs; Geschwülste mit stechenden Schmerzen; lymphatische Konstitution, schlaff, mit rotem Gesicht. **Asterias rubens ∅ – D 3.**

—, eitrige Knochenabszesse; eitrige Geschwülste in den Knochen oder Gelenken. **Calcium hypophosphorosum D 1–4,** ein vorzügliches Resorptionsmittel bei kalten Abszessen und Eiterungen.

—. Geschwülste an drüsigen Organen; *gummöse Geschwülste* im Kopf, oder an anderen Organen. *Leitsymptome: Reißende, stechende* Schmerzen im Kopf, in den Knochenhöhlen; Schmerzen im Scheitel mit dem Gefühl als werde der Kopf auseinandergetrieben; *pulsierende, stechende Schmerzen* in der *Stirnhöhle*, mit Besserung im Freien und durch Druck. **Kalium jodatum D 6–15–30.** Wegen seiner Fähigkeit, gummöse Geschwülste zu absorbieren, wird Kalium jodatum „das flüssige Messer" genannt.

—, siehe auch „Drüsen", „Geschwüre", „Wucherungen".

Geschwüre

Geschwüre. Furunkel, Karbunkel, hartnäckige Unterschenkelgeschwüre, Hautgeschwüre, Flechten. Brennende Schmerzen, juckend, nässend, besonders wenn früher Ausschlag bestanden oder unterdrückt wurde und ganz besonders bei der in Frage kommenden Konstitution. **Sulfur jodatum D 4–6.** Bei *Furunkel, Furunkelose* gleich zu Beginn der Erkrankung äußerlich eine der im Handel befindlichen Furunkelsalben als Pflaster auflegen oder heiße Breisäckchen – Semen foeni gracci (Bockshornkleesamen) mit Wasser zu einem dicken Brei kurz gekocht – wiederholt auflegen. Dies zieht den Furunkel zusammen und führt eine beschleunigte Öffnung und Ausstoßung herbei. Ist Sulfur jodatum nicht rechtzeitig eingesetzt worden, sind Frostschauer und saure Schweiße aufgetreten, dann kommt **Hepar sulfur D 12** in Frage. Ist der Furunkel schon ganz dunkelrot oder blauschwarz, dann muß **Lachesis D 15–30** eingesetzt werden. Zur Beschleunigung des Aufbruches setzt man **Myristica D 6** – welches Mittel auch das „homöopathische Messer“ genannt wird – ein. Nach Öffnung und Ausstoßung des Furunkels gibt man **Kalium permanganicum D 3** zur Blutverbesserung. Als Nachkur und zur möglichsten Vermeidung von Rückfällen kommt **Anthracinum D 10–12** in Frage.

Wenn die ersten Symptome der Entzündung eines beginnenden Furunkels auftreten, ist **Belladonna D 30,** in öfteren Gaben gegeben, oft in der Lage, den Ausbruch der Furunkulose zu verhindern. Wenn gleichzeitig stechende, brennende Schmerzen vorhanden sind kommt **Apis D 3–6** im Wechsel gegeben, noch hinzu. Ist aber dieser Zeitpunkt verpaßt worden, dann bildet sich das Geschwür weiter aus und die oben angeführte Behandlung ist einzuleiten.

—, *mit Neigung zu Eiterungen.* Hauptmittel zur Verbesserung und Entgiftung des Blutes und zur Ausscheidung der Krankheitsstoffe durch die Nieren ist **Hepar sulfuricum D 3–4,** zweimal täglich eine Gabe. **Silicea D 3 + Sulfur D 3–4** als spezifische Mittel für alle Geschwüre. **Mercurius jodatum D 3–4 + Kalium jodatum D 1–2** bei Blutverderbnis und Blutzersetzung.

—. *Furunkeln,* viele kleine, einer nach dem andern erscheinend und sehr schmerzhaft, mit Zerschlagenheitsgefühl. **Arnica D 3–6.**

—. *Furunkel* mit sehr heftigen Schmerzen und Entzündungen, verbunden mit großer Unruhe; *Abszesse, Nagelgeschwüre,* oder *sonstige entzündliche Anschwellungen, mit bläulicher Färbung des Gewebes und heftige, brennende Schmerzen.* Ein wundervolles Mittel für solche Fälle ist **Tarantula cubensis D 15–30–200.**

— *und Anschwellungen* an allen Körperteilen mit der sehr charakteristischen *dunkelblauen bis schwarzblauen* Färbung, mit *großer Empfindlichkeit gegen Berührung. Furunkel;* chronische, *bösartige Blutgeschwüre, Blutschwamm,* mit der charakteristischen dunkelblauen Färbung; *Blutzersetzung* durch Geschwüre; Wunden bluten stark und lange anhaltend; *Blutfleckenkrankheit.* **Lachesis D 15–30.**

—, mit *blau bis schwarzblauer Färbung* und *aashaft stinkenden, blutigen Absonderungen. Altersbrand* (Gangrän); *Hautgeschwüre, septische Prozesse, Furunkel, Karbunkel; Phlegmone; Lungenbrand; Krebs;* alle diese Erscheinungen mit fürchterlichen, brennenden, lanzierenden, schneidenden Schmerzen. **Anthracinum D 15–30.**

— mit *ausgedehnten, stinkenden, ekelhaften, ätzenden Absonderungen*, besonders an den Schleimhäuten, mit *Kräfteverfall; Altersbrand; Zuckerkrankheit* und geschwürige Prozesse bei derselben; *Neigung zu Blutungen; geschwüriges*, schmerzhaftes, schwammiges *Zahnfleisch*, dunkel oder blaurot aussehend, mit hohlen Zähnen; Dyskrasie; Verschlimmerung in der Ruhe, durch Kälte; Besserung durch Bewegung und Wärme. **Kreosotum D 4–6.**

—, *septische, schwere und schwerste Prozesse aller Art;* drohende *Blutvergiftung, Zersetzungsprozesse.* Die Absonderungen riechen aashaft; der ganze Körper riecht faulig; feuchter Brand; starker Brennschmerz; hohes Fieber mit Halluzinationen und Delirien; Herzschwäche, Neigung zu Kollaps. **Pyrogenium D 15–30.**

—. *Geschwürige Prozesse aller Art*, besonders aber chronischer Natur; chronische *Hornhautgeschwüre; Zysten- und Myombildungen; Knocheneiterungen; Lupus; Stinknase*, eitrige Ohrenflüsse mit Ergreifung des Warzenfortsatzes; chronische Entzündung der Schleimhäute; chronische Entzündung des Herzbeutels (Pericarditis); unvollständige Lähmung im Alter (senile Parese); **Aurum jodatum D 6–3.** Ein hochwirksames, tief und mächtig eingreifendes Mittel infolge seiner Zusammensetzung. Das Mittel wirkt langsam und muß lange Zeit – täglich 1–2 Gaben – gegeben werden. Es ist nicht lange haltbar und muß möglichst frisch bezogen werden.

—, Anschwellungen, *Verhärtungen, Eiterungen* der Drüsen, Knochen, Gelenke, Haut auf septischer oder dyskrasischer Grundlage. Leitsymptome: *Brennen, Unruhe, Erschöpfung.* Linderung durch Hitze; Verschlimmerung gegen Mitternacht. **Arsenicum album D 6–12.**

—. *Nagelgeschwüre* mit stechenden, brennenden Schmerzen, glänzender, angeschwollener Haut. **Apis D 3–6.**

—, mit *hochrotem Aussehen, flach, äußerst empfindlich und schmerzhaft*, besonders an den Schleimhäuten; *korallenrote Geschwüre* karzinomatöser oder psorisch-luetischer Natur, gleich wo sie auch auftreten, heilt schnell und sicher **Corallium rubrum D 3–4.**

— an *Haut und Schleimhäuten; Fingergeschwüre, Unterschenkelgeschwüre;* Geschwüre und Geschwülste der Drüsen; akute und chronische Abszesse mit oder ohne Fieber; Brustkrebs; Blinddarmentzündung. **Myristica sebifera D 3–6.** Das Mittel fördert die Reifung und Öffnung eines Geschwürs und wird deshalb „das homöopathische Messer" genannt.

— im *Zwölffingerdarm, Dünndarm.* Hauptmittel ist **Condurango D 30** in Verbindung mit **Conchae D 30** als Konstitutionsmittel. Als weitere unterstützende Mittel **Arsenicum album D 6–12** und **Calcium carbonicum D 2.**

—. Bei *Krebsgeschwüren* und *Geschwülsten* hat auch **Viola odorata D 1–6** einen gewissen Ruf erlangt.

— in den Schleimhäuten, „tief wie mit einem Locheisen eingeschlagen, mit glatten Rändern"; Geschwüre in Nase und Rachen. **Kalium bichromicum D 30.**

—, Aphten in der Mundschleimhaut, den Atmungsorganen, mit Husten und Auswurf von widerlichem Geschmack. **Borax D 3–6–30.**

— und Katarrhe in den Schleimhäuten bei den Pulsatilla-Temperament. **Pulsatilla D 6–30.**

—. Geschwüre und entzündliche Prozesse in den Schleimhäuten, mit langsamen, schleichenden Verlauf und in die Tiefe gehend, blutend mit Splitterschmerz; Magengeschwüre, Magen-, Mastdarm-, Gebärmutterkrebs; Dyskrasie; Abmagerung, erdfahles Aussehen; Verschlimmerung nachts; durch Wärme. **Argentum nitricum D 4–6.** Das Mittel wird am besten in Verreibungen gebraucht, das flüssig schlecht haltbar.

—, siehe auch „Drüsen", „Eiterungen", „Geschwülste", „Krebs".

Gicht

Gicht. Diese Krankheit hat ihre Ursache in einer Störung des intermediären Stoffwechsels, beruht auf einer Krankheitsanlage, deren Vorläufer die harnsaure Diathese ist und diese in einer erblichen Belastung ihre Grundursache hat. Unter harnsaurer Diathese versteht man eine krankhafte Konstitutionsanlage oder Disposition, die Harnsäure aus dem Blute an sich zu reißen und zu kristallisieren und im Laufe der Zeit an den Geweben und Gelenken abzulagern, anstatt wie es im normalen Stoffwechselprozeß geschieht, diese bis zum Endprodukt, den Harnstoff, abzubauen und über die Nieren auszuscheiden. Die harnsaure Diathese ist also das Vorstadium der Gicht und des chronischen Gelenk- und Muskelrheumatismus. Wird diese Krankheitsanlage nicht energisch mit allen Mitteln bekämpft, dann führt sie, unter Umständen erst nach Generationen, unabwendbar zur Gicht oder zum chronischen Rheumatismus.

Das erste Gebot und Grundbedingung einer wirksamen Bekämpfung der Anlage ist eine streng geregelte Lebensweise und vor allem eine naturgemäße Ernährung mit viel Frischkost und weitgehender Einschränkung der eiweißhaltigen Nahrungsmittel, besonders der tierischen. Jede Kur, sei es mittels Medikamenten oder in Bädern, ohne die dauernde Beibehaltung der erwähnten Diätumstellung auf naturgemäße Ernährungsgrundlage, ist daher zwecklos, oder kann bestenfalls nur ein kurzer Aufschub in der Weiterentwicklung der Anlage bedeuten.

Wenn im Folgenden Mittel zur Bekämpfung der Gicht angeführt sind, so wird man, vor allem in akuten Gichtanfällen, schöne und gute Erfolge erleben können und in chronischen Fällen Linderung der Beschwerden erreichen, soweit es überhaupt noch im Rahmen des Möglichen liegt. Aber unter allen Umständen und in jedem Falle ist eine strenge Diätkur, neben der Anwendung der Mittel unerläßlich. Diesbezügliche Literatur über Diätkuren gibt es reichlich und sind in jeder Buchhandlung erhältlich. Nun zur Behandlung der

Gicht. Bei *schmerzhaften, fieberhaften, akuten Gichtanfällen* gibt man am besten **Aconitum D 3–4 + Belladonna D 3–4 + Apis D 3** im Wechsel, 1–2stündlich eine Gabe. Daneben strenge Fieberdiät, heiße Packungen, Schwitzpackungen usw.

—. *Fußgicht* mit *heftigen Knochenschmerzen* **Arnica D 3** im Wechsel mit **Symphytum D 2.** Als Zwischenmittel **Sulfur D 15.** Bei bohrenden Schmerzen in den Fersen und gleichzeitigem Schmerz im Oberkiefer und Pelzigsein der Hände **Aranea D 2** zweimal 6 Tropfen.

—, *akut* oder *subakut,* mit Schmerzen und Entzündungserscheinungen **Hepar sulfuricum D 3** zweimal täglich eine Gabe, dann folgt **Sabina D 3–4 + Caulophyllum D 3–4,** bei Anschwellungen der Hand und Zehengelenke.

— mit folgenden *Harnsymptomen:* dunkelbrauner Harn, spärlich, der fürchterlich riecht, ohne jeden Bodensatz, **Acidum benzoicum D 1–3;** Harngeruch wie Pferdeharn **Acidum nitricum D 4–6,** wenn mit trübem Bodensatz **Berberis D 3–6,** mit weißem Bodensatz **Calcium carbonicum D 30–15–6.**

—, sehr schmerzhafte, *der kleinen Gelenke* **Colchicum D 3–4** und wenn länger anhaltend **Lithium benzoicum D 1** im Wechsel mit **Cantharis D 4–6** und **Cannabis D 4;** bleiben Gelenkschwellungen zurück, dann **Sulfur jodatum D 3;** erscheinen die Sehnen wie verkürzt, dann **Causticum D 3–4.**

—, *chronische, schleichende,* besonders wenn in Verbindung mit Nierenleiden. **Ammonium phosphoricum D 6 + Apis D 4–6 + Ferrum oxydatum D 3.**

—, *chronische,* Schwellung der Gewebe, Gichtknoten, Knochendrüsenschwellungen, Infiltrationen. Hauptmittel und energisches Resorptionsmittel ist **Kalium jodatum D 2–4.** Daneben Nieren-Lebermittel mit einsetzen.

—, *chronische.* Neben den vorgenannten Mitteln kommen als Konstitutions- und Stoffwechselmittel, auf Leber und Niere einwirkende Mittel noch folgende in Betracht. **Abrotanum D 1–3** als antipsorisches, antirheumatisches und vorzügliches Stoffwechselmittel bei Neigung zu Anämie und Kräfteschwund, Rekonvaleszentenmittel. **Natrium sulfuricum D 6,** das biochemische Funktions- und Stoffwechselmittel Schüßlers, zur Bekämpfung der harnsauren Diathese; Leber- und Darmfunktionsmittel. **Urtica urens ∅ – D 1** als Nierenfunktions- und Ausscheidungsmittel. **Lycopodium D 30–200** in seltenen Gaben als Leber- und Konstitutionsmittel. **Thuja D 30–200** als tiefwirkendes Konstitutionsmittel, monatlich 1–2 Gaben.

—. siehe auch **Rododendron** und **Ledum** unter Rheumatismus.

Grippe

Grippe. Müdigkeits-, Schmerz- und *Zerschlagenheitsgefühl* im ganzen Körper und *Brustschmerz beim Husten* **Rhus toxicodendron D 30–15–6;** Zerschlagenheitsgefühl im ganzen Körper, *Schmerz in allen Knochen, tiefsitzender, wie zerschlagen;* Verschlimmerung durch Bewegung muß sich aber trotzdem bewegen. **Eupatorium perfoliatum D 4–6;** ist neben diesen Symptomen Fieber vorhanden, dann gibt man daneben im Wechsel **Ferrum phospho-**

ricum D 6–12; wenn dabei *unwillkürlicher Harnabgang* vorkommt, dann ist **Causticum D 6** das erste Mittel; bei *Frieren und Frösteln den Rücken hinauf* **Gelsemium D 6.** Im übrigen beachte man bei Fieber und Entzündungen die Leitsymptome – siehe daselbst – und setze die entsprechenden Mittel ein.

Die Grippe ist eine akute, meist epidemisch auftretende, Infektionskrankheit, die an allen Organen auftreten kann und die verschiedensten Komplikationsmöglichkeiten aufweist. Sie tritt besonders als Kopf-, Brust- oder Unterleibsgrippe in Erscheinung. Krankheitsbild siehe unter Infektionskrankheiten.

Hals

Hals. Schwere Hals- und Mandelentzündung, Diphtherie. Zahnfleisch geschwollen, schwammig, zuweilen blutend, *Zunge geschwollen, zeigt die Eindrücke der Zähne.* Der ganze Mund feucht mit zähem Speichelfluß, widerlichem Geruch, mit heftigem Durst; *profuser Schweiß, ohne Linderung;* schlimmer nachts besonders in der Bettwärme. **Mercurius solubilis D 4–6.**

—. *Hals- und Mandelentzündung. Schleimhaut purpurrot oder bläulich;* Kehle und Nacken *sehr empfindlich gegen die leiseste Berührung oder Druck,* alles um die Kehle belästigt, selbst der Druck des Bettzeugs, ein sehr charakteristisches Symptom; das Schlucken von Speichel oder Flüssigkeit wird viel schlimmer empfunden als das fester Speisen; viel Schleim im Rachen mit schmerzhaftem Räuspern; die Halsschmerzen strahlen bis zu den Ohren aus; die Schwellung der Mandeln beginnt links und verbreitet sich nach rechts; schwere und schwerste Fälle von Krupp bei dem sich der Zustand durch Schlaf sehr verschlimmert; Erstickungsgefühl; Verschlimmerung durch heiße Getränke und nach Schlaf. **Lachesis D 15–30.**

—. *Heftig und schnell verlaufende Halsentzündung, Diphtherie.* Der ganze Hals ist mit ödematösen Anschwellungen gefüllt, das Zäpfchen hängt wie ein durchsichtiger Wassersack herab, es besteht die Gefahr der Erstickung durch Verschluß des Rachens; *infiltriertes Zellgewebe, stechende, brennende Schmerzen* mit Linderung durch Kälte, es kann aber auch völlige Schmerzlosigkeit bestehen. Bestes Mittel ist **Apis D 3–4.**

—. *Hals- und Mandelentzündung, geschwollene, sehr rote Mandeln mit später erscheinenden weißen Flecken und Belägen; heftige Schmerzen, die bis zu den Ohren gehen;* hohes Fieber, schneller Puls, Hitze meist im Kopf, Körper und Glieder kalt. Patient ist sehr erschöpft, wird beim Aufrichten schwach und schwindlig; heftige Kopf- und Rückenschmerzen mit Zerschlagenheitsgefühl am ganzen Körper und mit Verschlimmerung bei Bewegung; Rachenkatarrh mit Versagen der Stimme und heftiges Brennen im Halse als ob etwas Heißes darin steckte. Ganz gleich, ob die Krankheit nun Mandelentzündung, Scharlach oder Diphtherie heißt, wenn die vorgenannten Symptome deutlich ausgeprägt vorhanden sind, dann ist **Phytolacca D 3–6–30** *das* Mittel.

—. *Kehlkopfentzündung, Luftröhrenentzündung, Krupp.* Leitsymptome: Trokkener, zischender, klingender Husten, mit hohem Fieber, Aufgeregtheit und Angst. Die Husten- und Erstickungsanfälle verschlimmern sich morgens nach dem Erwachen; Heiserkeit, Schmerzhaftigkeit und Brennen; der Husten wird schlimmer durch Reden oder Schlucken, durch warmes Essen oder Trinken besser; Wundheitsgefühl, Roheit, Brennen und Schwere in der Brust. **Spongia D 1–3–6.**

—. *Hals- und Mandelentzündung*, heftiges Brennen, Trockenheit, Gefühl des Zusammenschnürens; hohes Fieber, starke Anschwellung und Röte, Kopfschmerz, klopfende Halsschlagadern. **Belladonna D 4–6.**

—. *Hals- und Mandelentzündung mit Eiterung* und klopfendem Schmerz; Abszeß; chronische Hypertrophie (Vergrößerung) der Mandeln mit Schwerhörigkeit. **Hepar sulfuricum D 6–30.**

—. *Hals- und Mandelentzündung* mit dem charakteristischen Symptom: *Die Schmerzen und Anschwellungen wechseln* von einem Tag zum anderen *die Seiten*. **Lac caninum D 15–30–200.**

—. *Brennender Halsschmerz* in beiden Seiten, oder er scheint von der Brust heraufzukommen; *starkes Roheits- und Wundheitsgefühl* und Reizung die Luftröhre hinab, mit trockenem, hohlem Husten; Husten mit Hüftschmerzen und Harnabgang; *schlimmer* bei klarem schönem Wetter, *besser* bei trübem, feuchtem Wetter. **Causticum D 10–30.**

—. *Rachenkatarrhe, Schleimhautkatarrhe;* Membranen im Halse abwärts bis zum Kehlkopf ausgedehnt; *Krupp, Diphtherie; klebrige, fadenziehende Schleimabsonderungen; Geschwüre der Schleimhäute, tief mit glatten Rändern, wie mit dem Locheisen eingeschlagen.* **Kalium bichromicum D 30–15.**

—. *Rauheit, Schmerzen, Kratzen* im Halse; *warzenartige Auswüchse* oder *Granulationen*, die beim Schlucken wie spitze Körper empfunden werden; Gefühl als ob ein Splitter oder Fischgräte im Halse stecken würde. **Argentum nitricum D 6–12.**

—. *Chronische Halsschmerzen, Roheitsgefühl, Heiserkeit, Trockenheit*, muß fortwährend räuspern, wirft zuweilen dicken, zähen Schleim aus; Gefühl des Zusammenschnürens in Schlund und Speiseröhre mit Schmerzen beim Schlucken; warme Speisen und Getränke bessern zuweilen. **Alumina D 12–30.**

—. *Halsentzündung* fängt rechts an und breitet sich nach links aus, mit geschwollener Zunge und verstopfter Nase. **Lycopodium D 12–30.**

—. *Gefühl als ob ein Klumpen vom Magen aus in den Hals stiege* der zu erstikken droht (Globus hystericus). Patient sucht ihn hinunterzuschlucken, kommt aber immer wieder zurück, was sehr beunruhigt. Diese Erscheinung stellt sich meist bei beginnendem Gram oder Weinen ein. **Ignatia D 30–15.**

—. *Akute und chronische Mandelentzündung bei der geringsten Erkältung; Halsbräune, Drüsen-, Mandelschwellungen mit Vereiterungen*, auch als Folge von unterdrücktem Fußschweiß. Konstitution psorisch, lymphatisch, skrofulös; *ausgezeichnetes Stoffwechselmittel für schwächliche, skrofulöse Kinder* mit den vorerwähnten Hals- und Mandelaffektionen. **Baryum carbonicum D 30–200,** seltene Gaben !

—. *Rohes, wundes Gefühl im Halse* mit *Schmerzen beim Sprechen und Heiserkeit; chronische Halsleiden* mit diesen Symptomen; die Schleimhäute sehen schwer geschädigt aus, wie geschwürig, erscheinen roh, jedoch nicht granuliert. Diphtherie, mit außerordentlicher Entkräftung. **Mercurius cyanatus D 6–30.**

—. *Hals- und Mandelentzündung; Diphtherie;* Brennen, Trockenheit; die Schwellung beginnt linksseitig und verbreitet sich nach rechts; die Schmerzen werden durch heiße Getränke gebessert; Verschlimmerung durch geistige Anstrengung, unfähig zu denken. **Sabadilla D 1–3.**

—. *Mandelentzündung* im 2. Stadium, wenn die akuten Symptome abgeklungen sind und als Nachkur. **Kalium chloratum D 6.**

—. *Trockenheit und Schwellungen im Hals* oder in der Nase mit dem Gefühl als ob die Nase durch irgend etwas verstopft wäre; *Heiserkeit* durch Sprechen und Singen; Mund heiß, wie verbrannt; *Entzündung des Kehlkopfes* besonders der granulösen Form. **Wyethia ∅ – D 4.**

—. Beispiel der *Behandlung einer Hals- und Mandelentzündung.* Anfangs und bei Fieber **Aconitum D 4** oder **Belladonna D 4** je nach den Leitsymptomen, siehe Fieber. Dann folgt **Apis D 4 + Thuja D 30 + Conchae D 30** in Mischung, 2–3stündlich 6–10 Tropfen. Hat sich Schüttelfrost mit Klopfen in den Mandeln – ein Zeichen beginnender Eiterung – eingestellt, dann kommt **Mercurius corrosivus D 6** im Wechsel mit **Hepar sulfuris D 12** zum Einsatz. Vor Beginn einer Kur gibt man zweckmäßig einige Gaben **Sulfur D 6.**

—. *Bei allen entzündlichen Krankheiten im Hals- und Rachenraum* ist neben den indizierten Mitteln die äußere Anwendung durch *Halswickel und Gurgeln von großem Nutzen.* Bei niederen und mittleren Fiebertemperaturen heiße Halswickel, bei hohem Fieber erregende Halswickel, 25° C. Dauer der Wikkel: heiß 20 Minuten und öftere Wiederholung, der erregenden 25° C-Wikkel bis zu einer Stunde, je nach der Höhe des Fiebers, d. h. der Wickel wird dann abgenommen, wenn er recht heiß geworden ist. Als Zusatz zum Wasser hat sich mir Fluid grün G 7 + G 13, je 30 Korn und Tropfen pro Liter Wasser, stets hervorragend bewährt. Zum Gurgeln nimmt man dieselbe Lösung unter Zusatz von 1–2 Eßlöffel Kuhbiolösung oder **Echinacea ∅.** Auch Salbei-Tee mit Zitrone hat sich bewährt. Bei Membranablösung Gurgeln mit Vogelbeerentee (Fruct. Sorbi Aucupariae).

Bei *Halsweh, Erkältungskatarrhen des Kehlkopfes,* der *Luftröhre* mit *Heiserkeit* und Atembeklemmungen, überhaupt bei beginnenden Affektionen des Halses, besonders bei Kindern, leisten **Raphanus D 6** und **Sambucus D 6–30** ganz ausgezeichnete Dienste.

—. Rohes, wundes Gefühl im Halse mit Schmerzen beim Sprechen. Die Schleimhäute sehen schwer geschädigt aus, wie geschwürig, erscheinen roh, jedoch nicht granuliert; Diphtherie; chronische Halsleiden, Heiserkeit mit diesen Symptomen, dabei außerordentliche Entkräftung. **Mercurius cyanatus D 6–30.**

—, siehe auch Infektionskrankheiten (Diphtherie).

Hämorrhoiden

Hämorrhoiden. Diese sind die Folgen von Störungen im Leber-Gallensystem, wodurch reflexartige Zusammenziehungen des Darmes an der S-förmigen Schlinge ausgelöst werden und Stauungen der venösen Blutgefäße des Mastdarmes zur Folge haben. Die Venen des Mastdarmes erweitern sich zu prallen Anschwellungen, die sogenannten Hämorrhoiden sind gebildet. Dementsprechend hat die Grundbehandlung zu erfolgen. Die Stauungen in Leber und Galle beseitigt **Carduus marianus** ∅ und **Lycopodium D 12–30.** Die Neigung zu diesen Stauungen bekämpft man erfolgreich mit **Carbo vegetabilis D 6.** Die spezifischen Mittel gegen Hämorrhoiden sind: **Erica vulgare D 3 + Hypericum D 3 + Millefolium D 1.** Diese drei Mittel können zusammen in Mischung gegeben werden. Weitere Mittel, je nach den auftretenden Symptomen, sind im Folgenden angeführt.

— mit dem *Gefühl des Vollseins, Trockenheit, Stechen* oder *Hämmern;* bluten in der Regel nicht; *dumpfer Rückenschmerz über Kreuz und Hüften,* durch Gehen und Bücken bedeutend verschlimmert. **Aesculus D 1–4.**

—, blutende, schmerzhafte, Blut meist hellrot; *heftiger Schmerz nach dem Stuhlgang,* selbst bei weichem Stuhl, *ist ein sehr charakteristisches Symptom;* stechende Schmerzen wie von Splittern; rissiger, schrundiger After. **Acidum nitricum D 6–12, Ratanhia D 4–6.**

— mit dem *Gefühl als wäre der Mastdarm mit Holzsplittern angefüllt;* häufig hartnäckiges Bluten, *starke Verstopfung* und *Kolik.* **Collinsonia canadensis D 2–6–30.**

—, welche den Stuhlgang behindern mit heftigem Schmerz, geschwollen, brennend, juckend, stechend, feucht, wund, schlimmer durch Gehen, durch Darandenken, durch Reden oder Anstrengung der Stimme. **Causticum D 12–30.**

—, blau, geschwollen und *gegen Berührung äußerst empfindlich.* **Acidum muriaticum D 6–12.**

—, zusammenziehendes Gefühl als ob der After verschlossen wäre, zuweilen mit Klopfen und Hämmern; Stuhldrang, vielmehr ein Drängen nach unten, wenn dann Entleerung versucht wird, treten starke Schmerzen auf. **Lachesis D 15–30.**

—, blutende, brennende, mit *heftiger Mastdarm- und Blasenreizung.* **Erigeron D 6–30.**

—. Schleimhauthämorrhoiden bei denen fortwährend Schleim abgesondert wird, der die Wäsche beschmutzt. **Antimonium crudum D 4–6.**

— mit scharfen, stechenden Schmerzen. **Calcium fluoricum D 12.**

—, blaue, heftig juckende, mit Durchfall. **Aloe D 6–15–30.**

— mit Brennen und Jucken im Mastdarm und After. **Arsenicum album D 6–30, Sulfur D 12–30.**

Haarausfall

Haarausfall, allgemeiner. Hauptmittel ist **Urtica urens** ∅ **– D 2** und täglich 1–2 Tassen Brennesselblättertee. Äußerlich als Haarwuchsförderndes

Mittel Brennesselwurzeln und Brennesselblätter in Essig gekocht mit Zusatz von etwas Muskatnußblütenöl (Oleum macitis) und *tägliche, intensive Kopfhautmassage* zur besseren Durchblutung der Kopfhaut. Dazu täglich eine Gabe **Silicea D 12** und wöchentlich zwei Gaben **Calcium fluoricum D 12** innerlich, am besten in Tablettenform, 1–2 Tabletten trocken.

—, Kahlköpfigkeit, Kopfausschläge, Kopf empfindlich gegen Kälte; Ameisenlaufen auf der Kopfhaut; Gefühl als ob die Haare zu Berge ständen. **Baryum muriaticum D 6–15.**

—, die Haare spalten sich oder wachsen langsam nach; weiße Kopfschuppen. **Thuja D 6–30.**

—, Jucken der Kopfhaut mit Schuppenbildung; bei häufigem Kopfweh infolge alter Unterleibsbeschwerden; bei stillenden Müttern; bei harnsaurer Diathese, Leber-, Gallenstörungen. **Lycopodium D 12–30.**

— bei großer Trockenheit der Kopfhaut und kahlen Stellen am Vorderkopf; bei Blutarmut, nach schweren Infektionskrankheiten, in der Rekonvaleszenz. **Arsenicum album D 6–30.**

— bei nervöser Erschöpfung, durch Kummer und Sorgen; Ergrauen der Haare. **Acidum phosphoricum D 3–6.**

— nach viel Kummer und Gram. **Ignatia D 6–12.**

— nach schweren, fieberhaften Krankheiten. **Hepar sulf D 4** im Wechsel mit **Calcium phosphoricum D 6.**

—; Schmerzen des Haarbodens bei Berührung, wie wund. **Ambra D 2–4.**

— nach starken Blut- oder Säfteverlusten, nach schweren Krankheiten. **China D 3–4.**

— kreisförmiger (Alopecia areata) **Kalium phosph. D 6.**

— bei anämischen Zuständen; bei stillenden Müttern. **Natrium muriaticum D 6–30.**

—. Bei Haarausfall auf luetischer Grundlage sind **Kalium jodatum D 1–3 + Acidum nitricum D 4–6** sowie die Mercurius-Präparate – diese besonders bei starken Schweißen – die wirksamsten Heilmittel.

Bei allen Haarkrankheiten ist die Beachtung und Behandlung der konstitutionellen Anlage äußerst wichtig. Siehe Konstitution.

—. Ausfallen der Augenbrauen und Wimpern, der Kopfhaare ohne erkennbare Ursache. **Argentum D 30–15.**

Haut

Haut. Große Kälte (objektiv) *der Körperoberfläche* oder der Extremitäten und trotzdem *kann das Zudecken nicht vertragen* werden; subjektives *Brennen der Haut* als ob Funken darauf gefallen wären; die Haut sieht trocken aus, ist runzelig und oft gefühllos, es kann dabei starkes Jucken bestehen; *Taubheitsgefühl* und *Kribbeln.* **Secale cornutum D 6–30.**

—. Äußerste Schmerzhaftigkeit und Empfindlichkeit der Haut, kann keine Berührung vertragen, bei Lähmungen und Geschwülsten **Plumbum D 30–200.**

—. *Hornige Auswüchse* auf der Haut; *Hühneraugen* und *Schwielen* auf den Fußsohlen, die sehr empfindlich und schmerzhaft sind, kann vor Schmerzen kaum gehen. Psorisch-rheumatisch-gichtische Konstitution. **Antimonium crudum D 4–6–30.** (Schlimmste Fälle von chronischem Rheumatismus sind auf die vorgenannten Leitsymptome hin schon geheilt worden.)

—. *Muttermale.* **Bellis perennis** ∅ äußerlich aufpinseln.

—. Hautverfärbungen. Siehe Flecken, Röte.

Hautjucken

Hautjucken, heftiges, unerträgliches, über den ganzen Körper, schlimmer durch Wärme, besonders Bettwärme. Wenn dabei das Zahnfleisch geschwollen, schwammig, zuweilen blutig ist, die Zunge ebenfalls geschwollen, schlaff ist und die Eindrücke der Zähne zeigt und womöglich dazu noch das wichtige Symptom: *profuser Schweiß ohne Linderung des Leidens,* auftritt, dann ist **Mercurius solubilis D 4–6** das Mittel der Wahl. Ist die Zunge dick belegt und an der Basis gelb – die Spitze und Ränder können dabei rot oder blaß sein und auch die Eindrücke der Zähne zeigen – dann kommt **Mercurius jodatus flav. D 3–6** in Betracht.

—, Röte und Brennen im Gesicht, Nase, Ohren, Zehen, als wenn sie erfroren wären. **Agaricus D 30–200.**

—. Jucken und Brennen der Haut, besonders nachts, ohne Ausschlag, oder rosenartiger Ausschlag an den Wangen, in der Ohrengegend, an den Händen, im Rücken zwischen den Schulterblättern; Gefühl von Ameisenlaufen, Müdigkeitsgefühl, Schmerzen wie zerschlagen am ganzen Körper, sehr empfindlich gegen Zugluft. Die Beschwerden verschlimmern sich durch Ärger und Gemütsbewegungen. Lymphatisch, skrofulöse Konstitution mit Neigung zu Drüsenschwellungen; Anschwellungen oder hartrandige Geschwüre der Brüste; Brustkrebs, besonders linksseitig. **Cistus canadensis D 4–6.**

—, siehe Hautkrankheiten im Nachfolgenden.

Hautkrankheiten

Hautkrankheiten. Die *akuten, infektiösen* Hautkrankheiten, wie Masern, Scharlach, Rose u. a. sind unter *Infektionskrankheiten* angeführt.

—. Trockene, schuppige Ausschläge, die im Sommer verschwinden und im Winter wiederkehren; wiederholte Ausbrüche von Ausschlägen; Jukken, wenn der Körper warm wird; Jucken zwischen den Finger- und Gelenkbeugen; *die Haut hat ein schmutziges, schwarzbraunes Aussehen,* wie ungewaschen, dabei Schmutzgeruch des Körpers, selbst nach einem Bad.

Alle Folgen von unterdrückten Hautausschlägen, wenn andere Antipsorica versagen; starke Gemütsdepressionen, größte Verzweiflung, macht sich und andere das Leben fast unerträglich; große Empfindlichkeit gegen kalte Luft oder Witterungswechsel. **Psorinum D 30–200.**

—. *Chronische Hautleiden; unterdrückte Ausschläge;* schlecht heilende oder immer wiederkehrende Ausschläge, Hautgeschwüre; Jucken und Brennen, Verschlimmerung nachts im Bett und durch Kratzen-; Haut trocken, schuppig, runzelig; Hände und Füße meist kalt oder feucht; Konstitutions-, Stoffwechsel-, Umstimmungsmittel oder als Zwischenmittel, wenn andere Mittel, die nach den Leitsymptomen angezeigt erscheinen, nicht oder unzureichend wirken. **Sulfur D 6–15–30–200.**

—. Heftig juckende, brennende, stechende Ausschläge, *Bläschen auf rotem Grunde*, oder *gelbe*, *krustige Pusteln*, besonders an Hoden und Kopf; Haut äußerst empfindlich und schmerzhaft bei Berührung, so daß Kratzen unmöglich ist. **Croton tiglium D 4–6.**

—. *Heftiges Hautjucken* mit Hitze, Brennen, Stiche; Hautausschläge, *Hautrötungen mit unerträglichem Jucken*, *besonders nachts*, in der Wärme, Kratzen verschlimmert; Bläschenbildung mit gelber, seröser Flüssigkeit, die eintrocknet, dann abschuppt; Pusteln und Quaddeln mit Eiterbildung und Verkrustung. Besondere Leitsymptome: Einschnürungsgefühl, Störungen im Zentralnervensystem, vorübergehende Besserung durch Essen, nervöse Magenbeschwerden. **Anacardium D 15–30** in seltenen Gaben.

—. *Blasen- und Bläschenausschläge mit Neigung zu Eiterungen; schuppende und nässende Flechten;* Hautgeschwüre, Knötchen am Unterschenkel; Ausschläge am Hinterkopf; heftiges und lästiges Jucken bei allen Ausschlägen, schlimmer durch Bettwärme und Wasseranwendungen. Folgen von unterdrückten Ausschlägen oder geheilten Geschwüren; Neigung zu *Verhärtungen* und *Krebsbildungen.* Konstitution psorisch, sykotisch, dyskrasisch. **Clematis recta D 3–6.**

—. *Bläschenausschlag auf rotem Grunde*, *nässend mit Brennschmerz und verschorfend;* eitrige Absonderungen die verkrusten und eintrocknen, besonders am Kopf; Hautgeschwüre, Unterschenkelgeschwüre; *heftiges Jucken und Brennen*, *Stechen*, auch ohne Ausschlag, Kratzen verschlimmert; *Altersjucken.* Konstitution psorisch, rheumatisch, dyskrasisch. **Mezereum Daphne D 6–12.**

—. *Ausschläge aller Art*, Hautgeschwüre, Furunkeln, *auf septischer Grundlage*; allgemeine Hautwassersucht, Haut blaß, wachs- oder erdfarben, mit starkem Durst; große Trockenheit der Haut, trockene, schuppige, brennende Haut. Hauptleitsymptome: Brennen, Unruhe, Erschöpfung, Linderung durch Wärme, Verschlimmerung gegen Mitternacht. **Arsenicum album D 6–30–200.**

—. Kleienartige, schuppende Ausschläge mit Jucken und Kribbeln; *chronische Ekzeme*, *trocken oder feucht;* schlaffe Haut, oder diese ist an den Armen dicker als sonstwo mit Abblättern der Oberhaut; Müdigkeit, *blasse*, *schmutzige Gesichtsfarbe; Abmagerung bis zum Skelett;* tuberkulöse Ausschläge am ganzen Körper mit geröteter Haut und Jucken; *Schwindflechte, Knotenflechte*, mit zahlreichen Papeln, weißen Schuppen und Rissen in den Gelenkbeugen; *Schuppenflechte* (Psoriasis), schuppend, juckend, mit Verschlimmerung durch Kratzen, wodurch starke Rötung unter den Schuppen auftritt; eitrige Hautfinnen (Acne pustulosa); *Hautgeschwüre*, Hautkrebs, mit fortschreitendem Zerfall; Verschlimmerung durch Wärme. **Kalium arsenicosum D 3–4.**

—. Hautausschläge verschiedener Art; trockene, schuppende Ekzeme an den Handrücken, stark juckend; *Schuppenflechte;* hartnäckige Ausschläge, *brennend*, besonders am Kopf; *Hautkrebs.* Verschlimmerung gegen Mitternacht. **Arsenicum jodatum D 4–6.** Das Mittel wird am besten in Verreibungen gebraucht und muß in möglichst frischem Zustand zur Anwendung kommen.

—. *Brennende, juckende Hautausschläge* verschiedenster Art; Rötung mit heftigem Jucken: Ekzeme mit Verdickung der Haut; Bläschenausschläge mit serösem Inhalt; *flache, stechende, brennende, juckende Hautgeschwüre;* Gürtelrose; Konstitution rheumatischgichtisch. **Ranunculus bulbosus D 6–12.** Eine ähnliche, aber auf Haut, Leber- und Harnorgane noch kräftigere Wirkung hat **Ranunculus sceleratus D 6–12.**

—. *Blasiger*, mehr *pustulöser Ausschlag* mit *Brennen, Jucken und heftigen Reizzuständen;* Verbrennungen, innerliche und äußerliche, hauptsächlich chronische oder deren Folgen; Patient ist unruhig, mißmutig, unzufrieden, stöhnt, will fortwährend bewegt werden; *brennende, schneidende Schmerzen beim urinieren mit Harndrang* ist Hauptleitsymptom. **Cantharis D 6–15–30.**

—. Heftiges Brennen und Jucken der Haut mit rotem Stippchenausschlag, Flecken und Pustelchen. **Cinnabaris D 6–30.**

— *jeder Art*, wenn folgende, sehr charakteristische Symptome, vorhanden sind: „*profuser Schweiß ohne Linderung des Leidens, die Beschwerden nehmen mit dem Schweiße zu*“ und „*schlimmer nachts, besonders in der Bettwärme*“. Dann ist **Mercurius solubilis D 30–200** *das* Heilmittel.

—. *Ekzem des Kopfes; Milchschorf* der Kinder auf konstitutioneller Grundlage des Calcium-Typus. Siehe Konstitution. **Calcium carbonicum D 12–30.**

—. *Ausschläge mit dicker, honigartiger Absonderung* an jedem Körperteil, besonders aber an den Ohren, am Kopf, im Gesicht, an den Genitalien; durch Wasser, Kälte *unterdrückte Ausschläge, besonders bei fetten Personen;* Ekzeme der Augenlider, klebrige Ausschläge und rissige, mit Schuppen und Schorfen bedeckte Lidränder; ein weiteres *wichtiges Leitsymptom* ist: *dicke und aus der Form gewachsene Finger- und Zehennägel.* **Graphites D 15–30–200.**

—. *Trockene* und *feuchte Ekzeme* mit *Absonderung einer scharfen Flüssigkeit* aus den Schorfen, die bei Berührung neue Bläschen bilden. Diese jucken sehr heftig, kratzen lindert, aber unmittelbar darnach juckt es an einer anderen Stelle. *Das Ekzem erscheint meistens auf dem Kopf, um die Ohren, vor allem aber an den Augenlidern: Gerstenkörner, Knötchen, Augenlidentzündung, Geschwürbildung.* Bei diesen Hautleiden denke man auch an die psorische, sykotische und luetische Konstitution und deren Folgen. **Staphysagria D 3–6.** Als Konstitutionsmittel wird es in Hochpotenz D 30–200 gegeben.

—. *Große, eiternde Pusteln*, die sich ständig erneuern; *Bläschenausschläge* mit Jucken; die Haut ist wund; sonstige, verschiedenartige Ausschlagformen, ganz besonders bei Frauen, wenn Störungen in den Unterleibsorganen mit vorliegen. **Sepia D 6–30.** Dieses Mittel hat große Ähnlichkeit mit Sulfur und paßt gut nach diesem.

—. *Zusammenlaufende Pusteln zu dicken, gelben Schorfen*, im Kopf, Gesicht, Körper; *Bartflechte.* **Cicuta virosa D 15–200.**

—. Hartnäckige, *nässende Ekzeme, Akne* und *Bartflechte*, brennend, jukkend; schuppende Ekzeme; Unterschenkelgeschwüre. **Sulfur jodatum D 3–6.**

—. Ekzeme, rauh, entzündet, besonders schlimm an den Haarrändern; Bläschenausschläge in den Gelenkbeugen aus denen eine scharfe Flüssigkeit sickert; Nesselsucht; besonders bei blutarmen Personen. **Natrium muriaticum D 6–30–200.**

—. *Ekzeme, Ausschläge* an allen Körperteilen, *die vorwiegend im Winter auftreten* oder schlimmer sind; *aufgesprungene rissige Hände oder Fußsohlen;* jede Hautverletzung eitert gleich; chronische Durchfälle oder andere chronische Leiden, wenn die vorgenannten Winterekzeme, besonders an Händen und Füßen auftreten. **Petroleum D 30–200.**

—. *Krustige, juckende, schorfige Ausschläge der Mädchen in der Pubertätszeit; Milchschorf;* Hautausschläge verschiedener Art; bei lymphatisch-skrofulöser Konstitution zuerst als Konstitutionsmittel eine Gabe **Sulfur D 30** längere Zeit nachwirken lassen. Ein weiteres wirksames Mittel ist **Juglans regia D 3–6.**

—. *Ausschläge mit Pusteln, Quaddeln, Bläschen*, umschriebene *Entzündungen*, Furunkeln, *mit Neigung zu Eiterungen;* große Empfindlichkeit gegen Kälte (Zugluft) und Berührung; *Schweiße bei der geringsten Anstrengung; Nachtschweiße ohne Linderung;* skrofulöse, rheumatische Konstitution. **Hepar sulfuricum D 4–6–30,** das Mittel, welches die Gifte des Blutes durch die Nieren ausscheidet.

—. Chronische, juckende, feuchte, frieselartige Ausschläge, besonders im Gesicht, Ohren; *hartnäckige Hautausschläge skrofulöser Kinder mit Drüsenschwellungen* oder *Blasenbeschwerden; Milchschorf;* Leitsymptome: übelriechender, scharfer Urin mit Harndrang und Jucken der Schamteile; Durchfälle mit Blähungen. **Viola tricolor D 1–3.**

—. *Röte, Schwellung, Blasenbildung; Jucken* der Haut wie verbrannt; braune Krusten und Schuppen, *schwammige Gewächse der Haut.* Ganz besonders dann, wenn Geistes- und Gemütssymptome damit verbunden sind, wie plötzliches Verschwinden aller Gedanken; Furcht verrückt zu werden. **Manicella D 6–30.**

—. *Rote, juckende, pustulöse Hautausschläge;* Hautröte am ganzen Körper; *akute und chronische Ekzeme, bösartige Rose, Gürtelrose;* tiefe Geschwüre mit grünlichem, stinkendem Eiter; *Hautgeschwüre aller Art.* Leitsymptome:

Herumziehende Schmerzen, besser durch Bewegung; Hautjucken, Schwellung und Rötung der Haut; Verschlimmerung durch Wärme. **Comocladia D 30.** Das Mittel wirkt ähnlich wie Rhus tox. nur noch viel intensiver.

—. *Kupfernase;* Nasenspitze hart geschwollen, rot bis blau gefärbt; *kupferfarbige Hautausschläge;* schwer heilende Hautgeschwüre. **Carbo animalis D 4–30.**

—. *Blasiger Ausschlag; Rose mit blasenförmigem Ausschlag;* manche Formen des Scharlach; *Bläschenflechte; Gürtelrose; chronische Hautkrankheiten und Ekzeme mit Bläschenbildung,* wenn die Symptome: große Unruhe, Bewußtseinstrübung, Benommenheit in milder, aber anhaltender Form, Besserung durch Bewegung, vorhanden sind. **Rhus toxicodendron D 3–6–30–1000.**

—. *Akute Exantheme, Rose, ödematöse Anschwellungen mit entzündlicher Röte der Haut, brennende, stechende Schmerzen.* Bei der Rose bilden sich manchmal große, blasenartige Wassersäcke; *große Empfindlichkeit* gegen Berührung; *Schlaf sehr unruhig,* manchmal durch *lautes Aufschreien* unterbrochen; Körper, Gesicht, abwechselnd trocken und heiß oder schwitzend; bei Scharlach, wenn sich der Ausschlag verzögert oder zurückgeht und schwere Gehirnstörungen folgen. **Apis D 3–4.**

—. *Gürtelrose,* ein bläschenförmiger Ausschlag, gürtelartig rings um die Hälfte des Brustkorbes, tritt epidemisch auf. Die besten Mittel hiergegen sind: **Rhus tox. D 4, Mezereum D 3, Rannunculus D 3–4.** In langwierigen Fällen **Graphites D 6–10.** Man beachte die Leitsymptome dieser Mittel.

—. Juckende, brennende, beißende Ausschläge, entzündliche Erytheme mit Blasen- und Bläschenbildung; Knötchen, langwierige Geschwüre, Neigung zu Eiterung, Brand, mit hohem Fieber. Verschlimmerung nachts, in der Ruhe, bei Berührung. Besserung durch Bewegung. Besonders rechtsseitig wirkendes Mittel. **Euphorbium offic. D 6–12.**

—, siehe auch Konstitutionsmittel, Infektionskrankheiten.

Heiserkeit

Heiserkeit mit *Schmerzen und Brennen im Kehlkopf,* Sprechen verschlimmert. **Phosphorus D 12–30.**

— morgens, mit dem *Gefühl von Wundheit und Schwere in der Brust* beim Husten; Zerschlagenheitsgefühl, Knochenschmerzen, Gelenkschmerzen. **Eupatorium perfoliatum D 4–6.**

—, schlimmer morgens, *starkes Roheits- und Wundheitsgefühl und Reizung der Luftröhre* mit trockenem, hohlem Husten und plötzlichen Verlust der Stimme; *chronische Heiserkeit* nach akuter Kehlkopfentzündung; Heiserkeit mit tiefer Baßstimme; Husten mit Hüftschmerz und unwillkürlichem Harnabgang; **Causticum D 15–30, Drosera D 6.** Bei *Stimmbandlähmung* im Wechsel mit **Gelsemium D 6.**

— *bei Kehlkopf- und Bronchialleiden; Verlust der Stimme;* die Stimme schlägt beim Sprechen oder Singen um; die *Schleimhäute* der Mundhöhle, Lippen,

Nase, haben ein *blutiges rohes Aussehen.* **Arum triphyllum D 2–6.** Gurgeln mit 10–15 Tropfen der Essenz ∅ des Mittels in einem Glas Wasser, hat sich bei starker Inanspruchnahme der Stimme bei Rednern und Sängern bewährt.

—, *starke, schlimmer in feuchter Luft,* hauptsächlich abends. **Carbo vegetabilis D 6–30.**

—, *schmerzlose,* schlimmer morgens, mit kalten Füßen. **Calcium carbonicum D 6–15–30.**

—. Bei *jeder Anstrengung der Stimme wiederkehrende Heiserkeit,* sonst schmerzlos; Gefühl einer Kugel im Halse; Kitzelhusten; reichlicher, gelb-grüner, zäher Auswurf. **Paris quadrifolia D 3–4.**

—, *chronische,* mit *Schmerzen beim Sprechen* und rohes, wundes Gefühl beim Sprechen. Die Schleimhäute sehen wie geschwürig und roh aus. **Mercurius cynatus D 30–200.**

—, bei chronischer Heiserkeit sind Inhalationen mit **Chamomilla** ∅, 10 Tropfen auf 1/4 Liter Wasser, wertvoll.

— infolge *Stimmbandlähmung* kann ihre Ursache in Nerven- und Gehirnleiden, Schlaganfall, Metallvergiftungen, Geschwülste, Drüsenschwellungen durch Druckwirkung auf den Kehlkopf haben. Die Behandlung hat sich darnach zu richten. Siehe unter den genannten Schlagwörtern.

—, siehe auch Hals und daselbst insbesondere **Alumina.**

Herzkrankheiten

Herzkrankheiten. Herzschwäche infolge akuter Krankheiten, Herzerweiterung, Herzklopfen, Atemnot, Angina pectoris; Krampfschmerzen, Stiche in der Herzgegend; Herzwassersucht, Hautwassersucht, Ödeme; Erschöpfung nach der geringsten Anstrengung; gereiztes Nervensystem und Nervenschwäche; niedergedrückte Gemütsstimmung. **Crataegus ∅ – D 2.**

—. Herzflattern, Herzklopfen, Herzschmerzen; Erstickungsanfälle mit Ohnmacht, kaltem Gesichtsschweiß und Bewußtlosigkeit; große, unregelmäßige Herztätigkeit, aussetzender Puls, Herzgeräusche bei organischen Herzleiden; Ödeme der linken Extremitäten; Gehen oder Liegen auf der linken Seite verschlimmert sehr; Gefühl des Zusammenschnürens, als ob das Herz von einem eisernen Reifen gehalten oder zusammengepreßt würde. Dieses Zusammenschnürungsgefühl kann auch in der Brust und den Unterleibsorganen auftreten; Taubheitsgefühl am linken Arm; Herzbeschwerden durch Gelenkrheumatismus; große Allgemeinschwäche und Erschöpfung; Schlaflosigkeit mit heftigem Pulsieren der Schläfenarterien; organische und nervöse Kreislaufstörungen. **Cactus grandiflorus D 1–4,** bei nervösen Störungen **D 4–6–30.**

—. Herzschmerzen, unregelmäßiger Puls, Klappenfehler; ungestüme Herztätigkeit, so heftig, daß diese durch die Kleidung schon sichtbar ist; akuteste Zustände mit großer, nervöser Erregung und Angst; laut blasende

Herztöne und Anfälle von heftigem Herzklopfen; Patient kann nur auf der rechten Seite oder mit dem Kopf hoch liegen; periodisch auftretende Schmerzen, Neuralgien, Migräne, besonders linksseitig; **Spigelia D 3–6** ein sehr wertvolles Herzmittel bei heftigen, akutesten, aber auch chronischen Klappenleiden. Bei hochgradiger Erregung und nervösen Erscheinungen höhere Potenzen bis D 15–30.

—. Heftige, schon äußerlich sichtbare, stürmische Herztätigkeit, mit zeitweise merklich verlangsamtem Puls; Herzschmerzen, die besonders nach dem linken Arm ausstrahlen; Herzleiden rheumatischen Ursprungs, die rheumatischen Erscheinungen wandern von oben nach unten, wechseln plötzlich die Stelle; Neuralgien mit Taubheitsgefühl; Herzinnenhautentzündung auf rheumatischer Grundlage; organische Herzfehler als Folge von Rheuma und Gicht oder Lues; Kreislaufstörungen, Herzschwäche mit Atemnot und Schwindel; Ameisenlaufen, Kribbeln, Taubheit im linken Arm; Schmerzen sind stechend, reißend, schließend, plötzlich auftretend, hauptsächlich gegen den linken Arm, auch zum linken Schulterblatt ausstrahlend; Verschlimmerung durch Bewegung, Hitze, früh und abends. **Kalmia D 1–3** bei akuten und subakuten Herzstörungen. Bei chronischen, rheumatisch-gichtisch oder neuralgischen Leiden **D 3–6.** Infolge der großen Ähnlichkeit der Symptome mit Spigelia folgt es gut auf dieses oder kann im Wechsel gegeben werden. Stauffer empfiehlt bei Kompensationsstörungen **Kalmia D 1 + Cactus grandiflorus D 1** im Wechsel, dreimal täglich drei Tropfen.

—. *Cyanose* (Blausucht), *Patient ringt nach Atem*, unregelmäßiger, intermittierender Puls, schwach, beschleunigt, aussetzend; *Gefühl als wolle das Herz stille stehen*, kann nicht auf der linken Seite liegen; *Herzstiche*, Herzkrämpfe; Erstickungsgefühl beim Einschlafen; Brechwürgen, *Übelkeit*, *zum Sterben schlecht*, bei reiner Zunge; ein weiteres *Hauptsymptom ist*, *außergewöhnlich langsamer Puls*, hart, gespannt. Diese Symptome sind bei folgenden Leiden zu beobachten: Wassersucht, vom Herzen ausgehend, an allen Organen. Lungenstauungen, große Schwäche, plötzlicher Kollaps mit völliger Erschöpfung und drohender Lebensgefahr; Klappenfehler mit Kompensationsstörungen; Herzerweiterung, Herzschwäche bei entzündlichen Krankheiten der Brustorgane und der Herzhäute; Harn vermindert, dunkel, trüb, sogenannter Stauungsurin; Kälte der Hände und Füße. **Digitalis D 3–4–6,** ein ausgezeichnetes Herzmittel, wirkt in niederer Potenz kumulativ und darf nie zu lange gegeben werden und ist nach Besserung der genannten Symptome durch ein anderes, passendes Herzmittel zu ersetzen.

—. *Herzschwäche*, Herzklopfen mit plötzlichen scharfen Stichen in der Herzgegend; *Herzklappenfehler*, *Herzmuskelentzündung* mit Wassersucht; *Herzwassersucht*, *Nierenwassersucht; Puls sehr wechselnd* in Stärke, Rhythmus und Frequenz; unlöschbarer Durst, aber jeder Schluck Wasser wird wieder erbrochen. **Apocynum canadium ∅ – D 1,** das Mittel folgt und wirkt gut nach Digitalis.

—. Heftiges *Herzklopfen mit Angst*, *pulsierende Kopf- und Halsschlagadern mit Wallungen;* Blutandrang nach der Brust, Druck in der Herzgegend mit dem Gefühl als wolle das Herz stillstehen; **erhöhter Blutdruck mit Kopfschmerz** und Schlaflosigkeit; Verkalkung **der Kranzadern**; ***Fettherz* bei korpulenten**, älteren Personen, Angina pectoris; ***Gemütsdepressionen* mit Lebens**überdruß und Selbstmordgedanken; psorische, luetische, **gichtische**, dyskrasische Konstitution. **Aurum D 4–6–30.**

—. *Herzkrämpfe*, *Angina pectoris*, *Ohnmacht*, *plötzlich **einsetzender** Kräfteverfall* und völliges Versagen der Lebenskraft; eiskalte Haut, **kalter** Schweiß. Ein sehr wirksames Mittel ist **Camphora Rubini.**

—. *Herzflattern mit Schwäche und Ohnmachtsgefühl*, schlimmer beim Niederlegen; *unregelmäßiges Aussetzen des Herzschlages*, schlimmer durch Liegen auf der linken Seite; *heftiges*, *den Körper erschütterndes Herzklopfen*, besonders bei blutarmen, oder durch Kummer, Blutverlust, Exzesse geschwächten Personen. **Natrium muriaticum D 30–200.**

—. *Klappendefekte verbunden mit chronischem Rheumatismus; rheumatische Schmerzen in der Herzgegend;* heftige *Herzschmerzen* beim Rumpfbeugen; Herzschmerzen beim Urinieren oder bei der Menstruation; Herzflattern bei geistiger Erregung. Dazu noch die rheumatischen Symptome: Anschwellung und Rötung der kleinen Gelenke mit großer Empfindlichkeit. Im Harn finden sich oft bedeutende Mengen von Schleim, Harnsäure, Eiter, Konstitution: Harnsaure Diathese, Gicht, Rheuma. **Lithium carbonicum D 1–3.**

—. *Heftige*, flüchtige *Herzschmerzen* mit starkem *Herzflattern;* Gefühl, als ob das Herz von einem eisernen Reifen gehalten und zusammengepreßt würde. Oft mit dabei verbunden ist häufiger Harndrang mit Schmerzen im Mastdarm. Alle diese Erscheinungen sind wahrscheinlich Reflexe eines vorhandenen Gebärmutter- oder Eierstockleidens, das infolge der Heftigkeit dieser Herzsymptome überdeckt, übersehen oder nicht genügend beachtet wird. Hier ist **Lilium trigrinum D 3–6–30** das gegebene Mittel. (Siehe Frauenkrankheiten Seite 65.)

—, akute und chronische: Leitsymptome: *Gefühl der Beengung oder Zusammenschnürung*, *Erstickungsgefühl*, Husten; allgemeine *Wassersucht* vom Herzen ausgehend oder *ödematöse Anschwellungen mit blauschwarzer Färbung;* dunkler, schwärzlicher, übelriechender Urin mit Eiweiß; die Symptome verschlimmern sich nach Schlaf, bzw. der Patient schläft sich in eine Verschlimmerung hinein, sobald er einschlafen will, stockt die Atmung und er erwacht atemringend. **Lachesis D 15–30.**

—. *Herzschwäche*, *akute*, *drohende Herzlähmung*, *Erschöpfung*, *Atembeklemmung;* Herzklopfen und unangenehmes Gefühl am Herzen, schlimmer beim Gehen; heftige Herzschmerzen mit Angst; chronische Herzleiden, Klappenfehler, nervöse Störungen. **Naja D 15–30** ein rasch wirkendes, ausgezeichnetes Herzmittel bei akuter Herzschwäche, 2–3stündlich eine Gabe; in chronischen Fällen täglich 1–2 Gaben.

—. Herzschwäche, große Erschöpfung, drohender oder eintretender Kräfteverfall als Folgen septischer Prozesse mit hohem Fieber und Neigung zu Blutungen aus allen Körperorganen, Blut dunkel, flüssig, passiv; Blutzersetzung, hämolytischer Ikterus. **Crotalus D 15–30.**

—, *chronische Herzmuskelschwäche, drohende Herzlähmung, drohende Urämie;* schwerste Kreislaufstörungen bei Klappenfehlern; Herzbeutelentzündung, Herzneurosen, Herzjagen; Herzschwäche mit Wassersucht bei chronischem Nierenleiden. **Strophantus ∅ – D 2** täglich 3–4mal 5 Tropfen der Tinktur bei chronischem Herzleiden; bei vorwiegend nervösen Symptomen D 1–2.

Strophantus ist das am schnellsten wirkende Herzmittel und besonders in allen gefahrdrohenden Fällen angezeigt. Bei drohender Lebensgefahr ist die Anwendung von Strophantus-Präparaten per os oder in Ampullen zur subkutanen Injektion angezeigt, bis die Gefahr beseitigt und die indizierten homöopathischen Mittel wieder eingesetzt werden können.

—. Drohende *Herzmuskelschwäche, Herzkomplikationen, Herzinnenhautentzündung, Herzbeutelentzündung,* in Verbindung mit akuten, entzündlichen Krankheiten des Gehirnes, der Lungen, des Magens mit Kongestionen, Infektionskrankheiten; akuter Muskel- und Gelenkrheumatismus; *große Schwäche, kalter Schweiß;* in der Mitte der Zunge ein schmaler, gut abgegrenzter, roter Streifen. **Veratrum viride D 6–12.**

—. *Herzklappenerkrankungen;* Patient erwacht infolge *Erstickungsgefühl mit heftigem Husten, Unruhe. Aufregung, Atembeschwerden;* kann mit dem Kopf nicht niedrig liegen; schläft sich in den Anfall hinein; Kropfherz; Blutwallungen zur Brust mit Beengungsgefühl. **Spongia D 3–6,** bestes Mittel bei Herzklappenfehlern, hat jahrelang bestehende Herzgeräusche beseitigt; sehr wirksam und bewährt bei Kropfherz.

—. Chronische Herzschwäche mit Atemnot, Stauungen, wassersüchtige Anschwellungen der Beine; Herzerweiterung; Folgen von chronischem Klappendefekten; Fettherz. **Kalium arsenicosum D 3–4.** Hat sich als Herztonikum bei chronischen Nierenleiden bewährt.

—. Stürmische Herztätigkeit, Zusammenschnürungsgefühl, Herzklopfen, Herzstiche, besonders bei rechter Seitenlage; unregelmäßiger Puls, wechselnd, weich unfühlbar; Kompensationsstörungen mit Anschwellungen der Beine, Wassersucht, Atemnot; Herzangst mit großer Schwäche und Hinfälligkeit; Basedow. **Lycopus D 1–4.**

—. Druck, Beklemmung in der Herzgegend, welche vom Herzen bis zur linken Schulter und Rücken ausstrahlen kann, (Angina pectoris) mit Angstgefühl; Herzklopfen und Kongestionen nach dem Kopf; Puls unregelmäßig, beschleunigt, zeitweise aussetzend, Pulsation an den Halsschlagadern fühl- und sichtbar; Patient erwacht nachts 2 Uhr mit starkem Herzklopfen, Unruhe und Angst, diese steigern sich derart, daß Patient aufsteht und unruhig hin und her wandert; Wärme und Liegen auf der linken Seite verschlimmern die Symptome. **Spartium scoparium D 2–4.** Das Mittel hat nur kurze Wirkungszeit und muß daher oft gegeben werden.

—. Herzneurose verschiedener Art; Herzklopfen; Angina pectoris mit blassem Gesicht, eisiger Kälte und kalten Schweißen, mit Todesangst; Gefäßkrämpfe, Brustkrämpfe, Erstickungsanfälle, stoßweise Atmung; Puls anfangs beschleunigt, dann schwankend, setzt schließlich ganz aus und wird unfühlbar. **Tabacum D 30,** 10 Tropfen in 1/4 Liter Wasser gelöst, öftere Gaben.

—. Herzklopfen und Atembeklemmungen bei organischen Herzfehlern *verschlimmern sich, wenn Patient nur daran denkt;* neuropathische Konstitution. **Acidum oxalicum D 6–15–30.**

—. *Zyanose, Atembeklemmungen verschlimmern sich beim Aufsitzen; mangelhafte Reaktion* bei Brust- und Herzleiden; Herzflattern, Herzschwäche; Klappenfehler mit Stauungen im Lungenkreislauf. **Laurocerasus D 1–3.**

—. *Herzklopfen in der Ruhe,* Besserung durch Umhergehen; hysterische Erscheinungen, Unruhe, Ängstlichkeit, Neigung zu Ohnmachtsanfällen; *Leberschwellung, Pfortaderstauung.* **Magnesium muriaticum D 4–6.**

—. Husten, Brustwassersucht, allgemeine Wassersucht infolge Herzkrankheiten, mit dem sehr wertvollen Symptom: *Verschlimmerung gegen 3 Uhr morgens.* **Kalium carbonicum D 30–6.**

—. Herzvergrößerung infolge sportlicher Überanstrengung (Sportherz). **Bromum D 3–6.**

—. Stürmische Herztätigkeit mit Wallungen und Blutandrang nach dem Kopf; *chronisches Erröten des Kopfes bei der geringsten körperlichen Arbeit oder seelischen Erregung.* **Amylium nitrosum D 30.**

—. Herzbeschwerden, Herzklopfen, Herzwassersucht mit gleichzeitigen Schmerzen in der Gebärmuttergegend; Herzinnenhautentzündung, akut und chronisch. **Convallaria D 2–4.**

—. Druck in der Herzgegend als Folge von Verkalkung der Kranzarterien. **Baryum jodatum D 4.**

—. Siehe auch **Vibera berus** unter Venenkrankheiten.

Heufieber

Heufieber, wenn sich das Leiden auf Kopf und Stirnhöhle konzentriert; Nase vollständig verstopft, trotz ständigem Nießen; trockene, akute Katarrhe; Schnupfen trocken und schmerzhaft; chronische Katarrhe mit Verlust des Geruches; trockener Kitzelhusten. **Sticta D 1–3.**

— mit Kopfschmerz, der sich bis in die Nase verbreitet, besonders wenn der Ausfluß unterdrückt worden ist oder nach dem Schlafe aufhört; heftige, häufige Nießanfälle, die sich nach jedem Schlaf entschieden verschlimmern. **Lachesis D 200–2000.**

—. Im übrigen beachte man bei Heuschnupfen die auftretenden Symptome und wähle darnach die Mittel. Als Nervenfunktionsmittel und Vorbeugungsmittel hat sich **Kalium phosph. D 6** bewährt.

Hexenschuß

Hexenschuß. Sofort mache man heiße Arnica-Kompressen. Leichte Massage mit Rheuma-Salbe oder Rheuma-Öl. Innerlich gebe man **Rhus toxi-**

codendron D 4 im Wechsel mit **Bryonia D 4.** Bei dunkelhäutigen Personen mit braunen Augen **Nux vomica D 4** im Wechsel mit **Tartarus emeticus D 4–6.**

Hitze

Hitze. Heißes, rotes Gesicht mit glühender Röte auf beiden Wangen, abwechselnd mit einem blassen, kränklichen Gesicht und dunkel umränderte Augen. Oder aber ein rotes Gesicht mit starker Blässe um Mund und Nase. Diese Symptome treten meist in Verbindung mit Wurmleiden auf. **China D 30–200.**

—, große. Der ganze Körper ist brennend heiß, besonders das Gesicht rot und heiß, trotzdem Frösteln. **Nux vomica D 4–6–30.**

—. Üble Folgen von *strahlender Hitze*, Sonnenbestrahlung, Ofenhitze. **Glonoinum D 6–30.**

—. Intensives *Hitzegefühl das den Rücken hinaufläuft.* **Phosphorus D 6–12–30.**

—. Gesicht auf *der einen Seite rot und heiß* auf der *anderen Seite blaß und kalt.* **Chamomilla D 30.**

—. Hitzewallungen, Kreislaufstörungen mit Schweiß und Schwäche; Hände und Füße abwechselnd heiß und kalt, d. h., wenn die Hände heiß sind, sind die Füße kalt und umgekehrt. Treten diese Erscheinungen in Verbindung mit Unterleibsbeschwerden oder in den Wechseljahren auf (siehe auch Frauenkrankheiten, S. 65), dann ist **Sepia D 30–6** das Mittel. Ist das Symptom Brennen vorherrschend, dann **Sulfur D 30–6.**

—. Siehe auch Blutandrang, Fieber, Kopf.

Hoden

Hoden. Hodenentzündung, Hoden schwellen an und werden steinhart, oft nach unterdrückter Gonorrhoe, **Pulsatilla D 6–30.** Wenn dieses Mittel den Schmerz gelindert hat und die Anschwellung und Verhärtung nicht zu beseitigen vermag, dann wird **Clematis D 3–6** die Kur vollenden.

—. Hodenentzündung, Samenstrangentzündung, sehr schmerzhaft, mit Wundheits- und Zerschlagenheitsgefühl. **Hamamelis ∅ – D 4.**

—, geschwollen, ziehende Schmerzen wie gequetscht, bis zum Bauch und Oberschenkel ausstrahlend, sehr empfindlich gegen Berührung, auf rheumatischer Grundlage nach Erkältung, bei Witterungswechsel von warm zu kalt entstanden. **Rhododendron D 2–6.**

—. Verhärtung der Hoden luetischen Ursprungs mit den entsprechenden Geistes- und Gemütssymptomen, siehe diese. **Aurum D 6–30.**

Hunger

Hunger. Heißhunger, abwechselnd mit völliger Appetitlosigkeit, vor allem wenn Spulwürmer vorhanden sind; *Unruhe nachts,* eigensinnig, launisch; *heißes rotes Gesicht mit glühender Röte auf beiden Backen, abwechselnd mit einem blassen, kränklichen Gesicht mit dunklen Ringen um die Augen*, oder ein rotes Gesicht mit starker Blässe um Mund und Nase; bohren und stochern in der Nase, Zähneknirschen und Zucken im Schlafe, häufiges Schlucken mit dem Gefühl des Erstickens. **Cina D 6–30.**

—. *Heißhunger, abwechselnd mit Appetitlosigkeit. Bauch aufgetrieben* als ob er vollgepackt wäre; *große Schwäche, Nachtschweiße* oder *Schwitzen nach der geringsten Anstrengung;* Empfindlichkeit gegen Berührung. **China D 2–6.**

—. Heißhunger mit fortschreitender Abmagerung. *Fühlt sich während des Essens oder gleich nach dem Essen am wohlsten.* **Jodum D 30–200.**

— und *trotzdem Abmagerung bei reichlicher Nahrungsaufnahme;* fühlt sich nach dem Essen matt, verdrießlich, schläfrig, mit drückendem Schmerz, Vollheitsgefühl und Unbehagen, das sich bei fortschreitender Verdauung bessert. **Natrium muriaticum D 6–30–200.**

—. *Heißhunger wechselt mit Appetitlosigkeit* bei Magen- und Darmstörungen; Verlangen nach Brot und Butter; Fleisch, Bier oder Tee bekommt nicht; die Speisen liegen schwer im Magen und werden nachts erbrochen; saures Aufstoßen, unverdaute, schmerzlose Stühle nachts oder während des Essens; langsames Umhergehen erleichtert. **Ferrum metallicum D 12.**

—, hat immer Appetit, *muß öfters essen, wird schwach;* wird bald oder gleich nach der Mahlzeit wieder hungrig; *muß nachts essen.* **Phosphorus D 6–12–30.**

—. *Hungergefühl,* Patient *setzt sich hungrig zu Tisch, aber schon nach einigen Bissen ist er völlig gesättigt* und *fühlt sich unbehaglich voll.* **Lycopodium D 12–30.**

—. *Heißhunger bei Zuckerkrankheit,* mit Durst, profuser Urin *und rheumatische Schmerzen in den Gelenken.* **Acidum lacticum D 6–12–30.**

Husten

Husten, heftiger, unaufhörlicher, trockener, mit geringem oder gar keinem Auswurf, *schlimmer durch Sprechen,* Druck *und besonders durch Einatmen kalter Luft und nachts; Husten mit stechendem Schmerz durch die linke Lunge* unter der Brustwarze. Der Kitzel der zum Husten reizt, sitzt meist im Schlundkopf oder hinter dem Brustbein, ja er kann sich bis zum Magen erstrecken; Brustschmerz; Asthma bei Lungenkranken und bei Trinkern; Lungenschwindsucht. **Rumex D 1–3.**

—, *akuter, besonders in Verbindung mit Nasenkatarrh,* wird *nachts schlimmer* und *verhindert das Einschlafen;* hartnäckiger Husten bei und nach Masern, erst trockener, später lockerer, unaufhörlicher, quälender, erschöpfender Husten, wie er auch oft bei Schwindsüchtigen vorkommt. **Sticta D 1–3.**

—, durch Kitzeln in der Halsgrube; trockener Husten, schlimmer nachts, besonders im Schlaf, erwacht nicht während des Hustens; chronischer Husten, schlimmer im Winter und bei kaltem Wetter. **Chamomilla D 3–6–30.**

—, lockerer, mit übelriechendem Atem und Auswurf, zuweilen Schmerz hinter dem Brustbein; diese Art Husten tritt oft nach schwerer Bronchitis oder Lungenentzündung auf; mit dem Anschein beginnender Schwindsucht; Überempfindlichkeit gegen Licht und Geräusche, Angst; brennendheiße Hände und Füße nachts; Verschlimmerung früh und abends und nachts. **Sanguinaria D 4–6–30.**

— mit Niesen, Augentränen und unwillkürlichem Harnabgang, es kann Bruststechen, mit oder ohne Exsudat dabei bestehen. Der Husten ist gewöhnlich locker und rasselnd, morgens mit viel Schleimauswurf; Verschlimmerung durch Trinken von kaltem Wasser. **Scilla D 1–4.**

—, hartnäckiger, *mit großer Schleimansammlung der die Brust zu füllen scheint*, mit starkem *Rasseln, Keuchen* und *Atembeschwerden, Asthma*, besonders bei alten Leuten. **Senega ∅ – D 2.**

—, *hartnäckiger*, meist *trocken, mit Schmerz im oberen Teil der linken Brust bis zum Schulterblatt durchgehend;* drohende *Lungenschwindsucht.* **Myrtus communis D 2–6.**

—, *tief, hohl, heißer, mit einem Trompetenklang*, ganz *besonders wenn mit einer Reizung der Blase verbunden;* Hustenanfälle im Schlaf, ohne zu erwachen. **Verbascum D 1–4.**

—, trockener, lockerer, *schlimmer am Tage*, nachts *nicht* störend; *Erkältungskatarrhe* mit *Rötung, Brennen* und *Beißen der Augen mit Lichtscheu.* **Euphrasia D 4–6–12.**

—, *lockerer*, mit *Wundheit und Schmerz durch die linke untere Brust*, mit Verschlimmerung bei feuchtem Wetter. **Natrium sulfuricum D 6.** Schmerz durch die *rechte untere Brust.* **Kalium carbonicum D 4–6–30.**

— *mit großer Schwäche* und *profusem Auswurf* der *süß schmeckt.* **Stannum D 6–15–30.**

—, langwieriger, nach Erkältung oder Lungenentzündung, mit profusem Auswurf, Schmerzen zwischen den Schulterblättern und erschöpfende Nachtschweiße. **Kalium jodatum D 1–3–6.**

—. *Trockener* Husten mit *Wundheit und Schmerz durch die linke Brust* und im Kopf; Patient preßt beim Husten vor Schmerzen die Hände gegen die Brust um den Schmerz zu lindern. **Bryonia D 4–6.**

—. Trockener, *zischender, klingender Husten*, mit hohem *Fieber, Aufgeregtheit und Angst.* Die Husten- und Erstickungsanfälle verschlimmern sich morgens nach dem Erwachen; *Heiserkeit, Schmerzhaftigkeit, Brennen, Wundheitsgefühl, Roheitsgefühl und Schwere in der Brust*; der Husten wird schlimmer durch Reden oder Schlucken, besser durch warmes Essen oder Trinken; *Krupphusten; Kehlkopfentzündung; Luftröhrenentzündung.* **Aconitum D 4–6–30,** später oder im Wechsel **Spongia D 1–3–30.**

—, trockener, besonders bei alten Leuten, verschlimmert sich beim Niederlegen; Krampf- und Kitzelhusten. **Hyoscyamus D 2–3–6.**

— *mit Schmerz im Kopf beim Husten*, als wolle der Kopf zerspringen, oder mit Schmerz in entfernteren Körperteilen beim Husten. **Capsicum D 4–6–1.**

—, lockerer, mit starkem Schleimrasseln auf der Brust; Auswurf dick, gelb, mild, locker; papulöse Ausschläge im Gesicht. **Kalium sulfuricum D 3–4.**

—, quälender, schmerzender Husten bei Bronchitis, schlimmer abends bis Mitternacht, sowie durch Sprechen, Lachen, Kälte oder Liegen auf der erkrankten Seite; der ganze Körper zittert beim Husten. **Phosphorus D 6–12.**

—, *nervöser*, mit nachfolgendem Aufstoßen von Luft; *nervöse Erschöpfung* und *Überreizung*. **Ambra D 2–4–6,** das Mittel paßt gut bei nervösen Leiden alter Leute, Frauen und Kinder, für magere Kranke mit zerrütteten Nerven.

—. Bluthusten **Millefolium D 2** und **Phosphorus D 12–30.** *Schwindsuchtshusten* **Kalium carbonicum D 4–6** und **Arsenicum jodatum D 6.** Bei skrofulöser Konstitution mit Abmagerung und Bluthusten **Calcium hypophosphorosa D 1–6.**

—. Trockener, quälender *Krampf-* und *Kitzelhusten bei Tag und Nacht; quälender Husten im letzten Stadium der Schwindsucht* (palliativ). Letztes Mittel, wenn die üblichen Hustenmittel versagen, oder wenn es gilt, dem Kranken einmal Ruhe vor dem Husten oder eine ungestörte Nachtruhe und Schlaf zu verschaffen. **Codeinum phosphoricum D 2–3,** 2–3mal täglich 15–20 Tropfen. Anwendung bei Kindern nicht zu empfehlen.

—. *Krupphusten,* wenn der Husten nach Aconitum und Spongia aufgelockert ist, besonders, wenn gegen Mitternacht oder früh morgens Verschlimmerung eintritt. **Hepar sulfuricum D 6–8–30.**

—, das Kind schreit *vor* dem Hustenanfall, als ob es Schmerzen hätte; *Krampf-* und *Kitzelhusten,* anfallweise, quälend, erschütternd, Tag und Nacht, besonders aber früh morgens; *Bluthusten* oder *Blutstreifen im Auswurf; Keuchhusten* mit den vorgenannten Symptomen; Zerschlagenheitsgefühl in der Brust. **Arnica D 3–6–30.**

—. *Keuchhusten, Krampfhusten,* mit *pfeifendem Ton und Brechwürgen,* zusammenziehen der Brust- und Bauchmuskeln; *tiefliegender, heißerer, bellender Husten mit Beschwerden im Kehlkopf* und *tiefer Baßtonstimme;* Verschlimmerung nach Mitternacht; *Krampf- und Kitzelhusten bei Lungen- und Kehlkopftuberkulose.* **Drosera D 30–6–3.**

—. *Keuchhusten mit Bluten, Brechwürgen* und *Übelkeit; erstickender Husten mit Krämpfen,* wobei das Gesicht ganz blau und steif wird; *Atembeklemmung, Erstickungsanfälle;* großblasiges Rasseln auf der ganzen Brust, ohne Schleimauswurf. **Ipecacuanha D 4–6–30.**

—. *Krampfhusten;* am Tage anhaltender, kurzer, unterbrochener Husten mit nächtlichen, zuweilen sehr heftigen keuchhustenartigen Anfällen. **Corallium rubrum D 3–4.**

—. *Keuchhusten, Krampf- und Kitzelhusten vor Mitternacht oder nach dem Erwachen,* schlimmer beim Niederlegen; heufieberartige Zustände, nervöser Husten. **Aralia D 3–4.**

—. *Keuchhusten, Krampfhusten, besonders nachts mit Erbrechen und Stimmritzenkrampf;* Erstickungsanfälle beim Einatmen; Verschlimmerung nachts beim Liegen. **Mephitis putorias D 6–12.**

—. *Keuchhusten, besonders nachts,* ohne Auswurf. **Magnesium phosphoricum D 6–12** *ein ausgezeichnetes Mittel bei allen krampfartigen Erscheinungen* und Schmerzen aller Art. Bei Keuchhusten oft bewährt, kann, als eines der Schüßlerschen Funktionsmittel neben oder im Wechsel mit anderen angezeigten Mitteln mit Erfolg gegeben werden.

—. *Keuchhusten*, besonders im 2. Stadium; Krampf- und Kitzelhusten. Der Hals ist trocken, krampfhaft zusammengeschnürt, oder wie gepackt, kann kaum schlingen und schwer atmen; Stimmritzenkrampf. **Atropinum sulfuricum D 4–6.**

—. Bei *Keuchhusten*, *Krampfhusten*, *Kitzelhusten*, hat sich **Inula helenium D 2,** dreimal täglich drei Tropfen, bewährt.

—. *Krampf-* und *Keuchhusten* mit Erbrechen von viel zähem, fadenziehendem, weißem Schleim; Verschlimmerung nach Mitternacht oder gegen Morgen. **Coccus cacti D 3.**

—. Keuchhusten, mit Wurmsymptomen (siehe Würmer). **Cina.**

—. Siehe auch „Brust“ und Lungenkrankheiten.

Infektionskrankheiten

I

Infektionskrankheiten. Darunter versteht man alle Krankheiten, die übertragbar oder ansteckend sind, die also von kranken Menschen auf irgendeine Weise auf gesunde Menschen übertragen werden können. Als Krankheitsursache gelten die sogenannten Krankheitserreger, die verschiedensten, mehr oder weniger virulenten, Mikroorganismen, die irgendwie in den Organismus eingedrungen sind und sich mangels ungenügender Abwehrkraft des Organismus einnisten, festsetzen und ausbreiten konnten. Zwei Faktoren sind es also, die das Auftreten einer Infektionskrankheit bedingen: Erstens: die Mikroorganismen oder Infektionskeime, die zweifellos täglich in großen Massen durch die Atmung, in Speisen und Getränken, über die Haut, oder durch kleine Verletzungen und Wunden in unseren Organismus gelangen, und zweitens: die Krankheitsbereitschaft oder Krankheitsdisposition, die ich bereits im Vorwort Seite 5–9 ausführlicher geschildert habe. Dieser zweite Faktor ist der Entscheidende für den Ausbruch einer jeden Infektionskrankheit. Nun zur Besprechung der Infektionskrankheiten, die, in Anbetracht der Kriegsjahre und der damit verbundenen Berührung von Millionen deutscher Männer mit den verschiedensten Menschenrassen und Aufenthalte in den weiten Ost-, subtropischen und tropischen Gebieten, ausführlich besprochen und die daselbst beheimateten Infektionskrankheiten mit hereingenommen sind. Ausgenommen sind nur die Geschlechtskrankheiten, deren Behandlung allein dem approbierten Arzte vorbehalten ist. Die mit einem * *bezeichneten Infektionskrankheiten müssen dem zuständigen Gesundheitsamt gemeldet werden.* ** Dieses Zeichen bedeutet, daß schon der Verdacht auf die Krankheit gemeldet werden muß.

—. *Masern.* Das Krankheitsbild oder die Symptome dieser Krankheit dürfte allgemein bekannt sein. Nach einer Inkubation von etwa 10 Tagen (unter Inkubation versteht man die Zeit von der Ansteckung bis zum Ausbruch der Krankheit) tritt mit Fieber bis 39–40° der Masernausschlag, linsen- bis fingernagelgroße, blaßrote Flecken, zuerst von unregelmäßiger, gezackter oder viereckiger Form im Gesicht, über Rumpf und Beine auf. Charakteristisch und ein sicheres Zeichen für beginnende Masern sind die sogenannten Koplikschen Flecken auf der Wangenschleimhaut, das sind linsengroße, etwas erhabene, rote Flecken mit einem winzigen, bläulich-weißen Punkt in der Mitte, die dem Hautausschlag vorangehen. Begleitsymptom der Masern ist große Lichtscheu und Bindehautentzündung der Augen. Nach 3–5 Tagen beginnt die Abblassung und Fieberabfall, nach 8–10 Tagen kleienförmige Abschuppung und Genesung. Bei Komplikationen können als Nachkrankheiten Keuchhusten, Tuberkulose, Mittelohrentzündungen, Herz- und Augenkrankheiten auftreten. Behandlung: Bettruhe, Schutz vor Zugluft und hellem Licht, Fieberdiät. Als Arzneimittel kommen in Frage: **Ferrum phosphoricum D 6** das hierfür meist geeignetste Fiebermittel oder **Aconitum D 4, Belladonna D 4** je nach den Leitsymptomen, siehe Fieber. Ferner für den Hautausschlag **Mercurius solubilis D 4–6.** Weitere Mittel je nach den Begleitsymptomen und als Abschluß und Nachkur 2–3 Gaben **Sulfur D 30.** Bei auftretenden Lungen- und Rippenfellsymptomen die Einschaltung von **Bryonia D 4** und **Apis D 4** nicht versäumen. Wenn der Ausschlag nicht richtig herauskommt oder durch irgendwelche Einwirkungen unterdrückt wurde, der Krankheitsverlauf sich verschleppt, oder irgendwelche Folge-Krankheiten auftreten, dann gibt man einige Gaben **Pulsatilla D 30–200**, ganz besonders dann, wenn der bekannte Pulsatilla-Konstitutionstyp vorliegt.

—. *Scharlach**. Die Krankheitssymptome sind: Nach einer Inkubation von 2–8 Tagen tritt meist Schüttelfrost mit steil ansteigendem Fieber bis zu 41°, Puls bis 150, mit Kopfschmerz, Erbrechen auf. Daneben tritt die Scharlach-Mandelentzündung mit der typischen Erdbeerzunge auf. Nach 1–2 Tagen tritt der Ausschlag zuerst an Hals und Brust auf und verbreitet sich in wenigen Tagen über den ganzen Körper. Das Kinn und Mundpartie bleibt vom Ausschlag frei (das sogenannte weiße Dreieck). Aussehen des Ausschlages: stecknadelstich- bis stecknadelkopfgroßer, leuchtend roter, blühender, dichter, zusammenfließender Ausschlag, besonders dicht an der Innenfläche der Oberschenkel. Höhepunkt des Ausschlages nach 3–5 Tagen bei Fiebertemperaturen bis zu 41°, dann geht der Ausschlag und das Fieber langsam zurück, wobei nach 4–8 Tagen fetzenartige Abschuppung erfolgt und bei normalem Verlauf in 2–3 Wochen Genesung erfolgt. Scharlach ist sehr ansteckend und infolge verschiedener Komplikationsmöglichkeiten sehr gefährlich. Als Komplikationen können auftreten: Scharlach-Diphtherie, Mittelohrentzündung mit folgender dauernder Schwerhörigkeit oder Taubheit, Gelenkrheumatismus, Herzkrankheiten. Ferner treten oft nach der bereits abgelaufenen Scharlacherkrankung und nach scheinbarem völligem Wohlbefinden, nach Ablauf der zweiten Krankheitswoche plötzlich Nachkrankheiten auf, allen voran meist die gefährliche Nierenentzündung, Glomerulonephritis. Größte Vorsicht, genaue Beobachtung des Patienten und wiederholte Harnuntersuchung auf Eiweiß sind in dieser Zeitperiode unerläßlich. Das Übersehen einer Nierenentzündung kann dauerndes Siechtum und Tod des Patienten zur Folge haben. Als weitere Nachkrankheiten können auftreten: Entzündung der Halslymphdrüsen, Mandelentzündung bis zur schwersten Art, Scharlach-Diphtherie. Im Hinblick auf die Komplikationen und Nachkrankheiten ist die Forderung aufzustellen: größte Vorsicht gegen Ende der zweiten Krankheitswoche, nicht zu früh aufstehen lassen, keine kalten Wasseranwendungen. –

Nun zur Behandlung. Die Hauptmittel sind: **Belladonna D 3–6, Apis D 3–4,** 1–2stündlich im Wechsel. Daneben kann **Ferrum phosph. D 6–12** ganz ausgezeichnete Dienste leisten. Man beachte die Leitsymptome der genannten Mittel auf Seite 57, 58, 94. Ferner **Mercurius solub. D 6–15.** Bei Komplikationen und den Nachkrankheiten setze man die indizierten Mittel ein wie sie unter dem betreffenden Stichwort angeführt sind.

—. *Scharlach** mit den Symptomen: *Rohes, blutiges Aussehen der Lippen und Mundhöhle.* Die Kranken nagen und bohren an den rohen Stellen trotz heftiger Schmerzen; Heiserkeit; schwere septische Prozesse. **Arum triphyllum D 2–6.**

—. *Scharlach*. Ausschlag dunkelrot,* beinahe blaùrot, besonders ist die Mundhöhle von der Krankheit ergriffen; oder der *Ausschlag ist schwach entwickelt* oder *scheint zu verschwinden infolge geschwächter Lebenskraft;* fehlende Reaktionskraft des Körpers bei akuten Krankheiten; *Herzschwäche, Kollapsneigung;* **Ammonium carbonicum D 2–6.** Man verwendet das Mittel am besten in Verreibungen und möglichst frisch und öfteren Gaben, da kurze Wirkung.

—. *Bösartiger Scharlach, schwarze Masern,* Hautkrankheiten mit *dunkelblauen Ausschlägen* und Verfärbungen; bösartige Blutgeschwüre; *Hauptleitsymptom* ist stets die *dunkelblaue Färbung.* **Lachesis D 15–30.**

—. *Schlechte Entwicklung* oder wieder *Zurücktreten des Ausschlages* bei *Masern, Scharlach* infolge zu großer Schwäche des Patienten. **Zincum D 3–4.**

—. Durch *äußere Ursachen unterdrückte Ausschläge* bei Masern und Scharlach. **Cuprum D 4–6.**

—. Bei *bösartigem Scharlach,* bei *Diphtherie* und *Masern,* wenn die Ausschläge nicht richtig herauskommen oder zu rasch wieder verschwinden, mit Anschwellung der Drüsen, Auftreten schwerer *septischer Erscheinungen.* Bei akuten und chronischen Krankheiten die mit *großer Schwäche, Hinfälligkeit, Stumpfheit, Delirien, Erbrechen* einhergehen. **Ailanthus D 4–6.**

—. *Rose, Rotlauf,* ist eine Entzündung der Haut, mit intensiver Rötung, Schwellung, Schmerzhaftigkeit, hohem, steil ansteigendem Fieber bis über 40°, heftige Kopfschmerzen, zuweilen mit Gehirnerscheinungen und Delirien. Ferner treten regelmäßig Störungen im Magen-Darmkanal, völlige Appetitlosigkeit, Erbrechen auf, Zunge meist dick belegt. Die Ursache der Hautentzündung ist eine örtliche Infektion durch den *Streptococcus pyogenes,* ein *Krankheitserreger,* der meist durch kleine Wunden, Abschürfungen, Kratzwunden in die Haut eindringt, sich ausbreitet und die Krankheit hervorruft. Die Rose hat die Eigenschaft, sich vom Ausgangspunkt allmählich über mehr oder weniger große Teile der Haut auszubreiten. Am meisten wird jedoch das Gesicht befallen (Gesichtsrose). Zuweilen wandert sie weiter und kehrt dann wieder zur Ausgangsstelle zurück, dieser Zyklus kann sich sogar mehrmals wiederholen. Eine weitere Eigenschaft der Rose ist, daß sie die einmal von ihr befallenen Personen gerne wieder heimsucht und wiederkehrt, sie also für Rückfälle geradezu disponiert. Nun die Mittel zur Behandlung nach den jeweiligen Leitsymptomen. Als Fiebermittel **Belladonna D 3–6** oder **Aconitum D 4,** je nach den Leitsymptomen, siehe diese unter Fieber Seite 62. **Apis D 3,** Leitsymptome: *ödematöse Anschwellungen*, entzündliche Röte der Haut, *brennende stechende Schmerzen*, große *Empfindlichkeit gegen Berührung;* Bildung großer blasenartiger Wassersäcke; Schlaf sehr unruhig, manchmal durch lautes Aufschreien unterbrochen; Gesicht oder Körper abwechselnd trocken und heiß, oder schwitzend; Gehirnerscheinungen. **Rhus toxicodendron D 3–6** bei *Blasen- und Bläschenbildung; große Unruhe*, *Bewußtseinstrübung*, *Benommenheit* in milder oder anhaltender Form. *Äußerlich:* **Echinacia-** oder **Hamamelis-Salbe** oder feuchte Umschläge mit **Echinacia-Tinktur,** evtl. mit etwas abgekochtem oder destilliertem Wasser verdünnt. Als Nachkur und um Rückfälle möglichst zu vermeiden **Cuprum D 3–4** und **Rhus radicans D 3.**

—. *Rose*, *Rotlauf*. Als wirksame Behandlung wird folgende Kur empfohlen: **Aconitum D 4 + Apis D 3 + Salvia D 4,** halbstündlich *im Wechsel*, möglichst Tag und Nacht, wodurch Heilung in 4–5 Tagen erfolgt. Bei normalem Krankheitsverlauf und wenn keine Komplikationen auftreten, wird man, in Verbindung mit den äußeren Anwendungen, in den meisten Fällen mit dieser Behandlung auskommen.

—. *Gürtelrose*, ein bläschenförmiger Ausschlag, gürtelartig rings um die Hälfte des Brustkorbes, mit heftigem Brennen und Jucken. Die besten Mittel hingegen sind: **Rhus toxicodendron D 4, Mezereum D 3, Ranunculus D 3. Euphorbium D 6–12** besonders bei heftigen Brennschmerzen. In langwierigen Fällen **Graphites D 6–10.**

—. *Diphtherie**. Symptome: Nach einer Inkubation von 2–5 Tagen beginnt die Krankheit mit allgemeinem Unwohlsein, Kopfschmerzen, meist langsam ansteigendem Fieber und Schlingbeschwerden. Dann treten erst punktförmige, dann sich verbreiternde, grau-weißliche Beläge an der Innenseite der mehr oder weniger geschwollenen, entzündeten Mandeln, auf. Die Halsdrüsen sind dabei angeschwollen. In schweren Fällen und bei den bösartigen Formen verbreiten sich die Beläge auf Rachen, Kehlkopf, Nase sehr rasch, mit viel heftigeren Allgemeinsymptomen; die Patienten können kaum schlucken oder sprechen, sind apathisch; die Beläge zerfallen, der ganze Rachen ist mit einer grauen, schmierigen, stinkenden Masse überzogen. Das Übergreifen der Beläge auf den Kehlkopf zeigt sich durch Heiserkeit und dem rauhen, bellenden Husten – Krupphusten – an, damit ist das Bild der Kehlkopfdiphtherie vollständig und insofern gefährlich, da die Gefahr des Verschlusses der Luftwege und damit Erstickung droht. Ängstliche Atmung, Blausucht, schwere Herzerscheinungen sind die Symptome dieses Stadiums. Ein weiteres wichtiges Symptom ist die Einziehung der unteren seitlichen Brustwände, Zwischenrippenräume, Magengegend.

Der Erreger der Krankheit ist der Löfflersche Diphtheriebazillus, dessen Nachweis allein in Zweifelsfällen bei allen diphtherieartigen Erkrankungen die sichere Diagnose verbürgt. Da die Diphtherie zuweilen auch in der Form leichter eitrig-katarrhalischer oder lakunärer Entzündung der Mandeln auftritt, ist, besonders bei Kindern, größte Vorsicht geboten und die Einsendung eines Schleimhautabstriches an eine staatliche Untersuchungsanstalt zur bakteriologischen Untersuchung, dringend zu empfehlen. In diagnostischer Hinsicht sehr bemerkenswert ist, daß lakunäre Angina – darunter versteht man eine Mandelentzündung mit schmierigem, gelblichem Belag, unter dem sich ein tief eindringendes Geschwür befindet, mit jauchigem Gewebszerfall, – kein oder nur mäßiges Fieber – mit hohem Fieber über 40°, meist *nicht* diphtheritischer Natur ist. Dagegen sind alle entzündlichen Mandelerkrankungen mit eitrigen, oder negrosierenden Belägen und nur mäßigem, oder langsam ansteigendem Fieber verdächtig für Diphtherie und erfordern eine bakteriologische Untersuchung zur Sicherstellung der Diagnose.

Nun zur Behandlung der Diphtherie. Vorweg möchte ich betonen, daß bei Diphtherie-Erkrankung die wissenschaftliche Medizin die unbedingte Anwendung des Behringschen Diphtherie-Heilserums fordert, und zwar die möglichst frühzeitige. Die Unterlassung dieser Maßnahme gilt als Kunstfehler und kann unter Umständen schwere Folgen für den Praktiker haben. Als Anhaltspunkt für die Dosierung des Heilserums diene dem Praktiker folgendes: Leichte Fälle erfordern 3–4000 A.E., schwerere 4–6000, ganz schwere 8–12 000. Besonders Kehlkopfdiphtherie zählt zu den ganz schweren Fällen. Hohe Dosen sind auch bei Kindern erforderlich, wenn sie erst am 3. oder 4. Krankheitstage zur Behandlung kommen. Sonst wird allgemein bei Kindern in leichteren Fällen 100 A.E., in schwereren Fällen bis zu 500 A.E. auf jedes Kilogramm Körpergewicht, verabfolgt. Die Injektion erfolgt intramuskulär, am besten in den oberen, äußeren Quadranten der Gesäßmuskulatur.

Das über die bakteriologische Untersuchung und die Anwendung des Heilserums Gesagte gilt für die Praktiker, wobei zu bemerken ist, daß in zweifelhaften schweren Fällen die Serumeinspritzung sofort vorgenommen werden soll und nicht erst das Ergebnis der bakteriologischen Untersuchung abgewartet zu werden braucht.

Im übrigen haben wir in der Homöopathie ausgezeichnete Heilmittel für alle Formen der Diphtherie, deren Anwendung und Einsetzung im Nachfolgenden angeführt werden. Zunächst hier ein Beispiel einer wirksamen Diphtherie-Behandlung: **Belladonna D 3 + Apis D 3 + Mercurius cyanatus D 6** alle 5–10–15 Minuten, je nach Schwere des Falles, 5–10 Tropfen je nach dem Alter, *im Wechsel*, Tag und Nacht bis Besserung eintritt, dann in größeren Pausen. Die Leitsymptome genannter Mittel sind unter „Hals“ Seite 94, 95 angeführt. Als Zwischengabe **Ammonium bromatum D 2,** besonders dann, wenn sich der Belag bis zum Kehlkopf ausdehnt. **Acidum nitricum D 3–4** bei geschwürigen, geschwollenen, schwammigen Schleimhäuten und sehr üblem Geruch. **Ferrum muriaticum D 3–4** bei anämischen Patienten mit großer Schwäche als konstitutionelles Mittel. Mit diesen Mitteln, in Verbindung mit den in Seite 96 beschriebenen Halswickel und Gurgelungen wird man bei einfacher Diphtherie in leichten und mittelschweren bis schweren Fällen auskommen. Schwerste Fälle und septische Formen erfordern je nach den Leitsymptomen den Einsatz von **Lachesis D 30, Pyrogenium D 30, Baptisia D 1–3, Chininum arsenicosum D 4, Kalium bichrom. D 4, Phytolacca D 3** u. a. m. Man studiere die Leitsymptome dieser Mittel unter „Blutvergiftung" Seite 41, 42, „Geschwüre" Seite 89 bis 92 und „Hals" Seite 94, 95. Komplikationen und Nachkrankheiten treten bei Diphtherie oft auf, große Vorsicht und aufmerksame Beobachtung im Verlaufe einer Diphtherie-Behandlung sind unerläßlich. Als Komplikationen können auftreten: Herzmuskel-, Herzinnenhautentzündung mit folgendem, bleibendem Herzklappenfehler, Herzlähmung, die bekanntlich in der Genesungsperiode noch plötzlich eintreten kann bzw. schon oft eingetreten ist und völlig unerwartet den Tod herbeiführte. Ferner Leberschwellungen, Nierenentzündungen, Lähmungen überall, besonders Schlundlähmung, Kehlkopflähmung, Lähmung der Extremitäten sind oft Begleiterscheinungen oder Nachkrankheiten der Diphtherie. Als Nachkrankheiten treten besonders die Lähmungen auf. Die Behandlung dieser siehe unter Lähmungen. Im übrigen sind die Gefahren der Begleit- und Nachkrankheiten bei richtiger homöopathischer Behandlung und Befolgung der gegebenen Verordnungen auf ein Minimum beschränkt.

—. *Der Unterleibstyphus***. Nervenfieber (Typhus abdominalis). Die Ursache dieser Krankheit ist die Infektion des Körpers mit den außerordentlich lebensfähigen, ihre Virulenz monatelang behaltenden, zur Gruppe der Colibazillen gehörenden, Typhusbazillen. Diese wurden im Jahre 1880 von Eberth und Koch entdeckt. Die Infektion erfolgt über Mund und Darm, hauptsächlich mit Speisen und Getränken, am häufigsten mit dem Trinkwasser.

Symptome und Krankheitsverlauf. Inkubationszeit 1–3 Wochen. Als Vorerscheinungen in der ersten Woche nach der Infektion treten Appetitlosigkeit, Mattigkeit, leichte Kopfschmerzen, Gliederschmerzen, Verstopfung usw. auf. Der Übergang vom Vorstadium in die eigentliche Krankheit geschieht so allmählich, daß es Schwierigkeiten macht, den tatsächlichen Beginn der Krankheit festzustellen. Auftretendes Frösteln, Hitze und vermehrtes allgemeines Krankheitsgefühl künden den Beginn der Krankheit an. Gewöhnlich zu Ende der ersten Woche oder zu Beginn der zweiten Woche tritt der Höhepunkt der Krankheit ein. Die allgemeinen Krankheitserscheinungen nehmen rasch zu, die Kranken werden sehr matt und schwach, haben meist heftigen Stirnkopfschmerz, vollständige Appetitlosigkeit aber heftigen Durst. Das Fieber steigt staffelförmig – unter den Empfindungen von Hitze und Frost abwechselnd – in sieben Tagen bis 40,5° an. Dabei trokkene, heiße Haut, Lippen, trockene und belegte Zunge. Das ist der Beginn des zweiten Stadiums in der zweiten Woche. Das Fieber hält sich dauernd zwischen 39–40,5°, wobei die Abendtemperaturen in der Regel um 1° höher liegen. Tiefe Morgenremissionen sind stets ein günstiges Zeichen, während Morgentemperaturen von 40° und darüber auf einen schweren Verlauf schließen lassen. Die schweren Krankheitssymptome halten an, oder steigern sich noch mehr, Benommenheit oder Delirien treten auf, ferner in den Lungen Bronchitis. Leib aufgetrieben, am Rumpfe treten kleine, blaßrote

Flecken, die Roseolen, auf. Die anfängliche Verstopfung weicht einem mäßig starken Durchfall mit etwa 2–4 dünnen, hellgelben Stühlen täglich (Erbsenbreistühle). Das dritte Stadium, das in normalen Fällen in der Regel auch in die dritte Woche fällt, ist die Zeit der zahlreichen Komplikationen, die häufig auftreten. Bei günstigem Verlauf der Krankheit tritt am Ende der dritten Woche das allmähliche, wiederum staffelförmige Abfallen der Fieberkurve in etwa sieben Tagen bis zu Normaltemperatur, und Nachlassen und Verschwinden aller Allgemeinerscheinungen und damit das Stadium der Genesung ein.

Die Diagnose des Unterleibstyphus ist anfangs nicht leicht zu stellen. Sie stützt sich zunächst auf die geschilderten Krankheitserscheinungen, auf die typische Fieberkurve und zuletzt durch den Nachweis der Typhusbazillen im Blute, Stuhl, Urin. Typhusbazillen finden sich bei Infektionen in Massen außerdem noch in den Mensenterialdrüsen, in Milz, Leber und anderen Organen und vor allem in der Gallenblase, wo sie jahrelang fortwuchern können, ohne irgendwelche Krankheitserscheinungen hervorzurufen.

Menschen, die an Typhus erkrankt waren, scheiden oft noch monate-, ja jahrelang, Typhusbazillen in ihren Entleerungen aus. Die Bazillen haben sich in der Gallenblase massenhaft angesiedelt, mischen sich schubweise oder fortgesetzt dem Darminhalt bei und werden mit dem Stuhl nach außen entleert. Diese Menschen nennt man „Bazillenträger“ oder „Dauerausscheider“, sie sind für die Weiterverbreitung des Typhus gefährlicher als die bettlägerigen, abgesonderten, Schwerkranken.

Die Behandlung. Neben entsprechender Diät, Mundpflege, Gurgelungen wie Seite 96 beschrieben, Wasseranwendungen, kommen folgende Arzneimittel in Frage. Hauptmittel ist **Chininum arsenicosum D 6** im Wechsel mit **Apis D 3 + Aconitum D 4,** zweistündlich, Tag und Nacht. Bei Patienten mit braunen Augen kommt **Nux vomica D 3,** bei solchen mit blauen Augen und blonden Haaren **Bryonia D 3** hinzu. Bei Lungensymptomen **Rhus toxicodendron D 4–6 + Phosphorus D 6–30 + Acidum phosphoricum D 3.** Bei Sprechunfähigkeit **Causticum D 6** im Wechsel mit **Gelsemium D 6.** Mit diesen Mitteln wird man bei normalem Verlauf des Typhus allgemein auskommen. Große Beachtung ist stets der Herztätigkeit zu schenken, da leicht eine Degeneration des Herzmuskels eintreten kann, die den Tod infolge Herzlähmung zur Folge hat. Also, bei nachlassender Herztätigkeit, oder noch besser, vorbeugend, rechtzeitig entsprechende Herzmittel als Zwischengabe einschalten. Schwere und schwerste Typhusfälle mit septischen Erscheinungen erfordern **Pyrogenium D 30, Echinacia ∅ – D 1, Baptisia D 3–30, Arsenicum album D 6–30, Lachesis D 15–30** je nach den Leitsymptomen, wie sie unter „Blutvergiftung“ Seite 89–92 und „Fieber“ Seite 62 ausführlich beschrieben sind. Sehr bewährt hat sich in solchen Fällen **Ferrum phosph. D 4–6–8–12** im Wechsel mit einem der vorgenannten Mittel. Ein weiteres Mittel ist **Acidum muriaticum D 2–4** mit folgendem Symptomenbild: Säftezersetzung; unwillkürliche Stühle oder Darmblutungen von dunklem Blute; Mund voller dunkelblauer Geschwüre; Bewußtlosigkeit, der Kranke rutscht vor Schwäche im Bett herab; der Unterkiefer fällt herunter, Zunge trocken, lederartig, zu einem Drittel ihrer Größe zusammengeschrumpft und gelähmt.

Komplikationen verschiedenster Art können im Verlaufe eines Typhus auftreten. Darmblutungen, Darmperforationen, Bauchfellentzündung; schwere Gehirn- und Nervenreizungen, Lungen-, Rippenfellentzündungen; Leber- und Gallenstörungen. Alle diese auftretenden Erscheinungen erfordern eine sorgfältige Auswahl der Arzneimittel nach den Leitsymptomen, wie sie unter den entsprechenden Schlagwörtern zu finden sind.

Erwähnt sei hier noch der *Paratyphus*** mit demselben Krankheitsbilde wie der Unterleibstyphus. Der Unterschied besteht nur darin, daß die Formen der Paratyphusbazillen und deren kulturelle Entwicklung, von den Eberthschen Typhusbazillen abweichen. Ferner ist der Verlauf des Paratyphus ein kürzerer und rapiderer. Man unterscheidet Paratyphus A und B, je nach den beiden Stammformen der Paratyphusbazillen. Form A kommt meist in wärmeren Ländern vor und ist bei uns selten. Form B wird bei uns häufig beobachtet, Fleisch- und Wurstvergiftungen gehören dieser Form an. Die Behandlung des Paratyphus ist wie bei Unterleibstyphus, wobei die septischen Mittel **Pyrogenium D 30, Arsenicum album D 6–15–30** neben den indizierten Fiebermitteln im Vordergrund stehen.

—. *Der Flecktyphus oder Fleckfieber***. Diese, bei uns in Deutschland nicht heimische Infektionskrankheit, kommt besonders im Osten epidemisch vor. Infolge des Krieges und der damit bedingten Berührung mit den Menschen aus dem Osten besteht die Gefahr der Einschleppung ins Reich. Die Sterblichkeit an Fleckfieber schwankt zwischen 3–50% und nimmt an Gefährlichkeit mit dem Lebensalter zu. Der Erreger des Fleckfiebers ist die Rickettsia Provazekii, benannt nach den beiden Fleckfieberforschern Ricketts und Provazeki, die beide ein Opfer dieser Krankheit wurden. Die Krankheit wird durch Vermittlung der Kleiderlaus von dem Kranken auf den Gesunden übertragen. Die Laus nimmt mit dem Blut des Fleckfieberkranken die Rickettsien auf, die sich dann in dem Darm derselben rasch vermehren, worauf die Laus dann infektionsfähig wird. Die Infektion des Menschen erfolgt durch den Stich der infizierten Laus, sowie durch Einreiben des Kotes der Laus – der große Mengen Krankheitserreger enthält – in die Bißwunde durch Kratzen beim Jucken. Ausnahmsweise kann auch eine Übertragung durch die Verstäubung des Rickettsienhaltigen Kotes der infizierten Läuse eintreten oder durch das Blut des Kranken, sofern dieses mit offenen Wunden oder Hautschäden von Gesunden in Berührung kommt.

Das Fleckfieber gehört zu den schweren, allgemeingefährlichen Infektionskrankheiten. Jede Erkrankung, jeder Verdacht einer Erkrankung, jeder Sterbefall muß unverzüglich mündlich oder schriftlich dem Gesundheitsamt angezeigt werden.

Das Krankheitsbild ist dem des Typhus ganz ähnlich. Inkubationszeit 1–3 Wochen. Wichtig ist die Unterscheidung des Fleckfiebers vom Typhus, wobei differenzialdiagnostisch folgendes zu beachten ist. Die eigentliche Erkrankung bei Fleckfieber setzt meist plötzlich mit Schüttelfrost, Erbrechen, rasch ansteigendem Fieber bis zu 41^0, das in 3–4 Tagen seinen Höhepunkt erreicht, auf welchem es dann mit nur wenigen Zentelgraden Morgenremissionen verharrt. Darmerscheinungen fehlen fast ganz, etwaige Durchfälle sind *nicht* erbsbreiartig. Die Milzvergrößerung ist schon in den ersten Krankheitstagen fühlbar. Der Ausschlag erscheint *wesentlich früher* – meist zwischen dem dritten und fünften Krankheitstage – als bei Typhus und entwickelt sich rasch zur vollen Höhe und ist ausgedehnter. Katarrhliche Erscheinungen der Lungen, Bronchitis, Rötung und Entzündung der Augenbindehaut mit ausgesprochener Lichtscheu, Gesicht gerötet und gedunsen, aufgequollene Augen, sind auffallende Begleitsymptome der Krankheit. Zur Unterscheidung gegen Masern ist zu beachten, daß bei diesen in der Wangenschleimhaut die Koplikschen Flecken auftreten, der Ausschlag im Gesicht zuerst erscheint und dasselbe am Ausschlag viel stärker beteiligt ist. In Zweifelsfällen wird die Diagnose durch die serologische Untersuchung des Blutes gesichert. Hervorzuheben ist, daß der Überwachung der Herztätigkeit und des Kreislaufes größte Aufmerksamkeit zu schenken ist, da große Kollapsgefahr besteht. Das Einsetzen wirksamer Herzmittel zu rechter Zeit oder vor dem Transport in ein Krankenhaus darf nicht versäumt werden.

Da auch leichte Formen des Fleckfiebers vorkommen, mit geringem Fieber und – außer heftigen Kopfschmerzen – schwere Erscheinungen oder der Ausschlag fehlen, oder letzterer kaum wahrnehmbar ist, ist größte Aufmerksamkeit geboten, da bei Übersehen der Krankheit eine erhebliche Gefahr für die Allgemeinheit entstehen kann. Nachforschen nach der Kleiderlaus oder die serologische Blutuntersuchung schafft Klarheit über die Art der Erkrankung.

Die homöopathische Behandlung des Fleckfiebers ist unter Berücksichtigung der Leitsymptome, im allgemeinen die gleiche wie bei Typhus. Wegen der Ansteckungsgefahr, der sicheren Absonderung und Desinfektion ist jedoch die Überweisung in ein Krankenhaus zu empfehlen.

—. *Das Rückfallfieber**, Thyphus recurrens. Der Erreger dieser Krankheit ist der Spirochaeta Obermeier, das sind fadenförmige Mikroorganismen (Spirochäten), die im Fieberanfall im Blute bei den Erkrankten massenhaft zu finden sind. Die Übertragung erfolgt bei uns in Europa durch Läuse, bei der Spirochaeta Duttoni, dem Erreger des afrikanischen Rückfallfiebers, durch den Stich einer Zecke.

Krankheitsverlauf. Inkubation 5–8 Tage. Vorkrankheitserscheinungen treten kaum auf. Das Fieber erscheint plötzlich mit Schüttelfrost, heftigen Kopf-, Kreuz- und Gliederschmerzen und erreicht schon am ersten oder zweiten Tage meist 41° und darüber, bleibt etwa 5–7 Tage mit mehr oder weniger starken Remissionen auf dieser Höhe stehen um dann kritisch unter starkem Schweißausbruch bis unter die Norm, oft bis 35°, abzufallen. Diesem ersten Anfall folgt eine fieberfreie Pause von etwa 6–7 Tagen, worauf sich der Anfall wiederholt und unter den gleichen Erscheinungen nach 5–7 Tagen wieder abklingt. Dieser Zyklus kann sich bis zu viermal wiederholen. In der Regel erfolgen 2–3 Anfälle, wobei die Dauer des zweiten, besonders aber des dritten Anfalles, kürzer ist als beim ersten Anfall. Die Gesamtkrankheitsdauer beträgt 4–5 Wochen, die Sterblichkeit etwa $2^0/_0$. Komplikationen sind selten.

Behandlung allgemein wie bei Typhus, wobei **Chininum arsenicosum D 4** und **Arsenicum album D 6–30** als Hauptmittel anzusprechen sind.

—. Die *Bangsche Krankheit** (Febris undulans bovina). Der Erreger dieser Krankheit ist das Bacterium abortus Bang, das nach den Untersuchungen des dänischen Forschers Bang 1896 als der Erreger des seuchenhaften Verkalbens der Rinder bekannt geworden ist. Diese Tierkrankheit ist in Rinderbeständen sehr verbreitet, so sind in manchen Gegenden Deutschlands 50–80$^0/_0$ der Kühe latent infiziert. Die Übertragung des Bact. abortus auf den Menschen erfolgt durch unmittelbaren Kontakt mit kranken Kühen (Landwirte, Metzger, Tierärzte), häufig durch den Genuß roher, ungekochter Milch von latent erkrankter Kühe.

Krankheitsverlauf. Inkubation einige Tage bis drei Wochen. Die Krankheit beginnt mit einer akut einsetzenden hohen ersten Fieberwelle von 1–5 Wochen Dauer mit remittierenden Temperaturkurven, deren Abfälle mit starken Schweißausbrüchen verbunden sind. Nach dem Absinken des Fiebers tritt eine fast ganz fieberfreie Zeit von etwa 10–14 Tagen ein, worauf dann die zweite Fieberwelle einsetzt. Dieser Zyklus wiederholt sich mehrere Male, ist meist sehr langwierig und kann sich auf insgesamt 6–12–15 Monate Dauer erstrecken. Der Allgemeinzustand ist trotz der dabei auftretenden hohen Fieberkurven auffallend wenig gestört, auch sonst wird nicht über besondere Beschwerden geklagt, zuweilen nur über Kopfschmerzen, Müdigkeit, auffälliges Schwitzen. Im weiteren Krankheitsverlauf treten, besonders nachts, lästige Schweißausbrüche regelmäßig auf. Die Krankheit ist verhältnismäßig gutartiger Natur, die lange Dauer, die häufigen Rückfälle und die langsame Genesung erfordern aber ein hohes Maß Geduld, sowohl von seiten des Kranken als auch des Behandelnden. Die Diagnose wird durch die serologische Blutuntersuchung gesichert. Langanhaltendes Fieber in Wellen wie beschrieben, bei verhältnismäßigem Wohlbefinden und Fehlen sonstiger Beschwerden, mit Ausnahme der lästigen Schweiße, ist für die Bangsche Krankheit verdächtig, besonders wenn es sich um Kranke handelt, die mit Kühen viel in Berührung kommen oder rohe, ungekochte Milch genießen oder genossen haben.

Die Behandlung erfolgt nach den Leitsymptomen, wie sie unter „Fieber" und „Schweiße" beschrieben sind.

—. *Das Mittelmeerfieber* (Febris undulans caprina), auch Maltafieber genannt, ist besonders in den Ländern am Mittelmeer ziemlich verbreitet. Der Erreger dieser Krankheit ist das von Bruce 1887 entdeckte Bacterium (Brucella) melitense. Bakteriell und kulturell ist das Bact. melitense mit dem Bact. abortus Bang eng verwandt. Das Krankheitsbild des Mittelmeerfiebers entspricht auch völlig in allen seinen Phasen dem der Bangschen Krankheit, nur etwas schwerer und häufiger treten die Anfälle auf. Der erste Anfall kann unter schweren Allgemeinerscheinungen tödlich enden. Komplikationen oder allgemeine Entkräftung können später das Leben gefährden. Im allgemeinen ist jedoch der Verlauf verhältnismäßig gutartig. Die Behandlung erfolgt nach den jeweiligen Leitsymptomen, wie sie unter Fieber, Schwäche und Schweiß angeführt sind.

—. *Die Röteln* (Rubeola). Eine den Masern sehr ähnliche, epidemisch auftretende Krankheit, die meist nur Kinder befällt. Der Erreger ist unbekannt. Inkubation 17–20 Tage. Der Ausschlag erscheint zuerst im Gesicht und verbreitet sich über Rumpf und Glieder. Die Koplikschen Flecken fehlen. Die einzelnen Flecken sind meist linsengroß, blaßrot oder dunkelrot, von rundlicher oder eckiger Form, wenig erhaben und zeigen keine Neigung miteinander zu verschmelzen, wie dies bei dem Masernausschlag der Fall ist. Zuweilen ist der Ausschlag punktförmig und scharlachähnlich. Fieber nur mäßig 38–39^0 oder überhaupt kein Fieber. Keine oder nur geringe Begleiterscheinungen, jedoch findet man häufig eine Anschwellung der Lymphknoten, die geradezu für die Röteln charakteristisch ist. Der oft lästige, juckende Ausschlag blaßt in 2–4 Tagen ab und verschwindet ohne Abschuppung. Im Zweifelsfalle entscheidet der Blutbefund am ersten und zweiten Tage, es besteht eine Leukopenie (Verminderung der weißen Blutkörperchen auf 3000–4000) während die Plasmazellen bis zu 30$^0/_0$ vermehrt sind. Ferner sind Eosinophilen vorhanden. Dieser Blutbefund, die charakteristische Schwellung der Hals- und Nackenlymphknoten, sowie das Fehlen der Koplikschen Flecken, sichern die Diagnose.

Behandlung. Diese ist in der Regel überflüssig. Bei Auftreten ausgeprägter Symptome wähle man nach diesen das indizierte Mittel und verabreiche einige Gaben.

Nach Filatow, Dukes gibt es noch eine *vierte akute Ausschlag-Krankheit*, die sich durch ihren gutartigen Verlauf und einen scharlachähnlichen Ausschlag auszeichnet, der nur 2–3 Tage sichtbar bleibt, dem eine leichte, kleienförmige Abschuppung folgt.

Zu erwähnen wäre an dieser Stelle noch das *Dreitagefieberexanthem des Kleinkindes* (Exanthema subitum), das meist am Ende des ersten Lebensjahres auftritt, plötzlich mit hohem Fieber bis 39–40^0 beginnt, 3 Tage anhält, am 4. Tage kritisch abfällt, während gleichzeitig überraschend plötzlich, ein kleinfleckiger Masernähnlicher Ausschlag am ganzen Körper auftritt. Der Ausschlag verschwindet nach etwa zwei Tagen ebenso rasch wie er gekommen ist, ohne Schuppung oder Pigmentierung zu hinterlassen. Der Verlauf ist gutartig. Behandlung. Mit den Fiebermitteln **Ferrum phosph. D 6–12, Belladonna D 4, Aconitum D 4** je nach den Leitsymptomen, wird man meist in vorkommenden Fällen auskommen.

—. *Die Ringelröteln* (Erythema infectiosum). Es handelt sich um eine gutartige, epidemisch auftretende Infektionskrankheit mit einem charakteristischen Hautausschlag, der ohne wesentliche Störungen des Allgemeinbefindens und ohne Fieber verläuft. Der Erreger ist unbekannt, befallen werden meist Kinder. Krankheitsverlauf: Nach einer Inkubationszeit von 6–14 Tagen tritt meist plötzlich, zunächst im Gesicht, auf der Wangenhaut, der Ausschlag in Form von kleinen, erhabenen, roten Fleckchen auf, die sich in wenigen Stunden zu einer scharf begrenzten, flammenden Röte, ähnlich der Gesichtsrose, entwickeln. Nase, Mundgegend und Kinn, das sogenannte „weiße Dreieck" bleibt, wie bei Scharlach, frei, so daß der ganze Gesichtsausschlag einer „Schmetterlingsfigur" gleicht. Nach 1–3 Tagen geht der Ausschlag auf die Arme und Beine über, besonders die Streckseiten werden davon befallen, während der Gesichtsausschlag in eine bläulichrote Farbe übergeht oder abzublassen beginnt. An Beinen und Armen verschmelzen sich die kleinen roten Fleckchen zu großflächigen, scharfbegrenzten Rötungsherden, die bald in der Mitte abzublassen beginnen und scharf begrenzte Ränder entstehen, die sich noch ausbreiten, wodurch charakteristische, ringförmige, landkarten- oder girlandenförmige Bilder oder Zeichnungen entstehen. Der Ausschlag dauert 6–10 Tage und heilt dann ohne wesentliche Schuppung ab. Rückfälle kommen vor. Behandlung. Bettruhe und Diät läßt eine arzneiliche Behandlung überflüssig erscheinen. Nötigenfalls gebe man einige Gaben des in Betracht kommenden Konstitutionsmittels und bei etwaigem Auftreten besonderer Symptome wähle man nach diesen die Mittel.

—. *Die Pocken*** (Variola vera und Variolois). Die in Deutschland sehr selten gewordene Pockenkrankheit gehört zu den gemeingefährlichen Infektionskrankheiten. Als *Erreger* der Krankheit gilt der von Paschen entdeckte *Variola-Vakzinevirus*. Krankheitsverlauf: Inkubation 12–14 Tage. Während dieser Zeit fehlen Vorkrankheitserscheinungen meist ganz oder sind unbedeutend. Die Krankheit beginnt plötzlich mit Schüttelfrost, hohem Fieber, sehr heftigen Kreuzschmerzen und mit sehr schweren Allgemeinerscheinungen, Benommenheit, Schlaflosigkeit, Delirien. Am zweiten Tag tritt oft ein Ausschlag im sogenannten Schenkeldreieck oder Bauch auf, der gewöhnlich wieder ganz verschwindet. Am dritten oder vierten Tage tritt dann unter Fieberabfall der eigentliche Pockenausschlag auf der Haut, fast immer zuerst im Gesicht (Stirn) und Kopf, später am Rumpf, Armen und zuletzt an den Beinen, auf. Er beginnt in der Form kleiner, roter Stippchen und Fleckchen, die sich in zwei Tagen zu kleinen Knötchen entwickeln. An der Spitze dieser Knötchen bildet sich ein kleines Bläschen, das immer größer wird, dessen Inhalt in Eiterung übergeht, so daß am neunten Krankheitstage die eigentliche Pockenpustel voll entwickelt ist. Die Pusteln sind auf ihrer Höhe etwas eingesunken und sind von einem roten Hof umgeben. Man nennt diese Entwicklung das Stadium eroptionis. Gleichzeitig mit Beginn des Hautausschlages entwickeln sich ähnliche Erscheinungen in den Schleimhäuten der Mundhöhle. Mit Beginn der Eiterung steigt die Fieberkurve wieder an, die Allgemeinerscheinungen verschlimmern sich enorm, die Krankheit tritt in ihr gefährlichstes Stadium ein, mit schweren Delirien und eventuellen Komplikationen. Mit dem zwölften oder dreizehnten Krankheitstage beginnt das Stadium der Eintrocknung der Pockenpusteln, das Fieber und die Allgemeinerscheinungen gehen zurück und es tritt allmählich, unter Hinterlassung von Narben, die Heilung ein. Das ist allgemein der Verlauf der Variola vera, falls keine Komplikationen auftreten. Die Sterblichkeit beträgt 15–30 %.

Neben der Variola vera unterscheidet man noch eine Variola haemorrhagica, die mit ausgedehnten Haut- und Schleimhautblutungen einhergeht, die sogenannten schwarzen Pocken, und in der Regel in 3–5 Tagen mit dem

Tode endet. Ferner die Variolois, die eigentlich nur eine leichtere Form der Pockenerkrankung ist.

Die Diagnose macht in allen ausgebildeten Fällen keine Schwierigkeiten, ist jedoch zu Beginn der Krankheit und des Ausschlages sehr schwierig, oft unmöglich, da ein sich in der Entwicklung begriffener Pockenausschlag leicht mit papulösen Masern, mit Fleckfieber, mit syphilitischen Ausschlägen verwechselt werden kann. Die Beachtung der Begleitsymptome, außer den Ausschlagerscheinungen, oder erst die weitere Beobachtung der Entwicklung des Ausschlages, kann die Diagnose entscheiden.

Eine Besprechung über die Behandlung der Pocken erübrigt sich, da Pockenerkrankungsfälle in das Krankenhaus eingeliefert werden müssen.

—. *Die Windpocken* oder Wasserpocken (Varizellen) ist eine sehr ansteckende Kinderkrankheit und kommt häufig epidemisch vor. Der Verlauf ist gutartig. Der Erreger ist nicht bekannt, man nimmt an, daß es sich um dermatrophe Viren handelt, die mit den Viren des Herpes zoster nahe verwandt sind. Krankheitsbild: Nach einer Inkubationszeit von 2–3 Wochen treten, besonders am Rumpfe, etwa linsengroße, von einem deutlichen roten Hofe umgebene, Bläschen in mehr oder weniger großen Zahl auf. Der Inhalt der Bläschen zeigt eine leichte, bis eitrige Trübung. Nach 1–2 Tagen trocknen die Bläschen ein oder platzen und lassen eine gelbliche bis tiefbraune Kruste zurück die nach einigen Tagen ohne Narben zu hinterlassen, abfällt. Die Gesamtdauer der Krankheit beträgt 6–7 Tage, wobei immer neue Bläschen auftreten, wenn die vorangegangenen abgeheilt sind. Man kann also auf der Haut stets alle Entwicklungsstadien des Bläschenausschlages beobachten. Begleiterscheinungen der Krankheit sind selten, zuweilen ist leichtes Fieber zu beobachten. Eine Behandlung erübrigt sich meist. Einige Gaben **Belladonna D 4** oder **Rhus tox. D 6** und als Nachkur **Sulfur D 6–30** dürften genügen.

—. *Die Grippe*, eine etwa alle 25–40 Jahre epidemisch auftretende Infektionskrankheit, mit den mannigfaltigsten Erscheinungsformen und Komplikationsmöglichkeiten, ergreift meist den Menschen plötzlich – Grippe, abgeleitet von dem französischen Wort gripper, das heißt greifen – mit hohem Fieber, vorausgehendem Frost, heftige Kopfschmerzen, große Mattigkeit und Hinfälligkeit mit meist starken Kreuzschmerzen, Schmerzen in den Muskeln, Gelenken, Gliedern, wie zerschlagen. Charakteristisch sind drückende Schmerzen in den Augen, die besonders bei Bewegung der Augen fühlbar sind und ihre Ursache in den äußeren Augenmuskeln zu suchen ist. Das Fieber schwankt meist zwischen 38,5–39,5° C, zuweilen steigt es auch bis 40° und darüber. Die Dauer der Fieberperiode ist bei normalem Verlaufe etwa 5–7 Tage mit oft kritischem, in der Regel aber lytischem (langsamen) Fieberabfall. Die Gesamtdauer der einfachen Grippe beträgt etwa 1–2 Wochen, mit meist langsam eintretender Genesung, mit starker Neigung zu Rückfällen. Ein wichtiges Gebot bei jeder Grippe-Erkrankung ist daher: ausheilen lassen, nicht zu früh aufstehen ! Da bei zu frühem Aufstehen und Wiederaufnehmen der Arbeit oft schwere, jahrelang anhaltende Schäden im Organismus entstehen können.

Keine andere Infektionskrankheit ist so sehr Komplikationen und Nachkrankheiten jedweder Art ausgesetzt wie die Grippe. Die wichtigste und häufigste Nachkrankheit ist die Grippepneumonie, wohl die schwerste Form einer Lungenentzündung mit mehrfachen Erscheinungsformen, Infiltrationsherde, hämorrhagischer oder eitriger Art in den Lungen und Pleurahöhlen. Oft werden große Mengen dieser blutig-eitrigen Flüssigkeiten ausgehustet. Meist tritt dann in wenigen Tagen der Tod ein. Das häufige Auftreten dieser Grippepneumonie bei schweren Grippe-Epidemien hat man auch mancherorts als „Lungenpest" bezeichnet. Weitere Komplikationen sind Erkrankungen der Kopforgane, Kreislauforgane, Unterleibsorgane. Ferner treten schwere septische Formen der Grippe auf.

Der Erreger der Grippe ist noch nicht sicher und eindeutig ermittelt. Der sogenannte Pfeiffersche Influenzabazillus wird neben den Strepto-, Diplo-, Pneumo- und anderen -kokken bei der Grippe anfangs gefunden, ist aber nach neueren Forschungen nicht der Erreger der Grippe. Man nimmt daher einen filtrierbaren Virus als Erreger an.

Die Übertragung von Mensch zu Mensch erfolgt durch Anhusten oder beim Niesen durch den frei in der Luft schwebenden Virus. Eintrittspforte sind die Schleimhäute der Nase und des Rachens und Mundhöhle, da nur diese allein für das Grippe-Virus empfänglich sind.

Die Behandlung der einfachen Grippe ist unter diesem Schlagwort Seite 93 besprochen. Bei Komplikationen und Nachkrankheiten sind die Mittel nach den Leitsymptomen wie sie unter Lunge, Entzündungen, Fieber usw. zu finden sind zu wählen.

—. *Die Ruhr* (Dysenterie)**. Die Ruhr ist eine meist epidemisch auftretende Infektionskrankheit die vorzugsweise den Dickdarm befällt, in südlichen Ländern beheimatet ist und bei uns meist in der heißen Jahreszeit, Spätsommer, Herbst, vorkommt. Als *Erreger* sind mehrere nahe verwandte Bakterienarten festgestellt, von denen der *Bacillus dysenteriae* Shiga-Kruse der wichtigste ist. Die Übertragung des Erregers erfolgt mit der aufgenommenen Nahrung, Trinkwasser, durch Kontaktinfektionen infolge beschmutzter Hände, Wäsche und dergleichen. Auch Fliegen kommen als Zwischenträger oft in Betracht.

Symptome und Krankheitsverlauf. Meist fängt die Krankheit mit plötzlichen Durchfällen an, die anfangs noch kothaltig sind, aber bald kommen schleimige, eitrige, blutige Massen unter heftigen, brennenden, kolikartigen Schmerzen zur Entleerung. Die Entleerungen häufen sich rasch bis zu 40–50–60mal in 24 Stunden. Nach jedem Stuhl besteht heftiger Drang mit Schmerzen und dem Gefühl des Nichtfertigseins. Es besteht oft kein oder nur mäßiges Fieber, auch Untertemperaturen kommen vor. In schwereren Fällen treten brandige, jauchende, ulzerative Entleerungen mit Kräfteverfall, Kollaps und Todesgefahr infolge allgemeiner Schwäche auf. Die Krankheitsdauer ist etwa 1–$1^1/_2$ Wochen und geht dann langsam zur Genesung über. Rückfälle sind häufig, auch besteht die Gefahr des Übergangs in eine chronische Ruhr. An Komplikationen können Bauchfellentzündungen, Entzündung der serösen Häute des Herzens, Gelenkentzündungen, auftreten.

Behandlung. Neben strengster Diät (Schleimsuppen), heißen Leibwickel oder heiße Kompressen, mit Zusatz von 30 Korn G 7 und 30 Tropfen Fluid grün auf ein Liter Wasser, als Getränk Rotwein oder Heidelbeerwein mit Wasser, kommen folgende Mittel in Betracht. **Ipecacuanha D 4–6** als Hauptmittel, besonders wenn Erbrechen dabei ist. **Mercurius sublim. D 6** und **Colocynthis D 3** sind weitere wichtige Mittel. 2–3stündlich 3–5 Tropfen im Wechsel. Bei Fieber kommt noch das entsprechende Fiebermittel hinzu. Weitere Mittel je nach den Leitsymptomen sind unter Durchfall Seite 50 bis 54 angeführt. Von *vorzüglicher Wirkung*, gleich zu Beginn der Krankheit angewendet, ist *Blutwurzel* (Radix tormentillae) und *Unserine* (Potentillae anserinae), zu gleichen Teilen – ein Eßlöffel voll Wurzel, zwei Eßlöffel voll Blätter – zusammen in ein Liter Rotwein mit Wasser gemischt, einige Minuten kochen, abseihen und schluckweise, $^1/_2$–1stündlich, je nach Schwere der Erkrankung, einnehmen.

In den Tropen und Subtropen gibt es nun noch die *Amöbenruhr*, deren Erreger die zu den Protozoen gerechnete Amöbe Entamoeba hystolica ist. Das Krankheitsbild der Amöbenruhr gleicht dem unserer einheimischen Ruhr. Die Behandlung erfolgt nach denselben Gesichtspunkten und Leitsymptomen.

—. *Die Cholera* (Cholera asiatica)**. Die ursprüngliche Heimat der echten Cholera ist Indien. Im 19. Jahrhundert verbreitete sich die Krankheit über ganz Europa und trat auch in Deutschland epidemisch an verschiedenen Orten in geradezu verheerender Weise auf. Der Erreger ist ein von Robert Koch 1883 entdeckter Kommabazillus, neuerdings als Choleravibrionen bezeichnet. Die Übertragung erfolgt dadurch, daß die Bazillen über Speisen und Getränke oder auf sonst irgendeine Weise in den Darmkanal gelangen, sich da, wenn sich ein zur Entwicklung geeigneter Boden vorfindet oder die natürlichen Abwehrkräfte des Organismus nicht auf der Höhe sind, mit rasender Schnelligkeit vermehren und ausbreiten.

Die Inkubation beträgt 1–3 Tage. Die Krankheit tritt meist plötzlich und unvermittelt ohne Vorstadien auf, zuweilen gehen einige leichte Durchfälle voraus, dann setzt die Krankheit mit elementarer Wucht mit heftigsten Durchfällen, Erbrechen, mit großem Durst, rascher Kräfteverfall mit Untertemperatur, Körper eiskalt, kalte Hände und Füße, kalte Schweiße, Pulslosigkeit, Harnverhaltung ein. Die Stimme ist heiser, das Gesicht bläulichrötlich, blaugrau oder bleigrau, Hände und Füße ebenso und runzelig infolge des starken Wasserentzuges durch dauerndes Erbrechen und der Durchfälle, die geruchlos und alkalisch sind und ein reiswasserähnliches Aussehen haben. In schweren Fällen entwickelt sich das geschilderte Krankheitsbild so schnell, daß in wenigen Stunden der Kranke ein Bild des Grauens bietet und der Tod schon am ersten Tage eintreten kann. Daneben gibt es auch leichtere und mittelschwere Fälle, die man als Choleradiarrhoe, oder Cholerine bezeichnet, bei denen dieselben Krankheitserscheinungen, aber nicht in so schweren Formen wie geschildert, auftreten. Dies sind dann meist die Fälle, die wir als Cholera nostra; die einheimische, unechte Cholera, Brechdurchfall, Cholera infantum: Brechdurchfall der Säuglinge, bezeichnen. Daneben unterscheidet man noch Cholera typhoid, ein typhusähnliches Krankheitsbild der Cholera.

Die Behandlung. Die Hauptmittel sind: **Champhora Rubini ∅ – D 1, Veratrum album D 3–6, Arsenicum album D 6–15–30.** Die Leitsymptome dieser Mittel sind unter „Durchfall" Seite 50–54, angeführt. Ferner **Cuprum D 4, Iatropha D4–6.** Weitere Mittel je nach den Leitsymptomen wie sie unter „Durchfall" und „Schwäche" angeführt sind. Diät und nur abgekochte Speisen und Getränke ist natürlich selbstverständlich. Heiße Kompressen, Leibwickel, Packungen mit den unter Ruhr, Seite 127 genannten Zusätzen sind sehr wirksam. Isolierung, Desinfektion der Kranken ist Bedingung. Die intra-venöse Infusion von 1–3 Liter physiologischer Kochsalzlösung, ist, wenn sie sofort nach Beginn der Krankheit angewendet wird, oft lebensrettend bei der schweren Form der Cholera. (Krankenhausbehandlung.)

—. *Die Malaria* (Wechselfieber, febris intermittens, Sumpffieber)**. Die Malaria, abgeleitet von „mal aria" — schlechte Luft, ist eine der auf der Erde am weitesten verbreiteten Krankheiten. Mit Ausnahme der Polarzone gibt es kaum ein Land, wo sie nicht in bestimmten Gegenden endemisch, d. h. beständig, vorkommt. Besonders berüchtigte Heimstätten der schweren Malariaformen sind die tropischen und subtropischen Länder, in Europa gewisse Provinzen in Italien, Griechenland, Türkei, den Donauländern u. a. In Deutschland kommen die mehr leichteren Formen der Malaria an den Ufern der Nord- und Ostsee, in den Flußniederungen der Weichsel, Oder, Elbe, häufig vor.

Die Erreger der Malaria sind Parasiten der Klasse der Sporozoen, von denen man drei Arten unterscheidet: 1. Plasmodium vivax, der Erreger der Malaria tertiana; 2. Plasmodium malariae, der Erreger der Malaria quartana und 3. Plasmodium immaculatum, der Erregerder Malaria tropika. Diese Malariaparasiten werden durch den Stich der Anophelesmücke, einer Moskitoart, auf den Menschen übertragen. Die auf diese Weise in das Blut gelangten Erreger dringen in die roten Blutkörperchen ein und vermehren sich in denselben durch ungeschlechtliche Teilung, wobei sie das Hämoglobin verbrauchen und ein dunkles Pigment ausscheiden. Wenn sie dann eine gewisse Größe erreicht haben, platzt die Hülle des befallenen roten Blutkörperchens und die entwickelten, zur Reife gelangten 12–24 jungen Sprößlinge, die sogenannten Merozoiten, werden frei, stürzen sich auf neue, gesunde, rote Blutkörperchen, dringen in diese ein und der Vorgang der Entwicklung und Reifung wiederholt sich. In dem Augenblick des Eindringens und des nun beginnenden Entwicklungsprozesses der Merozoiten beginnt der Fieberanfall mit Schüttelfrost. Da die Reifung bei Tertiana und Tropikaparasiten 48 Stunden dauert, wiederholen sich die Fieberanfälle jeden zweiten Tag meist pünktlich zur gleichen Stunde. Die Quartanaparasiten benötigen einen Reifungsprozeß von 72 Stunden, der Fieberanfall tritt also jeden dritten Tag auf. Neben dieser ungeschlechtlichen Vermehrung durch Teilung findet bei einigen Plasmodien auch eine geschlechtliche

Vermehrung im Magen der blutsaugenden, weiblichen Anophelesmücke statt. Die darin entwickelten Parasiten dringen in die Speicheldrüse der Mücke ein, werden mit dem Stich der Mücke übertragen und der beschriebene Entwicklungsprozeß durch ungeschlechtliche Teilung nimmt ihren Anfang und das ist der Beginn der Malariaerkrankung. Malaria gibt es also nur da, wo sich diese Stechmücken aufhalten, leben und gedeihen können. Wo Sümpfe und Flußniederungen trockengelegt und die Mücken aus Mangel an Brutplätzen verschwinden, verschwindet auch die Malaria. Damit ist auch der Weg zur Vorbeugung gekennzeichnet. Vermeidung der Sumpf- und Malariagegenden oder, wo das nicht geht, Schutz vor dem Mückenstich durch Netze (Moskitonetz), abends und nachts, da die Mükken hauptsächlich um diese Zeit stechen.

Krankheitsverlauf und Symptome. Inkubationszeit der verschiedenen Formen 9–20 Tage. Eine verlängerte Inkubationszeit von mehreren Monaten bis zu einem Jahr und noch länger, kommt besonders bei solchen Menschen vor, die vorbeugend Chinin eingenommen haben oder durch körpereigene Abwehrkräfte die Entwicklung der eingedrungenen Erreger hintangehalten wurden, bei einer später auftretenden Schwächeperiode des Körpers den Widerstand überwinden und zur Entwicklung gelangen und damit die Krankheit zum Ausbruch kommt. Dem Ausbruch der Malaria geht zuweilen ein Vorkrankheitsstadium voraus, gekennzeichnet durch Appetitlosigkeit, Mattigkeit, Kopf- und Gliederschmerzen und leicht gelbliche Gesichtsfarbe. Oft beginnt die Krankheit ohne wesentliche Vorstadien mit dem typischen Malariafieberanfall, der sich durch drei Stadien unterscheidet: dem Froststadium, heftiger, 1–2 Stunden anhaltender Schüttelfrost, meist in den Morgenstunden oder vormittags beginnend, mit rasch ansteigendem Fieber. Nach dem Aufhören des Frostes tritt das Stadium der trockenen Hitze ein, mit brennend heißem, rotem Gesicht, voller Puls, lebhafte Herztätigkeit. Das Fieber steigt weiter bis 40, 41, 41,5° C und dauert 3–5 Stunden an. Dann folgt das Schweißstadium, mit profusen Schweißen, Besserung des Allgemeinbefindens und Senkung der Temperatur in etwa 6–12 Stunden bis zur Norm und darunter bis 36° C. Dieser Zyklus wiederholt sich entsprechend der Entwicklung der Plasmodien in bestimmten Abständen längere Zeit hindurch, wenn die Krankheit nicht behandelt und bekämpft wird. Nicht selten treten die Fieberanfälle täglich auf, die durch die Infektion von zwei verschiedenen Generationen der Tertianaparasiten ausgelöst werden (Malaria tertiana duplikata). Neben den genannten Symptomen besteht stets eine beträchtliche Milzschwellung. Ein weiteres, sehr charakteristisches Symptom ist auch die gelbbraune oder erdfarbene Verfärbung der Haut; sehr häufig tritt auch ein Bläschenausschlag an den Lippen oder der Nase auf.

Krankheitsverlauf der Malaria tropika (Tropenfieber) und den schweren „perniziösen" Formen der Malaria. Die durch den Tropikaparasiten hervorgerufenen Fieberanfälle verlaufen in regelmäßig wiederkehrenden Anfällen von 30–56 Stunden Dauer und weniger scharf ausgeprägten Fieberkurven wie die der Tertiana- und Quartiana-Formen. Ganz plötzlich tritt die Krankheit mit einem einmaligen gewaltigen Schüttelfrost und steilem Temperaturanstieg auf. Schwere Allgemeinstörungen, heftige Kopf- und Gliederschmerzen, besonders rasende Schmerzen in den Schienbeinen, Herzbeklemmung, Muskelschmerzen, sind die Begleitsymptome. Das Fieber ist, abgesehen von kleineren Schwankungen bis zu 2°, kontinuierlich. Schon 2–3 Stunden nach dem ersten Fieberanfall folgt der nächste und so folgt eine Fieberattacke nach der andern 6–8, ja bis 14 Tage lang, wenn die Krankheit nicht erkannt und sofort eingegriffen wird, so daß in manchen Fällen schon in dieser Periode der Tod eintreten kann. Diese schweren Fälle gehen mit einem rapiden Kräfteverfall und Gewichtsabnahme bis zu 20–30 kg einher. Die Gesichtsfarbe ist erdgrau, vielfach entstehen Ödeme an den Unterschenkeln und Füßen. Infolge der Auflösung zahlreicher roter Blutkörperchen und Ansammlung des Hämoglobins und der toxischen Ausscheidungen der Plasmodien in den Nieren entsteht Harnvergiftung durch völlige Harnverhaltung infolge Verstopfung der Nierenkanälchen (Glomeruli). Ausscheidung von Hämoglobin im Harn führt zur hämorrhagischen Nephritis (Nierenentzündung) und ergibt das Bild des Schwarzwasserfiebers, das in den Tropen beobachtet wird. Im weiteren Verlaufe und bei Verschleppung entstehen neben anämischen Zuständen weitere Komplikationen und Mischinfektionen mit Typhus, Rückfallfieber, Fleckfieber, Lungenentzündung, Tuberkulose u. a., die allmählich den intermittierenden Charakter des Fiebers verwischen und die mannigfaltigsten Symptome, Magendarmkatarrh, nervöse und psychische Störungen, chronisches Malariasiechtum mit bösartiger Blutarmut, Nierenleiden, auftreten.

Zur Sicherung der Diagnose ist die Blutuntersuchung unerläßlich. Alle Fieberanfälle jeder Art in Malariagegenden und bei Kranken die aus solchen Gegenden kommen, dort gewesen sind oder schon Malaria gehabt haben (Malaria-Rückfälle !), sind als Malariaverdächtig zu betrachten. Auch jede Erkrankung mit nervösen Beschwerden, mit ruhrartigen Erscheinungen, Durchfälle mit oder ohne Fieber müssen zur Blutuntersuchung auf Malariaparasiten kommen, da ein Nichterkennen einer Mischinfektion zu verhängnisvollen Irrtümern führen kann. Für den Praktiker sei hervorgehoben, daß die Blutuntersuchung mittels eines dünnen, mit Giemsalösung gefärbten Ausstrichpräparates, oder nach der „dicken Tropfenmethode“ vorgenommen wird, wobei die Malariaplasmodien bei mikroskopischer Betrachtung sehr gut zu sehen sind. Jeder Praktiker, der im Besitze eines guten Mikroskopes ist, kann die Untersuchung selbst durchführen. Andernfalls schickt man einen dünnen Blutausstrich zur Untersuchung an die Untersuchungsstelle ein.

Die Behandlung der Malaria. Hierzu ist vorweg zu erwähnen, daß die medizinische Wissenschaft das Chinin als das sicherste Prophylaktikum und Heilmittel gegen Malaria betrachtet und nach einem bestimmten Schema anwendet. Die Homöopathie kennt eine ganze Reihe hervorragender Mittel, die mit ihren Leitsymptomen unter „Fieber“ Seite 62–64 angeführt und besprochen sind. Bei Komplikationen und Mischinfektionen siehe die Leitsymptome unter den hierfür in Frage kommenden Schlagwörtern.

—. *Die Pest***. Die ursprüngliche Heimat der Pest, früher „Der schwarze Tod" genannt, sind die asiatischen und afrikanischen Länder, von wo sie durch den Weltverkehr der Völker untereinander über die Hafenstädte auch in Europa eingeschleppt und besonders im 14. Jahrhundert in Europa verheerende Epidemien ausgelöst hat, der Millionen Menschen zum Opfer fielen. Der *Erreger* der Pest sind die von Yersin und Kitasato entdeckten *Pestbazillen.* Man unterscheidet zwei Arten der Erkrankung: 1. die Beulen- oder Bubonenpest; 2. die Lungenpest. Bei der Ausbreitung der Pest spielen Pesterkrankte Ratten die wichtigste Rolle. Dem Ausbruch einer Pestepidemie geht stets ein auffallendes Sterben unter den Ratten, die Rattenpest, etwa 2–4 Wochen voraus. Die Übertragung auf den Menschen erfolgt durch den Stich des Rattenflohes, welcher nach dem Tode der Ratten in Massen seinen bisherigen Wirt verläßt, auf den Menschen überwandert und mit seinem Stich so die Krankheitskeime überträgt. Die Beulenpest wird fast ausschließlich auf diese Weise auf den Menschen übertragen. Im Verlaufe der Krankheit kommt es nun bei manchen Kranken durch Verschleppung der Pestbazillen, die sich in der Regel in den Lymphdrüsen festsetzen bzw. in diesen festgehalten werden, in die Lungen und rufen hier eine sekundäre Pestlungenentzündung hervor. Von diesen Kranken werden nun die Bazillen massenhaft ausgehustet und verbreitet. Atmet nun ein gesunder Mensch diese ein, so siedeln sich die Bazillen in der Lunge an und der Betreffende erkrankt nun an der primären Lungenpest. Von diesen Einzelerkrankungen gehen nun durch die ausgehusteten Pestbazillen die Epidemien der so sehr gefürchteten Lungenpest aus (Tröpfcheninfektion).

Krankheitsverlauf und Symptome. Inkubation 1–5 Tage. Ausbreitung der Bazillen auf dem Lymphwege in die der Einstichstelle am nächsten gelegene regionäre Lymphdrüsengruppe, an der sich nun oft schon nach 12–14 Stunden nach der Infektion, Apfel- bis faustgroße Beulen, Bubonen, bilden. Plötzliches, hohes Fieber bis 40° mit schweren Allgemeinerscheinungen, rapidem Kräfteverfall, Bewußtseinstrübungen, Benommenheit. Milz- und Leberschwellung. Schwerste Herzschädigung durch starke Toxinwirkung bei Komplikationen, bei der oft der Tod innerhalb der ersten 6 Tage infolge Herzschwäche eintritt. Oft kommt es zu eitriger Einschmelzung größerer Lymphknotenpakete, wobei meist tiefe Löcher und Geschwüre entstehen. Die primären Bubonen enthalten massenhaft Pestbazillen. Am meisten werden die Leistendrüsen befallen, die, wenn die Krankheit nur auf diese beschränkt bleibt, prozentual auch die relativ beste Heilungsmöglichkeit aufweist. Treten die Bubonen in den Achsellymphdrüsen auf, dann ist die Gefahr des Übergreifens auf die Lunge groß. Ist die natürliche Abwehrkraft des Organismus sehr geschwächt und die Pestbazillen werden infolgedessen von den Lymphdrüsen nicht abgefangen und aufgehalten, dann überschwemmen die Pestbazillen in Massen die ganze Blutbahn, es kommt zu der sogenannten primären Pestseptikämie, die in 1–2 Tagen zum Tode führt. Die Sterblichkeit der Bubonenpest beträgt 40–60%.

Krankheitsbild der primären Lungenpest. Diese verläuft unter den Erscheinungen einer schweren Lungenentzündung. Sie beginnt mit Schüttelfrost, plötzlicher Temperaturanstieg bis 40,8°, Husten mit reichlichem, dünnflüssigen, blutigschaumigen Auswurf, der massenhaft Pestbazillen enthält. Dazu kommt die hochgradige Herzschwäche. Die primäre Lungenpest endet in der Regel am 2. bis 5. Krankheitstage tödlich.

Behandlung. Wichtig ist die Vorbeugung gegen die Einschleppung und Vernichtung der Ratten. An homöopathischen Mitteln kommen je nach den Leitsymptomen, **Rhus. tox. D 6–30, Mercurius subl. D 6, Arsenicum D 6–30, Carbo anim. D 6, Anthracinum D 30, Lachesis D 15–30, Crotalus D 15–30, Naja D 6–30, Echinacea ∅, Pyrogenum D 15–30** u. a. m. deren Leitsymptome unter „Fieber“, „Blutvergiftung“, „Geschwüre“, „Schwäche“ ausführlich beschrieben sind.

—. *Der Aussatz* (Lepra)**. Dieser ist eine chronische Infektionskrankheit mit einer 4–10 Jahre langen Inkubationszeit. Die Krankheit kommt in Europa nur noch in Norwegen, den Oststaaten, Rumänien, Ungarn, Griechenland (Kreta) vor. Der Erreger ist der Bazillus leprae. Die Übertragung erfolgt von Mensch zu Mensch durch Kontaktberührung, Tröpfcheninfektion. Man unterscheidet hauptsächlich zwei Arten der Lepra, die Knotenlepra und die Nervenlepra. Bei der Ersteren entwickeln sich knotige, fressende Geschwüre in der Haut und der Schleimhäute, die im Verlaufe von Jahren ganze Hautpartien ergreifen und im Gesicht furchtbare Zerstörungen anrichten. Bei der Nervenlepra treten diese Zerstörungen vorwiegend in den Nerven auf, beginnend mit Taubwerden der Hände, Füße, Lähmungen, Kontrakturen, allmählicher Schwund der Gliedmaßen und langsames Absterben der Endglieder, die zerfallen und abgestoßen werden, wodurch furchtbare Verstümmelungen entstehen. Die Krankheit ist unheilbar und führt in 10–20 Jahren zum Tode. Die Leprakranken werden in besonderen Lepraanstalten isoliert und betreut.

—. *Die übertragbare Genickstarre* (Meningitis cerebrospinalis epidemica)*. Diese Krankheit ist in den letzten Jahren in Deutschland häufig epidemisch aufgetreten, kommt aber auch oft vereinzelt vor. Der Erreger ist der Diplococcus intracellularis meningitis (Meningococcus). Anatomisch ist die Krankheit eine akute, eitrige Entzündung der weichen Gehirn- und Rückenmarkshäute.

Krankheitsverlauf und Symptome. In der Regel beginnt die Krankheit plötzlich mit äußerst heftigen Kopfschmerzen, die ihren Sitz hauptsächlich im Hinterkopf, zuweilen aber auch in Stirn und Schläfen haben. Der Kopfschmerz ist von wechselnder Stärke, schwillt an und ab und erreicht so fürchterliche Grade, daß die Kranken schreien und glauben dies nicht mehr aushalten zu können. Daneben besteht Schwindel und Benommensein und anfangs oft Erbrechen. Dem Kopfschmerz folgen starke Nacken- und Rükkenschmerzen mit Steifheit des Nackens. Der Kopf ist infolge der reflektorischen Anspannung der Nackenmuskeln nach hinten gezogen, daher der Name „Genickstarre“. Versucht man den Kopf nach vorn zu bewegen, so treten sofort heftige Schmerzen auf. Das Fieber steht oft in keinem Verhältnis zur Schwere der Krankheit, schwerste Fälle weisen oft nur geringe Fieberkurven auf. Der Puls ist hart und beschleunigt; die Pupillen verengt, der

Bauch kahnförmig eingezogen. Häufig treten Bläschenausschläge an den Lippen und Schleimhäuten auf. Das Blutbild weist eine starke Leukozytose auf. Vielfach rascher Kräfteverfall und Abmagerung bis zum Skelett. Versucht man ein Bein gestreckt bis zum rechten Winkel zu heben, dann klappt der Unterschenkel „wie ein Taschenmesser" zusammen, das sogenannte Kernigsche Symptom. Die Diagnose ist anhand der geschilderten Symptome nicht schwer. In Zweifelsfällen entscheidet die Untersuchung der durch Lumpalpunktion gewonnenen Spinalflüssigkeit auf Meningokokken den Fall. Die Sterblichkeit beträgt 30–40 %, ist aber bei bösartigen Epidemien schon bis auf 60–70 % gestiegen. Bei eingetretenen Heilungen bleiben oft Störungen der Intelligenz, Sprachstörungen, Taubheit, Blindheit, Lähmungen zurück.

Die Behandlung. Diese richtet sich nach den jeweilig auftretenden Symptomen, wie sie unter „Gehirnkrankheiten", „Nervenleiden", „Fieber" geschildert sind. Man gebe die angezeigten Mittel sofort, alle ¼–½ Stunde eine Gabe, Tag und Nacht, später alle 1–2 Stunden, im Wechsel. Daneben die Ableitungsmaßnahmen wie sie bei „Gehirnkrankheiten", angeführt sind.

—. *Die epidemische Kinderlähmung*** (Spinale Kinderlähmung, Heine-Medinsche Krankheit). Diese ist eine akute Infektionskrankheit, deren *Erreger* ein *ultravisibler Virus* ist, besteht in einer entzündlichen Erkrankung des Zentralnervensystems, vorwiegend der grauen Substanz. Der Sitz der Entzündung ist vorwiegend im Rückenmark, im verlängerten Mark und Gehirn bis zur Hirnrinde hinauf. Die Krankheit tritt gewöhnlich im Spätsommer epidemisch auf und befällt meist Kinder und zwar am häufigsten solche zwischen dem 1.–4. Lebensjahr, dann in dem Schulalter und in 10 bis 20 % aller Fälle auch Erwachsene zwischen dem 15.–30. Lebensjahre. Die Übertragung erfolgt in Epidemiezeiten durch Zwischenträger, die sogenannten „Keimträger" oder „Dauerausscheider", die, ohne selbst zu erkranken, den Virus auf gesunde Menschen übertragen. Die Eingangspforte sind die oberen Luftwege, Nasen- und Mundschleimhaut. Die Sterblichkeit ist bis zu 20 %. In den Fällen der Heilung bleibt in der Regel irgendeine körperliche Verbildung, Schwund einzelner Gliedmaßen oder eine Lähmung zurück.

Krankheitsverlauf und Symptome. Man unterscheidet vier Stadien der Erkrankung. 1. Das infektiöse Stadium. Dasselbe beginnt nach einer *Inkubationszeit* von etwa *9 Tagen* fast plötzlich mit heftigem Fieber bis zu 40–41° und mit schweren Allgemeinerscheinungen. Gleichzeitig treten Magen-Darmstörungen, Erbrechen, Durchfälle, daneben oft auch katarrhaliche Erscheinungen der Luftwege, Angina, Bronchitis auf. Kopfschmerzen, Kreuzschmerzen, Benommenheit sind weitere Begleitscheinungen. Dann folgen die Reizerscheinungen aus der Entzündung des Zentralnervensystems, Nackenschmerzen, Steifigkeit, Schmerzen beim Bücken, krampfhafte, nach hinten gezogene Kopfhaltung (Kernigsches Symptom), Erhöhung der Reflexe, hochgradige Überempfindlichkeit, Hyperesthesie, und umschriebene Schmerzhaftigkeit der Haut an den Gliedern, an welchen im weiteren Verlauf der Krankheit die Lähmungen eintreten. Das Blutbild weist eine deutliche Leukopenie auf. Der, meist unter hohem Druck stehende, Liquor (Spinalflüssigkeit des Rückenmarks) weißt Zellvermehrung und erhöhten Eiweißgehalt, bei sonst klarer Beschaffenheit, auf. Zuweilen treten stärkere Gehirnerscheinungen, völlige Bewußtlosigkeit, Zuckungen, Konvulsionen, eklamptische Anfälle, ein. Diese Früherscheinungen bzw. das erste Stadium der Krankheit dauert manchmal nur 1–2 Tage bis zu 1–2 Wochen, dann fällt das Fieber lytisch oder kritisch ab. Zuweilen fehlen die schweren Gehirnerscheinungen ganz oder sind nur angedeutet und scheinbar ganz plötzlich, tritt die Lähmung eines Armes oder Beines auf und die Krankheit damit in das *zweite Stadium der Lähmungen* ein. Je nach Ausdehnung und Sitz des Entzündungsherdes kommt es dann zu schlaffen Lähmungen verschiedener Körperteile, vor allem der unteren Gliedmaßen. Entweder sind beide Beine, oder die Beine und ein Arm, oder gar alle Glieder und Rücken- und Bauchmuskeln befallen. In ganz schweren Fällen auch die Kopf- und Nackenmuskeln, so daß der Kopf haltlos zur Seite oder nach hinten fällt. Die zuerst meist ausgedehnte Lähmung bildet sich dann in der Regel rasch auf dasjenige Muskelgebiet zurück, das später meist gelähmt bleibt, womit nun das dritte Stadium der Regression, der Rückbildung der Lähmungen, auftreten der Entartungsreaktionen der gelähmten Muskeln, eintritt. Nun beginnt das vierte Stadium, das Endstadium der schlaffen atrophischen Störungen, der Atrophie (Schwund) der gelähmten Muskeln, Kontrakturen, Bildung von Schlottergelenken, Skelett-Deformierungen, Zurückbleiben des Knochenwachstums. Die Rückbildung der Lähmungen ist nach 1–1 1/2 Jahren endgültig abgeschlossen, d. h., Lähmungen, die sich innerhalb dieser Zeit nicht völlig zurückbilden, bleiben für das ganze Leben bestehen.

Die Diagnose der akuten spinalen Kinderlähmung ist im Frühstadium sehr schwierig. Die große Überempfindlichkeit, auffällige starke Schweiße, die Zuckungen sind zwar wichtige Hinweise, versagen aber als Kennzeichen nicht selten. Entscheidend für die Frühdiagnose ist die Lumpalpunktion und Untersuchung der Spinalflüssigkeit. Im Stadium der Lähmungen ist die Erkennung leicht und sicher. Die Sterblichkeit ist durchschnittlich 12–15%.

Die Behandlung. Im ersten Stadium **Aconitum D 4, Apis D 3–4, Belladonna D 4, Nux vomica D 3–4** 1/2stündlich im Wechsel, Tag und Nacht. Im zweiten Stadium der Lähmung **Causticum D 6–12, Gelsemium D 6** im Wechsel, weitere Mittel siehe die Leitsymptome unter „Lähmung", „Nervenleiden". Als Zwischenmittel einige Gaben **Sulfur D 30–200.** *Äußerlich:* Heiße Heublumenpackungen am Rumpf oder den befallenen Gliedern mit Zusatz von 1–2 Eßlöffel Fluid weiß, Iso-Werk, oder Elektrizitätsmittel F Müller Göppingen. Daneben Einreibungen des Genicks, der Wirbelsäule und der gelähmten Extremitäten mit Fluid rot und fünf Minuten hernach mit Fluid gelb Iso-Werk, Matei, oder mit Elektrizitätsmittel F.

—. *Die übertragbare Gehirnentzündung** (Encephalitisepidemica), Gehirngrippe, europäische Schlafkrankheit. Dies ist eine Erkrankung des Zentralnervensystems, die hauptsächlich die graue Substanz des Gehirns befällt.

Der Erreger ist ein noch nicht bekannter Virus, die Eintrittspforte desselben ist die Nasen- und Mundhöhle.

Symptome und Krankheitsverlauf. Nach einer Inkubationszeit von etwa zehn Tagen beginnt die Krankheit meist plötzlich mit mäßigem Fieber bis zu 39°, großes, allgemeines Schwächegefühl, Kopfweh, Gliederschmerzen. Das auffälligste Symptom ist jedoch eine unüberwindliche Schlafsucht (Lethargie). Die Kranken schlafen, besonders tagsüber, fast beständig und in den ungewöhnlichsten Stellungen, beim Essen, während des Sprechens, usw. ein, können jedoch jederzeit durch Anruf geweckt werden oder wachen beim Stuhl- und Harndrang von selbst auf. Neben der Schlafsucht oder meist dieser voraus als erstes Symptom treten Augenmuskellähmungen und Sehstörungen auf. Die Dauer der Lethargie ist sehr verschieden, sie kann nur Stunden oder Tage bis zu Wochen und Monate betragen. Häufig tritt neben oder nach der Schlafsucht eine ausgesprochene Muskelstarre, eine eigentümliche Steifigkeit der Glieder und des Gesichtes, die amyostatische Form der Krankheit, auf. Die Arme und Beine verharren in der Stellung in die man sie durch passive Bewegung bringt.

Das Krankheitsbild der epidemischen Gehirnentzündung weist im Krankheitsverlauf große Verschiedenheiten auf; in schwersten Fällen endet sie oft unter völliger Bewußtlosigkeit und bei Fieber bis 41–42° tödlich. Als Spätfolgen der Krankheit können chronisch-fortschreitende Krankheitsbilder, mimische Starre (Maskengesicht), Verlangsamung aller Bewegungen, vorgebeugte Körperhaltung, Speichelfluß, vermehrte fettige Hautsekretion im Gesicht (Salbengesicht), undeutliche Sprache, außerordentliche Verkleinerung der Schrift (Mikrographie), auftreten. Daneben können Sehstörungen, Augenmuskellähmungen, Schlafstörungen u. a. m. bestehen. Die Erkennung der Krankheit ist anhand der geschilderten Symptome, wobei die Schlafsucht und die Augenmuskellähmungen im Vordergrund stehen, im allgemeinen nicht schwer. Oft lassen aber erst die Spätfolgen die Krankheit mit Sicherheit erkennen.

Die Prognose ist unsicher. Die Sterblichkeit beträgt 20–30%. Nach der dritten Krankheitswoche sind die Aussichten auf Überstehen der Krankheit günstig. Etwa 50% derjenigen, die die Krankheit überstehen, werden vollkommen wiederhergestellt, während sich in den restlichen Fällen – oft erst nach monatelanger scheinbarer Gesundheit – die verhängnisvollen, fast stets unheilbaren, Spätfolgen entwickeln.

Die Behandlung. Gleich zu Beginn und im ersten Stadium der Erkrankung sind die Fieber- und Entzündungsmittel nach den Leitsymptomen einzusetzen, wobei **Belladonna D 6–4, Apis D 3–4, Bryonia D 3** an erster Stelle stehen dürften. Man gebe die Mittel ¼–½stündlich im Wechsel. Ist die Krankheit schon über das erste Stadium hinaus fortgeschritten, dann wähle man je nach den Symptomen die passendsten Mittel aus, wie sie unter „Entzündung" „Fieber", „Betäubung", „Schlaf" angeführt sind. Die *äußerliche Behandlung* ist in jedem Fall gleich zu Anfang mit einzusetzen (siehe unter Kinderlähmung Seite 134.

—. *Die Sepsis*, allgemeine Blutvergiftung. *Puerperalfieber*, *Kindbettfieber***. *Septicaemie*, *Pyaemie*. Die Erreger der allgemeinen Blutvergiftung sind in der Regel die Streptokokken und Staphylokokken, denen sich noch andere Krankheitserreger anschließen, in welchem Falle man von einer Mischinfektion spricht, so daß das Krankheitsbild die verschiedensten Symptome aufweisen kann. Die akute Sepsis beginnt meist mit hohem Fieber und Schüttelfrost, das bei der gefährlichen Streptokokkeninfektion beständig auf der Höhe bis zu 41° stehen bleibt. Dabei treten schwere Allgemeinerscheinungen, Kräfteverfall, Erbrechen, Schwindel, Delirien, heftige Kopfschmerzen, auf. Die Zunge ist stark belegt und trocken. Der Puls wird immer kleiner und schneller. Überschreitet die Pulskurve auf der Fiebertabelle die Fieberkurve, so bedeutet dies den Tod. Diese Kreuzung der beiden Kurven nennt man das Todeskreuz. Die Pyämie, – darunter versteht man eine Sepsis mit Bildung multipler Eiterherde – unterscheidet sich meist durch ein mehr remittierendes und intermittierendes Fieber, durch periodische Schüttelfröste, die mit neuen Temperaturanstiegen unterbrochen sind. Mitunter verläuft die Sepsis auch langsamer, schleichend und ohne wesentliche Fiebererscheinungen. Die Bakterien gelangen über wunde Stellen der Haut und Schleimhaut in die Blut- und Lymphbahn, bei Wundinfektion an unteren Gliedmaßen oft deutlich erkennbar durch einen roten Streifen entlang der Lymphbahn des infizierten Gliedes. Am häufigsten geht die Infektion von den weiblichen Geschlechtsteilen, nach einer Entbindung oder Fehlgeburt, aus. Die bekannteste Form der Septikämie und Pyämie ist daher das Kindbettfieber. Eine ebenfalls häufige Eingangspforte sind kleine Hautverletzungen, Furunkel und dergleichen. Ein weiterer wichtiger und gefährlicher Ausgangspunkt sind auch die Mandeln, da nach Mandelentzündung, akuter und chronischer Art, oft septische Erkrankungen auftreten. Endlich können Gallenblasen- und Gallensteinerkrankungen, Entzündung der Harnwege, Vorsteherdrüsen- und Samenstrangentzündungen, ältere Eiterherde in Knochen und Gelenken, den Ausgangspunkt der allgemeinen Sepsis bilden.

Anatomisch-pathologisch gekennzeichnet ist die Sepsis dadurch, daß es sich dabei stets um zahlreich umschriebene Krankheitsherde in den verschiedensten Organen handelt, die vorzugsweise aus multiplen Abszessen oder Hämorrhagien bestehen. Oft sind auch beide Formen miteinander kombiniert. Die serösen Häute des Gehirns, des Herzens und der Herzklappen, der Lunge, sind am meisten gefährdet, da die im Blut kreisenden Keime und Toxine vorwiegend an diese Stellen verschleppt werden, sich da ansiedeln und metastasische Infarkte bilden. Sehr gefürchtet ist die oft entstehende akute ulzeröse Herzinnenhautentzündung, Endocartitis ulcerosa, die meist tödlich verläuft. Häufig sind auch infolge einer Metastase seröse oder eitrige Entzündungen der Gelenke, der Knochenhäute, des Knochenmarks – letztere durch heftige Schmerzen an den langen Röhrenknochen gekennzeichnet – die oft zu Knocheneiterungen, zu der akuten Osteomyelitis führt.

Klinisch bzw. bakteriologisch unterscheidet man hauptsächlich folgende Arten der Sepsis:

1. *Die Streptokokkensepsis*, deren Erreger der Streptococcus haemolyticus oder pyogenes, ist. Die meisten Fälle von Kindbettfieber, Sepsis nach äußeren Verletzungen, nach einer Rose, nach Hals- und Mandelentzündungen, gehen auf dessen Konto. Auch die schwerste Form der Herzinnenhautentzündung, der akuten ulzerösen Endocarditis, kann durch den Str. pyogenes bedingt sein.

2. *Die Streptococcus viridans-Sepsis*. Der Str. viridans ist der Urheber einer sehr schleichend verlaufenden ulzerösen Herzinnenhautentzündung, der Endocarditis lenta, die fast ausschließlich tödlich endet. Die von dieser Krankheit Befallenen haben fast immer früher einen akuten Gelenkrheumatismus durchgemacht, wonach unbemerkt, bei anscheinend gutem Wohlbefinden, eine chronische Entzündung der Herzinnenhaut zurückgeblieben ist. Auf einmal entwickelt sich langsam, ohne erkennbare Ursache, ein leichter Krankheitszustand bestehend aus Müdigkeit, blasses Aussehen mit leichteren Fieberanfällen. Aber Tag für Tag, wochen- und monatelang, steigt die Temperatur immer mehr an, das Fieber wird höher und höher, die Kranken werden immer hinfälliger, Blutarmut mit gelblicher Hautfärbung, Hautblutungen, Netzhautblutungen, Nierenblutungen, treten auf und schließlich tritt der Tod ein.

3. *Die Staphylokokkensepsis*. Der Staphylococcus albus und aurens bewirkt hauptsächlich diejenigen schweren septischen Erkrankungen die zu eitrigen Metastasen, Abszessen, Knocheneiterungen, führen.

4. *Die Colisepsis*, durch das virulent gewordene Bacterium coli verursacht, hat ihren Ausgangspunkt und Sitz meist in den Harnwegen; Blasen-, Nierenentzündungen, Gallenblasenentzündung, Gallensteine, Leberabszesse, Blinddarmentzündungen haben in einer Coli-Infektion ihre Ursache.

5. *Die Pneumokokkensepsis* wird am häufigsten nach schwerer Lungenentzündung beobachtet. Ferner auch häufig bei eitriger Hirnhautentzündung.

6. *Die puerperale Sepsis* (Kindbettfieber). Das nach einer Geburt ausgereifter Kinder noch oft entstehende Kindbettfieber wird hauptsächlich durch den Streptokokkus pyogenes verursacht, während die Sepsis nach Fehlgeburten eine Mischinfektion durch Streptokokken, Staphylokokken, Pneumokokken, Colibazillen und besonders den Streptococcus putridus, zuzuschreiben ist.

7. *Die chronische Sepsis, Herdinfektion*, fokale Infektion. Darunter versteht man Krankheitszustände, die von einem chronischen Krankheitsherd, einem „Fokus" ausgehen, von dem dauernd oder schubweise Bakterien und deren Toxine auf dem Blutwege in den Körper bzw. Körperorgane ausgeschwemmt werden und die verschiedensten Krankheitssymptome hervorrufen, vor allem solche, die schon jahrelang bestehen und bisher jeder Behandlung trotzten. Sitz dieser chronischen Infektionsherde ist vorwiegend die Mundhöhle, und zwar die Wurzelspitzen eiternder Zähne und Eiterherde der Kieferknochen. Ferner chronisch vereiterte Mandeln.

Wichtig ist daher, bei allen chronischen, septischen Erkrankungsformen nach solchen Herdinfektionen zu fahnden. Mit der Beseitigung und Ausräumung dieser Herde verschwinden oft schlagartig die oft schon jahrelang bestehenden Beschwerden. Vorherige sorgfältige Untersuchungen (bei den Zähnen durch Röntgenaufnahmen) sind jedoch unerläßlich, ehe man sich entschließt, die Mandeln und Zähne zu entfernen. Die bloße Annahme oder Vermutung allein, daß es sich bei einem chronischen Erkrankungsfalle um eine Fokalinfektion handeln könnte, genügt nicht, um derartige operative Eingriffe vorzunehmen, denn leider hatte man in der Praxis allzuoft Gelegenheit zu beobachten, daß trotz Entfernung der Mandeln und sämtlicher Zähne die erhoffte Besserung ausblieb und die Beschwerden nach wie vor unverändert weiter bestehen blieben. Entsprechend der verschiedenartigen Infektionsquellen und Erreger ist das Krankheitsbild der Sepsis so vielseitig und mannigfaltig, daß es schwierig, ja oft unmöglich ist, aus den Symptomen allein eine prägnante Diagnose zu stellen. Nur die bakteriologische Blutuntersuchung bringt in den meisten Fällen einige Klarheit. Die Prognose und Verlauf der Sepsis ist aus denselben Gründen ebenfalls so verschieden und mannigfaltig. Zuweilen tritt schon nach wenigen Stunden und Tagen der Tod ein. In anderen Fällen zieht sich die Krankheit Wochen und Monate, ja Jahre, hin, wobei Besserungen mit Rückfällen abwechseln.

Die Behandlung der Sepsis. Wir haben in der Homöopathie ganz hervorragend wirkende Mittel für alle Formen der Sepsis. Die Hauptmittel sind: **Belladonna D 4–6–15, Mercurius solubilis D 6–30, Baptisia D 2–4–30, Ferrum phosph. D 6–12** bei Fieber und entzündlichen Erscheinungen; **Bryonia D 4–6, Veratrum viride ∅ – D 4, Kalium carb. D 30–15–6, Apis D 3–4** vorwiegend bei Entzündungen der serösen Häute; **Echinacea ∅, Hepar sulf. D 3–4, Calcium hypophosph. D 1** bei Eiterungen und Abszeßbildungen; **Arsenicum album D 6–30, Pyrogenium D 15–30–200, Anthracinum CD 30, Lachesis D 15–30** bei allgemeiner schwerster Sepsis. Die Leitsypmtome genannter Mittel sind ausführlich unter „Blutvergiftung", „Eiterungen", „Entzündungen", septische „Fieber", besprochen. Man setze das am meisten indizierte Mittel, oder gleich 2–3 der zutreffenden Mittel, je nach Schwere des Falles alle 5–10–15 Minuten eine Gabe, im Wechsel, ein. Daneben äußerlich hydrotherapeutische Maßnahmen, heiße Wickel, Heublumenpackungen, Schwitzpackungen, ausgiebige Darmentleerung durch Klystiere, Ableitung über Nieren und Blase energisch anwenden. Dem heißen Wasser oder Heublumenabsud für die Wickel und Packungen setzt man pro Liter 30 Korn G 11 oder G 7 und 1–2 Kaffeelöffel Fluid grün, Iso-Werk, zu. Sind Wunden die Eintrittspforte oder Ausgangspunkte der Sepsis, dann legt man auf diese eine mit Echinacia ∅, oder Echinacin Madaus getränkte feuchte Kompresse und macht eventuell noch eine Ganzpackung über das ganze befallene Glied (Arm oder Bein). Alle heißen Anwendungen je nach Schwere des Falles in kurzer Folge, 20–30 Minuten lang, bis die größte Gefahr behoben ist. Unter solcher Behandlung ist auch bei schwerster Sepsis beste Aussicht auf Heilung vorhanden. Mittelschwere und leichtere Fälle werden in kurzer Zeit glatt zur Ausheilung kommen.

—. *Die bakterielle Lebensmittelvergiftung***. Die Fleisch-, Wurst-, Fisch- und anderen Nahrungsmittelvergiftungen beruhen hauptsächlich auf bakteriellen Infektionen und Intoxikationen. Längeres Stehenlassen von Fleisch-, Fisch- und anderen Nahrungsmittelresten in der Wärme ist für die Infizierung und Entwicklung der giftbildenden Bakterien aller Art ein besonders günstiger Nährboden. Derartige, von Bakterien befallene Nahrungsmittel sind meist weder an ihrem Aussehen noch an ihrem Geschmack erkennbar. Daher die Gefährlichkeit und meistens vorkommende Massenvergiftungsfälle (Familien, Gesellschaften, Truppenteile). Klinisch unterscheidet man folgende Formen:

1. Die *Gastroenteritis paratyphosa*. Diese entsteht durch Nahrungsmittel, die Keime der Paratyphusgruppe oder deren Toxine enthalten. Das Krankheitsbild und der Verlauf ist ähnlich der Cholera oder der Ruhr mit heftigsten Vergiftungserscheinungen und geringen Temperatursteigerungen.

2. Der *Paratyphus abdominalis*, der ebenfalls durch Bazillen der Paratyphusgruppe hervorgerufen wird. Das Krankheitsbild gleicht dem eines Unterleibstyphus (siehe dieser Seite 118) nur ist der Verlauf mehr akuter und beginnt mit einer Magen-Darmentzündung, Fieber, meist auch stärkeren Rötelausschlag.

3. Der *Ptomatropinismus*. Dieser wird durch faulendes Fleisch oder durch Fleischgenuß von erkrankten Tieren, durch Proteus- und Kolibazillen, verursacht. Die Symptome dieser Vergiftung sind: Magen-Darmentzündungen, Augensymptome, wie Erweiterung der Pupillen, Pupillenstarre, Sehstörungen. Ferner Schlingbeschwerden, Aufhebung der Speichelsekretion, Schwindel, Herzjagen.

4. Der *Botulismus*, die eigentliche Fleisch- und Wurstvergiftung, wird durch den Bazillus botulinus hervorgerufen, der gelegentlich in dicken Würsten, großen Fleischstücken, Fleischkonserven zur Entwicklung kommt. Die Symptome des Botulismus sind: Sehstörungen, Pupillenerweiterung, Pupillenstarre, Augenmuskellähmungen, Herabfallen der Augenlider, Versiegen der Speichelabsonderung, hochgradige Verstopfung durch Darmlähmung. Auch Atemlähmung kann eintreten, welche den Tod zur Folge hat. Die völlige Genesung dauert sehr lange, die Augenstörungen können monatelang bestehen.

5. Die *Fischvergiftung* (Ichthysmus) wird durch die bakteriellen Infektionen und Intoxikationen der Bazillen der Paratyphus-, Koli- oder Proteusgruppe hervorgerufen. Symptome: Magen-Darmentzündungen mit schweren allgemeinen Vergiftungserscheinungen, Hautausschläge. Auch Augenstörungen, wie oben beschrieben, können auftreten.

6. Die Vergiftung durch eßbare Muscheln ist bei uns sehr selten, so daß sich eine Beschreibung der Symptome erübrigt.

Die Behandlung der bakteriellen Lebensmittelvergiftungen. Wird gleich oder kurz nach erfolgtem Genuß verdorbener Lebensmittel eine Lebensmittelvergiftung erkannt, so ist durch schleunigsten Einsatz von Brechmitteln oder eines drastischen Abführmittels dafür zu sorgen, daß die genossenen Nahrungsmittel möglichst schnell aus dem Körper entfernt werden. Ableitungen über den Darm durch Abführmittel, Klistiere; über die Nieren durch Trinken von reichlichen Mengen ungesüßten Tees; über die Haut durch Bäder, Packungen. Die gleichzeitig mit einzusetzende arzneiliche Behandlung richtet sich nach den jeweils auftretenden Symptomen, wobei die Magen-Darmsymptome im Vordergund stehen. Da diese meist mit Fieber einhergehen, erfordern die Fiebersymptome dabei besondere Beachtung. **Ferrum phosph. D 6–12** ist ein ausgezeichnetes Mittel bei allen gastrischen Fiebern. Daneben die septischen Fiebermittel bzw. Sepsis-Mittel **Baptisia, Arsenicum album, Echinacria, Pyrogenium, Lachesis, Anthracinum,** deren Leitsymptome unter „Blutvergiftung" Seite 41 ausführlich beschrieben sind. Die Leitsymptome für Magen-Darm finden Sie unter diesen Schlagwörtern und Seite 118 bei Unterleibstyphus.

—. Der *Starrkrampf* (Tetanus). Der *Erreger* dieser äußerst gefährlichen Krankheit ist der *Tetanusbazillus*, der sich in Gartenerde, Kehricht, Staub usw. findet und bei Verletzungen durch Verschmutzungen mit diesen Bazillenträgern in die Wunde gelangt und sich in derselben einnistet und vermehrt. Der eingedrungene Bazillus selbst tritt niemals in den Körper über, sondern verbleibt stets in der Wunde und sendet von hier aus nur seine äußerst giftigen Toxine in den Körper, die zunächst von den peripherischen Nerven aufgenommen und von den Lymphbahnen der Nerven zum Rükkenmark wandern und hier von den motorischen Ganglienzellen gebunden werden. Diese Vergiftung spinaler motorischer Zellen ruft die tetanischen Krämpfe hervor, die das Krankheitsbild des Wundstarrkrampfes ausmachen *Symptome und Krankheitsverlauf*. Selten schließt sich der Starrkrampf unmittelbar an die Verwundung an. In der Regel beträgt die Inkubationszeit 6–14 Tage. Dann beginnt die Krankheit mit einem Gefühl der Spannung und Steifigkeit in den Gesichts-, Unterkiefer- und Nackenmuskeln, erstreckt sich zuweilen schon nach einigen Stunden oder Tagen über die Bauch- und Rükkenmuskeln aus und entwickelt sich zu tonischen Anspannungen der befallenen Muskeln, der eigentümlichen Starre, die besonders im Gesicht auffällig in Erscheinung tritt. Die Kieferklemme ist oft so stark, daß der Mund nur wenige Millimeter geöffnet werden kann. Die Augen sind starr geradeaus gerichtet, die Pupillen verengt. Die Wirbelsäule nach vorn gekrümmt (Hohlkreuz). Die anhaltende Starre wird oft von sehr schmerzhaften, ruckweise auftretenden Krampfanfällen unterbrochen. Die Körpertemperatur ist anfangs nur mäßig erhöht, steigt aber bald zu großer Höhe an und erreicht in schweren und schwersten Fällen, die in der Regel tödlich enden, Werte bis 42–44^0 C. Im Gesamtverlauf unterscheidet man eine schwere und leichte Form des Tetanus. Je kürzer die Inkubationszeit, desto schwerer die Erkrankung. Die Sterblichkeit beträgt 70–80$^0/_0$. Starrkrampferkrankungen mit einer Inkubationszeit von weniger als acht Tagen zählen zu den schwersten Fällen und enden meist tödlich.

Die Behandlung des Starrkrampfes. Das allerwichtigste ist die vorbeugende Behandlung, die sog. Prophylaxe. Man gebe bei allen Verletzungen, die mit Erde, Staub und dergleichen verschmutzt sind, sofort eine subkutane oder intramuskuläre Injektion von 2500 A.E. Tetanusserum in Nähe der Verletzung. Selbstverständlich ist daneben die gleichzeitige antiseptische Wund-

Behandlung. Ist die Krankheit bereits ausgebrochen, dann sind Injektionen des Heilserums von 50 000–600 000 A.E. täglich erforderlich, die Wirkung ist jedoch in schweren Fällen unsicher. Homöopathische Mittel haben sich in vielen Fällen bewährt. Diese müssen meist wegen der Kieferklemme und Unmöglichkeit des Schluckens per Injektionen verabreicht werden. Aus dem gleichen Grunde macht auch die Ernährung Schwierigkeiten, die oft Nährklistiere erforderlich machen. Wichtig ist ferner, daß die Kranken in einem ruhigen, möglichst verdunkeltem Zimmer, unter Verhütung von Lärm, Erschütterungen und sonstigen Reizen, abgesondert werden.

Als Mittel kommen in Frage: **Lachesis D 15–30** als Nervengift ersten Ranges; **Strychnin 6–30, Belladonna D 3–6, Acidum hydrocyan. D 6** sind weitere bewährte Mittel. Man beachte die Leitsymptome. Siehe auch die Mittel unter „Krämpfe“.

—. *Die Wutkrankheit.* Lyssa. Hydrophobie**. Die Tollwut wird durch den Biß wutkranker Tiere, hauptsächlich Hunde, auf den Menschen übertragen. Der Erreger ist noch nicht bekannt. Das Wutgift haftet dem Speichel der wutkranken Tiere an, gelangt mit dem Biß in die Wunde und wird hauptsächlich über die Nervenbahnen dem Zentralnervensystem zugeführt. Inkubation von 8 Tagen bis zu 1–2 Monaten und noch länger. Die Bißwunden können inzwischen verheilt sein.

Symptome und Krankheitsverlauf. Kurzes Vorkrankheitsstadium mit Unwohlsein, Appetitlosigkeit, Kopfschmerz, Schlaflosigkeit, Unruhe. Bereits nach 1–2 Tagen beginnt das hydrophobische Stadium mit tonischen Krampfanfällen, Schlundkrämpfe, Krämpfe der Atemmuskulatur, des Rumpfes und der Glieder. Diese Krampfanfälle sind mit großer Atemnot, furchtbaren, heftigsten Angst- und Beklemmungsgefühlen verbunden, sie steigern sich bei dem Versuch zu schlucken, ja schon beim Anblick eines Getränkes. Die Erregungen können sich zu Delirien und tobsüchtigen Zuständen steigern. Die Körpertemperatur ist anfangs wenig erhöht, steigt aber später bis auf 39–40^0 C. Nach weiteren 1–3 Tagen tritt unter heftigen Zuckungen oder nach erfolgter Lähmung der Tod infolge zunehmender Herzschwäche ein.

Die *Behandlung* erstreckt sich vornehmlich auf die Prophylaxe, da eine Heilung der Wutkrankheit, wenn sie schon ausgebrochen ist, aussichtslos ist. Ist ein Mensch von einem wutkranken Tier gebissen worden, muß unbedingt die Pasteursche Schutzimpfung gemacht werden. Die Patienten müssen zu diesem Zweck in ein Institut für Infektionskrankheiten überführt werden.

—. *Die Rotzkrankheit.* Malleus**. Der Rotz ist eine Infektionskrankheit der Pferde, Esel und Maultiere und wird gelegentlich auch auf den Menschen übertragen, besonders auf solche, die viel mit diesen Tieren zu tun haben. Die Übertragung erfolgt meist durch den Eiter der Geschwüre oder das Nasensekret der erkrankten Tiere, wenn dieser durch eine kleine Hautverletzung in den Körper gelangt. Das eingetrocknete, rotzbazillenhaltige Sekret kann auch mit dem Stallstaub auf die Nasenschleimhaut und in die tieferen Luftwege gelangen und die Infektion verursachen. Der Erreger ist der von Löffler entdeckte Rotzbazillus.

Symptome und Krankheitsverlauf. Inkubation 3–5 Tage. Ist die Ausgangsstelle der Infektion eine Wunde, dann entsteht unter schmerzhaften Entzündungserscheinungen ein brandiges, eitriges Geschwür mit Lymphgefäßentzündung und Anschwellung der regionären Lymphknoten. In anderen Fällen beginnt die Krankheit mit Schüttelfrost, Fieber, Kopf- und Gliederschmerzen. Sind die Bazillen in die Atemwege, Nase, Kehlkopf, Lunge eingedrungen und die sich bildenden Knoten und Geschwüre greifen um sich, dann entwickelt sich das Bild einer allgemeinen Sepsis, die fast regelmäßig in wenigen Tagen mit dem Tode endet.

Die Behandlung. Diese ist, wenn die Krankheit die Atmungswege ergriffen hat, meist aussichtslos. **Mallcinum D 15–30,** das isopathische Mittel der Rotzkrankheit, kommt als Hauptmittel in Frage. Daneben die Mittel gegen Sepsis, wie sie unter „Blutvergiftung" und „allgemeiner Sepsis" beschrieben sind. Bei der Wundinfektion kommt neben den inneren Mitteln gegen die Sepsis, die äußere Behandlung der eitrigen Geschwüre, wie sie unter den genannten Schlagwörtern beschrieben ist, zur Anwendung.

—. *Der Milzbrand* (Anthrax)** ist eine Infektionskrankheit, die besonders bei pflanzenfressenden Haustieren, Rind, Schaf, Pferd vorkommt und unter diesen große Verheerungen anrichten kann. Der *Erreger der Milzbrandkrankheit ist der Bacillus anthracis.* Die Milzbrandsporen, aus denen die Bazillen auswachsen, haben eine außerordentliche Widerstandskraft und können selbst nach jahrelanger Austrocknung wieder zur Entwicklung gelangen. Die Tiere infizieren sich meist durch Aufnahme von Sporen mit dem Futter. Auch Wunden der Maul- und Rachenschleimhaut, sowie Insektenstiche können die Eintrittspforte sein.

Die Übertragung auf den Menschen kann durch kleine Wunden, Risse und Schrunden der Haut, ferner durch Einatmung von Sporen, erfolgen. Gefährdet sind vor allem diejenigen Berufe, die mit Tieren zu tun haben, oder solche, die mit der Verarbeitung von Fellen, Häuten, Haaren beschäftigt sind.

Symptome und Krankheitsverlauf. Man unterscheidet beim Menschen hauptsächlich zwei Formen der Milzbrandkrankheit, der Milzbrandkarbunkel, Hautmilzbrand (Pustula maligna) und der Darmmilzbrand (Anthrax intestinalis). *Der Milzbrandkarbunkel* entwickelt sich nach einer Inkubation von 4–7 Tagen meist an der Hand, Arm, Hals, zuweilen auch im Gesicht, in Form eines kleinen Bläschens, das rasch wächst und ein pustulöses Geschwür von dunkelblauem bis schwarzblauem Aussehen bildet. Die Umgebung des Geschwürs schwillt ödematös an, die benachbarten Lymphgefäße und Venen sind entzündet, bilden rote Streifen, die zunächst liegenden Lymphdrüsen und -knoten schwellen an, kurz, es entsteht das Bild einer regulären Blutvergiftung mit Fieber und mehr oder weniger schweren Allgemeinstörungen. Bei günstigem Verlauf geht die Anschwellung allmählich zurück, der Schorf stößt sich ab, es bildet sich ein ausgedehntes, granulierendes, etwas eiterndes Geschwür, das in Heilung übergeht. In ungünstigen Fällen oder je nach Schwere der Infektion, tritt neben der örtlichen Erkrankung eine schwere Allgemeininfektion mit hohem Fieber, schweren Darm- und Gehirnsymptomen auf, die zuweilen in wenigen Tagen den Tod herbeiführt.

Der Darmmilzbrand, die glücklicherweise viel seltenere Form der Milzbranderkrankung, ist noch viel gefährlicher. Die Krankheit beginnt ziemlich plötzlich mit Frost, Erbrechen, Kopfschmerzen, großer Mattigkeit, Zeichen eines schweren Magen-Darmkatarrhes, mit zuweilen blutigen Durchfall. Ferner starke Atemnot und Beklemmungsgefühl auf der Brust. Bald tritt eine allgemeine, schwere Kreislaufschwäche ein, die Gliedmaßen werden kalt, die Haut bekommt ein bläuliches Aussehen, der Puls ist beschleunigt, klein, fadenförmig, das Bild eines Kollaps. In 80–90% dieser Fälle tritt unter höchstgradiger Kreislaufschwäche der Tod ein.

Der Lungenmilzbrand entsteht durch Einatmen von Staub, der Milzbrandsporen enthält. Das Krankheitsbild gleicht dem einer schweren, doppelseitigen Lungen- und Rippenfellentzündung, mit hohem Fieber, serös-blutigem Auswurf, Blausucht, schwere Kreislaufschwäche und Allgemeinschwäche. Die Krankheit endet meist tödlich.

Die Behandlung. Neben der antiseptischen Wund- und Geschwürbehandlung äußerlich, kommen innerlich folgende Mittel zur Anwendung: **Echinacia ∅, Anthracinum D 15–30, Lachesis D 15–30, Tarantula cub. D 4–6, Baptisia D 2–4–6** und weitere Mittel, deren Leitsymptome unter Blutvergiftung, Geschwüre, Sepsis ausführlich beschrieben sind.

—. Die *Trichinenkrankheit* (Trichinosis)*. Der Erreger dieser Krankheit ist die Trichine (Trichina spiralis), ein zur Klasse der Fadenwürmer gehörender Parasit. Die Ursache der Trichinenkrankheit beim Menschen ist der Genuß von trichinösem Schweinefleisch, sowie dem Fleisch von Hunden, Katzen, Bären, Füchse und Dachse, deren trichinösem Fleisch, bewußt oder unbewußt, genossen wurde. Der Entwicklungsgang der Trichinose ist folgender. Die im Muskelfleisch eingekapselten kleinen, 0,7–1,0 mm langen, haarähnlich dünnen, spiralförmig aufgerollten Würmchen, Muskeltrichinen oder Trichinellen genannt, gelangen durch den Genuß des Fleisches in den Magen. Die Kapseln werden durch den Magensaft aufgelöst, die Trichinellen werden frei, gelangen in den Darmkanal und entwickeln sich da in 2–3 Tagen zu geschlechtsreifen, Darmtrichinen, wobei das Weibchen 3–4 mm, das Männchen 1,4–1,6 mm lang wird. Die Trichinen begatten sich und es entwickeln sich unzählige Embryonen, die lebend geboren werden. Dieser Vorgang vollzieht sich am 7. Tage nach Aufnahme der Muskeltrichinen im Magen durch das genossene trichinöse Fleisch. Die Embryonen gelangen dann durch die Lymphgefäße in den Blutstrom, treten an den Kapillaren aus, bohren sich in die Muskelbündel ein und wachsen in etwa 14 Tagen zu den Muskeltrichinen heran. Dann rollen sie sich spiralförmig zusammen, verkapseln sich und um die gebildete Kapsel lagern sich im Laufe von 1–1½ Jahren Kalksalze ab, sie verkalken. Die so eingekapselten Muskeltrichinen haben eine langjährige Lebensdauer, die meist bis zum Tode ihres Wirtes erhalten bleibt. Die Darmtrichinen, also die Muttertiere, selbst, gehen mit dem Stuhlgang ab.

Symptome und Krankheitsverlauf. Die ersten Zeichen der Erkrankung sind Magen-Darmsymptome. Magendruck, Leibschmerzen, Übelkeit, Erbrechen, Durchfall, oft schleimig-blutig, Fieber. Am 7. oder 8. Tage entwikkeln sich Ödeme im Gesicht und, besonders typisch, zuerst an den Augenlidern, später an Hand- und Fußrücken, Hoden. In der zweiten Woche anhaltendes hohes Fieber bis zu 40° C. Im Stadium des Eindringens der Trichinen in die Muskelfasern treten heftige Muskelschmerzen und Muskelsteifigkeit auf, es entstehen charakteristische, brettharte Muskelschwellungen, die 2–4 Wochen anhalten können. Daneben besteht Heiserkeit, Sprachstörungen, Schluck- und Atembeschwerden. Die Krankheitsdauer ist sehr verschieden, je nach Schwere der Infektion. Bei ausgedehntem Befall können die Symptome 6–8 Wochen und noch länger anhalten. Etwa 30% der schweren Fälle enden nach 4–6 Wochen infolge Atemstörungen tödlich; bei günstigem Verlaufe erfolgt die Genesung sehr langsam. Die Diagnose wird durch den Nachweis der Darmtrichinen im Stuhl gesichert, ferner durch den mikroskopischen Befund von Muskeltrichinen in einem exzidierten kleinen Muskelstückchen. Diagnostisch bedeutsam ist der Blutbefund im Ausstrichpräparat, der auf der Höhe der Krankheit eine ausgesprochene Leukozytose und, besonders kennzeichnend, eine überaus starke Vermehrung der Eosinophilen bis zu 60–70% aufweist. In ungünstig verlaufenden Fällen verschwinden diese aus dem Blute kurz vor dem Tode.

Die Behandlung. Im Anfang der Infektion, solange sich die Parasiten noch im Darm befinden, ist durch wiederholte Gaben starker Abführmittel die möglichtes Entfernung der Parasiten durch den Stuhl zu erstreben. Später, wenn die Trichinen schon in die Muskeln eingedrungen sind, ist die Krankheit jedweder Therapie kaum zugänglich. Als gutes Hilfsmittel wird **Tinct. ferr. acet. Rademacher** bis zu 60 g pro Tag empfohlen. Im übrigen kann man sich nur noch darauf beschränken, die auftretenden Symptome mit entsprechenden Mitteln anzugehen und die Muskelschmerzen durch Narkotika, Packungen, Bäder, Einreibungen zu bekämpfen.

Dank der eingeführten Fleischbeschau ist die Krankheit sehr selten geworden. Vorbeugend ist aber Vorsicht geboten, da der Genuß von Tierfleisch, das nicht unter behördlicher Kontrolle steht, die Gefahr einer Trichinenkrankheit in sich schließt. Einwandfreier Bezug des Fleisches und gründliche Abkochung desselben vor dem Genuß bietet sicheren Schutz vor der Trichinenkrankheit.

—. *Der infektiöse Ikterus* (Weilsche Krankheit).* Der Erreger dieser Krankheit ist der Spirochacta icterogenes, eine Spirochätenart, die im Blute der Kranken nachgewiesen werden kann.

Symptome und Krankheitsverlauf. Die Krankheit beginnt nach einer Inkubationszeit von 5–7 Tagen meist plötzlich mit heftigem Frost, Fieber, Kopfschmerzen und schweren Allgemeinstörungen. In der Regel tritt dann am 2. oder 3. Tage Gelbsucht ein mit den bekannten Symptomen: entfärbte Stühle, reichlich Gallenfarbstoffe im Urin, Kopfweh, Schwindel, Benommenheit. Oft beträchtliche Anschwellung der Leber und der Milz. Der Harn ist meist eiweißhaltig mit allen Zeichen einer Nierenentzüdung. Besonders charakteristisch sind heftige Muskelschmerzen, vor allem in den Waden und Oberschenkeln, auch im Kreuz und Rücken. Häufig sind Blutungen in der Haut, den Schleimhäuten aus der Nase. Das Fieber ist beträchtlich, oft bis 40–41° C. Dieser Zustand hält etwa 6–8 Tage lang an, dann folgt in der Regel ein kritischer Fieberabfall und Rückgang der übrigen Krankheitserscheinungen und nach einer Gesamtkrankheitsdauer von etwa 1½–2 Wochen tritt die Genesung ein. In schweren Erkrankungsfällen treten häufig mehrfache neue Nachschübe und Verschlimmerungen auf, die die Krankheit sehr in die Länge ziehen können. Der Verlauf ist im allgemeinen günstig, Todesfälle sind selten.

Die Behandlung. Neben geregelter, entsprechender Diät kommen die unter Leberkrankheiten, nach den Leitsymptomen beschriebenen Mittel zur Anwendung. Zu beachten sind auch etwa auftretende Symptome des Herzens, Lunge, Nieren und die hierfür in Frage kommenden Mittel mit einzusetzen.

—. Die *Strahlenpilzkrankheit* (Aktinomykose)*. Die Erreger dieser Krankheit sind die in zahlreichen Arten im Boden, an Gräsern, Getreidegrannen usw. lebenden, teils aeroben, teils anaeroben Aktinomyketen (Strahlenpilze). (Unter Aerobier versteht man Bakterienarten, die nur bei Zutritt von Luftsauerstoff wachsen. Anaerobier, obligate heißt man die Bakterienarten, die nur bei Ausschaltung des Sauerstoffs wachsen. Anaerobier, falkutative sind solche Bakterienarten, die sowohl mit als auch ohne Sauerstoff wachsen können.) Die Aktinomyketen sind eine Untergruppe der Aktinomyzetelen, das sind Strahlenpilze, die zu den Bakterien zählen und in zwei Gruppen, die Proaktinomyketen und Aktinomyketen zerfallen. Die Aktinomyketen sind unbeweglich, strahlenförmig, stäbchen- oder kokkenähnlich. Bei der Untersuchung des Sekretes der Strahlenpilzkrankheit findet man mit bloßem Auge sichtbare, kleine, gelbliche Körnchen, Drusen genannt. Diese Drusen werden auf Objektträgern zerquetscht, nach Gram gefärbt und nun sieht man unter dem Mikroskop die strahlenartig ausgebreiteten Pilzfäden, die kolbenartig endigen und verzweigt sind. Bisher wurde und wird heute noch gelehrt, daß die Strahlenpilzkrankheit durch die Unsitte des Kauens von Gräsern und Getreidehalmen beim Menschen hervorgerufen wird, wobei der Strahlenpilz in kleine Wunden und Verletzungen der Mundschleimhäute eindringt. Neuere Forschungen und Erkenntnisse der Bakteriologen Naeslund, Gins, Lenze, sowie der Kliniker Waßmund, Partsch, Axhausen haben jedoch in Bezug auf Entstehung der menschlichen Aktinomykose zu anderen Anschauungen geführt. Man hat in den letzten Jahren wissenschaftlich festgestellt, daß der Aktinomyket ein fast regelmäßiger Bewohner der menschlichen Mundhöhle, der Mundflora, ist. Man findet ihn ferner in karösen und zerfallenen Zähnen und Zahnwurzeln, in den Mandeln und Mandelpfröpfen, im Zungenbelag usw. Dieser in der Mundhöhle vorhandene Aktinomyket vegetiert nur da, wo ein geringer Sauerstoffgehalt besteht, er ist also ein Anaerobier. In allen durch den Bakteriologen Lentze untersuchten Fällen von Aktinomykose ließen sich die Aktinomyketen nur unter streng anaeroben Bedingungen züchten. Ein Gedeihen im Sauerstoff der

Luft ist also gar nicht möglich, er kann also auf Pflanzen gar nicht leben. Infolgedessen kann der auf Pflanzen, Gräsern und Getreidearten lebende aerobe Aktinomyket nicht der Erreger der menschlichen Aktinomykose sein. So folgert Waßmund in seiner Veröffentlichung in der Zeitschrift für ärztliche Fortbildung Nr. 9/1942. Die wahren Erreger der Aktinomykose sind also nach dieser Auffassung die in der Mundflora vorhandenen Aktinomyketen, die aus irgendeinem Grunde in der Virulenz gesteigert und pathogen geworden sind, die Weichteile und Kieferknochen von innen nach außen durchwandern und die Infiltration und Abszeßbildungen und damit die Krankheit herbeiführen. Die Aktinomykose entsteht darnach also nicht durch äußere Infektion, sondern durch Selbstinfektion von der Mundhöhle aus.

Symptome und Krankheitsverlauf. Die Strahlenpilzkrankheit tritt in verschiedenen Formen und Organen auf. Die weitaus häufigste Form und Sitz ist die Aktinomykose des Gesichts und Halses. Sie beginnt mit einer Zahnwurzel- oder Knochenhautentzündung des Kiefers mit sehr langsam zunehmender, immer härter werdender Infiltration und Durchbruch nach außen mit Abszeßbildung, Gewebseinschmelzung und Fistelbildung. Das Sekret ist dünnflüssig-eitrig und enthält die kleinen, gelblichen Körnchen, die Drusen. Diese, sowie der bakteriologische Befund sind entscheidend für die Diagnose. Neben dieser geschilderten Form der Aktinomykose gibt es noch eine solche des Blinddarmes, Darmes, der Lunge, Brust, Nieren, Haut, die alle mehr oder weniger die oben beschriebene Infiltration, Geschwür- und Abszeßbildungen in diesen Organen, mit Durchbruch und Fistelbildung nach außen, hervorrufen. Der Krankheitsverlauf ist in allen Fällen und Formen sehr langwierig und zieht sich fast immer mehrere Monate, ja Jahre, hin. Dieses langsame Tempo des Krankheitsverlaufes ist typisch für die echte Aktinomykose. Nach Prof. Waßmund (Zeitschr. f. ärztl. Fortbildung Nr. 9/1942) gibt es noch neben der Aktinomykose eine Leptothrichose, die im allgemeinen die gleichen klinischen Merkmale und Erscheinungen wie die Aktinomykose aufweist. Der Erreger ist der Leptothrix, der zur gleichen Familie der Fadenbakterien zählt und sich ebenfalls in der Mundflora vorfindet. Der Leptothrix bildet aber keine Drusen wie der Aktinomyket, die bekanntlich das typische Zeichen der Aktinomykose ausmacht. Eine Leptothrichose läßt sich daher nur durch bakteriologische und kulturelle Untersuchungen nachweisen. Zuweilen besteht gleichzeitig eine Aktinomykose und Leptothrichose, in welchem Falle es sich eben um eine Mischinfektion handelt. Im übrigen ist die Therapie beider Krankheiten dieselbe, so daß es meines Erachtens weniger wichtig ist, festzustellen ob es sich um eine Aktinomykose oder Leptrothrichose handelt. Sehr richtig wäre daher die Sammelbezeichnung „Fadenmykosen“ für beide Krankheiten, wie Waßmund vorgeschlagen hat. Zu erwähnen ist noch, daß es auch eitrig-geschwürige Abszesse gibt, in deren Sekrete diese Fadenbakterienarten nachweisbar sind, ohne daß es zu den typischen Symptomen der Aktinomykose bzw. Leptothrichose kommt. Solche Prozesse heilen in der Regel nach Beseitigung der Ursache, z. B. nach Entfernung eines Zahnes, Öffnen eines Geschwüres, in 3—4 Wochen aus. Die vorhandenen Aktinomyketen oder

Leptothrixe lösten also in diesen Fällen keine echte Aktinomykose bzw. Leptothrichose aus.

Die Behandlung. Diese ist, soweit es sich um die Erkrankung im Gesicht oder Hals handelt, in erster Linie chrirurchisch und besteht in Ausräumen der Krankheitsherde oder Röntgentiefenbestrahlung. Man überweise also solche Kranke dem Chirurgen. Ist der Sitz der Erkrankung in den inneren Organen, an welchen weder ein chirurgischer Eingriff noch Röntgenbestrahlung möglich ist, dann kommen die Mittel zum Einsatz, die mit ihren Leitsymptomen unter „Geschwüre“, „Eiterungen“, „Sepsis“ ausführlich beschrieben sind.

—. *Die ansteckende Tuberkulose.* ** Unter Tuberkulose versteht man jede Erkrankung bzw. Bildung örtlicher Krankheitsherde mit geschwürigen, knötchenartigen Zerfallserscheinungen, oder Verkäsungen der Gewebe, welche durch einen spezifischen Erreger, den von Robert Koch 1881 entdeckten Tuberkelbazillus, hervorgerufen werden. Von der Krankheit befallen werden vorzugsweise die Lunge und Kehklopf, die Knochen. Auch Lymphdrüsen-, Darm-, Nieren- und Hauttuberkulose kommen verhältnismäßig oft vor. Man spricht von einer geschlossenen Tuberkulose, wenn der Erkrankungsherd verkapselt ist, wie dies in der Lunge oft vorkommt, oder bei Knochentuberkulose, wenn noch kein Durchbruch nach außen eingetreten ist. In allen Fällen, wo die bazillenhaltigen Absonderungen oder Auswurf nach außen gelangt, besteht die Gefahr der Übertragung und Ansteckung auf gesunde Menschen, weshalb derartige Erkrankungen als *offene* Tuberkulose bezeichnet wird und dem Gesundheitsamt angezeigt werden muß. Natürlich kommt auch eine Übertragung der Bazillen auf den Menschen durch tuberkulös erkrankte Tiere, insbesondere Haustiere, vor.

Die Tuberkelbazillen sind äußerst widerstandsfähig – sie werden wohl deshalb von den bakteriologischen Instituten allgemein nur als säurefeste Stäbchen bezeichnet – und weit verbreitet. Die unmittelbare Übertragung vom Kranken auf den Gesunden erfolgt meist durch die sogenannte „Tröpfcheninfektion“, das sind bazillenhaltige Tröpfchen, die von Tuberkulösen ausgehustet, frei in der Luft schweben und dann von anderen in der Umgebung des Kranken befindlichen Personen eingeatmet werden, weshalb die mit der Pflege der Kranken beschäftigten Personen besonders der Ansteckungsgefahr ausgesetzt sind. Auch die Einatmung von bazillenhaltigem Straßenstaub oder ein Eindringen der Bazillen in den Darmkanal kann eine Infektion und Erkrankung herbeiführen. Erste Voraussetzung einer Erkrankung ist aber stets eine gewisse Krankheitsbereitschaft, das heißt, die Bazillen müssen im Organismus den Boden vorfinden, in dem sie sich entwickeln und gedeihen können. Ist die natürliche Abwehrbereitschaft des Organismus auf der Höhe, sind die Organgewebe in der Konsistenz fest und gesund, dann wird sich der Bazillus niemals ansetzen und gedeihen können. Früher war die Tuberkulose die Geisel der Menschheit, jeder achte Mensch starb daran. Heute ist es der Krebs, der die Rangstufe der Tuberkulose in der Sterblichkeit eingenommen hat. (Vergleiche in diesem Zusammenhang meine Ausführungen über den Krebs.

Symptome und Krankheitsverlauf. In der Regel ist der Krankheitsverlauf ein langsamer, schleichender. Bei der Lungentuberkulose sind die ersten Anzeichen Husten mit Auswurf, allgemeine Müdigkeit, Kurzatmigkeit, oft Schmerz auf der Brust, an der Seite, oder im Rücken zwischen den Schulterblättern. Appetitlosigkeit, allmähliche Abmagerung, blasses, blutarmes Aussehen, leichte Temperatursteigerungen, nächtliche Schweiße. Treten solche Erscheinungen auf und handelt es sich ganz besonders dabei um Menschen, in deren Familie Tuberkulosefälle vorgekommen sind, und die gar den sogenannten „phtisischen Habitus" aufweisen, – unter diesem versteht man Menschen mit schmalem Brustkorb, spitzem Rippenwinkel, stark hervorstehende Schulterblätter und allgemein schwächlicher Körperkonstitution, die infolge Erbanlage eine besondere Neigung zu Tuberkulose-Erkrankung haben –, so ist dringender Verdacht auf Lungentuberkulose vorhanden. Aber auch bei gesund aussehenden Menschen mit normalem, kräftigem Körperbau können die oben genannten Erscheinungen und Symptome auftreten und von der Tuberkulose befallen werden. In allen solchen Verdachtsfällen ist die Röntgenuntersuchung der Lunge unerläßlich und darf nicht versäumt werden. Manche Fälle der Tuberkulose verlaufen schneller oder treten anscheinend spontan auf, besonders die Knochentuberkulose, die mit plötzlichen Knochenschmerzen, Rötung, Schwellung und Durchbruch nach außen in kurzer Zeit, einsetzen kann. In anderen Fällen wird in rapid schneller Folge ein Organ um das andere nacheinander durch Verschleppung der Bazillen befallen und schließlich unterliegt der Organismus dem Ansturm der Bazillen in ganz kurzer Zeit. Findet infolge Zerfalles eines oder mehrerer großer Tuberkuloseherde eine allgemeine Überschwemmung des gesamten Organismus auf dem Blut- und Lymphwege mit Tuberkelbazillen statt, so nennt man dies eine Miliartuberkulose, die in wenigen Tagen oder Wochen zum Tode führt.

Die Behandlung. Neben der unerläßlichen und wichtigen physikalisch-diätischen Behandlung, die in Luftveränderung (Höhenklima), kalten Rumpfwaschungen, Duschen, Luftbädern, Sonnenbädern in Höhenlagen bei der Knochentuberkulose, richtiger Atemkultur, vegetarischer, salzloser Kost mit viel Grüngemüse- und Salat-Frischkost besteht, haben wir in dem homöopathischen Arzneischatz ganz ausgezeichnet wirkende Mittel zur Unterstützung jeder angewandten Therapie. In Anbetracht des so vielseitigen Erscheinungsbildes und Verlaufes der Tuberkulose und das Auftreten derselben in den verschiedensten Organen, sind die in Frage kommenden Mittel mit ihren Leitsymptomen unter „Tuberkulose", „Lungenkrankheiten", „Knochenkrankheiten" ausführlich angeführt. Man wähle also daselbst die für den Fall passendsten Mittel aus und setze sie einzeln oder wenn mehrere in Frage kommen, im Wechsel und unter Berücksichtigung der Konstitution, ein.

—. *Der akute Gelenkrheumatismus.* Dieser gehört zur Gruppe der Infektionskrankheiten, ist aber nicht ansteckend. Die Symptome und Behandlung sind unter Rheumatismus angegeben.

—, ausländische. Diese, nur selten oder kaum für den Praktiker zur Behandlung kommenden Krankheiten sollen hier nur kurz und zusammenfassend angeführt werden um das Wissen des Praktikers hinsichtlich der Infektionskrankheiten zu vervollständigen. Wir beginnen mit

1. *Die Papageienkrankheit* (Psittacosis).** Diese wird von Papageien und Sittichen durch Staub- oder Tröpfcheninfektion auf den Menschen übertragen. Auch eine Übertragung von Mensch zu Mensch ist möglich. Der Erreger ist ein pneumotoper Virus.

Symptome und Krankheitsverlauf. Nach einer Inkubationszeit von 1–3 Wochen beginnt die Krankheit mit Frostgefühl, Mattigkeit, heftigen Schläfen- und Stirnkopfschmerzen, Gliederschmerzen und quälendem Durst, rasch ansteigendem, 10–20 Tage anhaltendem Fieber bis 39° C und darüber. Schon nach wenigen Tagen treten uncharakteristische Lungensymptome, Bronchopneumonien und starke Milzschwellung mit zunehmenden schweren Allgemeinstörungen, Entkräftung, Apathie, Benommenheit, Unruhe, Schlaflosigkeit, auf. Durchfälle wechseln mit Verstopfung ab. Hält das Fieber länger als drei Wochen an, dann ist die Prognose schlecht, 30–40% dieser schweren Fälle endigen unter Atemnot, Delirien, Kreislaufschwäche tödlich. Bei günstigem Verlauf geht nach 10–20 Tagen das Fieber langsam zurück und die Genesung setzt ein, die meist sehr lange Zeit in Anspruch nimmt. Die Diagnose ist recht schwierig, da das Krankheitsbild ähnlich der Grippe, Lungenentzündung, Typhus, Sepsis, verläuft. Die genaue Anamnese unter Berücksichtigung etwaiger Beziehungen oder der Umgang mit exotischen Vögeln, das epidemische Auftreten der genannten klinischen Symptome stützen die Diagnose.

Die Behandlung. Die Wahl der Arzneimittel erfolgt anfangs der Erkrankung und so lange noch keine sichere Diagnose auf Papageienkrankheit vorliegt, je nach den auftretenden Krankheitssymptomen. Ist die Diagnose auf Psittacosis jedoch gesichert, dann muß der Kranke laut behördlicher Anordnung in ein Krankenhaus überwiesen werden.

2. *Die Tularämie***. Diese ist eine pestähnliche Erkrankung der Nagetiere, besonders der Kaninchen, Hasen, Ratten usw., die von diesen auf den Menschen übertragen werden und zwar am häufigsten beim Abhäuten infizierter Tiere. Erfahrungsgemäß sind Jäger, Farmer und Wildbret- und Fellhändler am meisten gefährdet. Der Erreger dieser Krankheit gehört zur Gruppe der Stäbchenbakterien und hat den Namen Bacterium tularense – nach der kalifornischen Landschaft Tulare – erhalten. Die Tularämie ist sehr ansteckend.

Krankheitsbild und Verlauf. Inkubationszeit 1–4 Tage, dann folgt Fieber mit Kopfschmerzen, Abgeschlagenheit. An den Infektionsstellen, meist an Händen und Unterarmen, entwickeln sich kleine Beulen, Furunkeln und Geschwüre mit mehr oder weniger schmerzhaften Anschwellungen der zunächst gelegenen Lymphknoten. Diese bilden sich im Verlauf von 4–8 Wochen wieder langsam zurück oder zerfallen geschwürig. Zuweilen gehen diese Erscheinungen mit einer Bindehautentzündung einher oder verlaufen typhusähnlich oder unter dem Bilde einer allgemeinen Sepsis. In diesen Fällen hält das Fieber 10–20 Tage meist unter Bewußtseinstrübungen an. Der

Krankheitsverlauf ist in der Regel gutartig. Die Diagnose kann nur durch bakteriologische Untersuchung gesichert werden.

3. *Das Gelbfieber***. Die Erreger dieser Krankheit sind, neuerern Erkenntnissen zufolge, nicht die Leptospirae icterogenes, eine Spirochätenart, sondern Viren, die ausnahmslos durch den Stich einer in den Tropen weitverbreiteten Mückenart, der Aedes aegypti, übertragen wird.

Krankheitsbild und Verlauf. Nach einer Inkubationszeit von 2–5 Tagen bricht die Krankheit plötzlich mit Schüttelfrost, hohem Fieber, Kopfschmerzen und heftigem, schmerzhaftem Druck in der Magengegend, häufig mit Erbrechen, auf. Typisch ist ein unangenehmer Leichengeruch des Kranken. In leichteren Fällen tritt nach einigen Tagen ein Rückgang der Krankheitserscheinungen und Genesung ein. Häufig geht aber die Krankheit nach 3–4 Tagen in ein schweres Stadium über, Erbrechen schwärzlicher Massen mit Gelbsucht tritt ein. Oft treten auf der Haut oder den Schleimhäuten Blutungen auf. Der Harn ist spärlich und enthält oft Blut und Eiweiß. Mäßig hohes Fieber, auffallend langsamer Puls, Leber- und Milzschwellung, schwerer Allgemeinzustand, Kräfteverfall, Blutzersetzung sind weitere Erscheinungen der schweren und schwersten Fälle. Die Sterblichkeit schwankt zwischen 15–75%.

Die Behandlung. Diese erfolgt allgemein nach den Leitsymptomen wie sie unter „Blutvergiftung“, „Erschöpfung“, „Leber-, Magenkrankheiten“ angeführt sind.

—. *Der Keuchhusten* (Pertussis)*. Dieser ist oft eine epidemisch auftretende Erkrankung der Schleimhaut der Luftwege und befällt vorzugsweise Kinder und vorwiegend solche im Alter bis zu sechs Jahren. Die Übertragung erfolgt von Mensch zu Mensch durch sogenannte „Tröpfcheninfektion“ beim Husten. Als *Erreger* wird das *Bacterium Bordet-Gengou* genannt, das sind kleinste, ellipsoide, unbewegliche, gramnegative Stäbchen, ähnlich den Influenzabakterien.

Krankheitsverlauf und Symptome. Inkubationszeit 1–3 Wochen. Man unterscheidet drei Stadien des Keuchhustens. 1. *Das Stadium* catarrhale, das meist 8–14 Tage – zuweilen auch bis zu 4 Wochen – dauert, mit geringen Fiebererscheinungen, Schnupfen, Husten, leichte Augenbindehautentzündung, entzündliche Erscheinungen der Schleimhäute der Luftwege, verdrießliche Stimmung ohne wesentliche Störung des Allgemeinbefindens. Allmählich geht das katarrhalische Stadium in das 2. *Stadium*, Stadium convulsivum über. Die charakteristischen Keuchhustenanfälle nehmen ihren Anfang mit Unruhe, quälendes Angstgefühl, Enge auf der Brust, Kitzelgefühl im Halse. Dann beginnt der Hustenanfall mit einer tiefen, langgezogenen, krampfhaften, pfeifenden, ziehenden Einatmung, der dann unmittelbar die abgesetzten Hustenstöße – 12–15 in fünf Sekunden – folgen: Stakkatohusten. Nach nur wenigen Augenblicken der Ruhe, wiederholt sich dieser Vorgang, die tiefe krampfhafte, weithin hörbare Einatmung, das sogenannte „Ziehen“ dem die Hustenstöße wieder folgen. Diese Anfälle wiederholen sich mehrmals, in schweren Fällen bis zu fünfzigmal. Nach den Anfällen erfolgt jeweils Erbrechen eines zähen, glasigen Schleimes. Während den Anfällen treten Blaufärbungen des Gesichts – deshalb auch blauer Husten genannt – Anschwellungen der Halsvenen, tränende Augen, auf. Gar nicht selten kommt es infolge der Stauungen zu Blutungen der Augenbindehaut, aus der Nase und anderen Organen. Auch unfreiwillige Stuhl- und Harnabgänge kommen vor. *Die Dauer des konvulsiven Stadiums* beträgt durchschnittlich 3–6 Wochen, häufig sogar bis zu 3–4 Monaten, besonders bei nervösen und spasmophilen Kindern. Allmählich werden die Anfälle seltener und weniger heftig, die Krankheit tritt in das 3. *Stadium*, Stadium decrementi, wobei die Anfälle immer mehr abnehmen und schließlich ganz aufhören. Oft bleibt noch längere Zeit ein Katarrhhusten zurück. Als Komplikationen und Folgekrankheiten können Bronchitis, Bronchopneumonien, Lungenemphysen, ja Lungentuberkulose auftreten. Ferner Erkrankungen des Nervensystems, Hemiplegien (einseitige Lähmungen), Augenmuskellähmungen, Sprachstörungen. Die Sterblichkeit bei Keuchhusten ist größer als bei den anderen Infektionskrankheiten. Kinder unter 3 Jahren sind besonders gefährdet. Jeder heftige Husten der keinem Hustenmittel weichen will und länger als 2 Wochen dauert und durch keine andere ernste Erkrankung bedingt ist, ist Keuchhustenverdächtig.

Die Behandlung des Keuchhustens. Allgemein erfordert die Krankheit Aufenthalt im gutgelüfteten, temperierten Zimmer, bei Fieber Bettruhe. Leichtverdauliche flüssige oder breiige Kost, Obst, Obstsäfte. Hydrotherapeutisch warme Vollbäder etwa 35° C, der Zusatz von 2–3 Eßlöffel voll Fluid weiß und 100–200–300 Korn G 7 und Br 1, Komplexmittel der Iso-Werke, Regensburg, pro Bad, hat sich in der Praxis außerordentlich bewährt. Ebenfalls das Einreiben entlang des Brustbeines, der Brust und Unterrippen mit Brustsalbe oder Sambucus-Salbe derselben Firma, zweimal täglich. Innerlich sind die Komplexmittel G 12 D 4 + Br 3 + St 9, viermal täglich je 3 Korn zusammen in einem Löffel warmem Wasser, dazwischen einige Tropfen (pro Altersjahr 1 Tropfen) Fluid weiß abwechselnd Fluid gelb, in einem Löffel Wasser, mir stets in der Praxis von hervorragender Wirkung gewesen. An einfachen und ebenfalls sehr wirksamen homöopathischen Mitteln kommen in Frage: **Drosera D 30–6–3, Ipecacuanha D 4–6, Magnesium phosph. D 6, Atropinum sulf. D 6, Inula helenium D 2, Mephitis putotria D 6–12, Corralium rubrum D 3–4.** Die genauen Leitsymptome genannter Mittel sind unter Husten Seite 110–113 ausführlich beschrieben.

—. *Trachom, Ägyptische Körnerkrankheit**. (Conjunctivitis trachomatosa (granulosa)). Diese ist ein akuter Schwellungskatarrh der Augenbindehaut – granuläre Bindehautentzündung – mit Bildung der sogenannten Trachomfollikeln. Diese Follikeln sind verschieden groß, undurchsichtig, sulzig, liegen sowohl oberflächlich und tief und fließen zu größeren Platten zusammen. Sitz der Erkrankung ist vorwiegend die Lidbindehaut und Übergangsfalten. Die ägyptische Augenkrankheit ist außerordentlich hartnäckig, sich lange hinziehend, das schleimig-eitrige Sekret ist hochinfektiös. Im Spätstadium Narbenbildung mit Schrumpfung der Bindehaut, übergreifen auf die Hornhaut mit Infiltration, Hornhauttrübung, kleine Geschwüre bildend.

Trachom kann zur Erblindung führen. Der Erreger der Krankheit ist noch nicht gesichert. Die Übertragung erfolgt hauptsächlich durch Fliegen.

Die Behandlung. Man überweise den Kranken am besten dem Augenarzte. Zur wirksamen Unterstützung der spezialärztlichen äußeren Behandlung gebe man innerlich daneben folgende Mittel: **Belladonna D 4, Mercurius solubilis D 6, Argentum nitricum D 6–30, Thuja D 30–6, Aurum D12–6, Kalium bichromicum D 6,** letzteres, wenn die Hornhaut ergriffen ist. Man beachte die Leitsymptome genannter Mittel unter „Augenkrankheiten" Seite 2.

Insektenstich

Insektenstiche. Äußerlich heiße Kompressen mit Heublumenabsud. Innerlich **Apis D 3** im Wechsel mit **Echinacea D 1** 1–2stündlich eine Gabe.

—. Eines der besten Mittel gegen Insektenstiche ist das sofortige und häufige Einreiben mit **Ledum-Tinktur.** Auch bei vernachlässigten, oder Folgen von Insektenstichen vorzüglich. Innerlich gibt man gleichzeitig **Ledum D 3–6** ein.

Impfung

Impfung. Entzündungen nach dieser oder schädliche Folgen derselben unter jeweiliger Beachtung der Leitsymptome kommen in Betracht: **Thuja D 6–30, Mercurius sol. D 6, Silicea D 6–12, Sulfur D 12–30, Vaccinium D 30–200.**

Impotenz

Impotenz junger Männer infolge Onanie und Ausschweifungen; starkes geschlechtliches Verlangen, dem aber körperlich nicht entsprochen werden kann. **Lycopodium D 200.**

—. Geschlechtsunlust, mit psychischer Erregung. Pollutionen, Folgen von Ausschweifungen, von chron. Tripper; Zeugungskraft geschwächt, die Erektionen bleiben aus. Kälte der Genitalien; Gehirn, Rückenmark geschwächt; hypochondrische, niedergedrückte Stimmung. **Agnus castus D 6–30.**

— als Folge erschöpfender Krankheiten oder Pollutionen. Abmagerungen, besonders im Gesicht, an den Händen, an den Oberschenkeln; sexuelle Reizbarkeit und Schwäche, allgemeine große Schwäche, Erschöpfung nach körperlicher und geistiger Arbeit. Nervenmittel, Nervenschwäche, periodische, nervöse Kopfschmerzen. **Selenium D 30–200.**

— infolge großer Schwäche der Sexualorgane. Es besteht heftiges Verlangen, ist aber körperlich unfähig diesem nachzukommen; Pollutionen treten auf in Gegenwart von Frauen oder wenn nur an solche gedacht wird. Den Erektionen folgt stets Mattigkeit und Verdruß. **Conium D 6–30.**

—. Starker Geschlechtstrieb mit heftigsten Erektionen, mit folgender starker Schwäche, vollkommener nervöser Erschöpfung und Impotenz. **Acidum picrinicum D 15–30.**

— trotz bleibender Geschlechtsbegierde **Phosphorus D 15–30,** wenn die übrigen Leitsymptome dieses Mittels (siehe Nervenleiden) vorhanden sind.

Ischias

Ischias. Der Schmerz erstreckt sich von der Hüfte in die hinteren Oberschenkel und Kniekehle; Schmerzen krampfartig, blitzartig durchschießend, anfallweise, periodisch wiederkehrend. Verschlimmerung nachmittags oder nachts. **Colocyntis D 3–5.** Das Mittel wirkt besonders gut bei rechtsseitigen Entzündungen.

— mit *Zerschlagenheitsgefühl.* Der *Schmerz* läuft *an der Außenseite der Oberschenkel* hinab. Verschlimmerung nachts, bei Bewegung, durch Druck, durch Kälte; rheumatische, sykotische, luetische Konstitution. **Phytolacca D 4–6.**

— mit dem Symptom: *schlimmer um Mitternacht, besonders gegen 1–3 Uhr.* (Nash heilte einer seiner schlimmsten Fälle von Ischias – es bestanden schon sechs Wochen lang unbeschreibliche Schmerzen – nur auf dieser Indikation hin, mit einer einzigen Gabe Arsenicum album D 8000!) *Brennende Schmerzen mit Linderung durch Wärme.* Unruhe, Ängstlichkeit. **Arsenicum album D 30–200–1000.**

— mit dem Gefühl von Zusammenziehung in den Sehnen, schlimmer beim Sitzen, besser beim Gehen und völlig erleichtert beim Liegen. **Ammonium muriaticum D 3–4.**

— Schmerzen von der Hüfte bis zu den Zehen, mit *Taubheitsgefühl;* chronische Ischias. Wadenkrämpfe. **Gnaphalium D 3–4.**

—. Schmerz schlimmer beim Stehen mit beiden Beinen auf dem Boden; besser bei horizontaler Lage des kranken Beines oder beim Liegen. Schmerzen periodisch, plötzlich, ruckend, zuckend; *Unruhe; große Empfindlichkeit* auch bei geringem Schmerz mit Neigung zu Krämpfen und Ohnmachten. **Valeriana D 3–6.**

— die rechts beginnt und nach links wandert. Verschlimmerung nachmittags 4–8 Uhr, in der Ruhe, bei anfang einer Bewegung, durch Wärme. **Lycopodium D 30–15–6.** Ein tiefwirkendes Mittel auf Leber, Stoffwechsel, Lymphsystem. Bei Beschwerden jeder Art, die rechts anfangen und nach links wechseln, denke man an dieses Mittel.

—. Als weitere spezifische Mittel gegen Ischias kommen in Frage: **Potentilla reptans D 1** im Wechsel mit **Gnaphalium D 3** und **Iris versicolor D 3–6.** Ferner **Aconitum D 4** und **Rhus tox. D 4** nach Durchnässung und Erkältung, letzteres besonders bei linksseitiger Erkrankung. Wenn die Schmerzen in den Knochen sitzen, nach Quecksilbermißbrauch ist **Mercurius corrosivus D 6** oft das einzige hilfreiche Mittel. – Bei verseuchtem

Blut und wenn die vorgenannten Mittel nicht wirken **Aurum D 4–6.** Bei Ischias durch Überanstrengung **Arnica D 3–4.** Bei krampfartigen, blitzartig, schießenden, bohrenden Schmerzen und Besserung durch feuchte Wärme, durch Druck und Zusammenkrümmung **Magnesium phosph. D 6–12–30.** Bei rheumatisch-gichtischer Anlage **Gaultheria D 2.** In veralteten Fällen als Zwischenmittel in seltenen Gaben **Sulfur D 30** und **Radium bromatum D 30.**

Kälte

Kälte mit vollständiger Erschöpfung; schnelles sinken der Kräfte; Hippokratisches Gesicht; „der ganze Körper eiskalt", „Hände oder Beine und Füße eiskalt"; kalte Haut, kalter Rücken, kaltes Gesicht"; *kalter Schweiß auf der Stirne.* **Veratrum album D 3–6.**

—, große, der Körperoberfläche mit plötzlicher und völliger Erschöpfung der Lebenskräfte, Kollaps, Ohnmacht; eine besondere Eigentümlichkeit ist: *der Kranke will nicht zugedeckt sein* ! – ganz gleich, bei welchen Krankheiten diese Symptome auch auftreten, dann ist **Camphora** ∅ – **D 2** oder **Camphora Rubini** das Mittel der Wahl.

—. Innerliches und äußerliches *Kältegefühl an einzelnen Teilen des Körpers* oder an verschiedenen Stellen des Kopfes, *als ob ein Stück Eis daran läge;* Gefühl an Füßen und Beinen als ob man feuchte Strümpfe an hätte; kalte Beine mit Nachtschweißen; Widerwillen gegen frische Luft, der leiseste kühle Luftzug geht durch und durch; *partielle Schweiße einzelner Körperteile* mit dem charakteristischen Symptom: Kälte der Haut, besonders die der unteren Extremitäten. **Calcium carbonicum D 30–15–6.** Gabenfolge und Potenzwahl wichtig ! In chronischen Fällen und als Konstitutionsmittel nur alle **2–3–4** Wochen eine Gabe, in akuteren Fällen 1–2tägig eine Gabe.

—. Rechter Fuß eiskalt, linker normale Wärme, bei Leberkrankheiten. Rechtseitig wirkendes Mittel. Folgen von Leberfunktionsstörungen. Verschlimmerung bei rauhem, kaltem Wetter; bei Berührung. **Chelidonium D 30–6.**

Kälte, große, (objektiv) *der Körperoberfläche* und dennoch *wird* das *Zudecken nicht vertragen*, ein Symptom von großem Wert. Dieser Zustand wird am häufigsten bei *Ruhr* und *Brechdurchfall* der Kinder beobachtet, aber auch *bei Altersbrand.* In diesem Falle sind Füße und Zehen eiskalt, aber dem Kranken ist es *unerträglich* dieselben bedeckt zu haben. Die Haut sieht trocken aus, ist meist runzlig und oft gefühllos und es kann dabei starkes Jucken bestehen. **Secale cornutum D 3–6.**

—. Kältegefühl im Rücken zwischen den Schultern. (Tritt meist bei Brustleiden auf.) **Ammonium muriaticum D 3–4.**

—. *Eiskalte Hände und Füße*, die auch im warmen Bett stundenlang anhalten und das Einschlafen verhindern, hauptsächlich periodisch und bei Witterungswechsel oder feuchtem Wetter auftretend; *Verschlimmerung aller Symptome bei Witterungswechsel*, ganz gleich welche Leiden auch vorliegen, dies sind zwei Hauptleitsymptome für die Anwendung von **Aranea diadema D 3–4.**

—, *große Kälteempfindlichkeit, Kältegefühl wie Eis* in Brust und Magen nach kalten Getränken; eiskalte Füße, Hände und Arme, diese sind bläulich angeschwollen; schwarze, blutige Absonderungen, oder eitrige, übelriechende, die aus allen Körperöffnungen kommen können. **Elaps corallinus D 15–30.**

—, große, der Körperoberfläche *mit Krämpfen im Magen* oder den Extremitäten. **Cuprum D 6–12.**

— und kalte Luft führen Beschwerden herbei. Spezifisches Mittel hierfür ist **Chamomilla D 30–6,** besonders wenn große Reizbarkeit und Überempfindlichkeit vorliegt.

—, eisige und heftiges Brennen im Magen oder Darm. **Colchicum D 3–6.**

—, allgemeine des ganzen Körpers; große Empfindlichkeit gegen Kälte, besonders Zugluft, speziell der Nasen-Rachenorgane. Lymphatisch-skrofulöse Konstitution mit Neigung zu Lymphdrüsenschwellungen. **Cistus canadensis D 4–6.**

—, allgemeine des ganzen Körpers; *Kältegefühl* und *Betäubungsgefühl* in den Gliedern oder einzelnen Organen und *Zittern; Kältegefühl* in den Füßen oder den Rücken entlang *mit Brennen; Gefühl* von *Steifheit in den Gesichtsmuskeln. Gefäßlähmungen* mit kalten, blauen Händen; *Herzschwäche, Herzlähmung, drohende Atemlähmung.* **Heloderma D 15–30.** Ein auf den Sympathikus und bei Nervenkrankheiten mit drohender Lähmung tiefwirkendes Mittel.

Karies

Karies, siehe „Knochen“.

Keuchhusten

Keuchhusten, siehe Husten S. 110–113 und 150.

Klimakterium

Klimakterium, siehe „Blutandrang“, S. 37, Frauenkrankheiten S. 65–73.

Kniegelenkentzündung, siehe „Gelenkerkrankungen.

Knochen

Knochen, mangelhafte, unvollständige Ernährung derselben; *Verkümmemerung, Erweichung der Knochen;* offene Fontanellen bei Kleinkindern; *Wasserkopf;* Leitsymptome: ausgedehnte Kopfschweiße; partielle Schweiße,

Haut dabei kalt, besonders die der unteren Extremitäten. **Calcium carbonicum D 30–15–6.**

—. Langsames Wachstum der Knochen bei mageren Typen; offene Fontanellen. **Calcium phosphoricum D 4–6.**

—. Auswüchse, Verbildungen der Knochen; Knochenkaries infolge Syphilis oder Quecksilbermißbrauch; zerrende Schmerzen in den Oberschenkeln; Knocheneiterungen, Nekrose. **Calcium fluoricum D 12.**

—. *Karies, Knochenfraß, Knochengeschwüre* der Nasenknochen, des Gaumens, des Felsenbeines luetischen Ursprungs, *besonders dann, wenn Gemütsleiden, Selbstmordgedanken, Trübsinn und Verzweiflung damit verbunden sind.* Knochenschmerzen, dumpfe, bohrende, stechende; *Entzündung* der *äußeren Knochenhaut;* Fistelbildungen; **Aurum D 4–6–30.** Das Mittel wirkt langsam und muß längere Zeit verabreicht werden.

—. *Knocheneiterungsprozesse, Knochengeschwüre* auf luetischer oder skrofulöser Grundlage, oder nach Quecksilbermißbrauch; *skrofulöse Hornhautgeschwüre.* **Aurum jodatum D 6–3,** ein – infolge seiner Kombination Aurum und Jodum – mächtig und tiefeingreifendes, hochwirksames Mittel zur Resorption bei chronischen Gewebsinfiltrationen, Neubildungen und Geschwürsprozessen aller Art. Das Mittel ist leichter resorbierbar als Aurum allein und in der Wirkung milder als dieses, es wirkt langsam aber nachhaltig und muß lange Zeit gegeben werden, täglich 1–2 Gaben.

—. Karies, Knochengeschwüre der Röhrenknochen, die bis zum Mark eindringen; Knochenschmerzen der langen Röhrenknochen, schlimmer nachts und durch Wärme; chronische Eiterungsprozesse der Knochen oder Zähne mit Fistelbildung mit dünnem, ätzendem Eiter. Konstitution luetisch-dyskratisch. **Acidum fluoricum D 30–15.**

—. Knochenschmerzen, Knochenhautentzündungen und Knocheneiterungen, Karies; Folgen von Verletzungen, von Quecksilbermißbrauch, besonders wenn rheumatische Konstitution vorliegt und Steifheit, Zerschlagenheit, Muskelschmerzen, Lähmigkeit die Begleitsymptome sind. Besserung nachts und bei Bewegung in frischer Luft. Verschlimmerung morgens. **Angustura vera D 4–6.**

—. Nekrose, Karies aller Knochen, besonders des Unterkiefers; Knochenentzündungen und -eiterungen; Rachitis; Brennschmerzen äußerlich oder innerlich charakteristisch. Konstitution neuropathisch. Paßt gut für schlanke, magere Personen mit blauen Augen und blonden Haaren mit geneigter Körperhaltung. Phtisischer Habitus. **Phosphorus D 12–6.** Das Mittel gehört zu den tiefeingreifenden Polychresten. Die richtige Dosierung und Wahl der Potenz ist von großer Wichtigkeit.

—. Knochenauswüchse, Knochenverdickungen speziell am Kiefer. **Lava Heklae D 6–12.**

—. Schwäche der Fußknöchel bei Jugendlichen, die Fußgelenke schmerzen und können den Körper nicht mehr tragen, besonders nach starker Beanspruchung. **Natrium carbonicum D 4–30.**

Knochenbrüche

Knochenbrüche. Zur Förderung der Kallusbildung gibt man als wertvolles Unterstützungsmittel **Calcium phosphoricum D 6,** gleichzeitig daneben **Symphytum D 1** für die Knochenhaut.

Knochenhautentzündung

Knochenhautentzündung mit großer Empfindlichkeit gegen Berührung. Die damit verbundenen Absonderungen sind sehr übelriechend. **Asa foedita D 6–12.**

— mit wühlenden, unerträglichen Schmerzen, am schlimmsten nachts oder bei Witterungswechsel, oft halbseitig oder gekreuzt; Fersenschmerzen, Knochenschmerzen. **Manganum aceticum D 4–6.**

—. Knochenschmerzen, besonders der langen Röhrenknochen; *Gelenkschmerzen,* besonders im *Hüftgelenk; chronischer Rheumatismus;* Verschlimmerung nachts. **Stillingia D 2–4.**

Knochenschmerzen

Knochenschmerzen. Schmerzhafte Erkrankung der Knochen, Gelenke und Nerven, besonders der rechten Körperseite; *neuralgische Schmerzen im Kopf,* langsam steigend und fallend. Besserung im Freien, in der Sonne; *Taubheitsgefühl* an Händen und Füßen. **Strontium carbonicum D 2–4.**

—. Knochenhautentzündung, chronische, langwierige, mit unerträglichen Schmerzen. **Symphytum D 2–3** und **Mercurius solub. D 4–6,** 2–3stündlich im Wechsel.

—, *Steißbeinschmerzen,* plötzlich, durchdringend, machen fast ohnmächtig; rheumatisch-neuropathische Konstitution; Verschlimmerung nachts, in der Ruhe, in Bettwärme. Besserung durch Bewegung; *saurer Geruch, saurer Geschmack,* saures Aufstoßen, der ganze Mensch riecht sauer, sind weitere wichtige Leitsymptome für **Magnesium carbonicum D 4–6.**

— der Röhrenknochen, besonders des Schienbeines, schlimmer nachts, bei Berührung, durch Bewegung; Folgen von Quecksilbermißbrauch; rheumatische, dyskrasische Konstitution. **Mezereum Daphne D 6–12.**

— in den Extremitäten und Gelenken mit Zerschlagenheitsgefühl; bei Wechselfieber heftige Schmerzen vor dem Frost; rheumatische Kreuz- und Gliederschmerzen, Steifheit der Muskeln. Verschlimmerung durch Bewegung; oft dabei Galleerbrechen, das erleichtert; Grippemittel. **Eupatorium perfoliatum D 4–6.**

— auf rheumatischer Grundlage. Die Schmerzen verschlimmern sich bei feuchtem Wetter; Rücken- und Gliederschmerzen mit Schwäche und Zerschlagenheit; Dyskrasie, Abmagerung, Kräfteverfall. **Phytolacca D 3–6.**

— in *Knöchel* und *Fußsohlen*, diese empfindlich, steif, schmerzhaft; *chronischer Rheumatismus* mit heftigen Knochenschmerzen als Folgen einer vorangegangenen Trippererkrankung. Schmerzen *schlimmer am Tage.* **Medorrhinum D 200–1000–C.M.**

— *heftigste, schlimmer nachts; chronischer Rheumatismus* mit heftigsten, nächtlichen Knochenschmerzen auf luetischer Grundlage. **Syphilinum D 200–1000–C.M.**

(Nash gibt in seinem Werke Seite 311 zwei interessante Beispiele einer Heilung von heftigen Knochenschmerzen mit einer Gabe **Medorrhinum** CM und im zweiten Fall eine solche mit drei Gaben Syphilinum CM in 40 Tagen, an.)

—, siehe auch **Ruta** unter Rheumatismus.

Knochentuberkulose

Knochentuberkulose, Gelenktuberkulose, *Eiter-* und *Fistelbildungen;* Anschwellung der Knochen und Gelenke, Geschwülste, *unfreiwilliges Hinken;* Drüsenerweiterungen, heftige Schweiße. Skrofulöse Konstitution, Abmagerung, große Appetitlosigkeit mit Schwäche und Blässe; chronische Eiterungsprozesse. **Calcium hypophosphoricum D 1–4.** Das Mittel hat *große resorbierende Wirkung.*

—, Knochenfraß. Als spezifische Mittel kommen in Frage: **Silicea D 12–D 6** bei Eiterungsprozessen, Fistelbildung, Sekrete dünn, von scharfem üblem Geruch, Kältegefühl, Kopfschweiße nachts und früh, stinkende Fußschweiße; Konstitution rheumatisch-gichtisch-skrofulös; **China D 4–30** bei großer Schwäche und Hinfälligkeit, Kachexie mit reichlichen Schweißen. Blasses fahles Gesicht, mit dunklen Augenringen, kalte Hände und Füße, oft feucht, Frostigkeit, Frieren; **Sulfur D 30** als Konstitutions- und Zwischenmittel in seltenen Gaben; **Calcium jodatum D 4** im Wechsel mit **Silicea D 10** bei reichlichen, rahmartigen Absonderungen, dreistündlich eine Gabe; **Tuberculinum D 30–200** wöchentlich 1–2 Gaben. **Phosphorus D 6** als Zwischenmittel, wenn heftige, nach allen Seiten ausstrahlende Schmerzen und ein entzündeter Hof besteht. **Guajacum D 2** bei übelriechenden Absonderungen, reichlichen Schweißen und schleichendem Fieber. Psorisch-rheumatisch-luetische Konstitution; **Calcium carbonicum D 6–3** als Umstimmungsmittel.

Kolik

Kolik, Blähungskolik, heftige, reißende, schießende Schmerzen im Leib mit Ausstrahlungen bis zu den Schultern, Brust, Kreuz; krampfhafte Schmerzen im Unterleib wechseln plötzlich die Stelle und treten woanders auf (Finger, Zehen); *schlimmer morgens* und beim Aufstehen, besser durch Vorbeugen oder Ausstrecken des Körpers. **Dioscorea D 6–12.**

—. Blähungskolik mit dem Gefühl als ob der Leib voll spitzer Holzstücke wäre. Auch bei Durchfall, mit Aufgetriebenheit, heftigen, kneipenden, krampfhaften Schmerzen mit großer Schwäche, so daß Patient kaum stehen, gehen oder sprechen kann. **Cocculus D 6–30.**

—, Windkolik, Bauch wie eine Trommel aufgetrieben. Gase gehen nur in kleinen Mengen ab, ohne Linderung; Kolik nach Ärger; Kolik bei Kindern die viel Blähungen haben mit aufgetriebenem Bauch. Das Kind windet sich vor Schmerzen im Bett. **Chamomilla D 2–6.**

—, Gallenkoliken, Nierenkoliken oder sonstige Koliken und Krämpfe aller Art. **Atropinum sulfuricum D 4** 10 Tropfen in einem Löffel heißem Wasser, 2–3 Gaben kurz nacheinander. Das Mittel wirkt hauptsächlich palliativ, schmerzlindernd.

—, *schwerste akute Anfälle* von Schmerzen, Kolik bei Cholera, Ruhr mit starker Auftreibung des Bauches, *Kräfteverfall*, *Erschöpfung*, *Kollaps*, *Übelkeit*, *Würgen*, *Erbrechen*, *Schwindel*, *Betäubung; eisige Kälte am ganzen Körper*, *eiskalte Schweiße;* Zittern der Glieder, Krämpfe in Finger und Gliedern; elendes, blasses Aussehen. **Tabacum D 30,** 10 Tropfen in einer Tasse Wasser gelöst, in häufigen Gaben.

— mit Zusammenkrümmen und Linderung durch Bewegung; große Erschöpfung mit kaltem Schweiß, besonders auf der Stirne. **Veratrum album D 3–6.**

—, fürchterliche, neuralgischer, krampfartiger Art und wird *oft von Erbrechen und Durchfall begleitet*, oder im Zusammenhang mit der Ruhr. Diese fürchterliche *Kolik ist nur durch Zusammenkrümmen* oder *Druck auf den Bauch erträglich;* Bleikolik schwerer und schwerster Art; reißende, schneidende, zerrende Schmerzen im Kopf, Augen, Leib oder Glieder; Ischias, Gesichtsnervenschmerzen, Neuralgien jeder Art; neuropathische-rheumatisch-gichtische Konstitution. **Colocynthis D 6–12–30.**

—, hartnäckige, lange bestehende, mit starken Schmerzen, mit oder ohne Durchfälle; hartnäckige Koliken bei Kindern, mit großer Unruhe und *Schreien nachts*, oder sie schreien Tag und Nacht fortwährend mit Verdrehungen und Verkrümmungen des Körpers. **Jalapa D 6–12.**

—, meist morgens nüchtern auftretend, besser nach dem Essen und durch Zusammenkrümmen; Hunger- und Durstgefühl; Vergrößerungsgefühl, Kopf und Herz wie zu groß. **Bovista D 4–6–30.**

— des Mastdarmes mit Stuhlverstopfung, Flatulenz, Hämorrhoiden. **Collinsonia D 2–6.**

—, durch Druck oder Liegen auf dem Bauch gebessert, mit allgemeiner Schwäche; Schmerzen nehmen langsam zu und ab; elendes, blasses Aussehen, mit dunklen Ringen unter den Augen. **Stannum D 6.**

—, magerer, launischer, dickbäuchiger Kinder, besonders wenn diese schlechte Zähne mit weichem, schwammigem Zahnfleisch haben. **Staphysagria D 4–6.**

Kondylome

Kondylome, siehe Warzen.

Kongestionen

Kongestionen, siehe Blutandrang, Seite 37.

Konstitution und Konstitutionsmittel

Konstitution und Konstitutionsmittel. Was ist Konstitution? Darunter versteht man eine ererbte oder erworbene Beschaffenheit des Blutes und der Körpersäfte; die Gesamtverfassung eines Menschen nach Temperament, Leistungsfähigkeit und Widerstandskraft bei körperlichen Beanspruchungen, gegen klimatische Einflüsse, gegen Krankheiten, insbesondere Infektionskrankheiten, oder kurz: eine gewisse Krankheitsbereitschaft und Disposition zu dieser oder jener Krankheit oder Krankheitsgruppe. (Siehe auch Vorwort Seite 6 ff.) Die Konstitution ist also der Boden, die ererbte oder erworbene Anlage für ganz bestimmte Krankheitssymptome und Krankheitsformen und, wenn ererbt, unveränderlich. Konstitution ist keine Krankheit an sich, es ist nur eine bestimmte Krankheitsbereitschaft für diese oder jene Krankheit, die bei entsprechender Disposition durch Witterungs- oder klimatische Einflüsse, durch fortwährende Verstöße gegen die elementarsten Ernährungsgesetze, Lebensgesetze, durch Mißbrauch von Genußmitteln oder Narkotika zur Auslösung kommen *kann*, nicht muß.

Samuel Hahnemann hat sich erstmals eingehender mit diesem Problem befaßt und *drei Konstitutionstypren* aufgestellt: die *psorische*, *sykotische* und *syphilitische Konstitution*. Nach Hahnemann haben sich Rademacher 1848 und v. Grauvogel 1866 ebenfalls mit dieser Lehre befaßt und ebenfalls drei Konstitutionstypen aufgestellt. Die Einteilung v. Grauvogels, die heute noch Geltung hat ist: die *oxigenoide*, *hydrogenoide* und *karbonitrogene* Konstitution. Neuere Autoren wie Theodor Krauß, Stauffer haben die drei Grundtypen noch untergeteilt und erweitert, wodurch eine noch bessere Übersicht und Klassifizierung erreicht wurde und vor allem die Wahl des passenden Konstitutionsmittels erleichtert wurde. Stauffer hat insgesamt fünf Konstitutionstypen aufgestellt. Dieser Einteilung möchte ich mich voll und ganz anschließen, da ich sie für die praktischste und übersichtlichste halte. Im Folgenden nun diese fünf Konstitutionstypen und die hierfür in Betracht kommenden Konstitutionsmittel.

1. *Die lymphatische Konstitution.* Diese entspricht der sykotischen Konstitution Hahnemanns und der hydrogenoiden Konstitution v. Grauvogels und ist *charakterisiert durch erhöhten Wassergehalt des Organismus, besonders des Blutes*. Die lymphatisch veranlagten Menschen haben in der Regel blasse Gesichts- und Hautfarbe, blasse Schleimhäute, schlaffe Muskeln und neigen zu schwammiger Fettbildung. Temperament: meist phlegmatisch. Ferner Mangel an Eigenwärme, frieren und frösteln leicht, kalte Hände und Füße. Wasseranwendungen, *ganz besonders kalte*, werden schlecht vertragen, auch wässrige, oder aus dem Wasser entstammende Nahrungsmittel bekommen ihnen nicht gut. Krankheitsbereitschaft: Erkrankung des gesamten Drüsenapparates, Anschwellungen, Eiterungen, besonders chronischer Art. Skro-

fulose, Tuberkulose, Blutkrankheiten, Katarrhe aller Art. In der Jugend und um die Zeit der Geschlechtsreife besonders anfällig. Der Verlauf der aufgetretenen Krankheit, auch der akuten, ist weniger stürmisch und heftig, das Fieber meist nur mäßig hoch. Dafür zieht sich die Krankheit gern in die Länge, nimmt einen schleppenden Charakter an und geht leicht ins chronische über; daraus entsteht später die gemischte Konstitution oder Dyskrasie mit allen ihren Erscheinungen und Folgen. Typisch für die reine lymphatische Konstitution ist, daß die angeschwollenen, vergrößerten Lymphdrüsen nicht hart oder entzündet, sondern von normaler Konsistenz sind. Ferner ist eine Unterfunktion der Schleimhäute vorhanden. Die Absonderungen derselben bei Katarrhen sind wässrig, nicht scharf, wundmachend, fressend oder schorfbildend; dicke schlackenhaltige Absonderungen im Sekret fehlen. Dysfunktion der innersekretorischen Drüsen treten oft auf. Besonders zu betonen ist, daß Tuberkulose und Skrofulose, die beide auf der lymphatischen Konstitution fundieren, wohl miteinander verwandt aber nicht ein und dasselbe sind. Oft aber ist die Skrofulose eine Vorstufe der Tuberkulose. Es kann sich aber auch eine Tuberkulose entwickeln, ohne daß eine Skrofulose oder wesentliche Symptome derselben vorausgegangen sind. In Anbetracht der Wichtigkeit zur Erkennung der Vorstadien dieser beiden Krankheiten, die ein Großteil der gefährlichsten und weitverbreitetsten Krankheiten als deren Vorstufe ausmachen, soll die Skrofulose im Nachfolgenden ausführlicher skizziert werden.

Die Skrofulose entwickelt sich meist in den ersten Lebensjahren, gewöhnlich um die Zeit der beginnenden ersten Zahnung, unter den Zeichen der sogenannten exsudativen Diathese. Die Symptome hierfür sind: dauernde Schleimhautkatarrhe, die Nase läuft ständig, Hautausschläge aller Art, Milchschorf, Augenentzündungen, Magen-Darmstörungen, das Kind will nicht gedeihen trotz ausreichender Ernährung, entweder Abmagerung oder fette, pastöse Aufschwemmung mit rascher Zunahme des Körpergewichtes und aller exsudativen Erscheinungen. Fortschreitend entwickeln sich dann die bereits genannten Erscheinungen im gesamten Drüsensystem, Anschwellungen, Eiterungen, Krankheitserscheinungen in den Knochen und Gelenken mit chronischem, schleppendem Verlauf, der sich bis in die Zeit der geschlechtlichen Entwicklung, ja bis in das Mannesalter erstrecken kann.

Man unterscheidet zwei Formen der Skrofulose, die *erethische* und die *torpide*. *Die erethische Form* zeigt schlanken, zarten Körperbau, schwache Knochen, schlechtentwickelte Muskeln, die Haare fein, meist dunkelblond oder brünett, leicht gebräunte Hautfarbe mit durchscheinenden Venen, Lippen und Wangen rot. Neigung zu Schweißen bei geringster Anstrengung und ermüden rasch; sie sind geistig rege, aber von wechselnder Stimmung, sehr empfindlich und leicht gereizt, oft heftig und jähzornig; sanguinisches Temperament. Krankheiten verlaufen heftig, stürmisch, mit hohem Fieber; sie sind besonders empfindlich gegen naßkaltes Wetter und kalte Wasseranwendungen.

Die torpide Form zeigt pastöse, schwammige, aufgedunsene Körperform mit Neigung zu Fettansatz. Nase und Lippen sind aufgeworfen, das ganze

Aussehen ist stupide. Der Knochenbau ist grob, der Kopf groß, der Leib aufgetrieben, die Beine meist mager. Die Bewegungen sind langsam, träge, die Stimmung verdrießlich, gleichgültig. Geistige und körperliche Schlaffheit, phlegmatisches Temperament. Die Krankheiten verlaufen schleichend, chronisch, mit schwachen Fieberreaktionen. Im weiteren Verlaufe stellen sich oft chronische Eiterungen an Drüsen, Knochen und Gelenken ein und geht dann meist in Tuberkulose über.

Die *Zeichen der lymphatischen Konstitution in der Regenbogenhaut des Auges* (Irisdiagnose) sind: Weiße, gelbliche Punkte oder Tupfer in der Schleimhautregion, die oben aufliegen und Dauerzeichen sind. Iris auffallend hell und abgeblaßt, häufig von weißgrauen Wolken durchzogen. Bei Skrofulose ist die Iris verdunkelt infolge fehlerhafter Zusammensetzung der Lymphe und Unterfunktion der Lymphdrüsen, meist mit weißen, breiten Auflagerungen. Augenfarbe dieser Typen vorwiegend blau.

Differenzialdiagnostisch wichtig zu wissen ist; daß schwache, leichte Flöckchen oder Wische die in der *Tiefe* liegen, Entzündungszeichen bedeuten und mit irgendeiner Konstitution an sich nichts zu tun haben.

Nun zu den in Betracht kommenden Konstitutionsmitteln für die genannten Typen. Man merke: alle Konstitutionsmittel werden in seltenen Gaben **und vorwiegend in Hochpotenzen** verabreicht.

Psorinum D 30–100–200. Schmutzig-schmierige, fahlgelbe bis schwarzbraune Hautfarbe, wie ungewaschen aussehend; übler Geruch des Körpers, selbst nach einem Bad; übelriechende Nachtschweiße, stinkende Hand- und Fußschweiße; trockene, schuppige Ausschläge, die zeitweise verschwinden und dann wiederkehren; Jucken wenn der Körper warm ist, Jucken zwischen den Finger- und Gelenkbeugen; alle Folgen von unterdrückten Ausschlägen, wenn andere Mittel versagen; starke Gemütsdepressionen, größte Verzweiflung, macht sich und andere das Leben fast unerträglich; große Empfindlichkeit gegen kalte Luft oder Witterungswechsel, der Kranke kleidet sich warm an, selbst bei heißem Wetter.

Tuberculinum D 30–200–1000, dessen Leitsymptome die ganze Skala aller bei Skrofulose und deren Verlauf beobachteten Erscheinungen und Symptome ausmachen.

In hartnäckigen Erkrankungsfällen, wo andere, nach den Leitsymptomen indizierte Mittel versagten oder in der Wirkung nicht befriedigten, forsche man nach, ob bei dem Patienten selbst oder dessen Familie nicht irgendein tuberkulöser Krankheitsprozeß vorliegt oder zu irgendeiner Zeit vorgelegen hat (erbliche Belastung !). Ist dies der Fall, dann gibt man als Zwischenmittel *eine* Gabe des Mittels in Hochpotenz.

Sulfur D 30–200–1000, ein Konstitutionsmittel ersten Ranges, mit folgenden Leitsymptomen: *Brennen* in allen Organen, besonders bei *chronischen* Krankheiten. Jucken und Brennen der Haut, mit oder ohne Ausschlag. Brennen der Füße, der Hände. Sulfur hat tiefste und nachhaltigste Wirkung auf die Haut. In allen Fällen von Hautleiden, besonders chronische, oder wenn früher zu irgendeiner Zeit ein solches Leiden bestanden hatte und vielleicht unterdrückt wurde oder von selbst wieder verschwunden ist, ist an erster Stelle Sulfur einzusetzen, ganz gleich, um welche Krankheit es sich augenblicklich handelt.

Oder, wenn sonst gut gewählte Mittel anfangs helfen und bessern, die Besserung aber nur langsam fortschreitet, stillsteht, oder Rückfälle eintreten, dann ist es Zeit, *eine* Gabe Sulfur als Zwischenmittel einzusetzen und, in akuten Fällen einige Stunden, in chronischen Fällen aber einige Tage, Wochen oder gar Monate die Wirkung abzuwarten. Dann kann man wieder, falls eine deutlich aufgetretene Besserung wiederum zum Stillstand kommen sollte, zu den zuerst gegebenen Mitteln zurückkehren oder je nach der Indikation auch zu anderen Mitteln greifen und die gewünschten Erfolge werden dann nicht ausbleiben.

Sulfur hat absorbierende Wirkung bei Anschwellungen der Drüsen, der Gelenke, bei Rheumatismus, bei Exsudaten der serösen Häute, Brust-, Rippenfell, Bauchfell, Hirnhäute usw. Das Mittel ist besonders wirksam bei mageren Leuten mit Hängeschultern, die geneigt gehen oder sitzen. Stehen ist für sie die allerungünstigste Stellung. (Sulfur-Typ.) Es besteht auch große Abneigung gegen Wasser. Weitere Leitsymptome sind: Rote Lippen, rote Augenlider, rote Ohren, die Schleimhäute sind rot, wie von Blut strotzend; ferner Kongestionen in der Brust, die heftige Atembeschwerden verursachen. Patient fühlt sich so beklemmend, hat Erstickungsgefühl, daß er das Öffnen von Fenster und Türen verlangt, besonders nachts. Dieser Blutandrang scheint die ganze Brust zu füllen, mit dem Gefühl, als ob das Herz zu voll wäre, dieses schlägt und arbeitet heftig.

Bei akuten Krankheiten, besonders Drüseneiterungen, Fisteln oder Geschwüren, Furunkeln, sind manchmal niedrige Potenzen notwendig. In solchen Fällen hat sich **Sulfur jodatum D 3–4** besonders gut bewährt.

Kalium carbonicum D 15–30–200 ist nach Sulfur einer der besten Energiesatoren. Wir haben für dieses Mittel *fünf hervorragende Leitsymptome:* 1. *Stechende Schmerzen unabhängig von Bewegung* oder *Ruhe.* 2. Säckchenförmige ödematöse *Anschwellungen* der *oberen Augenlider.* 3. *Verschlimmerung* gegen 3 *Uhr* morgens. 4. *Verschlimmerung durch Liegen auf der schmerzhaften Seite.* 5. *Verschlimmerung durch Kälte.*

In *allen* Erkrankungsfällen, wo eines oder mehrere der genannten Symptome auffällig in Erscheinung treten, setze man dieses Mittel unverzüglich ein. Kalium carb. hat auch einen tiefgreifenden Einfluß auf den Herzmuskel, auf alle Schleimhäute und auf die Blutbildung. Das Mittel paßt besonders gut bei Schwäche infolge Blutarmut, Schwäche im Alter, bei Nerven- und Muskelschwäche.

Calcium carbonicum D 30–15–6 ist das Hauptmittel der Kalkpräparate bei torpider Skrofulose. Leitsymptome: Weiße, blasse, kreidebleiche Hautfarbe. Das Aussehen ist gedunsen, schwammig, Nase und Lippen dick wie geschwollen, Bewegung schwerfällig und langsam, dasselbe auch geistig, sie sind stupid, mürrisch, widerspenstig, energielos, träge, phlegmatisches Temperament. Neigung zu Stoffwechselstörungen, zu Fettleibigkeit. Späte

Entwicklung der Knochen, die Fontanellen bleiben zu lange offen bei sehr großem Schädel. Verkrümmungen der Knochen, besonders der Wirbelsäule und der langen Knochen; Knochenerweichungen. Anschwellungen der Lymphdrüsen; kalte, feuchte Füße mit Nachtschweißen, Gefühl innerlicher oder äußerlicher Kälte an einzelnen Körperteilen oder an verschiedenen Stellen des Kopfes, als ob ein Stück Eis daran läge; Widerwillen gegen frische Luft, der leiseste kühle Luftzug geht durch und durch; profuse Kopfschweiße großköpfiger Kinder mit offenen Fontanellen ist ein Hauptsymptom, der Schweiß ist so übermäßig, daß er während des Schlafes von Kopf und Gesicht herabrollt; partielle Schweiße einzelner Körperteile. Sehr charakteristisch für diese Schweiße ist, daß die Haut dabei kalt ist, besonders die der Füße bis herauf zu den Knien. Hochpotenzen vorziehen, seltene Gaben! Als weitere Kalkpräparate kommen in Betracht. **Calcium phosphoricum D 4–6,** paßt wegen seines Phosphorgehaltes gut für die erethische Form der Skrofulose. Ein vorzügliches Knochenmittel bei allen Störungen des Knochenwachstums; offene Fontanellen, besonders die hintere; Magen-Darmsymptome, Durchfälle, grünlich-schleimig-wässrig; Verlangen nach Salz und Rauchfleisch.

Calcium fluoricum D 6–12, Calcium jod. D 3–4, Calcium hypophosphoricum D 2–4 kommen weiter in Betracht. Man beachte die Leitsymptome dieser Mittel unter „Drüsen" und „Eiterungen" und „Knochentuberkulose".

Graphites D 30–3, ein vorzügliches Drüsen-, Haut- und Schleimhautmittel, mit folgenden Leitsymptomen: Haut und Schleimhäute blaß: fette, träge, gedunsene Körperbeschaffenheit; Ausschläge mit dicker, honigartiger Absonderung an jedem Körperteil, besonders aber an und hinter den Ohren, am Kopf, Gesicht, an den Genitalien; unterdrückte Ausschläge, die auf das Mittel wieder erscheinen; Ekzem der Augenlider, klebrige Ausschläge und rissige, mit Schuppen und Schorfen bedeckte Lidränder; habituelle Verstopfung; Drüsen hart und klein. Ein weiteres wichtiges Leitsymptom ist: dicke und aus der Form gewachsene Finger- und Zehennägel. Das Mittel wirkt am besten in hohen Potenzen, mit Ausnahme bei Verstopfung, wo die 3.–4. Potenz vorzuziehen ist.

Baryum carbonicum D 30–6. Skrofulöse Kinder mit schlechter geistiger und körperlicher Entwicklung, *mangelhaftes Wachstum.* Sie sind *stumpfsinnig, blöd, verdrießlich, scheu,* lernen nicht, beteiligen sich auch nicht am Spiel anderer Kinder; *Schwachsinn* bis *zur Idiotie;* Drüsenanschwellungen, besonders der Mandeln; chronische Katarrhe und Entzündung der Schleimhäute, frieren und frösteln leicht; Magen-Darmsymptome, aufgetriebener Bauch; Kräfteschwund bei Kindern und im Alter; geistige und körperliche Schwäche im Alter, kindisches Benehmen, Gedächtnisverlust, Schlaganfall alter Leute.

Baryum jodatum D 3–4 und **Baryum muriaticum D 4–6** können ebenfalls zur Anwendung gelangen, wenn zugleich Indikationen für Jodum oder Natrium muriaticum vorliegen.

Jodum D 6–30. Skrofulöse Diathese; allgemeine Entkräftung und starke Abmagerung, trotz Heißhunger und vielem Essen. Patient fühlt sich nach oder während des Essens am wohlsten; Drüsenanschwellungen, besonders der Schilddrüse und der Bauchdrüsen; Verschlimmerung aller Symptome im warmen Zimmer. Je nach den Indikationen ist der Wechsel mit anderen Jodum-Präparaten angezeigt, z. B. mit **Sulfur jodatum, Calcium jodatum, Aurum jodatum, Kalium jodat u. a. m.** Diese Mittel werden aber in mittleren und niedrigen Potenzen von D 6–4 eingesetzt.

Silicea D 12–30–200. Schwächlicher Körper, zarte Haut, schlaffe Muskeln. Auch Gemüt und Nerven zeigen das Bild der Schwäche; gegen kalte Luft sehr empfindlich, erkältet sich leicht; schweißköpfige Kinder mit mangelhafter Assimilation, abgemagerten Gliedern, Gesicht hager, Augen eingesunken, sieht alt aus, körperliches Wachstum und Entwicklung scheint still zu stehen, geistig aber rege, eigenwillig, widersetzlich; trotz genügend aufgenommener Nahrung fortschreitende Abmagerung, dabei besteht Dickbauch; tiefsitzende Eiterungen des Zellgewebes, der Drüsen und Knochen (nach Hepar sulf. und Calcium sulf.) in diesen Fällen jedoch niedere Potenzen D 12–6–4.

Thuja D 30–200. Träge, schwammige, mürrische Naturen; Schweiß an unbedeckten Körperteilen, stärker morgens auftretend; Frostschauer, vom Rücken nach unten verlaufend, mit folgender Hitze, mit Verschlimmerung abends und nachts, kalte Hände und Füße; Gerstenkörner, Hagelkörner, Tumoren in den Augenlidern; weiße Kopfschuppen, Haarausfall, Haare wachsen langsam oder spalten sich; Kopfschmerzen; Hautwucherungen, Warzen, Feigwarzen, Kondylome; Schleimhautwucherungen, Polypen, Papillome (meist gutartige Geschwülste); harnsaure Diathese; Folgen von Erkältung, Durchnässung; Folgen von Impfungen, von Grippe; Folgen von unterdrücktem Tripper, Lues; das Gesicht hat ein schmutziges, fettiges oder glänzendes Aussehen; Haut sehr empfindlich gegen Berührung; Reibung verursacht Brennen und Jucken; nässende, eiternde Flechten, hartnäckige Hautgeschwüre.

Phosphorus D 30–12 bei der erethischen Form der Skrofulose. Große, schlanke Personen mit lebhaftem Temperament, helle Hautfarbe, Haare blond oder rot; intelligent, aufgeweckt, schnelle Auffassungsgabe; junge Menschen die zu schnell wachsen, der Brustkorb bleibt schmal, geneigte Körperhaltung; geistig lebhaft, nervös, leicht erregbar und leichte Ermüdung geistig und körperlich. (Phosphorus-Typ.) Neigung zu Nachtschweißen, Katarrhe der Schleimhäute, besonders der Atmungsorgane, mit der Neigung in Tuberkulose überzugehen. Knochenwachstum gestört; Rachitis; Knochentuberkulose. Komplementärmittel zu Silicea.

Mercurius solubilis D 6–4, wichtiges Haut-, Schleimhaut-, Drüsen- und Knochenmittel. Leitsymptome: Profuse Schweiße, besonders nachts und in der Bettwärme, ohne jede Linderung, ja die Beschwerden nehmen mit dem Schweiße noch zu; aufsteigendes Frösteln als erstes Vorzeichen einer beginnenden Erkrankung infolge Erkältung oder beginnender Vereiterung einer Geschwulst oder Abszesses; stechende Schmerzen in der unteren rechten Brust, feuchter Mund mit üblem Geruch und intensivem Durst. Zunge geschwollen, schlaff und zeigt die Eindrücke der Zähne; schwere Hals- und Mandelentzündung, Diphtherie; Zahnfleisch geschwollen, schwammig, zuweilen blutend; Knochenschmerzen, besonders nachts, Knochenhautentzündung, langwierige, chronische; hartnäckige, langwierige Hautausschläge, heftiges, unerträgliches Hautjucken über den ganzen Körper, schlimmer durch Wärme, besonders Bettwärme.

2. *Die lithämische, oder rheumatisch-gichtische Konstitution* nach Stauffer. Diese ist eine Untergruppe der lymphatischen Konstitution, die man allgemein auch mit „*harnsaure Diathese*" bezeichnet. Sie ist charakterisiert durch die Neigung zu rheumatischen Erkrankungen der Muskeln, Sehnen, Gelenken, durch Ablage von Harnsäure daselbst, als Folge eines ungenügenden Stoffwechsels; Arterienverkalkung, Herz-, Lungen-, Leber-, Nieren-, Steinleiden; periodische Schmerzen, Neuralgien; Ekzeme der Haut; Erkrankung der Bauchspeicheldrüse, Diabetes, Fettsucht, Gicht und hauptsächlich Störungen der Leberfunktion; Frieren, kalte Hände und Füße, oft bläuliches Gesicht oder Kongestionen. Verschlimmerung aller Symptome durch kaltes Getränk. Diese konstitutionelle Anlage kann durch Tripper- oder Malariainfektion, durch fortwährende falsche, naturwidrige Ernährung erworben werden. Häufiger ist jedoch die Vererbung durch gichtische Eltern, bzw. deren Vorfahren. Das Heer aller Erkrankungen, die auf dieser Konstitution basieren, ist erschreckend groß, alle Lebensalter und beide Geschlechter werden davon befallen.

Die Kennzeichen der harnsauren Diathese in der Iris für den Augendiagnostiker sind: Scharfe, weiße, punktförmige Zeichen in der Muskelregion und Herzregion bedeuten akuter Gelenkrheumatismus. Weiße Wölkchen in der Muskelregion allein, bei fehlenden Herzzeichen, bedeuten Muskelrheumatismus.

Nun *die entsprechenden Konstitutionsmittel.* Da es sich bei der harnsauren Diathese allgemein um eine Krankheit bzw. Störung des Stoffwechsels handelt, kommen als Konstitutionsmittel hauptsächlich Lebermittel in Betracht, die neben den unter lymphatische Konstitution angeführten Mitteln je nach den Leitsymptomen einzusetzen sind. Im nachfolgenden seien nur die wichtigsten dieser Gruppe angeführt. Weitere spezifische Mittel und deren Leitsymptome finden Sie unter Rheumatismus und Gicht, sowie Leberleiden.

Lycopodium D 30–15–6. Magere Personen mit schwacher Muskulatur, blasser, gelblicher bis grauer, fleckiger, runzliger Haut. Frühzeitige Furchen im Gesicht, sehen älter aus als sie sind, erscheinen reizbar und ärgerlich, bisweilen melancholisch und hypochondrisch, oft aber auch herrisch, dulden keinen Widerspruch. Erkälten sich leicht, kalte Hände und Füße, besonders rechtsseitig. Magen-Darmsymptome, Ernährungsstörungen stehen im Vordergrund, oft mit heftigen Kopfschmerzen. Hungergefühl, ja Heißhunger, aber schon nach wenigen Bissen sind sie voll und satt. Magengrube ist erhöht, angeschwollen, Lebergegend druckempfindlich, Kleidung wird zu eng und drückend empfunden. Verlangen nach süßen Speißen. Die Beschwerden sind rechtsseitig oder sie beginnen **rechts und** entwickeln sich langsam, allmählich, oder wandern nach links.

Kinder mit schwächlichem, kränklichem Körper, mit gutgebildetem Kopf, geistig rege und sensibel, aber reizbar und verdrießlich, sie schreien und stoßen; Verschlimmerung aller Beschwerden zwischen 16 und 20 Uhr, durch Wärme, besonders Bettwärme, und vor allem durch Ärger. Lycopodium wirkt besonders gut auf Kinder und alte Leute.

China D 6–4 ein ausgezeichnetes Mittel bei Störungen des Leberstoffwechsels. Leitsymptome: Blasses, gelbliches Gesicht, abgemagert, eingefallene Gesichtszüge mit tiefliegenden Augen und dunklen Augenringen; Blutarmut; kalte Hände und Füße, große Empfindlichkeit gegen Kälte, Zugluft, gegen Berührung, selbst die Haare tun weh, aber, seltsam, starker Druck lindert; große, nervöse Reizbarkeit und außerordentliche Schwäche und Hinfälligkeit; Nachtschweiße, Schwitzen nach der geringsten Bewegung oder Anstrengung; periodisch wiederkehrende, klopfende, hämmernde Kopfschmerzen infolge Blutleere im Gehirn; Ohrensausen, Schwindel, Blutwallungen mit Herzklopfen, Herzflattern; Wechselfieberartige Zustände, kaltes Fieber; periodisches Auftreten aller Beschwerden, große allgemeine Schwäche, Verschlimmerung abends und nachts, durch Berührung, sind wichtige Hinweise für das Mittel. Es muß, konstitutionell angewandt, längere Zeit hindurch, wöchentlich 3–4 Gaben gegeben werden.

Natrium sulfuricum D 6, ein ausgezeichnetes Stoffwechsel-, Leber- und Gallenmittel aus der Reihe der biochemischen Funktionsmittel Dr. Schüßlers. Leitsymptome: Verschlimmerung aller Beschwerden bei feuchtem Wetter und Nebel und morgens. Durchfälle frühmorgens mit Abgang von Blähungen, mit heftigem Kollern im Bauch; geistig und körperlich erschöpft, schlaff, nervös, reizbar, Gemütsdepressionen; bitterer, saurer Geschmack und Aufstoßen; Leberschwellung.

3. *Die syphilitische Konstitution* entspricht der oxygenoiden Konstitution v. Grauvogel und zeichnet sich durch gesteigerten und beschleunigten Stoffwechsel (Oxydation) infolge vermehrten Sauerstoffgehaltes des Blutes bzw. verminderten Widerstand gegen den Einfluß des Sauerstoffes aus. Unter syphilitischer Konstitution versteht man eine ganze Reihe von Krankheitsdispositionen bzw. Krankheitserscheinungen als Folgen einer angeborenen oder ererbten, oder eine spontane oder künstlich geheilte Syphilis mit ihren Nachfolgeerscheinungen, schleichende Krankheiten des Gehirn- und Rückenmarks, Drüsenverhärtungen, Knochenleiden, Entartungsprozesse, Hysterie, Geisteskrankheit.

Die Menschen dieses Konstitutionstypes sind lebhaft, leicht heftig, erregt, auch heiter. Körperbau meist mager aber sehnig, mit festen Muskeln. Haut und Schleimhäute sind gut gefärbt. Neigung zu akuten, oft stürmisch verlaufenden Krankheiten, Entzündungen, Katarrhen, Kreislaufstörungen, Blutstauungen, Kongestionen einzelner Organe. Der Sauerstoffreichtum des Blutes und der raschere Umlauf desselben hat eine beschleunigte Lebensenergie zur Folge. Aus diesem Grunde werden vorhandene Krankheiten leichter und schneller überwunden und zeigen keine Neigung ins chronische überzugehen.

Im Hinblick auf die Vielseitigkeit der bei dieser Konstitution auftretenden Krankheitserscheinungen und -symptome kann man eigentlich von einem oder einigen spezifischen Konstitutionsmitteln für diese Konstitution nicht sprechen. Man wähle jeweils das Mittel im Erkrankungsfalle nach den dabei auftretenden Symptomen, wie sie unter den verschiedenen Stichwörtern zu finden sind. Die Rubriken „Blut-, Blutkrankheiten", „Frauenleiden", „Geistes- und Gemütssymptome", „Gehirnkrankheiten", „Geschwüre", „Nervenleiden" bieten eine Fülle von Leitsymptomen bei Krankheiten dieses Konstitutionstypes, so daß es nicht schwer fallen dürfte, das in jedem Falle passende Mittel zu finden.

4. Die *neuropathische* oder *nervöse Konstitution*, die durch eine erhöhte oder verminderte Reizbarkeit und Schwäche des gesamten Nervensystems gekennzeichnet ist und auch mit Neurasthenie bezeichnet wird. Auf dieser Konstitution basieren die sogenannten „nervösen" Magen-, Darm-, Herz- und sonstige Erkrankungen, die ihrem Wesen nach nur auf einer funktionellen Störung des vegetativen und motorischen Nervensystems beruhen, ohne daß eine entsprechende Erkrankung des davon betroffenen Organes, oder eine nachweisbare histologische oder pathologische Veränderung desselben nachzuweisen ist.

Diese konstitutionelle Anlage wird von neuropathischen Eltern vererbt, wobei die elterliche Schädigung durch Genußgifte, Alkohol- oder Tabakmißbrauch, Morphium, Brom und andere chemische Giftmittel, Schlafmittel, Kopfwehpulver und sonstige Schmerzbekämpfungsmittel das ihrige dazu beitragen. Ein weiterer Beitrag leistet hierzu eine erworbene oder ererbte oder auch überstandene Syphilis und deren Folgen.

Diese Konstitution zeigt sich schon beim Kleinkinde durch Unruhe, Schreien, schlechter, unruhiger Schlaf, Appetitlosigkeit, schlechtes Gedeihen, an. Bei älteren Kindern durch Ängstlichkeit, sie fürchten das Alleinsein, die Dunkelheit, unruhiger Schlaf, schreien im Schlaf, oder wachen erschreckt auf. Es besteht Neigung zu Krämpfen, epilepsieartigen Anfällen. In den Entwicklungsjahren treten sexuelle Reizerscheinungen auf, Neigung zu Onanie, Pollutionen, Depressionszustände, Impotenz, Hysterie, Hypochondrie, Melancholie; nervöse Herzstörungen, nervöse Verdauungsstörungen, spastische Verstopfung, usw. Also das ganze Heer der in neuerer Zeit so viel beobachteten nervösen Krankheitserscheinungen.

Die Kennzeichen der nervösen Konstitution in der Irisdiagnostik sind: lockere Iris, erweiterte Pupille bei Reizung des Sympathikus, helle Überreizungszeichen. Engpupille bei Reizung des Parasympathikus. In beiden Fällen ist der deutlich sichtbare Nervenring rost- bis braunrot gezeichnet und mehr oder weniger stark und auffällig in der Struktur, je nach dem Grade der nervösen Erscheinungen.

Nun einige Konstitutionsmittel und folgend einige spezielle Nervenmittel. Es ist natürlich unmöglich, für das ganze Heer aller nervösen Erscheinungen die Mittel anzugeben. Unter „Geistes- und Gemütssymptome",

„Nervenleiden“, „Neurasthenie“ „Hysterie“, „Schlaflosigkeit“ sind noch eine ganze Reihe Mittel nach den jeweiligen Leitsymptomen angeführt, die stets ausschlaggebend für die Mittelwahl sind.

Phosphorus, Jodum, Silicea, sind bereits unter der lymphatischen Konstitution angeführt und besprochen.

Nux vomica D 6–30. Hauptsächlich Männermittel, aber auch für energische, reizbare Frauen mit viel männlichen Eigenschaften. Hagere, schlanke Gestalt, dunkle Haare und Augen, gelbliche, fahle Gesichtsfarbe oder rote Backen auf gelbem Grunde. Temperament nervös, reizbar, cholerisch, hypochondrisch. Verdrießlich, schlechte Laune, besonders morgens, streitsüchtig, kann keinen Widerspruch vertragen, jedes harmlose Wort beleidigt, aber auch ängstlich, für äußere Eindrücke sehr empfindlich, jedes geringe Geräusch erschreckt, leicht verstimmt und deprimiert; eigenartige, vorsichtige, hitzige Personen, leicht erregt, zornig, gehässig, boshaft. Beschwerden aller Art als Folgen von falscher Lebensweise, zu vielem und zu reichlichem Essen, Schlemmerei, Mißbrauch von Genußmitteln aller Art, wie Alkohol, Tabak, Kaffee, Arzneimittel. Folgen von sitzender Lebensweise besonders bei Geistesarbeitern und dadurch verursachten gestörten Blutkreislaufes, krampfhafte Verstopfung, Venenstauungen, Hämorrhoiden. Neigung zu Krämpfen. Magenbeschwerden mit saurem Aufstoßen, 1–2 Stunden nach dem Essen. Folgen von geistiger Überarbeitung, Sorgen, Kummer, Ärger, Zorn, geschlechtlichen Ausschweifungen. Alle Beschwerden sind schlimmer morgens in der Frühe oder gleich nach dem Erwachen, (Kopfweh, Müdigkeit, verdrießlich, launisch, reizbar). Verschlimmerung durch kalte Luft, durch Berührung, durch Lärm, nach dem Essen. Besserung in der Ruhe. Nux vomica ist ein Mittel mit großem und vielseitigem Wirkungskreis. Die richtige Wahl der Potenz und Dosis ist entscheidend für eine erfolgreiche Anwendung.

Pulsatilla D 2–30. Das Mittel für blutarme, nervöse Kinder, junge Mädchen und Frauen mit blassem, hellem Gesicht, blauen Augen, blonden oder blondroten Haaren, sanftes, weiches Gemüt mit schnell wechselnder Stimmung, leicht zum Weinen geneigt. Das Mittel ist ebenfalls polychrest und hat einen großen Wirkungskreis bei Beschwerden verschiedenster Art wie sie unter den Stichwörtern im Einzelnen angeführt sind. Verschlimmerung der Beschwerden abends und vor Mitternacht, durch Bettwärme, vor und nach der Monatsregel, in der Ruhe, in der Stubenluft. Besserung der Beschwerden durch Bewegung im Freien, in frischer Luft, im Kühlen, durch Anwendung von Kälte.

Calcium phosphoricum D 6. Magere, schnell wachsende, hochaufgeschossene Menschen mit dunklen Haaren, dunklen Augen, wachsfarbener, bleicher oder grauer, zarter Haut mit durchscheinenden Venen. Temperament lebhaft, unruhig, nervös, erregt, reizbar. Ernährung mangelhaft, kein Appetit, mangelhaftes Knochenwachstum, mangelhafte Zahnbildung, frühzeitig schlechte Zähne. Rasche geistige und körperliche Ermüdung, leicht vergeßlich, lernt schwer, ist zerstreut. Schulkopfschmerz mit heißem Kopf, kalte Füße, kalte Hände. Neigung zu Erkältungen, Mandelentzündungen.

Lymphdrüsenschwellungen, chronischen Katarrhen der Nase, Rachen, Lunge. Skrofulose, Rachitis; Hauptmittel bei allen Knochenverkrümmungen und Knochenwachstumsstörungen, bei beginnender oder drohender Tuberkulose.

Charakteristisch ist das Verlangen nach fetten, gesalzenen und geräucherten Speisen. Verschlimmerung bei Wetterwechsel, Durchnässung, Luftzug.

Stannum D 6. Außerordentliche große nervöse und körperliche Schwäche ist das Leitsymptom dieses Mittels. Blaß, elend und verfallen aussehende Menschen mit dunklen Ringen um die eingesunkenen Augen, mit gedrückter, mutloser, melancholischer Stimmung, immer zum Weinen geneigt, das jedoch keine Erleichterung bringt. Die geringste geistige oder körperliche Arbeit ermüdet sehr, selbst das Sprechen fällt ihnen schwer oder ist kaum möglich vor lauter Schwäche. Die Glieder sind schwer wie Blei, die Arme und Knie zittern und versagen den Dienst, muß sich daher oft niedersetzen und fällt vor Schwäche in den Stuhl. Treppensteigen oder abwärts gehen ist kaum möglich. Große Schwäche auf der Brust, der gelbe Auswurf und der süßliche Geschmack desselben ist charakteristisch. Vorhandene Schmerzen oder Beschwerden nehmen langsam zu und ebenso langsam wieder ab. Druck bessert; Fieber ist hektisch, vormittags Frost, abends Hitze, nachts heiße, schwächende Schweiße gegen Morgen, besonders am Halse.

Sepia D 6–15–30–200. Hauptsächlich Frauenmittel; schmale, hagere dunkelhaarige, brünette Frauen mit gelber Gesichtsfarbe, leberfleckiger Haut und gelbem Sockel über der Nase, dunkle Ringe unter den Augen. Stimmung launisch, reizbar, ärgerlich, bald schwermütig, traurig, furchtsam, niedergeschlagen. Gleichgültig gegen Pflichten, Angehörige und Freunde. Abneigung gegen Mann, Kinder, Freunde, Geselligkeit, Häuslichkeit, gegen die eigenen Angelegenheiten. Große Nervosität, Schreck, Aufregung greifen sehr an und erregen stark. Allgemeine große geistige und körperliche Schwäche und Schlaffheit. Stauungen im ganzen Organismus, gestörter Blutumlauf, Hitzewallungen, Schweiße abwechselnd mit Frostigkeit, kalte Hände, heiße Füße, dann wieder umgekehrt; Stauungen und Störungen im Pfortadergebiet und im weiblichen Sexualsystem besonders vorherrschend; Unterleibsleiden mit Vollblütigkeit und deren Folgeerscheinungen. Neigung zu Gebärmuttervorfall, Gefühl als ob alles nach unten herausdrängen wolle; habituelle Verstopfung mit dem Gefühl als ob ein Knollen im Mastdarm säße; große, fortwährende Müdigkeit, Unlust zu jeder Arbeit, tagsüber schläfrig, nachts Schlaflosigkeit. Verschlimmerung früh, abends und nachts, in der Ruhe, beim Sitzen, nach dem Essen. Besserung mittags, im Freien, durch ausgiebige Bewegung.

Das Mittel wirkt besonders gut in den Wechseljahren und bei hysterischen Menschen. Hochpotenzen in seltenen Gaben verabreichen, Wirkung abwarten.

Magnesium carbonicum D 4–6. Bleiche, schlecht entwickelte, magere, heruntergekommene, kraftlose, schwächliche Menschen, vorwiegend Frauen und Kinder sind es, bei denen diese Verfallserscheinungen auftreten. Sie sind sehr kälteempfindlich, frieren immer, haben trockene Haut, brennende

Augenbindehaut, Lichtscheu, Trübsichtigkeit und leiden an übelriechenden, fettigen Nacht- und Frühschweißen. Überempfindlichkeit der Nerven, reizbar, ängstlich; Neurasthenie, Hypochondrie, Hysterie, Neigung zu Krämpfen. Neuralgische Schmerzen längs der Nerven, blitzartig, bohrend, reißend. Besonders charakteristisch ist: saures Aufstoßen, saurer Geschmack, saure, grüne, unverdaute Stühle, saures Erbrechen; der ganze Mensch riecht sauer. Verschlimmerung der Beschwerden in der Ruhe, besonders nachts im Bett. Besserung durch Bewegung, durch Wärme.

5. *Die dyskrasische Konstitution.* Diese entspricht der karbonitrogenen Konstitution v. Grauvogels. Bei der dyskrasischen Konstitution handelt es sich um eine Mischkonstitution, die sich im Laufe von Jahren und Jahrzehnten vorwiegend aus der lymphatischen und lithämischen Konstitution entwickelt. Sie ist gekennzeichnet durch Zurückhaltung und Anhäufung von Kohlenstoff und Stickstoff im Körper und dadurch bedingten trägem, mangelhaftem, unvollkommenem Stoffwechsel. Die dyskrasische oder gemischte Konstitution – wie sie auch genannt wird – ist schließlich die Mutter aller chronischen Krankheiten überhaupt. Auf diesem Boden entwikkeln sich Rheumatismus, Gicht, Eiterungs- und Fäulnisprozesse, Erkrankungen des Blutes, die sekundären Anämien, Blutentmischungen, bösartige Geschwürsprozesse, bösartige Geschwülste, Tumoren, Krebs, mit rapidem oder langsamerem Kräfteverfall, der das Leben zum Erlöschen bringt.

Die Kennzeichen der dyskrasischen Konstitution in der Iris für den Augendiagnostiker sind folgende: unklare, schmutzige, meist graue Iris, mit rost-rotbraunen Pigmentflecken und Auflagerungen. Diese Flecken sind mit der Irisfaser nicht verbunden, sondern sie *lagern oben auf.* Sie entstammen aus dem Blute und zeigen die Beschaffenheit des Blutes und der Körpersäfte, eine beginnende oder je nach dem Grade ihres Auftretens schon bestehende Blutentmischung, Dyskrasie, schon lange vorher an, ehe subjektiv oder objektiv Krankheitserscheinungen auftreten oder wahrnehmbar sind. Diese Zeichen weisen auf Krebsdisposition hin. Die Augenfarbe ist meist grau, Haare brünett oder dunkelblond. Die Gesichtsfarbe, infolge der Säfteentmischung fahl, grau. Die Menschen mit dunklen Augen, dunklen Haaren, mit meist kräftiger, untersetzter Natur, neigen mehr zu Kreislaufstörungen, Herzleiden, Asthma, Venenstauungen, Hämorrhoiden, Leber- und Pfortaderstauungen, aber auch schwere und schwerste Formen der Gicht, hin.

Nun die wichtigsten in Frage kommenden Mittel hierfür. Da es sich, wie eingangs schon erwähnt, um eine Mischkonstitution handelt, kommen die unter der lymphatischen und lithämischen Konstitution angeführten und beschriebenen Mittel **Sulfur, Silicea, Lycopodium, China, Jodum, Nux vomica, Graphites, Pulsatilla** je nach den Leitsymptomen zum Einsatz. Des weiteren wären als Konstitutionsmittel noch zu erwähnen: **Arsenicum album D 30–15–6** mit den Leitsymptomen: Brennende Schmerzen; rapider Kräfteverfall; septisches Fieber, Blutzersetzung; geschwürige Prozesse der Schleimhäute mit Brennschmerzen; Unruhe, Angst, Todesfurcht; großer Durst; scharfe, ätzende Absonderungen; Neigung zu Anschwellungen, zu

Ergüssen; alle Beschwerden sind schlimmer um die Mitternachtszeit, in der Ruhe, durch Kälte, in freier Luft. Besserung durch Anwendung von Wärme trocken oder feucht.

Aurum D 4–6–30 mit den Leitsymptomen: Lebensüberdruß, Selbstmordgedanken; Melancholie, Depressionen, Minderwertigkeitsgefühl, religiöser Wahn; Blutanschoppungen, besonders im Kopf; Knochenentzündungen, Knocheneiterungen, Gelenkerkrankungen; Drüsen- und Schleimhauterkrankungen; Folgekrankheiten der Lues; Verschlimmerung der Beschwerden früh und nachts, oder periodisch alle 3–4 Tage; durch geistige Arbeit, durch Kälte, in der Ruhe. Besserung durch Wärme, durch Gehen.

Das Mittel paßt gut für dunkelhaarige Menschen mit dunklen Augen und dunkler Hautfarbe, stämmiger, gedrungener Natur (apoplektischer Habitus), vollblütiges, rotes Gesicht. Neigung zu Schlaganfall.

Die bei der dyskrasischen Konstitution vorkommenden Krankheitserscheinungen sind so vielgestaltig und umfangreich, daß es unmöglich ist, weiter noch in Frage kommenden Mittel hier anzuführen. Die Stichwörter „Blut- und Blutkrankheiten", „Eiterungen", „Geschwüre und Geschwülste", „Krebs", „Leberleiden" u. a. m. bringen eine Fülle von jeweils indizierten Mitteln, deren Wahl stets nach den Leitsymptomen zu erfolgen hat.

Im allgemeinen ist noch folgendes über die Konstitutionen zu sagen. Die Konstitutionstherapie ist schlechthin das A und O jeder erfolgreichen Krankenbehandlung überhaupt. Die Konstitutionslehre verstehen und beherrschen lernen ist die vordringlichste Forderung an alle, die die Behandlung kranker Menschen als Beruf erkoren haben. Ganz besonders sollte sich dies der Augendiagnostiker angelegen sein lassen. Ist doch in der Iris die Erkennung der Konstitution und Krankheitsdisposition mitunter schon Jahre vorher, ehe überhaupt subjektive und objektive Krankheitserscheinungen wahrgenommen werden können, möglich, so daß frühzeitig prophylaktische Maßnahmen ergriffen und der Ausbruch schwerer und schwerster Krankheiten verhütet werden kann. Dies ist besonders bei Krebsdisposition, harnsaurer Diathese, Leber- und Nierenunterfunktionen so eminent wichtig, daß es eigentlich keines besonderen Hinweises mehr bedürfte.

Die richtige Wahl der Potenz, Dosis und Intervall der Gaben ist von großer Wichtigkeit, ja mitunter ausschlaggebend für den Erfolg. In der Regel, konstitutionell gegeben, kommen meist Hochpotenzen in Frage, die erst gehörig zur Auswirkung kommen, ehe weitere Gaben folgen dürfen. Ist man im Zweifel, ob niedere, mittlere oder Hochpotenz am besten zu geben ist, dann greife man versuchsweise zu einer sogenannten Akkordpotenz, das heißt, man mischt drei Potenzstärken desselben Mittels zu einem Komplex zusammen und verabreiche diesen. Ich selbst mache schon seit einiger Zeit Versuche mit solchen Akkordpotenzen und habe schon verschiedentlich ganz auffallende Ergebnisse erzielt. So habe ich beispielsweise in einem schon lange bestehenden Fall von Paralysis agitans durch Verordnung von einem Komplex Gelsemium D 6 + D 30 + D 200, je 10 Tropfen zusammen in einer Tasse Wasser gelöst, zweimal täglich ein Schluck, eine ganz auffallende Besserung gesehen. Ich setze meine Versuche in dieser Richtung fort, obwohl ich mir bewußt bin, daß es schwer sein wird und noch vieler Versuche und Beobachtung bedarf, bis der höchstwirksame Dreiklang der Potenzen gefunden ist.

Kopfschmerzen

Kopfschmerzen. Diese können die verschiedensten Ursachen haben, dementsprechend sind auch die Symptome und der Sitz des Kopfschmerzes. Der Kopfschmerz ist also ein Warnungssignal, ein Alarm, daß es irgendwo im Organismus brennt, daß Gefahr im Anzug ist. Nichts ist törichter und unverantwortlicher als das, indem man einfach hergeht und mit irgend einem in der nächsten Apotheke gekauften Pülverchen oder Tabletten – wie das nachgerade Mode geworden ist – das Warnungssignal einfach abstellt, die Leitung von der Brand- oder Gefahrstelle zur Zentrale, das ist das Gehirn, unterbindet. –

Man fahnde also zuerst nach der Ursache des Kopfschmerzes und beseitige diese, dann wird auch der Kopfschmerz verschwinden. Im Nachfolgenden einige Winke zur Erforschung der Ursache. Im übrigen sind die Mittel nach den im Folgenden besprochenen Leitsymptomen zu wählen.

Nun zu den verschiedenen Arten und Symptomen des Kopfschmerzes.

Der Stirnkopfschmerz, Schmerzen und Druck über oder in den Augen. Dieser hat seinen Ausgangspunkt hauptsächlich in den Nieren.

Der Schläfenkopfschmerz oder Migräne dürfte in der Hauptsache auf eine starke Einlagerung von harnsauren Salzen zurückzuführen sein. Hier müssen die indizierten Mittel zur Auflösung und Ausscheidung dieser Salze eingesetzt werden.

Der Scheitelkopfschmerz ist meist die Folge von Unterleibsstörungen der Frauen. Hier helfen die spezifischen Funktions- und Heilmittel dieser Organe.

Der Hinterkopfschmerz hat seine Ursache meist in Leber- und Gallenstörungen. Man behandle das Grundleiden.

Der *Kopfschmerz* welcher den *ganzen Kopf* einnimmt ist oft rheumatisch, gichtischer Natur und kommt von der Überladung mit Harnsäure, sowie von oxalsauren und harnsauren Salzablagerungen. Oft ist eine Dyspepsie von Magen und Darm die Ursache. Selbstvergiftung vom Darm aus, Gährungs- und Gasbildungen die nach oben steigen und im sensiblen und motorischen Nervensystem des Kopfes Verwirrung und Unheil stiften. Richtige, naturgemäße Ernährung, Auflösung der Schlacken und Stoffwechselgifte und Ausscheidung über Niere, Haut und Darm sind die wichtigsten Erfordernisse, um diese Kopfschmerzen zu beseitigen; eine ganze Reihe vorzüglich wirkender Mittel aus dem homöopathischen Heilschatz stehen hier unterstützend zur Verfügung.

Der nervöse Kopfschmerz entspringt den gleichen Ursachen. Erbliche, konstitutionelle Belastung spielen hier eine große Rolle mit. Nerven- und Konstitutionsmittel entsprechend den Krankheitserscheinungen wie sie unter den entsprechenden Schlagwörtern zu finden sind, sind hier einzusetzen.

Der *schwere* Kopf ist oft auf Quecksilbermißbrauch zurückzuführen. **Hepar sulfuricum D 3,** zweimal täglich eine Gabe, ist das Hauptmittel hierfür. Anschließend nun die Leitsymptome und Mittel für die verschiedenen Arten des Kopfschmerzes.

—. Der Schmerz beginnt im Hinterkopf, verbreitet sich über Scheitel und Kopf und setzt sich über dem *rechten* Auge fest, (linkes Auge Spigelia), mit Übelkeit und Erbrechen. Patient verlangt nach dunklem Zimmer und Ruhe. Verschlimmerung früh und abends, nachts im Bett. **Sanguinaria D 200–30.**

—, heftige, stechende Schmerzen und schwerer Druck in Stirn und Nasenwurzel; Nasenkatarrh, akut und chronisch, meist in trockener, verkrusteter Form. **Sticta ∅ – D 3.**

—, heftiger Stirnkopfschmerz, in den Schläfen, als wollte der Kopf zerspringen, mit Hitze und Blutandrang nach dem Kopf, mit klopfenden Schmerzen; reißendes, zuckendes Stechen über den Augen, in den Unterkiefern, Zähnen; Gedächtnisverlust, findet die rechten Worte nicht. Neigung zu Katarrhen und Rheuma, erkältet sich leicht; harnsaure Diathese mit Ablagerungen von Uraten und Salzen. Verschlimmerung bei Wetterwechsel, bei jeder Erkältung, durch Wärme, nachts, durch Liegen auf der kranken Seite. Konstitution lymphatisch-rheumatisch, dyskrasisch. **Kalium jodatum D 2–6.**

—, heftigste Stirnkopfschmerzen mit Überreizung der Nerven in Verbindung mit Nieren- und Blasensymptomen, Harndrang, Brennen längs der Harnröhre beim Urinieren, Harnröhrenkatarrh, -entzündungen, chronische Nierenentzündung, Urämie. **Cannabis D 6–12.**

— wie von einem zermalmenden Druck auf den Scheitel, Hinterkopf, oder Nacken, dabei körperlich und geistig schwach und erschöpft. Kopfschmerzen schnell wachsender Schüler. Nervöse Schwäche und Erschöpfung ist ein weiteres wichtiges Leitsymptom. Tagsüber schläfrig, will seine Ruhe haben und nicht gestört werden, nachts Schlaflosigkeit. Verschlimmerung durch Kälte, Zugluft. Besserung durch Wärme, nach Abgang von Blähungsgasen. **Acidum phosphoricum D 1–3–6.**

—. Schwere oder Druck auf dem Scheitel, meist bei Unterleibsstörungen, Frauenleiden; *sehr blasses Gesicht*, oder der *Patient schläft sich in den Kopfschmerz hinein*, das sind zwei weitere sehr charakteristische Symptome; fürchtet sich zu schlafen, weil er *mit schrecklichen Kopfschmerzen erwacht;* Kopfschmerz, der sich bis in die Nase verbreitet, besonders wenn der Nasenausfluß unterdrückt worden ist oder nach dem Schlafe aufhört; Kopfschmerz *nach Sonnenbestrahlung*. **Lachesis D 15–30.**

—, fürchterliche, anfallweise; halbseitige Kopfschmerzen (Migräne) bei Frauen; Kopfschmerzen bei denen der Kopf gegen den Willen der Kranken hin und her geschleudert wird. Die Kopfschmerzen treten bei Frauen meist in Verbindung oder im Zusammenhang mit Unterleibsstörungen auf. Ein sehr *charakteristisches Symptom* ist ein *Gefühl der Herabdrängung der Unterleibsorgane als ob alles unten herauskommen wollte.* **Sepia D 200–30–6–4.**

— mit Blutandrang nach dem Kopf; Kopfschmerzen infolge Sonnenstich oder sonstiger strahlender Hitze; heftiger klopfender Kopfschmerz mit Vollheitsgefühl und Einschnürung der Blutgefäße am Halse, das Klopfen ist an den Halsschlagadern sichtbar. Wärme, Erschütterung oder Schütteln des Kopfes verschlimmert den Schmerz sehr. **Glonoinum D 4–6–12.**

—, heftige, die *nach außen drücken als ob der Schädel zerspringen wollte;* Kopfschmerzen die in die Augen gehen oder im Hinterkopf sitzen und den Nakken hinunterschießen. Diese Kopfschmerzen sind oft mit schmerzhaften Regelstörungen, Kreuzschmerzen, Wechseljahrebeschwerden, verbunden. Verschlimmerung bei naßkaltem Wetter, durch Bewegung, während der Monatsregel. **Cimicifuga D 2–4–6–12–30.**

—, wie zerschlagen durch die Kopfknochen bis zur Zungenwurzel *mit Übelkeit;* Kopfschmerz mit Erbrechen und Übelkeit, vom Magen ausgehend. Die Übelkeit fängt vor dem Kopfschmerz an und dauert während des Anfalles fort. **Ipecacuanha D 4–6.**

—, Migräne. Die Schmerzen treten *an engumschriebenen Stellen* auf. Der Schmerz erscheint plötzlich und verschwindet ebenso, ferner wechselt er die Stelle, wandert; Blindheit bei Kopfschmerz, diese tritt *vor* dem Schmerz auf und wenn der Schmerz anfängt, vergeht die Blindheit. **Kalium bichromicum D 4–6–12.**

—. Migräne, *mit Übelkeit*, von Magen- oder Leberfunktionsstörungen herrührend, erscheint periodisch und in der Ruhe; Brennschmerzen; der Kopfschmerz beginnt oft mit Fleckensehen vor den Augen. **Iris versicolor D 2–4–6.**

—, dumpfe, ermüdende, am Hinterkopf, besonders an der Schädelbasis; Migräne, periodisch, meist vor der Monatsregel erscheinend und mit Übelkeit; Kopfschmerzen mit dem Gefühl als ob ein Reifen um die Stirn läge; Muskelschwäche, allgemeine Schwäche, Zittern, sind weitere wichtige Leitsymptome. Verschlimmerung durch Bewegung, durch Hitze. Besserung nach reichlichem Harnabgang. **Gelsemium D 30–15–6.**

—. Patient ist unfähig zu denken oder eine geistige Arbeit zu leisten ohne Kopfschmerzen zu bekommen; *Schwindel* oder das Gefühl von *Benommenheit. Verschlimmerung durch geistige Anstrengung*, durch Essen, besonders Milchgenuß, durch Hitze. **Natrium carbonicum D 4–6–30.**

—. Heftiger *Kopf- und Rückenschmerz* mit *Zerschlagenheitsgefühl* am ganzen Körper. Bewegung verschlimmert sehr. **Phytolacca D 3–6, 30–200.**

— *mit Husten*, als ob der Kopf dabei zerspringen wollte. **Capsicum D 4–6–12.**

— sykotischer Herkunft, mit Warzen, Kondylome, Polypen, Gerstenkörner, oder wenn solche einmal vorhanden waren oder periodisch wiederkehren. **Thuja D 30–200.**

—. Heftige rheumatische oder neuralgische Kopfschmerzen, oder Schmerz und Steifheit im Nacken, Schiefhals, in den Schultern; Kältegefühl zwischen den Schulterblättern; Reißen in den Ohren, hektische Backenröte, Vollsein und Hitze in der Brust; Frost und Fieber mit folgendem klebrigem Schweiß. Verschlimmerung der Symptome nachmittags und im Liegen; Fieber maximal um 1–2 Uhr. **Lachnanthes D 3–6.**

— mit dem Gefühl von Ausdehnung, als ob der Kopf zu groß wäre, durch festes binden gebessert. **Argentum nitricum D 4–6–30.**

—, chronische, klopfende, anfallweise, bei blutarmen und bleichsüchtigen, Gesicht blaß oder leicht gerötet, Die Kopfschmerzen treten meist *nach* der Monatsregel auf. Stirnkopfschmerz bei Schülern durch Überanstrengung der Augen beim studieren, nähen usw. Kopfschmerzen als Folge von Nierenstörungen. **Natrium muriaticum D 30–15–6.**

—, schlimmer nach dem Essen, nach geistiger Anstrengung, nach Erwachen, in frischer Luft; Stuhlverstopfung. **Nux vomica D 30–15–6.**

—, klopfende, bei Blutarmut, periodisch zur bestimmten Zeit wiederkehrend; leichtes Schwitzen, große Schwäche bei der geringsten Anstrengung. **China D 2–4.**

—, oder Knochenhautschmerzen infolge unterdrücktem Tripper. **Sarsaparilla D 200.**

— und Schwindel im Hinterkopf mit einem bleischweren Gefühl. **Petroleum D 30.**

— bei nervösen, empfindlichen oder hysterischen Kranken. Wechselnde Kopfschmerzen, plötzliche oder langsam ansteigende und umgekehrt; sehr nervös und empfindsam durch Kummer oder geistige Arbeit; Kopfschmerzen als wenn ein Nagel in die Kopfseite eingetrieben würde, besser durch Liegen auf derselben Seite. Besserung durch Wärme oder reichlichen Abgang hellen Harns. Verschlimmerung durch kalte Winde, plötzliches Drehen des Kopfes, durch Bücken, Lärm und Licht. **Ignatia D 30–200.**

— mit Schwindel; Gefühl der Leere im Kopf oder in einem anderen inneren Organ; Hinterkopfschmerz mit Übelkeit und Brechreiz; Fahren, Schaukeln, Rauchen, Kaffee verschlimmern den Kopfschmerz; große Schwäche bis zur Erschöpfung; nervös-hysterische Konstitution. **Cocculus D 6–15–30.**

—, klopfende, neuralgische, mit Blutandrang nach dem Kopf, schlimmer durch Niederliegen oder Beugen nach vorn; Verlangen nach abdecken oder einhüllen des Kopfes. **Belladonna D 6–30.**

—. Hinterkopfschmerzen, stechend, schießend als Folge oder in Verbindung mit Leberleiden. Aufwachen morgens gegen 3 Uhr mit Kopfschmerzen, ohne wieder einschlafen zu können; stechender Schmerz am rechten Schulterblattwinkel ist besonders charakteristisch. **Juglans cinerea D 3–6.**

— nervöser Art oder infolge Nervenerschöpfung; drückende Hinterkopfschmerzen, besonders nach geistiger Anstrengung. **Kalium phosphoricum D 6,** das Schüßlersche Nervenaufbau- und Nervenfunktionsmittel.

— bei Frauen während, vor oder während der Monatsregel. Die Schmerzen nehmen langsam zu bis zur größten Heftigkeit und ebenso langsam wieder ab mit folgendem Taubheitsgefühl. **Platinum D 200–30–6.**

Krampfadern

Krampfadern, rechtsseitig, **Carduus marianus** ∅, *linksseitig* das Milzmittel **Ceanothus americ. D 3**; am besten gibt man beide Mittel im Wechsel, längere Zeit hindurch, zweistündlich 8 Tropfen. Bei heftigen Schmerzen und bei dicken, spannenden Knoten **Calcium fluor. D 12** und **Acidum fluor. D 6** im Wechsel mit **Collinsonia D 2–4**, ganz besonders bei Schwangerschaft. Später das Lebermittel **Lycopodium D 6–12** einschalten und im Wechsel mit **Avena sativa D 3.**

—. Als weitere Mittel kommen noch in Frage: **Arnica, Calcium carbonicum, Pulsatilla.** Konstitution beachten!

—. Siehe auch „Venen“.

Krampfadergeschwüre

Krampfadergeschwüre. Als Grundmittel und zur Behandlung der angeborenen oder erworbenen Disposition zu Krampfadergeschwüren wird folgender Komplex empfohlen: **Salvia D 3 + China D 3 + Arnica D 3 + Chelidonium D 4 + Lycopodium D 4 + Equisetum D 6 + Conchae D 30.**

Weitere Mittel, die von Fall zu Fall, je nach den Leitsymptomen, in Frage kommen, sind: **Arsenicum jodatum D 4–6** bei nächtlichen brennenden Schmerzen in dem Geschwür und bei harten, wulstigen Geschwürsrändern.

Carbo vegetabilis D 4–6 bei brennendem Schmerz mit übelriechender, wundmachender Absonderung, unregelmäßiger Form und mehr oberflächlich.

Lachesis D 15–30, wenn das Geschwür einen großen, dunkel-blauroten Hof hat oder um sich greift und ringsum kleinere Geschwüre entstehen.

Hepar sulfuricum D 12 bei starken Eiterungen und als Gegenmittel gegen angewandte Zink- und Quecksilbersalben.

Mercurius corrosivus D 6 + Guajacum D 2 im Wechsel mit **Acidum nitricum D 6** bei sehr tiefen, stark eiternden Geschwüren, mit unreinem, mißfarbenem Grunde, stinkenden Absonderungen und Blutverderbnis.

—. Siehe auch „Eiterungen“, „Geschwüre“.

Krämpfe

— bei Gehirnaffektionen, Nervenleiden, Magen-Darmkrankheiten, sie fangen an den Fingern und Zehen an und verbreiten sich über den ganzen Körper; Wadenkrämpfe, Keuchhusten mit Krämpfen, krampfhaften Zukkungen, Steifheit, stockender Atem, Bewußtlosigkeit. Große Unruhe *zwischen* den Anfällen. **Cuprum metall. D 4–30.**

—. Krampfartige, neuralgische Schmerzen, heftig, schneidend, durchdringend, bohrend, schießend, stechend, oft blitzartig kommend und vergehend, in Anfällen, fast unerträglich, oft die Stelle wechselnd, am häufigsten in Magen, Bauch und Becken, besonders bei neuralgischen, krampfhaften Schmerzen bei der Menstruation. Wichtige Modalität ist: *Besserung durch heiße Aufschläge.* **Magnesium phosph. D 30–6.**

— allgemeiner, hysterischer Natur oder bei schmerzhafter Menstruation; nervöser hysterischer Kopfschmerz mit Besserung durch Druck oder durch Wärme, besonders wenn vorgenannte Symptome mit Verstopfung durch harte, knotige, ungenügende, am Rande des Afters zerbröckelnde Stühle, verbunden sind. **Magnesium muriaticum D 6–30.**

—, Zuckungen, Konvulsionen, Delirien, besonders bei akuten Krankheiten, mit Besserung im Liegen, Verschlimmerung bei Bewegung. Ein besonders *charakteristisches Symptom* ist: *ein schmaler, roter, scharf abgegrenzter Streifen durch die Mitte der Zunge.* **Veratrum viride D 6–12.**

—, Schüttelkrämpfe im Wochenbett; Schüttelkrämpfe, besonders wenn im Urin Eiweiß ausgeschieden wird. Zuweilen treten krankhafte Erscheinungen des Herzens zusammen mit den genannten Symptomen auf. **Glonoinum D 6–30.**

—. Veitstanzartige Zustände, krampfhafte Muskelzuckungen infolge Nervenüberreizung; Ruhelosigkeit, Überempfindlichkeit, besonders bei Frauen. Unruhe der Hände, sie sind fortwährend in Bewegung auch im Schlafe. **Tarantula hispanica D 15–30.**

—. *Außerordentlich heftige Schüttelkrämpfe*, Patient nimmt die seltsamsten Stellungen und gewaltsamsten Verdrehungen ein, meistens Rückwärtsbiegen des Kopfes, Halses und des Rückens, Erscheinungen, wie sie bei Gehirn- und Rückenmarkentzündungen auftreten. Heftigste Krämpfe mit Versteifung von Körperteilen; epileptische Anfälle mit vorausgehender Aura, Schrei, Seufzer, Ohrenklingen; Verschlimmerung durch Berührung und Erschütterung. **Cicuta D 6–15–30.**

—. Krämpfe und Zuckungen am ganzen Körper. Jeder Muskel im Körper zuckt, von den Augen bis zu den Zehen; allgemeines Muskelzucken; hochgradige Erregung des Zentralnervensystems; Veitstanzartige Zustände mit Geschwätzigkeit; Epilepsie der Kinder und Frauen; Blasenkrämpfe und Lähmungen. **Hyoscyamus D 30** bei Lähmungen **D 12–6–4.**

— und Zuckungen am ganzen Körper; Veitstanz; Krämpfe bei Erregung, Widerspruch, Furcht, Schreck, Eifersucht; Lach- und Weinkrämpfe bis zum Schreien, mit Ohnmachten; Krämpfe und Ohnmachten bei Kindern nach Züchtigungen; neuropathisch-nervöse-hysterische Anlage mit steter Krampfbereitschaft bei großer Überempfindlichkeit gegen alles was nicht in ihren Kram paßt, bei Frauen und Kindern. **Ignatia D 30–200.**

—, Zuckungen und Umherwerfen der Glieder im Schlaf; Krämpfe mit Zusammenkrümmen nach rückwärts; Zuckungen im Gesicht, an Armen und Beinen; Schlundkrämpfe beim Trinken mit Schlingbeschwerden. **Belladonna D 6–15–30.**

— und Zuckungen, Zittern, krankhaftes Muskelzucken, ganz besonders dann, wenn Wurmsymptome vorhanden sind; fahles, blasses Gesicht, mit dunklen Ringen unter den Augen; Bohren in der Nase wegen Juckreiz; Zähneknirschen im Schlafe, **Cina D 30–200.**

—. Schmerzhafte, krankhafte Affektionen der quergestreiften, besonders der glatten Muskeln (Schließmuskeln von Blase und Darm, Gebärmutter) und Lähmungen derselben; Muskelkrämpfe, besonders der Herzgegend; Gehirnkrämpfe jeder Art, mit erweiterten Pupillen mit Blausucht und Herzschwäche, Lebensgefahr im Koma (Bewußtlosigkeit); Magenkrämpfe anfallweise, besonders am Magenausgang, Pförtner; Magengeschwüre mit heftigen Krämpfen; Koliken und Krämpfe aller Art, Gallenkoliken, Nierenkoliken. **Atropinum sulfuricum D 4–6.** Als Palliativ- und Schmerzbekämpfungsmittel in wenigen Gaben, 10 Tropfen in einem Löffel heißem Wasser, 2–3 Gaben in kurzen Abständen.

—, Zuckungen, reißende, ziehende Schmerzen in verschiedenen Körperteilen; große Empfindlichkeit gegen Eindrücke aller Art; wechselnde Gemütsstimmung; die Beschwerden verschlimmern sich während der Monatsregel. Besserung durch Reiben und Wärme; Frauenmittel bei großer Schwäche und beginnender Hysterie. **Castoreum D 4–6.**

—, Zuckungen, Zittern, infolge Erkrankungen des Gehirns und Rückenmarkes, Lähmungen, unsicherer Gang. Leitsymptome für die Krämpfe: *große Unruhe und Aufgeregtheit kurze Zeit vor dem Anfall.* **Argentum nitricum D 30–15–6.**

—. Herzkrämpfe, Angina pectoris (Herzbräune, Engbrüstigkeit), Muskel krämpfe, Wadenkrämpfe, plötzliche Schwäche, Ohnmachten. Ein sehr wirksames Mittel ist **Camphora Rubini,** einige Tropfen auf Zucker und evtl. einige Gaben in kurzen Abständen.

Krebs

Krebs. Diese weitverbreitete und gefürchtete Krankheit, deren erste Anfänge schon Jahre, ja Jahrzehnte voraus in einer sehr langsam fortschreitenden Blut- und Säfteverderbnis, Dyskrasie genannt, besteht, und im Endstadium ihren höchsten Ausdruck in Geschwulst-Geschwürbildung mit nekrotischem Zerfall in den verschiedensten Organen findet. Die letzte Ursache dieser Krankheit ist der Wissenschaft bis heute noch nicht bekannt. Mir scheint aber, daß die von einem homöopathischen Arzte angeführte Theorie, daß Krebs nur bei starker Ablagerung von Harnsäure im Gewebe entstehen kann, welche eine starke Reizung und dadurch Geschwulstbildung oder Zerfall des Gewebes nach sich führt, begründet ist.

Jeder Augendiagnostiker wird die typischen übereinstimmenden Zeichen in der Iris bei Rheumatismus und Krebs bestätigen können. Wer Gelegenheit hat, die Entwicklung von der harnsauren Diathese (Rheumatismus) bis zur Dyskrasie, in der Iris eines Menschen jahrelang zu verfolgen, der wird feststellen, daß sich die anfangs weißgrauen Wolken und Wische allmählich ins gelbliche, bräunliche bis zu dunkelbraunen Intoxikationsablagerungen steigern, die das Irisbild der Krebsdisposition ausmachen. Außerdem dürfte jedem Praktiker bekannt sein, daß Rheumatismus und Krebs in der Mehrzahl aller Fälle miteinander vergesellschaftet, oder Rheumatismus vorausgegangen bzw. Krebs nachgefolgt ist. Rheumatismus, Krebs und Tuberkulose sind Geschwister und fußen auf der gleichen Grundlage. Warum und weshalb sich bei einem bestimmten Menschen gerade diese oder jene Krankheitsform manifestiert und zum Durchbruch kommt, wird wohl auch eines der vielen noch ungelösten Rätsel des menschlichen Lebensablaufes sein und bleiben. – Daß die Konstitution dabei eine Hauptrolle spielt ist unzweifelhaft. Hierzu ein markantes Beispiel einer Anamnese aus meiner Krankenkarteikarte Nr. 2451: Frau B. N., 45 Jahre alt, Bauersfrau, mit einer innerhalb 5 Jahren ausgebildeten chronischen Polyarchritis, die das Gehen vollständig unmöglich macht und an das Bett fesselt. Eine Schwester ist mit 21 Jahren an Lungentuberkulose, die Mutter mit 66 Jahren an Gebärmutterkrebs gestorben. Vater ist, 80 Jahre alt, an Altersschwäche gestorben.

Nach meiner Überzeugung ist die erste und einzige Ursache der Krebserkrankung – und aller Krankheiten überhaupt – die Abkehr von der natürlichen Nahrung, die dem Menschen, der nach Anlage von Gebiß und Verdauungsorganen unzweifelhaft zu der Kategorie der Früchteesser zählt, von Natur aus zugedacht, aber im Laufe der Jahrhunderte durch Kochkunst, Küchen- und Nahrungsmitteltechnik und den gastrischen Errungenschaften der Kultur, Agrikultur, Alkohol- und Tabakgenuß und sonstige „Genüsse“ auf den heutigen Standpunkt umgebildet wurde.

Um nur *ein* Beispiel dieser „Genüsse“ der Kulturmenschen herauszugreifen diene folgender Hinweis: Man gehe nur mal des Abends in eine Gastwirtschaft der Kleinstadt oder in ein sogenanntes „besseres“ Lokal der Großstadt und sehe sich um. Da sitzen die Herren der Schöpfung und jeder zieht mit sichlichem Behagen an seinem Glimmstengel und nebelt sich förmlich ein. Das ganze Lokal ist mit einem beißenden, fast undurchsichtigen Qualm eingehüllt. Vom Standpunkt des Nichtrauchers und Lebensreformers aus gesehen, geradezu ein jämmerlicher, erbarmungswürdiger Zustand. Meine Augen tränen jedesmal infolge dieses beißenden Qualms, wenn ich geselligkeitshalber mal kurze Zeit in einer solchen Atmosphäre zubringen muß. Und oft sieht man neben dem Herrn der Schöpfung die Eva mit aufpolierten Fingernägeln, Strichzeichnung anstatt der wegrasierten Augenbrauen, gefärbten oder gebleichten Haaren, rot angestrichenen Lippen und elegant dazwischen geklemmt die qualmende Zigarette, deren Rauch grazil in die Luft blasend, unwissend und nicht ahnend, wie furchtbar sich das Nikotingift auf ihre Keimdrüsen, ihre Nachkommenschaft, auf die Zukunft von Volk und Staat auswirkt.

Es ist weiterhin ein Unfug, wenn nicht gar ein Verbrechen, wenn Väter das Familienwohnzimmer, in dem sich Säuglinge, kleine und größere Kinder aufhalten oder gar darin schlafen, in eine Räucherkammer verwandeln, wie man das leider nur allzuoft beobachten kann. Diese Zustände sind doch unzweifelhaft ein markantes Beispiel der Entartung der heutigen Kulturmenschheit.

Ein weiteres Beispiel der „Genüsse“ möchte ich noch kurz anführen. Was wurde in Friedenszeiten nicht nur von den besser situierten Menschen täglich alles zusammengegessen. 6–8 Mahlzeiten täglich; schon früh morgens gleich nach dem Aufstehen fing es mit dem sogenannten 1. Frühstück an mit Kaffee, Butterbrötchen, Wurst, dazu noch womöglich ein weichgekochtes Ei und endete Nachts mit einer kräftigen Schlußmahlzeit. – O du heilige Einfalt, mit welchem Unverstand wurde da tagsüber alles zusammengegessen und die Verdauungsorgane überlastet und traktiert. Die übermäßig genossenen Eiweißmengen zersetzen sich im Darm, gehen in Fäulnis, Gärung und Gase über und vergiften vom Darm aus den ganzen Organismus. Selbstvergiftung vom Darm aus ist die Hauptursache von $90^{0}/_{0}$ aller Krankheiten. Das ist der Boden, auf dem die Krebszellen wuchern und gedeihen können. In diesem Zusammenhang sei noch auf die Überfütterung der Kleinkinder hingewiesen. Oft wandern diese kleinen Erdenbürger von Tante zu Tante, von Großmutter zu Großmutter, zu den Nachbarn usw. und überall gibt es was zu futtern und die Mund- und Verdauungswerkzeuge sind den ganzen Tag ununterbrochen in Tätigkeit. Und die Mutter des kleinen Vielfraßes freut sich in ihrem Unverstand unbändig über den guten Appetit ihres Sprößlings und hat keine Ahnung von der Gefährlichkeit dieses Treibens für die Gesundheit des Kindes; sie weiß nicht, daß die dauernden Katarrhe dieser Kinder die Folgen dieser Vielesserei und damit die ersten Anzeichen einer beginnenden Skrofulose sind und die Anfälligkeit und Bereitschaft für weitere schwere Erkrankungen bilden. Bei solchen Kindern läuft in der Regel monate-, ja jahrelang dauernd die Nase wie ein Scherenschleiferskübel, man achte nur mal darauf und sehe sich die Kinder mal richtig an. Sobald sich derartige Anzeichen zeigen, ist es allerhöchste Zeit, diesen Unfug zu beenden und den Tanten und Großmüttern gehörig auf die Finger zu klopfen. – Ein Vielfraß wird nicht geboren, sondern nur erzogen! –

Es dürfte bekannt sein, daß es bei den freilebenden Tieren, die ihre natürliche Nahrung mit einem nie trügenden Instinkt unter dem jeweils gebotenen aussuchen, eine Krebskrankheit nicht gibt; ebenso wie man diese Geisel der Kulturmenschheit bei den noch wenigen Völkerstämmen Asiens, deren Sitten und Religion das Töten, Schlachten und Verzehren eines Tieres verbieten und die daher nur von rein pflanzlicher Nahrung leben, vergeblich suchen wird.

Nur der sogenannte Kulturmensch, der allmählich seinen natürlichen Instinkt verloren und dafür seinen scharfen analysierenden Verstand gebraucht und weiter entwickelt hat und nun glaubt, wie weise und gescheit er nun geworden ist und nun alles noch besser wissen und machen könnte als die Natur selbst und meint die elementarsten Naturgesetze bezüglich der Ernährung und Lebensführung zu übergehen oder mißachten zu können, wurde als Antwort der Natur auf die Verstöße gegen ihre Gesetze mit Krankheit und Siechtum belegt, wobei die Krebskrankheit mit an erster Stelle steht.

So haben Gelehrte und Wissenschaftler fein säuberlich ausgerechnet, wieviel Gramm Eiweiß, Fett und Kohlehydrate ein Mensch täglich braucht und demnach die Nahrungsmittelmengen festgelegt. Die altbekannte Voigtsche Formel des angeblichen täglichen Bedarfes mit 118 g Eiweiß, 60 g Fett, 600 g Kohlehydrate ist nachgerade in das Gedankengut aller gebildeten Menschen eingegangen.

Des weiteren hat man den Energieumsatz des menschlichen Körpers nach Kalorien – neuerdings W.E = Wärme-Einheit bezeichnet – errechnet und in Kalorienwerte ausgedrückt. Unter einer Kalorie versteht man physikalisch diejenige Wärmemenge, die nötig ist, um 1 Liter Wasser um 1 Grad Celsius zu erwärmen. Nach dieser Formel beträgt der Umsatz eines erwachsenen Mannes bei Bettruhe rund *eine* Kalorie pro kg Körpergewicht und Stunde. Demnach benötigt also ein erwachsener Mensch von 70 kg Körpergewicht in 24 Stunden bei Bettruhe 1600–1700 Kalorien, bei leichter Beschäftigung 2300–2500 Kalorien, bei schwerer Muskelarbeit 3500–4000 Kalorien.

Durch diese angebliche Kenntnis der erforderlichen Nahrungsmittelmengen sind die Erkrankungen der Menschen in keiner Weise berührt oder verhütet worden. Im Gegenteil, das viel zu hoch angegebene Eiweißminimum mit 118 g hat viel Unheil und Krankheit gestiftet, denn gerade der übermäßige Eiweißgenuß ist es in erster Linie, der die Grundursache dieser schweren Erkrankungen wie Rheumatismus, Gicht, Krebs, ist. – Dabei hat man seinerzeit, als man diese Formeln aufstellte, die Vitamine oder Fermente, neuerdings Wirkstoffe genannt, noch nicht gekannt oder sie übersehen. Und diese Wirkstoffe sind hauptsächlich nur in Frischgemüsen, Salaten und Obst enthalten. Ein drastisches Beispiel, daß gerade diese Wirkstoffe *ausschlaggebend* für die Gesundheit und Leistung des Menschen sind, ist das weltbekannte Schicksal des deutschen Hilfskreuzers „Kronprinz Wilhelm" im ersten Weltkrieg. Nachdem dieses Kriegsschiff 255 Tage auf siegreicher Kreuzerjagd in See war, mußte es wegen Erkrankung der ganzen Mannschaft, die meist bettlägerig und zu jeder Arbeit außerstande war, einen amerikanischen Hafen anlaufen und sich internieren lassen. Obwohl an Bord ein Überfluß an hochwertigen Nahrungsmitteln von Fleisch, Konserven, feinem Mehl, Eiern, die aus gekaperten Handelsschiffen übernommen worden waren, vorhanden war, erkrankte dennoch die gesamte Mannschaft nur wegen Mangel an Vitaminen, d. h. an Frischgemüsen, Salaten, Obst. Das Kriegsschiff wurde also allein durch konzentrierte Nahrung besiegt, die vielgerühmten Formeln über Kalorien, Eiweiß, Fett, Kohlehydrate, hatten also kläglich versagt. Einige Tage richtige Diät, besonders Suppen von Kleie, Kartoffelschalen und Frischgemüsen genügten damals, die Mannschaft wieder auf die Beine zu stellen und gesund zu machen. –

Alle diese fein ausgeklügelten Berechnungen von den benötigten Nahrungsmittelmengen und den Kalorienwerten scheinen mir völlig überflüssig. Würde der Mensch seine Nahrung, so wie sie die Natur ihm in den verschiedenen Jahreszeiten bietet – richtige naturgemäße Düngung und Pflege des Ackerbodens vorausgesetzt – unverfälscht und nicht entwertet oder totgekocht, genießen, dann bräuchte es keiner Berechnung des Kalorienbedarfes. Dann entfällt auch die Gefahr des Zuvielessens – übrigens mit ein Hauptfaktor aller Erkrankungen überhaupt – wie dies beim Genuß der gekochten und oft mit aller Raffinesse zubereiteten Nahrung gang und gäbe ist.

Als Grundlage meiner diesbezüglichen Ausführungen möchte ich hier die Zusammensetzung und Kalorienwert einiger wichtiger Nahrungsmittel kurz anführen:

Nahrungsmittel	Eiweiß %	Fett %	Kohle- hydrate %	Wasser %	Mineral- salze %	Kalorien pro kg
Spinat	2,5	0,3	3,2	91,3	2,3	255
Kopfsalat	1,3	0,3	2,4	94,8	2,1	175
Möhren	1,1	0,2	8,7	88,5	1,5	410
Äpfel	0,4	0,4	12,7	86,1	0,4	560
Pflaumen frisch	0,9	0,9	16,0	81,5	0,7	757
Johannisbeere	0,8	2,4	11,5	84,8	0,5	708
Haselnuß	15,7	63,1	9,8	7,5	3,9	6699
Kartoffel, roh	1,9	0,2	21,4	73,5	3,0	965
Weizenmehl	10,4	1,1	74,2	13,3	1,0	3478
Butter	0,8	83,7	0,7	13,5	1,3	7790
Kuhmilch	3,4	3,6	4,7	87,5	0,8	666
Hühnerei	19	2	—	77	2	965
Rindfleisch	18,7	15,6	0,3	63,2	2,2	2144
Rübenzucker.	0,3	—	98,1	1,2	0,4	4025

Der kalorische Wert der Grundsubstanzen beträgt für 1 g Eiweiß und Kohlehydrate 4,1 Kal., für 1 g Fett 9,3 Kalorien.

Wie aus der Tabelle ersichtlich, haben alle Gemüse und das Obst mit Ausnahme der Nüsse, einen sehr hohen Wassergehalt und nur minimalste Mengen an Eiweiß, Fett und Kohlehydraten und dementsprechend unglaublich erscheinende niedere Kalorienzahlen.

In der Erwägung, daß der Mensch aber nach Gebiß und Verdauungsorgane zu den Früchteessern zu zählen, seine natürliche Nahrung also nur Früchte, zarte Blattsalate und Wurzelgemüse ist, ließe sich wohl theoretisch bei geeigneter Zusammenstellung unter Heranziehung von Nüssen und Getreide der für den täglichen Bedarf errechnete Kalorienwert erreichen. Da aber bekanntlich die Natur für ihre Lebewesen je nach der Jahreszeit die für diese jeweils vorgesehenen Nahrungsmittel hervorbringt, Nüsse und Getreide im Frühjahr und Sommer naturgemäß fehlen müßten, wäre es praktisch, ohne Vorratswirtschaft zu treiben, nicht möglich, in diesen Jahreszeiten auf die errechneten Kalorienwerte zu kommen, da es unmöglich erscheint und auch ist, so große Quanten von Blatt-, Wurzelgemüsen oder Obst zu verzehren um sich die erforderlichen Kalorienwerte einzuverleiben. Hierzu wäre beispielsweise bei Spinat etwa 10–12 kg, bei Äpfel 5–6 kg pro Tag erforderlich. Nach meiner Überzeugung müßte ein naturgemäß lebender Mensch in diesen Jahreszeiten sich mit weit geringeren Quanten genannter Nahrungsmittel ausreichend und gesund ernähren können, wobei die Kalorienwerte auch nicht annähernd erreichbar sein würden.

Daß in Obst, Blattgemüsen und Wurzelgemüsen trotz des enorm hohen Wassergehaltes und der dadurch bedingten äußerst niedrigen Kalorienwerte ungeheure Nahrungsenergien freigemacht und zum Aufbau und Erhalt des Körpers ausgenutzt werden können, beweist ein Vergleich mit dem Weidevieh auf der Alm. Dieses Weidevieh lebt *ausschließlich* im Sonmmer von Gras, im Winter von Heu und Wasser. Trotzdem ist es imstande innerhalb von 3–4 Jahren ein Körpergewicht bis zu 600 kg und darüber zuzulegen, gewaltige Fleisch- und Knochenmassen, wuchtige eisenharte Zähne, Hornmasse, Haut und Haare zu bilden und dazu noch obendrein durchschnittlich etwa täglich 6–8 Liter Milch abzugeben. Und dieser gewaltige Aufbau und die Abgabe der Milch ist alles aus einfachen Gräsern entstanden, die analytisch doch von so geringen minimalsten Nahrungswerten und etwa zu 90% aus Wasser bestehen. Hier ist doch ganz deutlich offenbar, daß ungeheure Nahrungsenergien in diesen Gräsern enthalten sein müssen, denn sonst könnte sich doch ein solch massiger Tierkörper darauf nicht aufbauen. – Da läßt uns doch einfach diese Kalorienlehre im Stich, hier stimmt die Theorie mit der Praxis einfach nicht mehr überein, wie aus folgender Rechnung klar hervorgeht.

Beziehen wir also mal die Kalorienlehre auf den Tierkörper, so braucht eine ausgewachsene Weidekuh mit einem Gewicht von 500 kg täglich mindestens 13 200 Kalorien. Setzen wir den Nährwertgehalt des Grases in die Mitte zwischen Spinat und Kopfsalat mit 1,9% Eiweiß, 0,3% Fett, 2,8% Kohlehydrate, 93,15% Wasser = 215 Kalorien pro kg. Nun frißt eine ausgewachsene Weidekuh täglich rund 50 kg Gras, das entspricht einem Kalorienwert von 10 750 Kalorien, mithin würde sie nach dieser Berechnung 2450 Kalorien zu wenig bekommen. Nun kommt aber noch hinzu, daß eine solche Kuh durchschnittlich pro Tag 10 Liter Milch abgibt. Ein Liter frische Kuhmilch hat einen Kalorienwert von 666, mithin gibt also die Kuh einen Kalorienwert von 6660 wieder ab, so daß ihr also für den eigenen Lebensunterhalt nur noch ein Kalorienwert von 4090 verbleibt. Theoretisch könnte also eine solche Kuh nach der Kalorienlehre einfach nicht existieren.

Und hier nun noch zwei extreme, entgegengesetzte Gegenüberstellungen:

1. Man gebe einem gesunden erwachsenen Menschen täglich 2 kg Fleisch und 1–2 Liter Malaga oder sonstigen besten Rotwein – das entspricht einem Kalorienwert von rund 4000 Kalorien – und er wird innerhalb 40 Tagen eines qualvollen Todes sterben. (Mit dieser Methode hat man im Mittelalter verschiedentlich Verbrecher hingerichtet.)

2. Man nehme 750 g feines Weißmehl, 50 g Butter, 100 g Zucker, 6 Eier, ¼ Liter Milch und etwas Hefe, rühre das ganze zu einem Teig, fülle diesen in eine Form und backe in mäßiger Hitze und der allbekannte, berühmte Gugelhupf ist fertig. Nach Nahrungsmittelwerten und Kalorien entspricht diese Zusammensetzung mit 123 g Eiweiß, 79 g Fett, 655 g Kohlehydrate genau der Voitschen Formel und mit dem Kalorienwert von 4047 dem Bedarf eines Schwerarbeiters. Man gebe nun einem erwachsenen, gesunden

Menschen zusammen mit Kaffee, Tee, Bier oder Wein täglich und ausschließlich einen solchen Gugelhupf als Nahrung und er wird in Monaten oder wenigen Jahren elendiglich zugrunde gehen.

Und die Folgerung aus diesen geschilderten Tatsachen!? Die alteingeführten Formeln von dem Bedarf an Eiweiß, Fett, Kohlehydraten und den Kalorienwerten sind veraltet, falsch, zumindest irreführend. Entscheidend für den Aufbau, die Gesunderhaltung und Leistungsfähigkeit des Körpers ist nicht allein die Zuführung bestimmter Mengen und Kalorienwerte von Nahrungsmitteln, sondern die Art derselben, die Zubereitung, ob roh oder gekocht, unter möglichster Erhaltung der Fermente und Wirkstoffe. Die Höhe des Bedarfs an Kalorienwerten dürfte als viel zu hoch errechnet sein, desgleichen die genannten Bedarfsmengen an Eiweiß, Fett und Kohlehydraten. Es ist eine erwiesene Tatsache, daß alle Menschen, die ein außerordentlich hohes Alter erreichten, sehr geringe Nahrungsquanten zu sich genommen haben, die die angeführten Zahlenwerte *bei weitem* nicht erreichten. Andererseits steht ebenfalls fest, daß ausgesprochene Vielesser vorzeitig ins Grab sanken.

Man könnte mir entgegenhalten, daß der oben geschilderte Vergleich mit dem Weidevieh auf den Menschen nicht angewendet werden könnte, weil die Verdauungsorgane des Rindes für die Verwertung und Verarbeitung von Gras eingerichtet sind. Hierauf zuerst mal die Feststellung und Betonung, daß zunächst hiermit der Beweis erbracht ist, daß in dem Grase überhaupt solche Energie- und Kraftquellen vorhanden sind. – Der Beweis hierfür, daß den in Bezug auf Nährwert und Gehalt dem Grase gleichwertigen Gemüse, Salate, Obst derselbe Aufbauwert zukommt, sind die im Urwald frei lebenden Menschenaffen Gorilla, Orang-Utan, Schimpanse, deren Nahrung nach Brehm ausschließlich aus Früchten, Blättern und Knollen besteht und deren Verdauungsorgane anatomisch haargenau dem der Menschen entspricht. Dabei sind diese Menschenaffen an Stärke, Muskelkraft und Ausdauer dem Menschen um ein vielfaches überlegen, verfügen über ein außerordentlich starkes Gebiß, mit dem sie in der Lage sind, die härtesten Früchte mit eisenharten Schalen spielend aufzubeißen oder zu zermalmen. Dieses Gebiß ist zugleich eine furchtbare Angriffs- und Verteidigungwaffe. Man vergleiche hierzu den geradezu erbärmlichen Zustand des Gebisses der Kulturmenschen. Kaum findet man noch bei diesem, einschließlich der Kinder, ein vollständiges Gebiß, dagegen Zahnkaries in erschreckender Weise, plombierte Zähne, Ersatzzähne und künstliche Gebisse, als alleinige Folgen denaturierter Nahrung seit Generationen.

Das Krebsproblem, an dessen Lösung die wissenschaftliche Forschung seit Jahrzehnten arbeitet, wird nur dann seine Lösung finden, und die Bekämpfung der Krebskrankheit kann nur dann zum Erfolg führen, wenn die Kulturmenschheit sich wieder zur naturgemäßen Ernährung und Lebensführung zurückfindet. Nie wird es, trotz allen Forschungen und Fortschritte der Medizin, gelingen, etwa mit Pülverchen, Pillen, Tropfen, Bestrahlungen und Operationen die Krebskrankheit auf die Dauer erfolgreich zu bekämpfen oder sie gar zu beseitigen, solange die Menschen in dem Ausmaß wie bisher in Bezug auf Ernährung und Lebensführung gegen die elementarsten Naturgesetze verstoßen. Die Natur zu vergewaltigen, ein Schlemmer- und Prasserleben zu führen und dann, wenn die Rechnung der Natur in Form von Krankheit präsentiert wird, sie mit Tropfen, Pillen oder einem Schnitt mit dem Messer zu bezahlen. Das gibt es nicht, sie wird mit Schmerzen, Siechtum und mit dem Leben bezahlt werden müssen. – – Lassen wir daher lieber wieder bei unserer Ernährung den Instinkt walten, halten wir uns an unsere naturgegebene Nahrung und deren natürliche Zubereitung unter möglichst weitgehender Ausschaltung des Feuers, dann kann uns das Schreckgespenst „Krebs" nichts anhaben. Würde dieser Grundsatz durch Generationen hindurch strikte befolgt werden, dann würde das Krebsproblem von selbst seine Lösung erfahren und das Wort „Krebs" aus dem Sprachschatz des Volkes verschwinden. – Glücklicherweise hat man in neuerer Zeit die Gefahr dieser Ernährungswidrigkeiten erkannt, klärt in dieser Richtung in Wort und Schrift auf und geht ihr zu Leibe. Aber die große Masse des Volkes wird noch Jahrzehnte an den Fleischtöpfen, an Tabak, Alkohol, nächtlichen Exzessen und Verbringung der Abende in rauchigen Bier- und Weinlokalen kleben bleiben und dafür ihren Tribut in Form von Ärzte-Honoraren, mit Schmerzen, Siechtum und Tod bezahlen müssen.

Einstweilen jedoch sind wir genötigt uns mit der Bekämpfung der Krebskrankheit zu befassen und dazu dienen die nachfolgend angeführten Mittel nach den Leitsymptomen. Das erste Erfordernis zur wirksamen Bekämpfung aber ist und bleibt stets eine weitgehende Umstellung auf die natürliche Ernährung. Man studiere das diesbezügliche reichhaltige Schrifttum.

An Arzneimitteln kommen allgemein in Frage: **Arsenicum album D 6–30** zur Blutverbesserung. **Silicea D 30, Conium D 4–30** bei harten, tiefsitzenden Knoten und Geschwüren. **Carbo animalis D 12** als allgemeines Krebsmittel. **Mentha aquatica** ∅ und **Calendula** ∅ im Wechsel oder auch in Form von Tee aus diesen Kräutern, als sehr wirksame Mittel zur Blutreinigung und gegen die krebsige Blutentmischung. **Cadmium sulfuricum D 4–10–30** ist ein weiteres wichtiges Arzneimittel. Dazwischen fügt man Einzelgaben von **D 100–200** ein.

—. Verdächtige Knoten oder Tumoren in der weiblichen Brust, die schon jahrelang bestanden, wurden mit einer monatlichen Gabe – bei abnehmendem Monde – mit **Phytolacca CM** geheilt.

—. Tumore, Fibrome mit brennenden, schießenden Schmerzen in Brust, Magen oder Gebärmutter, mit Blutungen und übelriechenden Absonderungen, wurden geheilt (siehe Nash S. 310) mit **Lapis albus D 30.**

—. Geschwülste und Tumoren an der Brustdrüse. Drüsenschwellungen. Stoffwechselförderndes Mittel. **Scrofularia** ∅.

—. Gebärmutterkrebs, profuse Blutungen, bei skrofulöser Diathese; chronischer starker Weißfluß, scharf, ätzend, der die Wäsche angreift. **Jodum D 6–30.**

—. Gebärmutterkrebs; Geschwürbildung mit Brennschmerzen mit faulig-riechenden, klumpigen, blutigen oder sonstigen scharf ätzenden Absonderungen. Lebenskraft stark geschwächt. **Kreosotum D 4–6–30.**

—. Geschwüre, Geschwülste krebsiger und luetischer Natur. Dyskrasie. Magen-, Lippen-, Brustkrebs. Ein Leitsymptom ist: Rissige, trockene Mundwinkel und Lippen. **Condurango D 2–4.**

—. Magenkrebs mit Erbrechen von großen Mengen Speisen, die lange im Magen gelegen zu haben scheinen, mit heftigem Brennen und Schmerz. **Bismutum D 3–6.**

—. Krebsartige, hochrote, flache Geschwüre mit äußerster Empfindlichkeit. **Corallium rubrum D 3–4.**

—, siehe auch Blutungen, Frauenleiden, *Geschwüre*, *Geschwülste*, Konstitution dyskrasische.

Kropf

Kropf mit dem Symptom: Außerordentlicher Hunger mit fortschreitender Abmagerung. Fühlt sich nur beim Essen oder unmittelbar nach dem Essen wohl. **Jodum CM.** (Vier Abende nach Vollmond je eine kleine Messerspitze voll oder 10 Tropfen, wenn flüssig.)

— mit Erstickungsgefühl nach dem Schlaf. Parenchymatöse und Bindegewebskröpfe mit großer Atemnot und Herzbeschwerden. Klopfen, Stechen, Völle im Kropf. Beengung im Halse, Unruhe. Lymphdrüsenanschwellungen am Halse; Basedow. **Spongia D 2–6–30–200.**

—. Anschwellungen der Schilddrüse, Kropf, besonders wenn sich diese auf das Bindegewebe und das Zellgewebe erstreckt. **Calcium jodatum D 3–4.**

—, harte Bindegewebskröpfe. Eines der besten Mittel hierfür zur Erweichung und Resorption ist **Lapis albus D 6–12–30** am besten im Wechsel mit **Jodum D 6–15–30–200,** dergestalt, daß das Erstere bei zunehmendem Monde und das Letztere bei abnehmendem Monde gegeben wird. (1–2mal täglich eine Gabe je nach der gewählten Potenz.)

— bei zarten, bleichen Patienten **Calcium carbonicum D 6–30,** bei Schwangeren **Calcium phosphoricum D 6,** bei Jodmangel **Baryum jodatum D 4** und **Aurum jodatum D 6.**

—, Basedow mit pochendem, hörbarem Herzklopfen. Verhärtung der Lymphdrüsen. **Badiaga D 4–30.**

— bei Kindern, besonders der Natr. mur. Konstitution. Skrofulose, Drüsenkrankheiten. **Aqua marina D 3–30.**

—. Blutkropf. **Hamamelis D 3.**

—, siehe auch Basedow.

Lähmung, örtliche, oder *einzelner Organe*, z. B. Stimmbänder, Zunge, Schlingmuskel, Augenlider, Gesicht, Blase, Extremitäten; Lähmungen rheumatischen oder psorischen Ursprungs; die Lähmung erscheint allmählich; die rechte Seite wird im ganzen befallen. Lähmungen nach Schlagfluß, besonders rechtsseitig mit stockender Sprache. Verschlimmerung abends, durch Kälte, Zugluft. **Causticum D 200–30–12–6.**

— der unteren Extremitäten, allgemeine oder teilweise; Radialislähmung, Lähmung der Strecker des Handgelenkes, auch als Folgen früherer Infektionskrankheiten, wie Scharlach, Diphtherie usw. Symptome: Große Überempfindlichkeit der Haut, kann keinerlei Berührung vertragen; außerordentliche Muskelschwäche; starke, schnelle Abmagerung; Verschlimmerung nach Bewegung. **Plumbum D 6–12–30.**

— als Folge eines Schlaganfalles, oder Erkrankung des Gehirns und Rückenmarkes, besonders bei linksseitiger Lähmung. **Lachesis D 15–30.** Das Mittel paßt gut für phlegmatische, aufgeschwemmte Konstitutionen, sowie für magere, erschöpfte Melancholiker; bei Frauen im Klimakterium.

—, *halbseitige*, mit dem Symptom: Tag oder Nachtschweiße sobald Patient schläft oder auch nur die Augen schließt. Besonders bei alten Leuten, bei Hypochondrie und Hysterie. *Lähmungen* von unten nach oben fortschreitend. Wichtigstes Symptom: eigentümlicher *Schwindel, der durch seitwärtsdrehen des Kopfes sehr verschlimmert wird.* (Siehe Beispiel Nash, S. 122.) **Conium D 200–30,** ein besonders auf das Spinal- und Nervensystem wirkendes Mittel, sowie bei Dyskrasie (Blutentmischung).

—, vollständige, infolge Gehirn- und Rückenmarksleiden, Erweichung oder Schwund des Gehirns und Rückenmarks, mit den Begleitsymptomen: Erschöpfung, *Zittern*, Benommenheit. Verschlimmerung früh und abends im Bett, bei kalter Luft, Witterungswechsel. **Phosphorus D 12–30–200.**

— *infolge Rückenmarksleiden* oder anderer, schwächender Ursachen, *nach Diphtherie.* Symptome: Schwäche, Müdigkeit der Beine, Schläfrigkeit und Unlust zur Arbeit, Unsicherheit beim Gehen oder Stehen. **Argentum nitricum D 4–6–12.**

— oder Halblähmung infolge Überfüllung der Blutgefäße des Kopfes oder Gehirns; betäubter, komatöser Schlaf mit rasselndem Atem, Gesicht rot und gedunsen, Augen blutunterlaufen, Haut mit kaltem Schweiß bedeckt. **Opium D 6–30–200.**

—, Taubheitsgefühl, Kribbeln der Extremitäten bei Rückenmarksleiden, bei mangelhafter Durchblutung infolge Verstopfung feinster Blutgefäße (Altersbrand) mit dem Hauptsymptom: Große Kälte der Körperoberfläche (objektiv) und trotzdem kann der Kranke das Zudecken nicht vertragen. **Secale cornutum D 6.**

— *bei* oder *nach Diphtherie*, teilweise oder einzelner Organe oder Glieder. **Gelsemium D 4–30.** Ein weiteres, bewährtes Mittel bei allen Lähmungen nach Diphtherie ist **Lac caninum D 30–200** ein auf das Nervensystem lang und tiefwirkendes Mittel, desgleichen **Lachesis D 15–30** besonders dann, wenn Lähmung der Stimmbänder oder schwere Kreislaufstörungen auftreten.

— mit oder nach Krämpfen, besonders der quergestreiften und glatten Muskulatur (Schließmuskeln des Magens, Darmes, Gebärmutter, Blase); Störungen der geordneten Bewegungen (Ataxie); Lähmungen an Armen und Beinen; vasomotorische Lähmungen und dadurch bedingtes Herzklopfen. **Atropinum sulfuricum D 4–6.**

—, langwierige, schmerzlose, besonders der unteren Gliedmaßen, infolge Versagens der motorischen Nerven, bei Gehirnleiden, Schlagfluß, Embolie im Gehirn. Leitsymptome: Schwindel beim Aufrichten, Ohnmachtsneigung, Ohnmachtsanfälle, Bewußtlosigkeit, geistige Teilnahmslosigkeit, Gedächtnisschwäche, Gedankenverwirrung, Müdigkeit der Beine, die Knie versagen den Dienst, Gefühllosigkeit des ganzen Körpers. **Oleander D 6–12–30.**

—, siehe auch „Nervenleiden", „Schwäche".

Leberkrankheiten

Leberkrankheiten. Drückender Schmerz in der Lebergegend, gleich ob angeschwollen oder druckempfindlich, bitterer Geschmack, Zunge dick gelb belegt mit roten Rändern und Zahneindrücken, allgemeine Gelbfärbung, graue oder goldgelbe Stühle, goldgelber oder dunkelbrauner Urin, Ekel, Übelkeit oder Erbrechen galliger Massen.

Ein sehr charakteristisches Symptom ist: *Festsitzender Schmerz unter dem unteren inneren rechten Schulterblattwinkel.* **Chelidonium D 2–6**, das Hauptmittel bei Leberleiden in Verbindung oder im Wechsel mit **Bryonia D 3–6,** man beachte die Leitsymptome dieses Mittels: *Verschlimmerung durch Bewegung. Besserung durch Druck. Trockene, ausgedörrte, rissige Lippen.*

—. Schmerz und Schwere in der Lebergegend, *sehr verschlimmert durch Liegen auf der linken Seite,* umdrehen im Bett auf die linke Seite verursacht ein zerrendes Gefühl; dabei kann Verstopfung oder Durchfall oder beides im Wechsel, oder Ödeme bestehen. **Ptelea trifoliata D 30.**

—, chronische. Schmerzen in der Lebergegend, Leber oft angeschwollen und hart, empfindlich bei Druck. Haut und Lederhaut des Auges gelblich, Urin dunkel bis bierbraun, Stuhl hell. Besteht dabei noch ein unbehaglich aufgetriebener Bauch mit dem Verlangen aufzustoßen oder das Gefühl, als ob der Bauch vollgepackt wäre – Aufstoßen erleichtert nicht im Geringsten –, dann ist **China D 2–6** ein ausgezeichnetes Mittel, besonders dann, wenn dabei große Schwäche, Mattigkeit, Schlafsucht am Tage und Schlaflosigkeit nachts besteht und die Krankheitserscheinungen mit Unterbrechungen oder zu bestimmten Zeiten auftreten oder sich wiederholen. China ist ebenso *gut bei Milzleiden* (Schwellungen, Stechen), wenn die genannten Symptome vorhanden sind.

—, chronische und atrophischer Art, langwierige Leberentzündungen. Spannung in der Lebergegend, als ob ein Band darum läge; grünliches, bitteres Erbrechen, bitterer Mundgeschmack; Magendrücken und Schmerz in der Herzgrube. Widerwillen gegen Fleischgenuß, Süßspeisen bevorzugt; schmerzhafte Blähungen die nach oben drücken und Aufstoßen Besserung bringen; hartnäckige Stuhlverstopfung; dunkler Urin mit reichlichem, grießigem Bodensatz und übermäßiger Harnsäure. Patient ist blaß, eingefallen, sieht älter aus als er ist, mit frühzeitigen Furchen im Gesicht. **Lycopodium D 30–15–6.**

—. Schmerz in der Lebergegend mit Schwindel, üblem Mundgeschmack, gelber Haut, weiß belegter Zunge mit roten Rändern und Zahneindrücken. Blutstauungen in Leber und Pfortadersystem mit Völlegefühl, Drücken und Stechen; Gallensteine und Gallensteinkolik, verhütet Steinbildung. **Carduus marianus ∅ – D 4.**

—, bösartige Gelbsucht, Blutzersetzung (hämorrhagischer Ikterus). **Crotalus D 10–15–30.**

—, hartnäckige Fälle von Gelbsucht mit zuerst weißen dann dunklen Stühlen, mit Benommenheit des Kopfes, schlechtem Mundgeschmack, Völlegefühl und Schmerz in der rechten Seite und Schulter, anfallweise öfters auftretend, mit Galleerbrechen und Durchfällen, wurden mit *einer* Gabe **Aurum muriaticum natronatum D 1000** und darnach je eine Gabe **Veronica officinalis D 500, D 200, D 30** in 2–3tägigem Abstand, dauernd geheilt. (Siehe Nash, Seite 224.)

—. Stauungsleber, Stauungen im Pfortadergebiet, chronischer Art. Leber vergrößert, hart, druckempfindlich mit Spannung; Bauch hart, gespannt, aufgetrieben, Verstopfung; kann nicht auf der rechten Seite liegen; Zunge schlaff, gelbt belegt, mit Zahneindrücken. Besonders in Verbindung mit hysterischen, nervösen Erscheinungen. **Magnesium muriaticum D 4–6.**

—. Beschwerden und Schmerzen in der Lebergegend, empfindlich bei Berührung und Druck, bei Erschütterung, meist mit chronischem Durchfall verbunden; bitterer Geschmack und Aufstoßen, Zunge schmutzigbraun; Gelbsucht, Galleerbrechen mit kolikartigen Schmerzen. Verschlimmerung aller Symptome bei feuchtem Wetter. **Natrium sulfuricum D 6,** eines der Schüßlerschen Funktionsmittel.

—. Leberschwellung, Leberanschoppung, Gallenstauungen. **Mercurius dulcis D 4–12,** ein ausgezeichnetes Stoffwechselmittel bei Leberfunktionsstörungen.

— mit scharfen, stechenden, schießenden Schmerzen bis zum rechten Schulterblattwinkel, oder ebensolche Hinterkopfschmerzen; Gallenstauungen mit Gelbsucht und gallig-grünen, brennenden Durchfällen. **Juglans cinerea D 3–6.**

—. Dumpfe Schmerzen in der Lebergegend mit Gelbsucht; Schmerzen, Poltern im Unterleib mit Abgang von Blähungen. *Lehmfarbene Stühle*, verminderte Gallenabsonderung; Leberkrebs; Gelbsucht der Neugeborenen. **Myrica cerifera D 2–4.**

—. Leberschrumpfung, häufig eine Folge von Alkoholmißbrauch, wird gleich anfangs mit einiger Aussicht auf Erfolg, mit folgenden Mitteln bekämpft.

Die zuerst einzusetzenden Mittel sind: **Nux vomica D 4, Carduus marianus D 2, Chelidonium D 3–4.** Dann folgen **Mercurius solubilis D 4, Hydrastis D 6** und als Zwischenmittel **Sulfur D 30.** Darnach folgt **Aurum muriaticum natronatum D 4–6** als Hauptmittel.

—. *Bei Fettleber* sind die Hauptmittel **Magnesium muriaticum D 4–6, Ferrum phosphoricum D 6, Phosphorus D 30–100.**

—. Bei *Leberkrebs* sind die Hauptmittel **Cadmium sulfuricum D 4** und **Aurum jodatum D 4.** Siehe auch Krebs.

—. *Leber-Gallenstörungen*, mit Übelkeit, Rohsein, Erbrechen *grünwäßriger, heißschmeckender* Flüssigkeit; besonders bei Menschen mit dunklem Teint. Verschlimmerung periodisch. **Iris versicolor D 3–4.**

Lungenkrankheiten

Lungenkrankheiten. Die am häufigsten vorkommenden akuten Erkrankungen der Lungen ist *die Lungenentzündung*, deren Erscheinungen und Symptome ich zunächst zusammenfassend beschreiben möchte.

Man unterscheidet zwei Formen der Lungenentzündung:

1. *Die genuine, fibrinöse, lobäre Pneumonie,*
2. *die sekundäre, katarrhalische, lobuläre Bronchopneumonie.*

Die genuine, fibrinöse Lungenentzündung beginnt akut mit plötzlich auftretendem Schüttelfrost, rasch ansteigendem hohem Fieber bis 40° C und darüber, das mit nur geringen Schwankungen beständig einige Tage – nach klinischen Beobachtungen 7–9 Tage – anhält, um dann plötzlich wie es gekommen, unter starkem Schweißausbruch bis zur Norm und darunter abzufallen. Diesen Vorgang nennt man Krisis.

Auslösende Ursache dieser Lungenentzündungen sind Erkältungen infolge starkem und plötzlichem Temperaturwechsel, durch Zugluft usw. Weitere klinische Symptome sind: Stechende Schmerzen welche die Atmung erschweren, weil die serösen Häute des Brust- und Rippenfelles meist von der Entzündung mitergriffen sind; sehr beschleunigte oberflächliche Atmung, Vibrieren der Nasenflügel, oft Bläschenausschlag auf den Lippen, schmerzhafter Husten mit zuerst schleimig-blutigem Auswurf, der später in eine rostbraune Farbe übergeht.

Klinisch und pathologisch unterscheidet man vier Stadien des Krankheitsverlaufes:

1. *Das Stadium der entzündlichen Anschoppung.*

Es beginnt mit einer entzündlichen Überfüllung der feinsten Blutgefäße, der Lungenkapillaren, die seröse Blutflüssigkeit und roten Blutkörperchen treten aus den undicht gewordenen Blutgefäßwänden aus und dringen in die mit Luft gefüllten Lungenbläschen ein.

2. *Das Stadium der roten Hepatisation.*

Sind die Lungenbläschen mit dieser Blutflüssigkeit ganz voll gelaufen, dann gerinnt diese entzündete Flüssigkeit infolge des angehäuften Fibrins zu einer starren Masse, die nun die Lungenbläschen ganz ausfüllt und damit jeden Luft- und Gasaustausch unmöglich macht – deshalb entsteht auch die oberflächliche Atmung oder Kurzatmigkeit –. Das erkrankte Lungengewebe sieht dann leberähnlich aus (darum der Name Hepatisation – Hepar ist der lateinische Name für die Leber).

3. *Das Stadium der grauen Hepatisation.*

In dem nun einsetzenden Abwehrkampf des Körpers wirft dieser nun weiße Blutkörperchen, die sogenannten neutrophilen Leukozyten, die Schutzpolizei unseres Körpers, in Massen an die bedrohten und erkrankten Lungengewebe, wodurch das leberähnliche infiltrierte Lungengewebe im Schnitt ein graues Aussehen bekommt. Darum der Name graue Hepatisation.

4. *Das Stadium der Lösung oder Resolution.*

Hier beginnt nun der Kampf und die Arbeit der neutrophilen Leukozyten, auch Phagozythen d. h. Freßzellen, genannt, wobei das geronnene Blutinfiltrat zur Auflösung und Verflüssigung gebracht und ausgeschieden wird. Durch den Abbau des Hämoglobins, des roten Blutfarbstoffes, entsteht nun der rostfarbene Auswurf, der in reichlichen Mengen ausgehustet wird, bis die Lungenbläschen wieder von aller Flüssigkeit befreit sind und damit die Ausheilung beginnt.

Dies ist, in günstigem Falle, der Verlauf der fibrinösen, lobären Pneumonie oder Lungenentzündung, die meist einen ganzen Lungenlappen befällt und deshalb auch *lobäre* Pneumonie genannt wird.

Bei körperlich geschwächten Menschen im Alter und bei Trinkern, können infolge mangelhafter Abwehrkraft des Körpers schwere Komplikationen entstehen. So *Kollaps*, der sich durch eisige Kälte des ganzen Körpers, kalter Schweiß, kleiner, fadenförmiger Puls, bemerkbar macht und einen lebensgefährlichen Krankheitszustand anzeigt. Ferner: Übergang zur *chronischen Lungenentzündung*, *Lungenabszeß*, *eitrige Rippenfellentzündung* und noch anderen Folgeerscheinungen.

Die sekundäre, katarrhalische, lobuläre Bronchopneumonie.

Diese beginnt mit einer Entzündung des Bronchus, also der Luftröhre, und schreitet über die kleinen Bronchien, – Bronchitis – bis zu den Lungenbläschen fort. Der hier nun beginnende Entzündungsprozeß führt zu einer entzündlichen Anschoppung und exsudativen Infiltration. Die Gerinnung des entzündeten Exsudates – wie dies bei der genuinen, fibrinösen Pneumonie der Fall ist – fehlt aber hier. Ferner werden auch nur einzelne Lungenläppchen befallen – deshalb lobuläre Bronchopneumonie genannt – im Gegensatz zur genuinen Pneumonie, wo meist alle Lungenbläschen eines ganzen Lungenlappens befallen werden.

Der Auswurf ist schleimig-eitrig bis eitrig (nicht blutig). Diese herdchenförmige Erkrankung einzelner Lungenbläschen kann sich allerdings in schweren Fällen über die ganze Lunge ausdehnen.

Die Bronchopneumonien sind meist Begleiterscheinungen anderer Krankheiten, besonders aber der Grippe, Masern, Keuchhusten, oder der kindlichen Pneumokokkeninfektion, wobei die ausgedehntesten und schwersten Formen der Bronchopneumonien beobachtet werden.

Als Komplikationen können Lungenabszeß und eitrige Einschmelzung des Lungengewebes entstehen die zu tödlichen Ausgang führen können.

Nun zur *Behandlung* der Lungenentzündung. Im Nachfolgenden werden die einzelnen Mittel mit den genauen Symptomen angeführt, an Hand derer die Mittelauswahl getroffen werden muß. Selbstverständlich werden als erstes die Fiebermittel **Aconitum D 4, Belladonna D 3–4** eingesetzt, und zwar nur eines dieser Mittel, je nach den Symptomen wie sie unter Fieber Seite 62 ausführlich beschrieben sind. In den meisten Fällen dürfte das erstgenannte Mittel am Platze sein. Es ist nichts dagegen einzuwenden, wenn noch ein bis zwei Mittel, je nach den Symptomen, gleichzeitig daneben im Wechsel mit eingesetzt werden, ich möchte dies sogar empfehlen, wie es auch empfehlenswert ist, neben den homöopathischen Mitteln hydrotherapeutische Anwendungen in Form von Wickeln und Umschlägen anzuwenden, wobei nur zu beachten ist, daß der Patient dabei möglichst wenig bewegt bzw. aufgerichtet werden muß.

Nun zur Besprechung weiterer Mittel, man vergesse aber darüber nicht die Herztätigkeit zu beobachten und entsprechende Herzmittel notfalls gleich mit einzusetzen.

—. *Lungen- und Rippenfellentzündung*, wenn neben dem Fieber eines der folgenden Hauptsymptome in Erscheinung tritt. *Stechende Schmerzen*, mit *Verschlimmerung durch Bewegung; Besserung durch Druck*, Patient will auf der erkrankten Seite liegen; *außerordentliche Trockenheit der Schleimhäute*, Lippen ausgedörrt, trocken, rissig. **Bryonia D 3–6.** Das Mittel paßt gut nach Aconitum und Belladonna oder im Wechsel mit einem dieser Mittel.

—. *Lungenentzündung* im Stadium der Hepatisation, ganz besonders aber im Stadium der Lösung. Die Leitsymptome sind: starke Atembeklemmung, *Druck wie von einer schweren Last auf der Brust; Liegen auf der linken Seite verschlimmert die Beschwerden;* Unruhe; Brennen; *intensives Hitzegefühl das den Rücken hinaufläuft;* **Phosphorus D 6–12.** Das Mittel paßt besonders gut für große, schlanke Personen mit heller Haut und Haaren und mit nach vorn geneigter Haltung, sowie für Nervöse und Schwächliche.

—. Bronchitis mit quälendem Husten, *schlimmer abends bis gegen Mitternacht*, schlimmer durch Sprechen, Lachen, durch Kälte und Liegen auf der linken Seite; der ganze Körper erzittert beim Husten. **Phosphorus D 6–15–30.**

—. *Lungenentzündung*. Große Ansammlung von Schleim (Schleimrasseln) und Unvermögen ihn auszuwerfen. Ganz gleich, welches Alter oder Konstitution auch vorliegt, aber ganz besonders bei Kindern und alten Leuten, wenn noch folgende Symptome vorhanden sind, was meistens der Fall ist:

große Müdigkeit und Schläfrigkeit, zuweilen bis zum Koma (Bewußtlosigkeit, Betäubung) gesteigert. Bleibende Hepatisation der Lungen nach nicht vollständig ausgeheilter Lungenentzündung. Die Perkussion ergibt Dämpfung, Atmungsgeräusche fehlen, Kurzatmigkeit; Patient bleibt blaß, schwach und schläfrig. **Tartarus emedicus D 6–30,** auch Antimonium tartaricum genannt. Nach Stauffer soll **Antimonium arsenicosum D 3–4** bei den vorgenannten Symptomen noch besser und rascher wirken.

—. *Lungenentzündung*, vernachlässigte oder nicht ausgeheilte, rechtsseitig, im Stadium der Lösung, wenn weder ungenügender Auswurf noch Resorption des Exsudates stattfindet und Komplikationen der Leber aufgetreten sind. Es besteht stärkste Atembeklemmung, feucht-rasselnder Husten, Auswurf sehr dick, eitrig, gelb-grünlich, zuweilen übelriechend, oft salzig schmeckend; bebende Nasenflügel. Verschlimmerung nachmittags 4–8 Uhr ist sehr charakteristisch. Dann ist der Zeitpunkt, wo **Lycopodium D 30–15–6** Wunder wirken kann.

—. *Lungenentzündung*, schwere und schwerste Fälle, wenn Tartarus die großen Mengen lockeren Schleimes nicht herausbefördern und beseitigen konnte und Zyanose und Lähmung aus Schwäche drohen, mit übelriechendem Auswurf, kaltem Schweiß und Atem. **Carbo vegetabilis D 30–15–6.**

—. *Lungenentzündung* besonders bei kleinen Kindern mit verschleimter Brust, keuchender Atmung, blauen Körper, blassem Gesicht. **Ipecacuanha D 3–4–6.**

—. *Lungenentzündung* mit typhusähnlichen Erscheinungen. Hauptmittel ist **Hyoscyamus D 2–12.**

—. *Lungenentzündung* bei alten Leuten **Jodum D 4** und **Kalium jodatum D 4** im Wechsel mit **Ferrum phosphoricum D 6.**

Als Nachkur bei jeder Lungenentzündung ist dringend zu empfehlen: **Bryonia D 3–4** im Wechsel mit **Kalium carb. D 3–4** und in allen schwierigen Formen **Bacillinum D 8.**

—. *Lungenentzündung.* Auf die Behandlung mit den Schüßlerschen biochemischen Funktionsmitteln möchte ich noch besonders hinweisen. Zwei Mittel sind es, die hierfür in Frage kommen, und zwar **Ferrum phosph. D 6–12** gleich zu Beginn der Erkrankung und nur kurze Zeit lang eingesetzt. Dann tritt – in schweren Fällen aber am besten sofort – das Hauptmittel für akute Lungenentzündung **Kalium phosphoricum D 6** an dessen Stelle. Alle fünf Minuten eine Tablette eingesetzt sah ich oft schwere Lungenentzündungen in 3–4 Tagen völlig ausheilen.

—. *Langwieriger Husten* nach Lungenentzündung oder schwerer Erkältung, *mit starkem Auswurf*, von tief unten aus der Brust, mit *salzigem* Geschmack, mit *Schmerzen zwischen den Schultern* hindurch; zuweilen hat der Auswurf auch ein schaumiges, seifenwasserähnliches Aussehen. Diesen Auswurf findet man bei Lungenödem, kann aber auch bei Nierenentzündung vorkommen. *Erschöpfende Nachtschweiße* und *große allgemeine Schwäche*, als ob der Patient der Schwindsucht entgegen ginge. **Kalium jodatum D 2–4.**

—. Lungen-, Bronchial-, Kehlkopfkatarrhe, mit Husten, profusem, dikkem, klumpigem, grüngelbem *Auswurf, welcher süß schmeckt;* ferner profuse

Nachtschweiße; etwa vorhandene neuralgische Schmerzen nehmen allmählich bis zum höchsten Grade zu und ebenso wieder ab. Patient ist sehr niedergeschlagen, mutlos, leicht zum Weinen geneigt; *große Schwäche in der Brust*, aber auch große, allgemeine Schwäche, so schwach, daß der Kranke nicht, oder kaum sprechen kann. Diesen Zustand trifft man auch bei Unterleibsleiden magerer, entkräfteter Frauen an, in welchen Fällen nach Nash glänzende Heilungen erzielt wurden. **Stannum D 6–15–30.**

—. *Lockerer Husten* mit *übelriechendem Atem und Auswurf*, meist nach einer schweren Bronchitis oder Lungenentzündung auftretend, es sieht so aus, als ob es der Schwindsucht entgegen ginge. Es können Fieberanfälle mit umschriebener Röte der Backen auftreten. **Sanguinaria D 3–6–30.**

—. *Lungen-*, *Brustfellentzündungen*, besonders in der rechten unteren Lunge; *Entzündungen der serösen Herzinnenhäute;* Hauptsymptom: *stechende*, *anhaltende Schmerzen*, gleichbleibend sowohl in der Ruhe als auch bei Bewegung. *Verschlimmerung gegen 3 Uhr morgens.* **Kalium carbonicum D 4–6–30–200.**

—. Sehr starke Atembeklemmungen, pfeifend, mit Husten und schaumigem Auswurf. Patient kann nicht liegen, ist nicht imstande sich zu bewegen ohne außer Atem zu kommen; schneidender, festsitzender oder schießender Schmerz in der Spitze und durch das obere Drittel der rechten Lunge. Dieses Symptom nennt Nash ein Juwel, unter welchem er zahlreiche Fälle von hartnäckigen Lungenleiden heilte.

Im letzten Stadium von Lungenentzündung alter Leute, mit brandigem Auswurf und wenn die charakteristischen Symptome: Brennen, Unruhe, Besserung durch Hitzeanwendung und Verschlimmerung aller Beschwerden gegen Mitternacht, ganz oder teilweise vorherrschen, hat **Arsenicum album D 3–15** oft Wunder gewirkt.

—. Entzündliche Katarrhe der Luftröhre, Bronchien, Kehlkopf; Engbrüstigkeit; nervöser Husten; Krampfasthma mit Schwächegefühl in Brust und Magengegend. **Lobelia D 2–4.** Das Mittel ist ein ausgesprochenes Nervenmittel und wirkt hauptsächlich auf den Lungenmagennerv und ist damit bei allen Erkrankungen der Atmungsorgane auf nervöser Basis, angezeigt.

—. *Hochgradige Atembeklemmung* mit Keuchen, starkem Druck um die Herzgrube mit Angst; drohende Erstickung durch *Schleimanhäufung mit Krampfhusten* oder Asthma; Emphysem (Lungenerweiterung) alter Leute infolge chronischem Asthma. **Ipecacuanha D 2–4–6.**

—. Bronchialkatarrh nach Keuchhusten, mit zähem, fadenziehendem, weißem Schleim mit Brechwürgen, Erbrechen. **Coccus cacti D 1–3.**

—. *Bronchialkatarrhe* alter Leute *mit großer Schwäche.* **Carbo vegetabilis D 4–6–30. China D 3.**

—. Häufiges Verlangen einen tiefen Atemzug zu tun, die Lunge auszudehnen. **Bryonia D 4–6,** wenn Zusammenschnürungsgefühl vorhanden ist, besonders in der Herzgrube **Cactus grandiflorus D 1–3,** wenn krampfhafte, nervöse Ursachen vorliegen, krampfhaftes Gähnen, Pflockgefühl **Ignatia D 6–15–30.**

—. Krankheiten der Luftwege mit zähem, ausgedehntem, fadenziehendem Schleim mit Brennen und Schneiden beim Urinieren und häufigem Harndrang. **Cantharis D 6.** Nash gibt in seinem Werke Seite 101 ein Beispiel einer erstaunlich schnellen Heilung einer chronischen Bronchitis auf dieses Symptom hin.

—. Entzündliche Erkrankungen der serösen Häute und Schleimhäute der Atmungsorgane. *Trockene und feuchte Rippen- und Brustfellentzündungen.* Leitsymptome: Stechende, schießende, blitzartig auftretende Schmerzen hinter dem Brustbein, Zwischenrippenräume; Stechen in der linken Seite mit Ausstrahlungen nach der linken Schulter und nach der rechten Seite; schmerzhafte Atmung besonders linksseitig. Verschlimmerung aller Beschwerden bei feuchtem, kaltem Wetter. **Asclepias tuberosa D 2–6.**

— *Bei Bronchialkatarrhen* kommen folgende, auf die Bronchien spezifisch wirkende Mittel in Betracht: **Laurocerasus D 2–4** wenn die Bronchien angegriffen sind, mit trockenem, quälendem Husten und Blutstreifen im Auswurf. Absinken der Lebenskraft und mangelnde Reaktion. **Cetraria islandica D 3–6** bei ähnlichen Erscheinungen und ohne Fieber verlaufend. **Tussilago farfara D 2–6** kommt ebenfalls und besonders als schleimlösendes Mittel, in Betracht.

—. *Lungentuberkulose.* Der Erreger dieser Krankheit, der Tuberkelbazillus, kann sich in der Lunge nur dann ansiedeln und entwickeln, wenn das Lungengewebe seine Spannkraft, seine Elastizität verloren hat, d. h. wenn das Gewebe feucht und sulzig geworden ist. Die Ursache ist oft in einer gestörten Nierenfunktion oder Nierenkatarrh mit Harnverhaltung zu suchen. Dann ist der Boden für die Ansiedlung, Wachstum und gedeihen des Bazillus gegeben.

Die Heilung der Tuberkulose erfordert daher in allererster Linie eine ausgesprochene Nierendiät, mit basenreicher Ernährung und reichlicher Zufuhr von organischen Kalksalzen und Kieselsäure. Viel Frischkost, vor allem grünes Blattgemüse, Einschränkung der Mehlspeisen zugunsten der Kartoffeln, wegen Kohlensäureanhäufung. Deshalb auch entsprechend angepaßte Atemübungen zur vermehrten Ausscheidung der Kohlensäure und Sauerstoffzufuhr.

Bei der Lungentuberkulose ist es daher – wie bei keiner anderen Krankheit – so sehr *notwendig*, daß *alle Organe*, besonders die Nieren, Leber, Galle, *richtig funktionieren*, daß das Lungengewebe – wie der Moorboden durch Drainage – gewissermaßen *trocken gelegt* und somit den *Bazillen* der *Nährboden entzogen* wird.

Dementsprechend muß die Behandlung den ganzen Symptomenkomplex, bzw. ganzen Körper erfassen, wobei der *Nieren-* und *Leberfunktion* die *größte Beachtung* zu schenken ist. In dieser Hinsicht sind die Mittel nach den jeweiligen Leitsymptomen, wie im Nachfolgenden beschrieben, einzusetzen.

Wollen wir direkt auf die Bazillen einwirken, dann kommen **Arsenicum jodatum D 4–6** und bei Fieber **Kreosotum D 4–6,** bei hohem Fieber **Viburnum opulus D 3–30** in Betracht. Ein weiteres Mittel haben wir in **Jodum D 4–6** das stark desinfizierend und heilend wirkt. Als Umstimmungsmittel

Tuberculinum D 200–1000, daneben **Bacillinum D 30–200–1000** wöchentlich eine Gabe. Bei Lungenblutung **Millefolium D 2** im Wechsel mit **Viscum album D 2** $^1/_4$stündlich 5–6 Tropfen, außerdem **Hamamelis-Extrakt** $^1/_2$stündlich 1 Teelöffel voll. Als sehr zuverlässiges Mittel bei Blutungen aus allen Körperöffnungen hat sich **Fluid blau** der Iso-Werke oder nach Mattai bewährt. Man gibt 1 Tropfen auf $^1/_4$–1 Liter Wasser und davon $^1/_4$–$^1/_2$stündlich einen Schluck.

Im Nachfolgenden weitere, bewährte Mittel nach Leitsymptomen geordnet. Doch zuvor möchte ich auf die Behandlung der Lungentuberkulose mit den biochemischen Funktionsmitteln nach Schüßler hinweisen und auf die treffenden, markanten Sätze des alten erfahrenen biochemischen Arztes Dr. med. Paul Feichtinger in seinem „Handbuch und Leitfaden der Biochemie", Verlag Dr. Willmar Schwabe, Leipzig, verweisen, in welchem er wörtlich folgendes schrieb: „Was ich an arzneilicher Behandlung (bei Lungentuberkulose) kenne, muß alles an Wirkung hinter dem, was die Biochemie leistet, zurückstehen ... Wie wirken die biochemischen Mittel? Sie wirken auf dem einzigen Wege, der für die Behandlung dieses Leidens gangbar erscheint, den, vielleicht schon seit Generationen, kranken Zellen das zu geben, was sie verloren haben: *Der Gehalt an Mineralstoffen*, welche das Baugerüst für die Zellen bilden. Die Mineralstoffe, die langsam und unmerklich verlorengingen und die zu ersetzen übersehen wurden (infolge Entwertung unserer Nahrungsmittel, Fein-Mehle) so daß im Laufe von Jahren und Jahrzehnten die Gewebe einen derartigen Grad von Minderwertigkeit erlangten, daß ... aus dem Leben ein Vegetieren wurde, das nur dann wieder zum richtigen Leben erweckt werden kann, indem man dem Körper alles wiedergibt, was er verloren hat. Und *das kann die Biochemie.* Weil sie weiß, was verloren ging, kann sie es auch wieder ersetzen. Besser als der, welcher es nicht weiß, besser als der, welcher es zwar weiß, aber mit Pfunden ersetzen will, was milligrammweise verlorenging, weil Zeit Geld ist. Ja, aber nicht im Leben der Natur, die ungeheuer viel Zeit hat, ... die daher als naturwidrig bestraft, wenn man in Tagen auffüllen will, was in Jahren ausgelaufen ist. Weil das die Organe nie verarbeiten können indem sie vorher auf das äußerste geschwächt wurden." Um die biochemische Therapie nach Dr. Schüßler wesentlich zu vereinfachen, habe ich sieben biochemische Komplexe entwickelt, die sämtliche 20 Schüßler-Mittel umfassen und unter dem Namen Ewiplex Nr. 1–7 von der Firma Bika, Chem.-Pharm. Fabrik, Stuttgart 13, Postfach 33, hergestellt werden.

Warum sind die Gewebe krank geworden? Weil sie etwas verloren haben, dessen Verlust sie minderwertig im Kampfe gegen Bakterien und sie damit zu einem Nährboden machten, auf dem die Bakterien nunmehr ihren Nährboden fanden und sich ausbreiten konnten.

Und warum werden die Gewebe wieder gesund, nachdem wir sie wieder mit den biochemischen Salzen in sachverständiger Weise versehen haben? Weil sie damit wieder das gefunden haben, dessen Verlust sie krank gemacht hat und den Bakterien das Eindringen erleichterte, und weil es meines Wissens keinen anderen Mitteln gelingt, mit größerer Sicherheit als den biochemischen, die Wachstumsbedingungen so zu verändern, daß die Bakterien ihre Absichten meist wieder aufgeben müssen, sieht man auch sehr oft bei der Tuberkulose, besonders in den Frühstadien, eine Heilwirkung eintreten, welche allen Anforderungen, die man an ein Tuberkuloseheilmittel stellen kann und muß, außerordentlich befriedigt. Ja sogar in den fortgeschritteneren Fällen erreicht man nicht selten sehr schöne Dauererfolge." – Soweit Feichtinger, dessen „Leitfaden der Biochemie" viele solcher trefflichen Ausführungen bringt und jedem, der sich mit Krankenbehandlung befaßt, auf das angelegentlichste empfohlen werden kann.

Diese Ausführungen Feichtingers kann ich nur nachdrücklichst unterstreichen. Nach meiner Auffassung ist die Biochemie die einzige arzneiliche Therapie, die sich mit großem Vorteil mit der Homöopathie und den sonstigen natürlichen Heilweisen, Licht, Luft, Wasser, Diät, ohne weiteres verbinden und kombinieren läßt. Nach dem Grundsatz, doppelt genäht hält besser, setze ich schon seit Jahren in der Praxis zu jeder angewandten Therapie immer die Biochemie mit ein und habe damit ausgezeichnete Erfolge erzielen können.

Das erste Mittel bei der Lungentuberkulose ist das **Ferrum phosphoricum D 12** das Entzündungsmittel gegen akute und chronische Entzündungen. Ist doch die Lungentuberkulose ein langsam fortschreitender Entzündungsprozeß der immer wieder neue Lungenbläschen erfaßt und zur Einschmelzung bringt. Ein weiteres Hauptmittel ist **Calcium phosphoricum D 6,** das die Wirkung des Entzündungsmittels Ferrum hervorragend unterstützt und bei der Abkapselung der tuberkulosen Herde eine große Rolle spielt. Der phosphorsaure Kalk ist Hauptbildner der Eiweißsubstanz unseres Körpers und damit Hauptnährmittel des Plasmas der Zellen, Knochen, Nerven und Drüsenorgane. Ein weiteres wichtiges Mittel ist **Natrium phosphoricum D 6,** das Funktionsmittel, das zusammen mit dem Calc. phosph. einen im Blute vorhandenen Überschuß an Kohlen-, Milch- und Harnsäure bindet und zur Ausscheidung bringt. Weitere noch in Betracht kommende Mittel sind: **Magnesium phosphoricum D 6,** das beim Abbau der Fäulnisprodukte und Ausscheidung der giftig wirkenden Kohlensäure eine wichtige Rolle spielt und die geschrumpften und verkrampften Gefäße und Organe wieder zur Ausdehnung, zur Entspannung und richtigen Funktion bringt. **Calcium fluoricum D 12** als Grundbestandteil der elastischen Fasern der Zellen ist Hauptfunktionsmittel bei Erschlaffung der elastischen Fasern und Bändern, gegen alle Verhärtungen und Ablagerungen. **Silicea D 12** als Grundstoff des Bindegewebes, der Verbindungsstoff, der dem aus 30 Billionen Plasma-Zellen bestehenden Körper den Zusammenhalt gibt und daher zur Stütze und Erhalt des Lungengewebes eine wichtige Rolle spielt. Ferner ist Silicea der Grundbildungsstoff der neutrophilen Leukozyten, jener weißen Blutkörperchen, die als Wanderzellen vom Organismus an bedrohte Körperstellen geschickt werden um gesundheitsstörende Fremdstoffe und Krankheitserreger unschädlich zu machen, aufzufressen, darum auch Freßzellen-Phagozyten genannt. Das ist der Vorgang bei allen Eiterungen und wie sie auch bei der Tuberkulose im Lungengewebe vorkommen.

Von den biochemischen Ergänzungsmitteln spielen **Calcium sulfuratum D 6–12, Kalium jodatum D 4–6, Lithium chloratum D 6–12, Kalium arsenicosum D 4–6** bei der Behandlung der Lungentuberkulose ebenfalls eine wichtige Rolle und sind je nach den auftretenden Erscheinungen mit heranzuziehen. Man studiere den weiteren Wirkungsbereich der genannten Ergänzungsmittel in einem neueren Lehrbuch der Biochemie. Die alten Biochemiker sind zwar mit den 11 Schüßlerschen Hauptmitteln ausgekommen und haben in allen Gebieten der Krankenbehandlung ausgezeichnete Erfolge erzielt. Deshalb besteht aber kein Grund, sich den neueren Forschungen auf dem Gebiet der Biochemie zu verschließen. Ganz besonders verdient um die Erforschung der Biochemie und der Ergänzungsmittel hat sich D. Schöpwinkel, der Begründer der Schüßler-Schöpwinkelschen Polar-Biochemie, gemacht.

Nun weitere Mittel der Homöopathie, die je nach den Leitsymptomen eingesetzt, erfolgreich zum Einsatz kommen.

—. Angeborene oder erworbene Disposition zu Tuberkulose. Leitsymptome: Die Beschwerden wechseln fortwährend und wandern von einem Organ zum anderen, fangen plötzlich an und hören plötzlich auf. Nash berichtet von der Heilung einer schon vier Jahre bestehenden Tuberkulose der linken Lunge mit zwei Gaben **Sulfur CM** und diesem nachfolgend **Tuberculinum CM.** Sulfur wurde auf Grund eines früher örtlich unterdrückten Ausschlages eingesetzt.

—. *Lungentuberkulose* im Anfangsstadium mit Husten, Beklemmung und großer Schwäche. **Phosphorus D 30–200** (eine Gabe!).

—. *Lungenschwindsucht.* Eines der wirksamsten Mittel ist **Calcium carbonicum D 30–15–6,** wenn Konstitution und die entsprechenden Symptome dieses Mittels vorhanden sind. (Siehe unter Konstitution und Schweiße). Weitere Symptome hierzu sind: Kurzatmigkeit beim Gehen, besonders beim Steigen; schmerzlose Heiserkeit, schlimmer morgens; Neigung zu Durchfall, schlimmer nachmittags; fehlender Appetit, fortschreitende Abmagerung. Bei Frauen: ausgedehnte und zu frühe Monatsregel und kalte Füße bis zu den Knien. Das Mittel wirkt vorwiegend auf den mittleren und oberen, rechten Lungenlappen.

—. Lungentuberkulose im ersten Stadium. Skrofulöse Konstitution, allgemeine Schwäche, heftige Nachtschweiße, Abmagerung, Bluthusten, Drüsenschwellungen, Drüseneiterungen. **Calcium hypophosphoricum D 1–4.** Dieses Mittel wirkt intensiver und rascher wie Calcium phosphoricum.

—. *Lungentuberkulose* im ersten und zweiten Stadium. Tuberkulöse Erkrankung der serösen Häute der Lunge; exsudative Rippenfellentzündung; der Husten ist trocken, kurz, quälend, fast gar kein Auswurf, oder schwer löslicher, zäher, fadenziehender, glasiger oder weißlicher Auswurf; Abmagerung, Abnahme der Kräfte bis zur Erschöpfung. **Arsenicum jodatum D 4–6** am besten in Verreibung. Das Mittel muß in möglichst frischem Zustand gegeben werden.

—. *Bronchialkatarrhe, Lungenspitzenkatarrhe, Lungentuberkulose,* mit eitrigem, oder blutigem Auswurf; hektisches Fieber; Schweiße, Schwäche;

Lungengeschwüre, besonders rechtsseitig; bewährtes Hustenmittel. **Phellandrium D 4–6.**

—. *Lungentuberkulose.* Nash berichtet von einem als unheilbar erklärten Fall mit reichlichem eitrigem Auswurf, Puls 120, sehr abgemagert, große Kaverne in der unteren rechten Lunge, welcher mit einer gewöhnlichen Gabe von **Kalium carbonicum D 200** vollständig geheilt wurde. Dieses Mittel hat ein für Brustleiden sehr *wertvolles Zeitsymptom: Verschlimmerung gegen 3 Uhr morgens.* Hierzu gibt Nash ein weiteres, lehrreiches Beispiel: Bei einem alten, anämischen Mann mit Brustwassersucht und allgemeiner Wassersucht, der von einem erfahrenen Praktiker ohne jeden Erfolg behandelt wurde und dem Ende nahe schien, wurde auf die Aussage der Pflegeperson, daß sich seine sämtlichen Symptome gegen 3 Uhr morgens sehr verschlimmerten, Kalium carb. D 200 eingesetzt mit solchem wunderbaren Erfolg, daß dieser alte Mann in unglaublich kurzer Zeit genesen ist und nie einen Rückfall gehabt hat. Nash schließt seinen Bericht mit den Worten: „Die Zeit der Wunder ist noch nicht vorüber, Hahnemannsche Homöopathie vollbringt sie noch.“ –

—. *Lungentuberkulose* mit übelriechendem Auswurf, großer Schwäche und hektischem Fieber; Lungenblutungen mit ganz dunklem, wäßrigem Blut; Husten mit furchtbarem Schmerz in den Lungen; Kältegefühl in der Brust nach kaltem Getränk; kalter Schweiß; Stechen in der rechten Lunge. Verschlimmerung bei nassem Wetter und frühmorgens. **Elaps corallinus D 15–30.**

—. *Lungentuberkulose* in allen Stadien; Knochen- und Gelenktuberkulose; chronische Bronchialkatarrhe mit starkem Auswurf. **Teucrium Scorodiona ∅ – D 3,** ein empirisch bewährtes, aber nicht geprüftes Mittel.

—. *Wunder Mund* im letzten Stadium der Schwindsucht. Bestes Mittel dagegen ist **Lachesis D 15–30.**

—. *Lungengeschwüre, Lungenkrebs,* siehe „Geschwüre und Geschwülste“, „Krebs“.

Magenkrankheiten

Magenkrankheiten. Magenschmerzen zwei bis drei Stunden *nach* dem Essen am schlimmsten. Anhaltende, zusammenziehende, krampfhafte Schmerzen, durch Berührung oder kalte Luft verschlimmert. Durchdringende, windende Schmerzen; Übelkeit, Erregbarkeit; erfolgloses Drängen; Schwindel; *saurer Geschmack, saures Aufstoßen.* Besserung erst wenn der Verdauungsprozeß beendet ist. Besonders wenn die genannten Erscheinungen bei Personen mit dunkler Hautfarbe und mit braunen Augen auftreten. **Nux vomica D 6–15–30–200.**

—. *Magenschleimhautentzündung; Magengeschwüre.* Brennende, krampfhafte, zusammenschnürende Magenschmerzen und Leibschmerzen, die durch die geringste Aufnahme fester oder flüssiger, besonders aber *kalter* Nahrung verschlimmert werden. *Brennen, Schwäche, Unruhe, Angst* wichtige Leitsymptome. Verschlimmerung von 12–2 Uhr nachts, durch Kälte, Feuchtigkeit; Besserung durch Hitze, heiße Getränke. **Arsenicum album D 6–15–30.**

—. Aufstoßen mit Brennen im Rachen; saures Aufstoßen, Sodbrennen, Schlucksen; Auftreibung und Krampf in der Magengrube mit Schmerzen daselbst; Blähungen; Gefühl der Völle und vorzeitige Sättigung. Aufstoßen mit Ausleerungen bei Flaschenkindern; Verhärtungen am Magenausgang; *Leitsymptome:* Roter Sand im Urin; Völlegefühl auch bei geringer Nahrungsaufnahme; allgemeine Übersäuerung; starke Blähsucht. Verschlimmerung durch Genuß von Mehlspeisen; Bohnen, Kohl; durch Wärme; 3–4 Uhr nachmittags. **Lycopodium D 10–15–30.**

—. *Dyspepsie mit saurem oder fauligem Aufstoßen, Auftreibung des Bauches;* Übelkeit mit Schwarzwerden vor den Augen; Übelkeit mit großer Schwäche bis zur Ohnmacht; schmerzhaftes Gefühl der Leerheit; Würgen und Erbrechen von Speisen; Schwangerschaftserbrechen; bitterer, saurer Speichelfluß; Gefühl als ob etwas im Magen umgedreht würde oder den Schlund aufwärts steige; Leitsymptome: Gefühl des Hinabdringens; hypochondrische Stimmung; Schwächegefühl; blaßgelbes Aussehen. *Frauenmittel.* **Sepia D 6–15–30–200.**

—. *Anhaltende, heftige Übelkeit,* ohne besondere Schmerzen; Speichelfluß, muß fortwährend schlucken; Magenkatarrh, Magenverstimmung mit Übelkeit und Erbrechen, Ekel an allen Speisen; Erbrechen von dunklem oder teerartigem Blute oder hellrotem Blute, mit kalten Gliedern, schwachem Puls, eingefallenem Gesicht, jedoch *ohne* brennende stechende Schmerzen, wie sie bei Entzündungen oder Geschwüren der Magenschleimhaut vorkommen. Leitsymptome: Beständige Übelkeit; profuse Blutungen. Verschlimmerung durch Wärme, Feuchtigkeit, Überessen. **Ipecacuanha D 4–6.**

—. *Magenkatarrh,* durch Kuchen, schwere Nahrung, fette Speisen (Schweinefleisch), verdorbener Magen, mit wenig oder gar keinem Durst; Aufstoßen von Nahrung, Gas, Galle mit Übelkeit; Gefühl als habe man zuviel gegessen; Magenstörungen, Reizzustand des Magens, Blähungsdyspepsie; ausgesprochene Abneigung gegen Fette und Gebäck, *Verlangen* nach *Früchten* und *Säuren.* Habitus: blonde Typen mit heller Haut; zum Weinen geneigte Stimmung; Neigung zu Katarrhen; Verschlimmerung durch Wärme. **Pulsatilla D 2–4.**

—. *Magenschmerzen* nach dem Rücken ausstrahlend, mit *Leerheits-* und *Schwächegefühl* bei leerem Magen, *die durch Essen gebessert werden und dann nach etwa zwei Stunden wiederkehren und wieder nur durch Essen gebessert werden.* Der Kranke muß in der Nacht essen um die Schmerzen zu lindern. Weitere charakteristische Symptome sind: *Pflockgefühl, Druckgefühl, Gefühl eines Klumpens* im Magen oder in anderen Organen; Gedächtnisschwäche; Verschlimmerung durch geistige Anstrengung. Schwangerschaftserbrechen des Mageninhaltes mit vorstehenden Symptomen. **Anacardium D 6–12.**

—. Durchdringende, stechende, brennende Schmerzen in der Magengrube oder Lebergegend, die nach dem Schulterblatt durchstrahlen, mit einem *hinfälligen, ohnmächtigen Schwächegefühl. Magengeschwüre, Magenschleimhautentzündung* mit häufigem Erbrechen von Speisen, Schleim und Blut.

Magen-Zwölffingerdarmkatarrh mit Verstopfung, Gefühl als ob die Magengegend eingesunken oder eingezogen wäre. Verschlimmerung durch Wärme. **Hydrastis D 1–6.**

—. *Große Empfindlichkeit* der Magengegend äußerlich; *Aufblähung*, Gefühl als ob der Magen platzen wollte oder als sei er mit Wasser gefüllt; *Magengrube äußerlich aufgetrieben;* Hitze, Spannung und Vollheitsgefühl im aufgetriebenen Unterleib; unmittelbar nach dem Essen; große Übelkeit; Wasseraufstoßen, saures Aufstoßen; besonders wenn diese Erscheinungen bei alten, geschwächten, blutarmen Menschen auftreten. Die Symptome *verschlimmern* sich durch *alles Kalte, durch Liegen* oder *Druck auf die kranken Stellen, gegen 2–3 Uhr nachts.* Empfindungen: starke, stechende Schmerzen; Schwächegefühl. **Kalium carbonicum D 6–15–30.**

—. *Magen-Zwölffingerdarmkatarrhe, Geschwüre, Erbrechen,* das Erbrochene ist *von zäher, fadenziehender Beschaffenheit; brennende Schmerzen in der Magengrube* die bis in den Mund ausstrahlen, *unmittelbar nach dem Essen;* Dyspepsie mit Druck- und Vollheitsgefühl. *Verschlimmerung* in frischer, kalter Luft, durch Bier, von 2–4 Uhr nachts. Leitsymptom: Alle Absonderungen sind von dikker, zäher, fadenziehender Beschaffenheit. **Kalium bichromicum D 3–6.**

—. Aufstoßen oder Erbrechen nach dem Essen; die Speisen liegen den ganzen Tag im Magen und werden nachts erbrochen. Völlige Appetitlosigkeit wechselt mit Heißhunger; Fleisch, Butter, Brot wird nicht gut vertragen; ziehende, reißende Schmerzen in den Gedärmen, unverdaute schmerzlose Stühle nachts oder während der Aufnahme von Speisen oder Trank. Anämische Konstitution. Charakteristische Symptome sind: *leichtes plötzliches Erröten des Gesichtes,* und *langsames Herumgehen erleichtert,* obwohl sehr große Schwäche besteht, die alle Augenblicke zum Niedersetzen zwingt. **Ferrum metallicum D 30–15.**

—. Dyspepsie mit heftigem Brennen oder eisiges Kältegefühl mit starker Gasbildung im Magen oder Darm; schwere Magen-Darmkrankheiten, Erbrechen, profuse, blutige Durchfälle mit Drang oder Schmerzen in den Därmen. Alle Symptome verschlimmern sich von Sonnenuntergang bis Sonnenaufgang. *Modalität: Der Geruch kochender Speisen erregt Ekel,* der sich bis zur Ohnmacht steigern kann. **Colchicum D 6–15–30.**

—. Beschwerden von *übermäßigen Blähungen, der Magen ist voll und gespannt von Gasen; Aufstoßen,* leeres, nach Essen oder Trinken, oder fast beständiges Aufstoßen; Schmerzen oder Brennen im Magen, schlimmer in Rückenlage; der Schmerz beginnt $^1/_2$–1 Stunde nach dem Essen. Völlige Untätigkeit des Magens, die aufgenommene Nahrung bleibt liegen und geht schließlich in Fäulnis und Gärung über. *Leitsymptome:* Blaues oder schwarzblaues Gesicht (Dyspnoe); allgemeine Kälte, kalter Atem, schwacher Puls, Kollapsneigung; außerordentliche Blähsucht mit ranzigem Aufstoßen; allgemeine Entkräftung. **Carbo vegetabilis D 30–15–10.**

—. Chronische Dyspepsie mit außerordentlichem *Verlangen nach sauren Speisen,* oft von Durchfall begleitet der sauer riecht; der ganze Patient riecht sauer; *Übelkeit morgens* mit Würgen und schließlich Galle-Erbrechen; Kräfteschwund, Hinwelken; *Verschlimmerung* durch *kalte Luft*, Zug, oder Kaltwerden eines Körperteiles. **Hepar sulfuris D 6–15–30.**

—. *Gefühl von Schwäche und Leere* in der Magengrube, oder *Gefühl der Schlaffheit*, als ob der Magen erschlafft herunterhinge. Dieses Gefühl wird dabei oft von *Seufzen, Gähnen* oder tiefem Atemholen begleitet; Magenbeschwerden auf nervöser Basis oder durch Kummer; Schlucksen; schwere Fälle von Magenkolik bei hysterischen Frauen; Verschlimmerung durch Gemütsbewegungen, Schreck, Kummer, Tadel; Besserung durch Bewegung, Alleinsein, reichlicher Harnabgang. **Ignatia D 30–15–6.**

—. Magenbeschwerden mit *Aufstoßen* und Übelkeit *nach jeder Mahlzeit*, als ob der Magen von Blähungen platzen wollte, *es kommt Luft mit Ungestüm und Geräusch herauf.* Unwiderstehliches *Verlangen nach Zucker;* Schmerzen, Wundheits-, Roheitsgefühl im Magen; Würgen, Erbrechen schleimiger, dunkler Massen; *Magengeschwüre* mit Ausstrahlungen nach Brust, Bauch und Schulter. Aufnahme von Speise oder Trank verschlimmert. **Argentum nitricum D 30–15.** Bei *chronischen Magengeschwüren* hat sich dieses Mittel im Wechsel mit **Atropinum sulf. D 4–6** sehr bewährt.

—. *Magenschmerzen, Magenkrampf* nervöser neuralgischer Art mit Druck zwischen den Schultern; heftiges Magenbrennen und Schmerzen; *Magengeschwüre;* Erbrechen großer Mengen von Speisen, die längere Zeit im Magen gelegen haben; stark vermehrte Speichelabsonderung, Wasserspucken. **Bismutum subnitricum D 2–3.**

—. *Magenschleimhautentzündung, Magengeschwüre; Magennervenschmerzen; atonische Dyspepsie;* Heißhunger, Übelkeit nachts; unstillbarer Durst, kaltes Wasser bessert nur vorübergehend; Verengerung des Mageneinganges, die genossenen Speisen kommen wieder herauf; *Erbrechen* von Speisen oder reinem Blut, oder in Mischung mit Speisen, Blut, Schleim, Galle, sauer; *Kaffeesatzartiges Erbrechen; Auftreibung, Schmerz, Druckempfindlichkeit* und *Brennen* in der Magengrube; das Erbrechen von Blut oder dunkler Massen, sowie die heftigen, nach dem Schulterblatt ausstrahlenden Schmerzen weisen auf geschwürige Prozesse hin, das Leere- und Schwächegefühl auf Dyspepsie. Typische Leitsymptome: *Brennen; vorübergehende Besserung durch kalte Getränke; Verschlimmerung durch Wärme.* **Phosphorus D 30–15.**

—. *Krampfschmerzen* im Magen, bei reiner Zunge; *schneidende, schießende Schmerzen* in der Magengegend, die nach dem Bauche und Rücken ausstrahlen; zusammenschnürende Schmerzen, durch Zusammenkrümmen gebessert; ein Schluck kaltes Getränk verschlimmert sehr; *unaufhörliches Schlucksen;* Brennschmerzen mit Erbrechen und anhaltendem Schlucksen; Magenneuralgien mit Aufstoßen und Erbrechen von Speisen und Galle. Leitsymptome: Verschlimmerung durch Kälte oder kalten Trank; durch Berührung; nachts; Bewegung; Besserung durch Wärme. **Magnesium phosphoricum D 3–6.**

—. *Sodbrennen, saures Aufstoßen, saures Erbrechen, saurer Geschmack;* saure Stühle, der ganze Mensch riecht sauer; *grüne schaumige Stühle;* Verschlimmerung nachts, in der Ruhe; Verlangen nach sauren Sachen. **Magnesium carbonicum D 1–3.**

—. *Sodbrennen, Magenübersäuerung, chronische saure Gärungsdyspepsie;* dabei gewöhnlich großen Appetit und Durst, Verlangen nach unverdaulichen Sachen; Verschlimmerung durch trockene und feuchte Kälte. Den Calcium-Typ, siehe unter Konstitution, beachten. **Calcium carbonicum D 3–6,** als Konstitutionsmittel **D 30–200.** Dieses Mittel in niederer Potenz bindet alle Säuren im Körper und den Schleimhäuten.

—. *Magengeschwüre.* **Bismutum subnitricum D 1–2** als Hauptmittel, zweistündlich eine Messerspitze voll. Daneben **Calcium carbonicum D 2** zur Bindung der überschüssigen Säure und, besonders wenn es sich um dunkelhaarige Personen mit braunen Augen und dunklem Teint handelt, als Zwischengabe **Calcium jodatum D 4.** Zur Umstimmung wöchentlich eine Gabe **Silicea D 30** und **Sulfur D 30.** Zur Ausheilung von Magengeschwüren hat sich folgende Teemischung besonders bewährt: **Herba Veronica, Herba Thymus vulg., Hb. Petroselinum, Hb. Hypericum, Fol. Menthae pip., Cort. Condurango.**

—. Bei Neigung zu Magengeschwüren und bestes vorbeugendes Mittel und zur Stärkung der Widerstandskraft der Schleimhäute kommt in Betracht: **Aqua marina D 3** und **Acidum sulfuricum D 30.**

—. *Unstillbares Erbrechen* bei *Magengeschwüren* und *Magenkrebs.* Bei Verdacht auf Magenkrebs oder Disposition dazu gebe man rechtzeitig **Cadmium sulfuricum D 4.**

—. *Verdauungsstörungen; Magendrücken, Gefühl als ob ein Stein im Magen läge; großer Durst und Verlangen nach kaltem Wasser;* Wundheitsschmerz in der Magengrube beim Husten; Erbrechen genossener Speisen; *Verschlimmerung durch Bewegung.* Gallenfieberanfälle, besonders bei dunkelhäutigen Personen. **Bryonia D 3–4–6.**

—. *Brennen* und *schießende Schmerzen* im Mageneingang oder Magenausgang; *Tumoren, Krebs* an diesen Organen; brennende Schmerzen an den Brüsten oder Gebärmutter. Krebs der Gebärmutter mit diesen Symptomen wurden mit dem Mittel **Lapis albus D 15–10–6** geheilt. (Ein interessantes Beispiel der Wirkung dieses Mittels schildert Nash S. 310.)

—. *Chronische Dyspepsie, mit dem Verlangen nach sauren Sachen.* **Hepar sulfuris D 6–30.**

—. Siehe auch Verdauungsstörungen.

Milzkrankheiten

Milzkrankheiten. Die Entzündung und Schwellung der Milz kommt bei akuten, fieberhaften Krankheiten häufig vor, ferner bei verschiedenen anderen schweren Krankheiten, insbesondere Blutkrankheiten. Hauptmittel bei allen Erkrankungen der Milz ist **Artemisia D 3–30.** Ein weiteres wertvolles Mittel ist **Ceanothus D 1** bei Schwellung nach Wechselfieber und Chininmißbrauch. Der Kranke kann nicht auf der linken Seite liegen, hat Harn- und Stuhlbeschwerden. **Bryonia D 4** ist angezeigt wenn Rheuma damit verbunden ist. **Scilla D 1** bei dumpfen Schmerzen mit niedergedrückter Stimmung. **Taraxacum D 2** bei Milzschwellung und Leberschwellung zusammen. Weitere Mittel sind **Lycopodium D 6–12, China D 3–4, Pulsatilla D 4,** man beachte die Leitsymptome dieser Mittel.

Modalitäten

Modalitäten und *charakteristische Symptome.* Darunter versteht man Einflüsse, die einen Zustand besser oder schlimmer machen. Unter charakteristischen Symptomen versteht man ein Zeichen oder Zustand einer Krankheit, für welchen ein bestimmtes Mittel geradezu spezifisch ist.

—. Krankheiten, gleich welchen Ursprungs, vor allem aber rheumatische, werden durch *Witterungswechsel von warm zu kalt* hervorgerufen oder verschlimmert. **Dulcamara D 4–6.**

—. *Verschlimmerung durch geistige Anstrengung.* Patient ist unfähig irgendeine geistige Arbeit zu verrichten, ohne daß Kopfschmerzen, Schwindel oder Gefühl der Benommenheit auftreten. Große Niedergeschlagenheit. **Natrium carbonicum D 30.**

—. *Verschlimmerung durch* oder *nach Schlaf.* Oder: Sobald Patient einschlafen will stockt die Atmung und er erwacht atemringend. **Lachesis D 200–30.**

—. *Verschlimmerung durch Bewegung.* Ganz gleich, wie die Krankheit auch heißen mag oder wo sie auftritt: Wenn sich der Patient in der Ruhe viel besser fühlt und bei der geringsten Bewegung sehr leidet, und je mehr und je länger er sich bewegt desto mehr leidet, dann ist **Bryonia D 3–30** das erste Mittel. Eine weitere wichtige Modalität des Mittels ist: *Besserung durch Druck*, Patient will auf der kranken Seite oder der Schmerzstelle liegen.

—. *Verschlimmerung durch Schreck* oder Leiden die durch Schreck, sofort oder später, entstanden sind, mit Angst oder Furchtsamkeit seit diesem Schreck. *Verschlimmerung durch* trockene, kalte Luft oder akute, fieberhafte Erkrankungen die durch diese entstanden sind, mit Unruhe, Angst und Furcht. **Aconitum D 3–30.**

—. *Verschlimmerung durch Druck* oder Zusammenschnüren oder Gefühl eines solchen. Ganz gleich, an welchen Organen und bei welchen Krankheiten dies auftritt, wenn die geringste Berührung oder Druck schmerzlich empfunden oder nicht vertragen wird, wenn das Gefühl auftritt, als ob irgendwo etwas zusammengeschnürt oder zu eng sei, oder Erstickungsgefühl am Hals und in der Brust, dann ist dies ein wichtiges Symptom für **Lachesis D 10–15–30.**

—. Verschlimmerung durch warme Luft, im warmen Zimmer, im warmen Bett, abends. Besserung im Freien, in kühler, frischer Luft. **Pulsatilla D 3–6.**

—. *Verschlimmerung* bei nassem, stürmischem Wetter, hauptsächlich vor dem Sturm und besonders vor Gewitter; Verschlimmerung während der Ruhe und Besserung bei Bewegung. **Rhododendron D 6–30.**

—. *Verschlimmerung in der Ruhe und zu Anfang einer Bewegung* und *Besserung durch fortgesetzte Bewegung.* **Rhus toxicodendron D 6–30.**

—. *Verschlimmerung 3 Uhr morgens*, bei Brustleiden, Schwindsucht, Brust-, Herzwassersucht; Verschlimmerung durch Kälte, besonders bei Wetterwechsel; scharfe, stechende Schmerzen und Anschwellungen unter den Augenbrauen sind weitere charakteristische Symptome für **Kalium carbonicum D 6–200.**

—. *Verschlimmerung nach Mitternacht*, besonders gegen 1–3 Uhr, nachts beim Liegen auf der kranken Seite, durch Kälte und Nässe. Brennende Schmerzen. *Besserung durch Hitzeanwendung*, durch heiße Speisen und Getränke. **Arsenicum album D 10–200.**

—. *Verschlimmerung* mittags *nach dem Essen*, *nach* dem *Erwachen*, *nach geistiger Anstrengung*, in kalter, trockener Luft. **Nux vomica D 3–200.**

—. *Verschlimmerung nach* der geringsten, festen oder flüssigen *Nahrungsaufnahme;* bei Rückenschmerzen nachts im Bett und morgens beim Aufstehen. **Staphysagria D 6–30–200.**

—. *Verschlimmerung bei feuchtem Wetter*, in feuchten Wohnungen, bei jedem Umschlag der Witterung von Trockenheit zur Feuchtigkeit oder Regen. Ganz gleich, welche Leiden oder Beschwerden auch vorliegen, wenn die erwähnten Symptome ausgesprochen vorliegen, dann ist zuerst an **Aranea Diadema D 2–4** zu denken.

—. *Verschlimmerung nachts in der Bettwärme mit* profusem *Schweiß* der *nicht* lindert. **Mercurius solubilis D 6–30.**

—. Warmes Zimmer steigert den Kopfschmerz, warmes Bett den Gesichtsschmerz. **Glonoinum D 6–30.**

—. *Verschlimmerung durch geistige Anstrengung*, ist unfähig zu denken oder geistige Arbeit zu leisten; Kopfschmerzen *verschlimmern* sich in der *Sonnenhitze* oder es tritt durch diese große Schwäche auf, ferner Schwindel und Benommenheitsgefühl. **Natrium carbonicum D 30–6.**

—. *Verschlimmerung bei Witterungsumschlag von trockenem zu feuchtem Wetter*-bei Asthma und Darmkatarrh mit Blähungen und Aufstoßen oder Durchfall. **Natrium sulfuricum D 6.**

—. *Der Geruch kochender Speisen erregt Ekel* bis zur Ohnmacht. Ganz gleich welche Krankheit auch vorliegt, wenn dieses Symptom ausgeprägt vorhanden ist, dann ist **Colchicum D 200–100–30** das Heilmittel. (Ein interessantes Beispiel hierfür bringt Nash auf Seite 298 seines Werkes.)

—. Unwiderstehliche Neigung die Zähne zusammenzubeißen oder auf alles zu beißen was in den Mund kommt. **Phytolacca D 200–30.** (Beispiel Nash Seite 329.)

—. *Die Beschwerden fangen auf der rechten Seite an und laufen dann nach links* weiter; Ausschläge fangen auf der rechten Körperseite an und wandern dann nach links; der rechte Fuß wird kalt; rechtsseitige Brüche; ganz gleich, wie die Krankheit auch heißen mag, ob Hals-, Mandel-, Lungen. Eierstock entzündungen, Ischias usw., bei jeder Krankheit oder Beschwerde die rechts anfängt und nach links wandert, denke man zuerst an **Lycopodium D 200–30.**

—. *Der Patient verträgt es nicht berührt oder angesehen zu werden*, ist unwirsch, verdrießlich oder traurig. Ganz besonders wenn Magenbeschwerden, Übelkeit, Erbrechen vorliegen. **Antimonium crudum D 3–6.**

—. Eigentümliches *Gelüste nach Schinkenschwarten.* **Calcium phosphoricum D 6.**

—. Unwiderstehliches *Verlangen nach Zucker;* Aufstoßen von Luft mit Geräusch aus dem Magen. **Argentum nitricum D 6–12.**

—. Veränderlichkeit der Symptome. **Pulsatilla, Ignatia, Nux moschata.**

—. Empfindung als ob jeder Atemzug der letzte wäre. **Apis D 4–6.**

—. Äußerster Widerwille gegen Tabakrauch. **Ignatia D 6–30–200.**

—. Völlige Reaktionslosigkeit und Schmerzfreiheit bei schwerer Erkrankung. **Opium D 200–30.**

—. Große Unruhe und Schreien kleiner Kinder Tag und Nacht mit Drehungen und Krümmungen des Körpers bei Darm-Symptomen, Durchfall, meist mit starker Abmagerung. **Jalapa D 12.**

—. Unwiderstehliche Sucht nach alkoholischen Getränken, betrinkt sich gern, fühlt sich aber darnach schlechter. **Selenium D 6–30.**

— *bei Kindern.* Unruhe nachts, schreit im Schlafe; glühende Röte auf beiden Wangen, abwechselnd mit einem blassen, kränklichen Gesicht mit dunklen Ringen um die Augen; oder rotes Gesicht mit starker Blässe um Mund und Nase; Heißhunger wechselt mit Appetitlosigkeit ab; reichlicher, blasser Harn, der, wenn er eine Weile steht, milchig wird. Diese Symptome weisen auf Spulwürmer hin. **Cina D 1–3** wenn Spulwürmer nachgewiesen, wenn nur die Symptome mehr oder weniger auftreten, dann höhere Potenzen bis D 30.

— *bei Kindern.* Gesicht auf der einen Seite rot und heiß auf der anderen Seite blaß und kalt; das Kind bohrt und stochert fortwährend in der Nase, knirscht im Schlafe mit den Zähnen, zuckt und fährt auf; schluckt häufig oder hat Erstickungsgefühl mit Husten; das Kind ist eigensinnig und launisch, es weiß nicht was es will. Auch diese Symptome können Anzeichen für Spulwürmer sein, kommen aber auch ohne diese vor; in diesem Falle gibt man **Chamomilla D 30.**

Mund

Mund. Bläschen-, Geschwürsbildungen (Aphten) *in der Mundschleimhaut* mit großer Schwäche und Kräfteschwund; saueres Aufstoßen, saueres Erbrechen, alles riecht sauer. Ein sehr wichtiges Symptom ist: Gefühl eines innerlichen Zitterns, subjektiv, äußerlich nicht wahrnehmbar. **Acidum sulfuricum D 3–6.**

—. *Bläschen-, Geschwürsbildungen, Mundfäule.* Die Mitte der Geschwüre ist weiß mit rotem Hof umgeben, sie bluten gern. Der Mund ist heiß, ebenso der Urin, so daß das Urinieren schmerzt. Kinder schreien deshalb vor und beim Wasserlassen. Oft sind Augen- und Ohrenkatarrhe damit verbunden. Der Stuhl ist weich, hellgelb oder grünlich, übelriechend. *Wichtige Leit-*

symptome sind: Große Nervosität, große Empfindlichkeit gegen Geräusche aller Art; Furcht zu fallen bei Bewegung nach unten. **Borax D 4–6–30.**

—. *Schwere Entzündung der Schleimhäute des Mundes, der Lippen, der Nase,* sie sehen wund, roh, wie blutig aus. Trotz der heftigen Schmerzen bohren und nagen die Kranken an den rohen Stellen bis sie aufschreien könnten. Diese Symptome kommen besonders bei Scharlach oder bei typhösen Erkrankungen vor. Bei allen Krankheiten wo diese Symptome auftreten, ist **Arum tryphillum D 2–6** ein unvergleichliches Mittel.

—. *Große Trockenheit des Mundes,* morgens, *ohne Dust;* dauernd schlechter Geschmack – oder überhaupt keiner – besonders frühmorgens. Nichts schmeckt gut. **Pulsatilla D 6–30.**

— *Rissige, trockene Mundwinkel* und Lippen, besonders wenn Magenkrankheiten vorliegen. **Condurango D 2–3.**

—. Steifigkeit der Kiefer, kann den Mund nicht öffnen. **Causticum D 6–12.**

—. Wunder Mund im letzten Stadium der Lungenschwindsucht. **Lachesis D 10–15.**

—. Mundwinkel rissig, geschwürig, schorfig. Aphten, Entzündung der Mundschleimhaut mit Speichelfluß; geschwüriger, geschwollener Zustand des Zahnfleisches, der sich bis zum Schlund erstrecken kann, mit stechenden Schmerzen. Besonders dann, wenn all die genannten Erscheinungen Folgen von Quecksilbermißbrauch (Syphilis-Kur) sind. **Acidum nitricum D 4–6–30.**

—. Mundgeschmack, siehe Geschmack.

—. *Außerordentliche Trockenheit des Mundes,* verbunden mit *Gedächtnisschwäche,* oder *Gedächtnisverlust; launenhafte,* sehr *wechselnde Stimmung.* **Nux moschata D 3–4–30–200.**

Muttermale

Muttermale. Muttermale, siehe Flecken.

Müdigkeit

Müdigkeit. Müdigkeit, siehe Schwäche.

Narben

Narben. Alte Narben erweichen und vergehen durch **Graphitis D 30,** besonders solche, die von Abszessen der Brüste zurückgeblieben sind.

Nase

Nase. Nasenkatarrh heftiger in Stirn- und Nasenhöhle als Folge unterdrückten Katarrhs. *Ausfluß von zähem, klebrigem, festsitzendem* und *lange*

Fäden ziehenden Schleim. Bildung von Krusten und Pfropfen in der Nase; Geschwüre, tief wie mit dem Locheisen eingeschlagen, mit glatten Rändern. **Kalium bichromicum D 30–200.**

—. *Chronischer Nasenkatarrh, Nasenaffektionen,* bei denen der Kranke *kleine Mengen Blut ausschneuzt.* Schwellung und Trockenheit der Nase, so daß Nasenatmung nicht möglich ist; blutige Krusten an den Nasenlöchern; *blutig-schleimige* oder *gelb-grüne Absonderungen; Karies* der *Nasenknochen;* blutende *Nasenpolypen* und Wucherungen. **Phosphorus D 12–30–6.**

—. *Akuter Nasenkatarrh* mit anhaltendem, häufigem Niesen, mit *starkem, scharfem, brennendem, ätzendem Ausfluß,* abends nur im Zimmer schlimmer, besser in frischer Luft. **Cepa D 2–6.**

—. *Nasenkatarrh,* Schnupfen *kleiner Kinder,* trockener Art *mit völlig verstopfter Nase; plötzliche,* mehrmals auftretende *Anfälle von Atemnot* in der Nacht mit Blauwerden des Gesichtes. Ein weiteres, sehr charakteristisches Symptom ist: *trockene Hitze während des Schlafes* und ausgedehnter *Schweiß beim Wachsein.* **Sambucus nigra D 3–6.**

—. *Chronischer Nasenkatarrh; Karies der Nasenknochen,* des Felsenbeines, des Gaumens; Verhärtung der Nasenschleimhaut; die Nasenlöcher sind verklebt, geschwürig, verstopft oder es besteht ein ungemein *stinkender Ausfluß* (Ozeana); **Aurum D 6–4** besonders dann, wenn das für das Mittel charakteristische Leitsymptom: Depressionen, Selbstmordgedanken beim Patienten vorliegen. Das Mittel wirkt langsam und muß lange Zeit gegeben werden, täglich 1–2 Gaben. **Aurum jodatum D 6–4** ist in der Wirkung etwas milder und leichter resorbierbar, ist aber infolge seiner Kombination: Gold und Jod, ein mächtig und tief eingreifendes Mittel bei allen chronischen Geschwürsprozessen auf skrofulöser oder luetischer Grundlage. Das Mittel dürfte daher in vielen Fällen dem einfachen Aurum vorzuziehen sein. Anwendung wie bei Aurum.

—. *Nasen- und Rachenkatarrh mit grünen, stinkenden* oder *schwarzblutigen Absonderungen.* Leitsymptome: große Empfindlichkeit gegen Kälte; Kältegefühl im Magen; eiskalte Füße, Arme und Hände, diese sind geschwollen und bläulich. Verschlimmerung frühmorgens und bei nassem Wetter. **Elaps corallinus D 10–15,** ein hauptsächlich rechtsseitig wirkendes Mittel.

N

—. *Akuter* und *chronischer Nasen-* oder *Stirnhöhlenkatarrh; heftiger Schmerz* und *schwerer Druck in Stirn* und *Nasenwurzel* zu Anfang nach einer Erkältung, aber auch ein Fortbestehen dieser Symptome nach aufhören des Ausflusses. Die Absonderungen neigen zum eintrocknen, werden hart, trocken, es bilden sich Schorfe die schwer zu entfernen sind. **Pticta D 1–3.**

—. *Dicker, grüner Ausfluß,* Schorfbildung, Warzen oder Ausschläge an der Außenseite der Nase. **Thuya D 6–15–30.**

—. *Nasenkatarrh, chronischer,* der oberen Nase und des Rachens, mit dickem Schleimauswurf, hauptsächlich nachts. Verschlimmerung durch Luftzug oder Kälte. **Natrium carbonicum D 3–4.**

—. *Schnupfen, chronischer; Stinknase,* Schleim*polypen;* Nasen-Rachenkatarrh mit häufigem Niesen. **Marum verum ∅–D 3.**

—. *Stockschnupfen; chronischer Nasenkatarrh* mit totaler Verstopfung der Nase und drückenden Kopfschmerzen. Verschlimmerung nachmittags 4-6 Uhr und durch kalte Speisen und Getränke. **Lycopodium D 30–15–10.**

—. *Fließschnupfen* mit Niesreiz ohne daß es zum Nießen kommt, Nase geschwollen mit Brennschmerzen. **Euphorbium D 6–12.**

—. Stinknase mit blutig-schleimigem Ausfluß. **Sulfur jodatum D 3–6.**

—. Schnupfen, chronischer; Stinknase. Gutwirkende Mittel bei derartigen Nasenkrankheiten sind folgende: **Cepa D 4, Silicea D 12.** Bei Stockschnupfen **Ammonium carbonicum D 6,** bei *eitrigem Ausfluß* **Hepar sulfuricum D 6.** Bestes Umstimmungsmittel bei allen Nasenkrankheiten ist **Silicea D 200.**

—. *Heuschnupfen*, mit wäßrigen Absonderungen, Niesen, asthmatische Beschwerden **Aralea racemosa D 4** im Wechsel mit **Cepa D 4** und **Apis D 4**; bei trockenem Husten mit dauerndem Kitzelreiz **Sabadilla D 4** im Wechsel mit **Apis D 4** und **Cumarinum D 3.** Das letztgenannte Mittel ist das Hauptmittel bei jeder Art Heuschnupfen; ist dieser besonders hartnäkkiger Art, dann bringt oft der Einsatz von **Silicea D 100** im Wechsel mit **Jodum D 4** und **Camphora Rubini** die Wendung.

—. Bei Nasenpolypen kommt als Umstimmungsmittel **Thuja D 200** und **Calcium carbonicum D 30** in Frage. Nasenspülungen mit 20–30 Tropfen **Thuja** ∅ auf eine Tasse Wasser unterstützen die Kur wesentlich.

Nervenkrankheiten

Nervenkrankheiten. Nervenschmerzen, Neuralgien jeder Art und *an allen Organen*, besonders im Gesicht, Kopf; heftige, krampfartige Schmerzen, schneidend, stechend, schießend, durchdringend, bohrend, sie kommen und vergehen oft blitzartig, in Anfällen die fast unerträglich sind, oft die Stelle wechselnd; oder sie kommen am Nachmittag und halten so lange an bis Patient im Bett warm wird. *Wichtige Modalität ist:* Verschlimmerung durch Kälte oder kalten Luftzug, Besserung durch Anwendung von Hitze. **Magnesium phosph. D 3–6.** Ein amerikanischer Autor nannte das Mittel das homöopathische Morphium.

—. *Nervenschmerzen*, schneidende, reißende, kneipende, krampfhafter Natur. Neuralgien an allen Organen. Koliken, besonders Bleikolik. Reißen und Bohren im Kopf, Schwindel mit Neigung zum Fallen; Ischias, mit von der Hüfte in den hinteren Teil des Oberschenkels bis zur Kniekehle herab verlaufenden Schmerzen. Modalitäten: Verschlimmerung durch Bewegung, abends und nachts; Besserung durch Ruhe, Druck auf die Schmerzstelle. **Colocyntis D 6–30.**

—. *Nervenschmerzen*, oder heftige Blähungskoliken; plötzlich anfallweise auftretend von einem Punkte ansetzende und nach allen Richtungen ausstrahlende heftigste Schmerzen, blitzartig wechselnd. **Dioscorea D 6–15–30.**

—. *Nervenschmerzen, periodische Neuralgien* an allen Organen, krampfhafte Affektionen, besonders der Schließmuskeln (Magendarm, Blase), Koliken, nervöse Unruhe, Überempfindlichkeit, Kongestionen im Gehirn, klopfende Arterien, klopfende, pulsierende Kopfschmerzen, periodisch wiederkehrend. Migräne, Gesichtstäuschungen, Delirien, Epilepsie, Gehirnkrämpfe aller Art, Veitstanz. **Atropinum sulfuricum D 4–6.**

—. Nervenschmerzen, neuralgische Gesichtsschmerzen, besonders linksseitig, Zwischenrippenneuralgie, Stiche und Reißen zwischen den Rippen und Schulterblättern; absetzendes Zucken und Dröhnen im Kopf, schlimmer durch aufdrücken oder zusammenbeißen der Zähne, durch Zugluft oder sonstigen Witterungseinflüssen; zermalmende Schmerzen, wie mit Zangen gequetscht; Schmerzen die periodisch zweimal täglich zur selben Zeit wiederkehren. **Verbascum D 2.**

—. *Neuralgische Kopf-*, *Gesichts-*, *Herzschmerzen*, häuptsächlich rechtsseitig; die Schmerzen wechseln plötzlich die Stelle oder fangen oben an und gehen nach unten. *Taubheitsgefühl* oder *Schwäche* einzelner oder mehrerer Glieder als *allgemeines Symptom* bei Neuralgie. **Kalmia D 3–6.**

—. *Neuralgische Kopf-*, *Gesichts-*, *Halsschmerzen*, meist einseitig und *links*, durch den geringsten Lärm, Erschütterung oder kaltes, feuchtes Wetter verschlimmert. Die Schmerzen steigern sich morgens und nehmen abends wieder ab. **Spigelia D 3–6.**

—. Neuralgien in allen Nervengebieten, periodisch auftretend; heftige, stechende, reißende Schmerzen, nachts schlimmer, dabei großer Durst. **Chininum arsenicosum D 3–4.**

—. *Gesichtsneuralgien*, reißende, oft auch krampfartige Schmerzen; *Zukkungen*, *Veitstanz*, *epileptische Anfälle; Verlust oder* Unvollkommenheit *geordneter Bewegungen;* Hoffnungslosigkeit, Melancholie, Traurigkeit. Wichtige *Leitsymptome: Gefühl von Wundheit oder Roheit in den Schleimhäuten*, Brennen; ferner: Verschlimmerung bei schönem, klarem Wetter; Besserung bei trübem, feuchtem Wetter. **Causticum D 6–15.**

—. Allgemeine *nervöse Erregung*, kann nicht ruhig bleiben, Übermepfindlichkeit aller Sinne; reißende Schmerzen und Krämpfe an verschiedenen Stellen des Körpers. Die Schmerzen sind schlimmer beim Stehen, Besserung im Liegen. Gefühl des Schwebens. **Valeriana D 3–4.**

— *Nervosität*, sehr starke erhöhte Empfindlichkeit, alle Sinne schärfer, schnell im Handeln, lebhafte Phantasie, Zukunftspläne; ungewöhnliche geistige und körperliche Lebhaftigkeit; hysterische Erscheinungen; *Schlaflosigkeit*. **Coffea D 30–200.**

—. *Hyperesthesie* oder Kongestionen der weiblichen Geschlechtsorgane; *Hysterie;* außerordentliche *Unruhe* und *Empfindlichkeit gegen Eindrücke und Geräusche;* Veitstanzartige Zustände; krampfhaftes Muskelzucken, empfindlichen und schmerzhaften Rücken; Ruhelosigkeit bei Frauen, kann in keiner Stellung ruhig bleiben, muß sich immer bewegen, obwohl Bewegung alle Symptome verschlimmert; geschlechtliches Verlangen oder Jucken der Geschlechtsteile. **Tarantula hispanica D 30,** hauptsächlich ein Frauenmittel mit Hauptwirkung auf die weiblichen Geschlechtsorgane.

—. *Gesichtsneuralgie*, *periodische Kopfschmerzen*, die Schmerzen nehmen langsam zu bis zur größten Heftigkeit und dann ebenso langsam wieder ab, darnach gewöhnlich *Taubheitsgefühl. Hysterie*, besonders um die Zeit der Monatsregel, dabei können alle Variationen der Gemütsbewegungen wechselnd auftreten: Lachen, Weinen, lästerliche oder erotische Redensarten, Unverschämtheit, Anmaßung, Hochmut. **Platinum D 200–30–6.**

—. *Neuralgien, Menstruationsschmerzen nervöser Art; Schlaflosigkeit, Krämpfe Epilepsie, Eklampsie, Veitstanz*, Zahnungskrämpfe, Delirium tremens, Trunksucht, Morphiumsucht. Rotlauf bei nervöser Erregung; Angina pectoris (Herzbräune); *Starrkrampf.* **Passiflora** Ø. Das Mittel wirkt beruhigend, schmerz- und krampfstillend; öftere Gaben von 15–30 Tropfen.

—. *Nervosität, spinale Reizungen* mit Schmerzen im Nacken, aufsteigend bis zum Scheitel; Schwindel beim Lesen; Klatschsucht; hysterische Erscheinungen; Neigung andere Menschen hämisch und verächtlich zu behandeln. **Paris quadrifolia D 2–3.**

—. *Hysterische Erscheinungen;* äußerste *Überempfindlichkeit gegen Geräusche;* pulsierende Kopfschmerzen mit Übelkeit, Erbrechen, Erweiterung der Pupillen, Migräne; fühlt sich leicht, körperlos oder frei in der Luft schwebend. **Asarum europaeum D 4–6–30.**

—. *Große Nervosität und Empfindlichkeit gegen Geräusche* jeder Art, fährt oder zuckt bei nahen oder entfernteren Geräuschen zusammen; Furcht zu fallen bei Bewegungen nach unten. **Borax D 3–6.**

—. *Hypochondrie; Nervenschwäche; Gehirnermüdung*, ist nach normaler geistiger Arbeit völlig erschöpft; heftige Kopfschmerzen nach großer Aufregung oder körperlicher Anstrengung; Schlaflosigkeit; Pollutionen; große Erschöpfung und Nachlassen der Sehkraft nach Beischlaf; Impotenz; übelriechende Schweiße. Verschlimmerung nach dem Essen, durch Kälte, durch Anstrengung. Besserung im Freien. **Kalium phosphoricum D 6,** das biochemische Mittel Dr. Schüßlers für Aufbau und Funktion des Gehirns und Nerven.

—. *Große Nervenschwäche*, ist leicht erschöpft, oft in Verbindung mit Herzmuskelschwäche, Puls unregelmäßig oder aussetzend, stoßweise oder sehr schwach; *Kreuzschmerzen*, Druck im Kreuz wie von einer schweren Last, *Rückenschmerzen die sich beim Essen einstellen.* Nervosität, reizbar, ängstlich, erschrickt sehr leicht, Halluzinationen, schreit wegen eingebildeten Erscheinungen auf, fährt bei jedem Geräusch oder der leisesten Berührung zusammen, besonders empfindlich an den Füßen. Leitsymptome: Verschlimmerung durch Kälte; säckchenförmige, ödematöse Anschwellungen der oberen Augenlider; scharfe, stechende, pulsierende Schmerzen, schlimmer nachts 2–3 Uhr und durch Druck auf die Schmerzstelle. **Kalium carbonicum D 3–6–30.** Nächst Sulfur ist das Mittel unser bester Energiesator.

—. *Große Nervosität, Unruhe* der Hände, muß sie fortwährend bewegen; *Manien; Melancholie; Wahnideen;* Aufschrecken im Schlafe, Schreien und Zittern; Schlaflosigkeit; Krämpfe, Epilepsie, besonders wenn sie mit der Monatsregel im Zusammenhang stehen oder durch diese ausgelöst werden. Leitsymptome: Verschlimmerung durch sexuelle Exzesse oder geistiger Anstrengung. **Kalium bromatum D 1–4.**

—. *Vollständige Erschöpfung der Nervenkraft*, große Müdigkeit und Mattigkeit im ganzen Körper, *unfähig zu geistiger und körperlicher Arbeit;* Nachlassen der Arbeitskraft, Übermüdungserscheinungen bei überarbeiteten Personen; große *Schwere in den Beinen*, kann sie kaum vom Boden erheben; Schwere im Hinterkopf mit Nachlassen der Verstandeskraft, unfähig zu denken oder zu geistiger Arbeit; Kopfschmerzen, Kreuzschmerzen; Schwindel, meist im Hinterkopf und Nackengegend, schlimmer durch geistige Arbeit; Taubheitsgefühl, Kribbeln, Ameisenlaufen; Geschlechtsorgane zuerst erregt oder anhaltend erregt mit folgender Schwäche und sexuelle Kraftlosigkeit und geschlechtliche Unfähigkeit; Samenfluß. Stimmung: *gleichgültig, willenlos, niedergeschlagen.* **Acidum picrinicum D 6–15–30.**

—. Große *Nervenschwäche* und *Erschöpfung*, körperlich, geistig und seelisch; *Depression, Apathie, Stumpfsinn* in ausgezeichnetem Maße; Folgen von Kummer, *seelischen*, deprimierenden *Gemütsbewegungen; Schwäche* im *Kreuz* und *Rücken*, besonders nach Samenverlusten oder als Folge von geistigen Anstrengungen, oder bei Zuckerkrankheit, oder nach schweren Krankheiten; *Gehirnmüdigkeit*, Kopfschmerz und Schwindel bei geistiger Anstrengung. Verschlimmerung durch Kälte, Zuglust, nachts. Besserung durch Wärme, nach Abgang von Winden. **Acidum phosphoricum D 1–3** ein Nerven- und Gehirnmittel für die besprochenen Erscheinungen ersten Ranges.

—. *Hysterie; Brustkrämpfe* mit *Zusammenschnürungsgefühl* und *Erstickungsgefühl* sowie Kältegefühl; neuralgische Kopfschmerzen, besser in der frischen Luft, schlimmer im warmen Raume; nervöses Herzklopfen mit Atemnot, Erschöpfung, Aufregung, Ohnmachtsanfälle; bildet sich ein oder ruft aus: „Ich muß sterben !"; lacht, weint oder zankt bis die Lippen blau werden, die Augen starr blicken und in Ohnmacht fällt. **Moschus D 15–30–200.**

—. *Hysterie;* Gefühl als ob eine Kugel vom Magen zum Halse heraufstiege; starke Gasauftreibung mit Aufstoßen, alles drängt nach oben als ob alles zum Munde herausplatzen wollte (nach oben wirkende umgekehrte Peristaltik des Darmes, Magens und der Speiseröhre). Besonders wenn die nervösen Symptome nach Unterdrückung von Weißfluß oder anderen Absonderungen auftreten. Alle Absonderungen, auch geschwürige sind übelriechend, es besteht große Empfindlichkeit gegen Berührung. **Asa foedita D 2–6.**

—. *Nervosität* und *Reizung* mit folgender Schwäche bis zur Lähmung; große *Niedergeschlagenheit, Gleichgültigkeit, Schwäche, Erschöpfung, Schwindel, Taumeln*, Betäubung, drückender Kopfschmerz; *Übelkeit zum Sterben*, mit *Würgen* und *Erbrechen;* Schlaflosigkeit, der Schlaf ist erst gegen Morgen tief mit schweren Träumen und öfterem Aufwachen und starkem Schweiß. *Störungen der Rückenmarksfunktion*, der Bewegungsorgane, Unsicherheit und Schwäche derselben; Krämpfe in Muskeln und Sehnen; *eisige Kälte am ganzen Körper, eiskalte Schweiße;* Sehstörungen bis zur völligen Blindheit. **Tabacum D 30–200.**

—. Allmählich beginnendes Gefühl von Abspannung oder allgemeiner Ermüdung, steigert sich *bis zur vollständigen Erschlaffung und Erschöpfung des ganzen Muskelsystems*, mit *teilweiser* oder *völliger Lähmung der motorischen Nerven.* Die Muskeln wollen dem Willen nicht mehr gehorchen; *Zittern* der Beine, Hände oder Zunge, bei dem Versuch sie zu bewegen, ist ein Hauptsymptom. Dieses Zittern kann so heftig sein, daß es den Kranken wie von Frost heftig schüttelt, obwohl weder objektiv noch subjektiv Frost vorhanden ist. Damit mehr oder weniger verbunden sind Gemütsdepressionen. Der Kranke ist *träge*, *schläfrig* und *scheut Bewegung*, will ungestört sein. Die *geistigen Fähigkeiten* sind *vermindert* und *schwach*, kann weder klar denken noch seine Aufmerksamkeit auf einen Punkt richten. *Äußerste Empfindlichkeit* und *Erregung durch schlimme Nachrichten*, *Schreck* oder *Ahnung* eines ungewöhnlichen Schicksalsschlages ist ein weiteres hervorragendes Symptom. Als Folge dieser Einwirkungen tritt häufig Durchfall auf; Puls in der Ruhe schwach und langsam, aber bei geringster Bewegung beschleunigt; *Neuralgien*, *Myalgien* mit vorgenannten nervösen Erscheinungen; Schwindel mit Gesichtstrübung, erweiterte Pupillen, Doppeltsehen, Gefühl von Berauschtsein sind ebenfalls sehr charakteristische Symptome. Verschlimmerung durch Bewegung, feuchtes Wetter, Hitze, nachmittags und abends. Besserung durch reichlichen Abgang hellen Harns. **Gelsemium D 3–6–15–30–200.**

—. *Neuralgischer Kopfschmerz*, meist *einseitig*, *bohrend*, *stechend*, *mit dem Gefühl als ginge der Schädel auseinander* oder als ob der *Kopf enorm ausgedehnt wäre; Zittern*, *Schwäche; Koordinationsstörungen* der Muskeln, d. h. Störung der normalen Zusammenwirkung derselben – Schwindel, Schwanken, unsicherer Gang, beim Gehen auf der Straße scheinen die Straßenecken weit vorzustehen und fürchtet sich dagegen zu stoßen. Alle diese Erscheinungen sind auf die Koordinationsstörungen zurückzuführen – *Epilepsie und epilepsieartige Erscheinungen;* Erregungszustände, Ärger, Hast, wechselnde Gemütsstimmung. Leitsymtpome: *Ausdehnungsgefühl; Verlangen* nach *Zucker* und Süßigkeiten; Angst, Unsicherheit. **Argentum nitricum D 60–30–6,** das Ergänzungsmittel zu Gelsemium.

—. *Nervenschwäche*, *Nervenschmerzen*, *geistige* und *körperliche Erschöpfung*, mit blassem, fahlem Gesicht; krampfhaftes *Zucken* und *Rucken* verschiedener Muskeln; *allgemeines Zittern* infolge Erschöpfung, verliert die Herrschaft über seine Bewegungen; Gehirnleiden mit vorstehenden Symptomen; *heftige Unruhe der unteren Gliedmaßen*, muß sie fortwährend bewegen; Verschlimmerung durch Erschöpfung, durch alkoholische Getränke, besonders Wein. **Zincum D 200–30–10.**

—. *Große*, *allgemeine Unruhe*, kann nicht einen Augenblick ruhen, sitzen oder stehen; *Überempfindlichkeit der Sinne* gegen äußere Eindrücke; *Brennen* in allen Organen, mit oder ohne Fieber, besonders der Haut, der Hände; *intensives Hitzegefühl das den Rücken hinaufläuft.* Dies sind meist alles Anfangssymptome einer beginnenden Erkrankung des Nervensystems oder des Gehirns. (Erweichung oder Atrophie in Gehirn und Rückenmark.) Später, bei fortgeschrittener Erkrankung tritt *Erschöpfung*, *Zittern*, *Schwindel*, *Benommenheit*, *Apathie*, *Verlust des Gefühls*, der *Empfindung*, der *Bewegung bis zur vollständigen Lähmung* auf, Symptome die bei Nervenatrophie und Gehirnerweichung auftreten. Ein besonderes Symptom ist: *der Kranke fürchtet das*

Alleinsein, ist furchtsam, ängstlich im Dunkeln, bei Gewittern. Verschlimmerung durch linke Seitenlage, geistige Anstrengung und Gemütsbewegungen. Besserung durch Ruhe. **Phosphorus D 30–200.**

—. *Lähmender Schmerz im Kreuz*, mit krampfhaftem Ziehen über die Hüften; *Lähmung vom Rückenmark ausgehend*, besonders zu Anfang der Erkrankung; die *Knie knicken vor Schwäche zusammen*, bald sind die Füße, bald die Hände eingeschlafen; *Verwirrung*, *Schwindel* oder *Betäubung*, durch Essen und Trinken verschlimmert; drehender Schwindel beim Aufrichten, der dazu zwingt sich wieder niederzulegen; schmerzhaftes Gefühl von Schwäche oder Leere im Kopf, Brust, Bauch oder anderen inneren Körperteilen; äußerster *Widerwille gegen Speisen* oder Speisengeruch mit Ekel und trotzdem Hunger dabei; *große Depression*, traurig, versunken, brütend, mürrisch, schweigsam; *Kopfschmerz mit nachfolgender Übelkeit* bis zum *Erbrechen*, mit Schwäche und heftigem *Schwindel* beim Heben des Kopfes; die Hand zittert beim Essen um so mehr, je höher sie gehoben wird. Alle Symptome werden durch Wagen-, Schiffs-, Eisenbahnfahren, Fliegen, verschlimmert. **Cocculus D 6–15–30.**

—. *Störungen der Bewegungskoordination* (Ataxie), mit den Symptomen: *große Schwere in den unteren Gliedern*, kann sich kaum fortschleppen, schwankt beim Gehen, muß sich setzen; *kann nachts*, oder *in der Dunkelheit nicht gehen; Taubheitsgefühl in den Fersen beim Auftreten. Ungenügende Peristaltik*, oder vollständige Lähmung *des Mastdarmes* und dadurch bedingte Stuhlverstopfung. Allgemeine oder teilweise *Erschlaffung* und *Kraftlosigkeit*. **Alumina D 10–15 –30.**

—. Krämpfe und Zuckungen seelischen Ursprungs; Veitstanz; Kopfschmerzen, nervöse, schneidende, durchdringende, Gefühl als werde ein Nagel in das Gehirn getrieben; Hysterie mit Abgang von reichlichem wässerigem Urin; Veränderlichkeit der Symptome und der Stimmung, Traurigkeit tiefer stiller Kummer mit Seufzen; Modalitäten: Verschlimmerung durch Gemütsbewegungen, in kalter, frischer Luft. Besserung durch Bewegung, Alleinsein, reichlicher Harnabgang; Fieber ohne Durst; Kälte, aber der Kranke will nicht bedeckt sein. **Ignatia D 4–200.**

—. *Zuckungen*, *Neuralgien*, *Delirium*, *Manien*, *Melancholie*, *Trübsinn;* neuralgische Kopfschmerzen im Hinterkopf, Kreuzschmerzen, ziehend spannend, mit Steifigkeit; hartnäckige Schlaflosigkeit; hysterische Erscheinungen, unruhig wechselt von einem Thema zum andern sprunghaft. *Verschlimmerung vor Eintritt der Monatsregel.* Besserung im Freien, durch beständige Bewegung. Furcht verrückt zu werden. **Cimicifuga D 4–6–10** ist hauptsächlich ein Frauenmittel.

—. *Zuckungen*, krampfhafte, chronische *einzelner Muskelpartien*, besonders der Augenlider (bei hysterischen Kranken sehr häufig); *hysterische Zustände mit großer Veränderlichkeit der Symptome*, Heiterkeit wechselt mit Niedergeschlagenheit, Weinen mit Wut ab. **Crocus D 2–6.**

—. *Zuckungen* im *Gesicht*, *Augenlidern*, der *Extremitäten; Veitstanz;* Rükkenmarksreizungen. **Agaricus D 6–12–30.**

—. Neuralgien, *Lähmungen, Schüttellähmung, Rückenmarksentzündung, Rükkenmarksschwindsucht; Ataxie; Gefäßlähmungen; Leitsymptom: außerordentliches Kältegefühl überall und an allen Organen;* drohende Herzlähmung mit kaltem Atem und nicht mehr fühlbarem Puls. **Heloderma D 15–30.**

—. *Epilepsieartige Krampfanfälle; Sensibilitätsstörungen; Ameisenlaufen* von unten nach oben; große *Unruhe, Platzangst;* plötzlicher *Schwindelanfall, Taumeln, Schwanken, Unsicherheit beim Gehen,* Gefühl als ob der Boden schwanke; Jucken, Kribbeln, Beißen der Haut; Verschlimmerung gegen Abend und nachts. Besserung im Freien. **Viscum album D 1–3.**

—. Reißender, hämmernder Kopfschmerz; Schwindel, Gefühl der Schwere; mangelhaftes Gedächtnis, langsames oder mangelhaftes Begriffsvermögen, kann oft beim Sprechen das richtige Wort nicht finden; Teillähmungen der Zunge, des Gesichts, der Augen, des Schlundes, des Handgelenks oder der Glieder; Gehirnlähmung; Trübung des Bewußtseins, Delirium, Koma; Muskelschwund. Verschlimmerung durch Anstrengung, durch Erregung. **Plumbum D 30–200.**

—. *Bei allen Nervenkrankheiten und nervösen Erscheinungen,* wo es sich um funktionelle Nervenstörungen handelt, *achte man auch auf die Leber- und Gallenfunktion* bzw. überhaupt auf die *Funktion des gesamten Stoffwechsels,* und beseitige durch entsprechende Mittel etwaige Störungen, die eine der häufigsten Ursachen der Nervosität abgeben. Die gereizte Stimmung und Nervosität der Leber-, Galle-, Magen- und Darmkranken ist bekannt. – Ferner ist eine etwaige rheumatisch-gichtische Anlage zu beachten, sowie die Wechseljahre der Frauen und deren Symptome wie sie unter „Frauenleiden“ und, „Rheuma“ zu finden sind.

—. Siehe auch „Geistes- und Gemütssymptome“, „Schwäche“.

Neuralgie

Neuralgien. Siehe Nervenkrankheiten.

Niedergeschlagenheit

Niedergeschlagenheit. Siehe „Geistes- und Gemütssymptome“.

Nierenkrankheiten

Nierenkrankheiten. Akute Nierenentzündung mit folgenden Symptomen: Ödematöse Schwellungen, gedunsenes Gesicht. Urin spärlich, meist hellfarbig, selten blutig. Schlafsucht, Stumpfsinnig. Kein Durst. **Apis D 3–6.** Am häufigsten kommt die akute Nierenentzündung nach Infektionskrankheiten vor, besonders nach Scharlach. Man setze also bei diesen Krankheiten am besten das Mittel vorbeugend neben den anderen hierfür in Frage kommenden ein. Bei *Nierenentzündung mit Fieber ist Apis im Wechsel mit dem passenden Fiebermittel zu geben.*

—. *Akute Nierenentzündung nach Scharlach* oder anderen Infektionskrankheiten. Die Scharlachkrankheit hinterläßt in meist allen Fällen eine Nierenschädigung durch Ausscheidung des meist lange Zeit im Körper verbleibenden Scharlachgiftes. Man gebe also bei Scharlach vorbeugend oder bei schon eingetretener Erkrankung der Nieren die sich durch Eiweiß im Urin, kennzeichnet, und bei Nierenkranken die einmal an Scharlach erkrankt waren, 1–2mal täglich 5–10 Tropfen **Arsenicum album D 6–30.**, drei Wochen lang, besonders wenn folgende Symptome vorhanden sind: Brennen; Harndrang; Urin spärlich, auch blutig; Schüttelkrämpfe; heftiger Durst mit folgendem Erbrechen; Gesichtsröte mit Schwellung unter den Augen; oft auch Durchfall.

Das Mittel ist auch bei *chronischer Nierenentzündung* angezeigt. In diesem Falle ist das Gesicht bleich, wachsartig, teigig. Hauptmodalitäten des Mittels sind: Brennen; große Unruhe; große Schwäche; Verschlimmerung von 0–3 Uhr nachts, durch trockene und feuchte Kälte; Besserung durch Wärme.

—. Chronische Nierenentzündung; Nierenkatarrh; Eiweißharnen; Nierengrieß; Nierensteine; Symptome: Rückenschmerzen in der Nierengegend welche nach vorn zur Blase hin ausstrahlen, mit Harndrang; Druckempfindlichkeit der Nieren; Jucken und Pusteln an den Armen; Ausschläge an den Beinen mit Störung der Harnausscheidung; Urin spärlich, dunkel mit Niederschlägen, oder Eiweiß, Blut und Schleim; auch heller, übelriechender Urin; Vergrößerung, Schwellung der Vorsteherdrüse. **Solidago virga aurea ∅ – D 2.**

—. *Nierenleiden jeder Art. Reizung* der *Nieren, Blase, Harnleiter; Urin spärlich, braun* bis *braunrot*, trüb *mit rotem Niederschlag*, sauer; dumpfer, drückender, stechender Schmerz in der Nierengegend; schmerzhaftes Ziehen entlang der Harnleiter nach der Blase zu, Harndrang, schwieriges Harnen, Kältegefühl im Rücken; Sand, Grieß, Nierensteine; *harnsaure Diathese*, Neigung zu Rheuma. **Coccus cacti D 3–6,** das bewährte Nierenfunktionsmittel neben Solidago.

—. *Durchdringende Schmerzen in der Nierengegend, besonders bei Erschütterung oder hartem Auftreten; Gefühl von platzenden brodelnden Blasen* in der Nierengegend; Stechen und Brennen in der Harnröhre und Harnleiter entlang ziehend der Blase zu; trüben, rötlichen oder blaßgelben Urin mit reichlich sandigem oder schleimigem Niederschlag, das sind oft Zeichen vorhandenen oder im Entstehen begriffener Nierensteine; Schmerzen (Hexenschuß), *Steifheit, Lahmheit*, Taubheit *im Rücken-, Lenden-, Nieren-, Blasengebiet; harnsaure* oder *Steindiathese;* Rückenschmerz schlimmer beim Sitzen oder Liegen, das Aufrichten oder Aufstehen fällt schwer; bei all diesen Erscheinungen besteht *große Erschöpfung, Schwäche* im Rücken, blasses Gesicht, erdfahle Farbe mit eingefallenen Backen, blaue Augenringe. Verschlimmerung durch Bewegung. **Berberis D 2–4.**

—. *Akute Nierenentzündung nach Durchnässung* mit folgenden Symptomen: Heftiges Ziehen und Brennen entlang der Harnleiter der Blase zu mit ständigem Harndrang; *blutiger* oder *rauchfarbiger Urin* mit Fieber; Frösteln;

wichtiges *Leitsymptom: Starke Auftreibung des Bauches und große Druckempfindlichkeit; rote, glatte, glänzende Zunge;* ersteres Symptom mit stechenden, schneidenden Schmerzen, schwachem raschen Puls, kalter Schweiß an den Extremitäten, dünne, stinkende Stühle, sind Zeichen einer *Beckenbauchfellentzündung.* **Therebinthina D 3–6–12.**

—. *Nierenkolik* mit Abgang von Grieß oder kleinen Steinen; *Steinbildung; Nierenneuralgie,* besonders mit rheumatischen Beschwerden; heftiger, fast unerträglicher Schmerz zu Ende des Harnens, ist ein charakteristisches Symptom. **Sarsaparilla D 1–3.**

—. *Chronische Nierenentzündung; Schrumpfniere* mit Herzerweiterung und Atemnot, Stauungen und Ödeme der Beine. Leitsymptome: Gemütsverstimmung, mürrisch, zänkisch, unzufrieden; ängstlicher Gesichtsausdruck; Müdigkeit, blasse, schmutzige Gesichtsfarbe, eingefallene Backen, trockene schlaffe Haut; Abmagerung bis zum Skelett,; chronische trockene oder feuchte Ekzeme mit Jucken beim Warmwerden. **Kalium arsenicosum D 3–4.**

Ein weiteres wichtiges Mittel bei *Schrumpfniere* ist **Aurum jodatum D 4,** ein mächtig und tief eingreifendes Mittel zur Resorption chronischer Gewebsinfiltrationen, bei Neubildungen und geschwürigen Prozessen auf skrofulöser oder luetischer Grundlage. Das Mittel wirkt langsam und muß lange Zeit gegeben werden.

—. *Nierenvereiterungen; Nierenabszesse;* heftige Schmerzen in der Nierengegend mit *Abgang großer Mengen Eiter;* **Calcium sulfuricum D 3–6–12.** Das Mittel hat tiefe, resorbierende Wirkung auf Eiterungsprozesse und Abszesse, besonders wenn diese schon aufgebrochen oder geöffnet sind. Ferner bei chronischen Eiterungen und Fistelbildungen. Das Komplementärmittel hierzu ist Silicea, das gut nach diesem paßt.

—. *Reißender, stechender Schmerz in der Nierengegend* oder *Blasengegend; Nierenkolik, Nierensteine;* Harn dunkel, blutig, fettig, trüb, milchig oder: *roter, sandiger Niederschlag im sonst klaren Urin; Völlegefühl, Blähsucht* mit sehr *lautem Windabgang,* sind sehr *wichtige Leitsymptome; saures Aufstoßen, Sodbrennen* sind weitere wichtige Symptome für **Lycopodium D 30–200.**

—. *Nierensteine, Blasensteine;* Stechen und Brennen in der Harnröhre oder beim Urinieren; Urin dunkel mit rotem Niederschlag; *Blasen-, Harnröhrenentzündung; wichtige Modalität:* Verschlimmerung durch *feuchtes* Wetter, in feuchten Kellern. Besserung durch frische, *trockene* Luft. **Natrium sulfuricum D 3–6.**

—. *Nierengrieß, Nierensteine,* zu deren Bekämpfung und womöglicher Auflösung kommen neben den spezifischen Nierenmitteln außer den beiden vorgenannten Lycopodium und Natr. sulf. noch folgende Mittel in Betracht: **Lithium D 3–4** und **Calcium renalis D 4,** oder auch **Rubia**-komplexe wie sie von verschiedenen Firmen als Spezialität hergestellt und in den Handel gebracht werden.

—. *Nierenblutungen.* Siehe die Leitsymptome der Mittel unter „Blutungen" Seite 38. Treten solche im Verlauf einer Nierenentzündung auf, so verschwindet die Blutung durch die Mittel wie sie unter Nierenentzündung angeführt sind. Nierenblutung infolge Schlag erfordert **Arnica D 4–6.**

—. *Nierenvereiterung* siehe „Eiterungen" Seite 54.

—. *Nieren-, Blasentuberkulose.* Man beachte meine Ausführungen über Tuberkulose im allgemeinen. Meist ist die Nierentuberkulose eine Metastasenbildung aus anderen tuberkulösen Herden (Lunge, Knochen), also eine schon weit vorgeschrittene allgemeine Tuberkulose, die über kurz oder lang zum Tode führen wird.

—. *Akute Nierenentzündung* mit niedrigem spezifischem Gewicht des Harns 1002–1010; braun-rötliches flockiges Sediment mit roten Blutkörperchen und Harnzylindern. Kein Ödem und keine Blutdruckerhöhung; *chronische Nierenentzündung* einzelner Gefäßknäuelchen der Nierenrinde (herdförmige Glomerulonephritis oder interstitielle Herdnephritis). Kein Ödem, keine Blutdruckerhöhung. Meist wenig ausgedehnte Infiltrate; Taubheit und Lähmung kleinerer Extremitäten. Leitsymptome: Gemütsdepression; trokkene Haut mit gelblichem Farbton. **Plumbum D 30–200.**

—. Nachwort zum Thema *Nierenkrankheiten.* Alle chronischen Nierenkrankheiten resultieren aus einer *vorangegangenen akuten Nierenentzündung.* Wird eine solche nicht innerhalb 4–6 Wochen zur Ausheilung gebracht, so entsteht eine chronische Nierenentzündung mit ihren mannigfaltigsten Erscheinungen und Auswirkungen. Die weiteren Folgen sind meist jahrelanges Siechtum, da eine Schädigung des Nierengewebes nicht wieder gut zu machen ist. Sehr oft werden akute Nierenentzündungen vom Patienten selbst nicht wahrgenommen oder beachtet, wenn es sich um leichtere Fälle handelt, weil Schmerzen oder sonstige auffällige Beschwerden fehlen, die Erkrankten kommen dann überhaupt nicht oder zu spät zum Arzt, wenn sich lange Zeit später Unstimmigkeiten in den Harnorganen einstellen.

—. Nun noch ein Wort über die *Wanderniere.* Die Verlagerung meist der rechten Niere entsteht vorwiegend bei Frauen, die viel geboren haben, oder bei Erschlaffung der Unterleibsorgane. Die *Symptome* sind: *Aufgetriebener Unterleib mit Schmerzen, die nach dem Magen, Rücken, Därme, Schenkeln ausstrahlen,* die bei Bewegung, Fahren verschlimmert werden und Brechreiz hervorrufen. Harnabsonderung vermindert; bei schlaffer Bauchdecke fühlt man unterhalb des rechten Rippenbogens gegen den Nabel zu eine *bewegliche Geschwulst* in Größe und Form der Niere. Durch die Lageveränderung kann eine Abknickung oder Achsendrehung des Harnleiters herbeigeführt werden, was zu Harnstauungen und folgender Zersetzung des Harns und damit zur Blasen- und Harnleiterentzündung führt, die die erwähnten Schmerzsymptome auslöst. Diese Entzündungs- und Zersetzungserscheinungen lassen sich mit **Cystopurin** oder **Urotropin** wirksam bekämpfen und die Schmerzen beseitigen. Die verlagerte Niere selbst ist nach Möglichkeit durch manuelle vorsichtige Manipulationen in liegender Stellung an ihren Platz zurückzubringen zu versuchen. Außerdem kann eine Fettablagerungskur versucht werden, oder durch eine spezielle Leibbinde die Festhaltung der Niere erstrebt und auch erreicht werden. Als innere Mittel bei Lageveränderungen von Organen werden **Aurum muriaticum natronatum D 3, Calcium carb. D 3–4, Nux vomica D 3–4, Platinum D 3–4, Calcium fluor D 12, Silicea D 12** empfohlen.

Ödeme

Ödeme, siehe Ergüsse.

Onanie

Onanie, siehe Geschlechtstrieb.

Ohrenkrankheiten

Ohrenkrankheiten. Die Hauptursache fast aller Ohrenkrankheiten sind verschleppte Nasen-, Rachen-, Stirnhöhlen-, Schleimhautkatarrhe. Sehr oft aber auch Folgen von Infektionskrankheiten, Masern, Scharlach, Diphtherie, Entzündung der serösen Häute des Gehirns. Ferner können Stoffwechselstörungen, Leber-, Gallenstörungen, Zersetzungsvorgänge vom Darm aus, die Grundursachen von Ohrenkrankheiten abgeben. Erkältung ist meistens das auslösende Moment, die diese Schäden und Schwächen der genannten Organe durch Ohrenkrankheiten in Erscheinung treten zu lassen.

Man bekämpfe also vor allen Dingen die Grundursache, bringe den Stoffwechsel in Ordnung, sorge für eine Entgiftung und Entschlackung des Blutes und der Säfte, dann werden die Ohrensymptome von selbst vergehen.

Zur Unterstützung und Beschleunigung der Heilung und besonders bei akuten, entzündlichen Erscheinungen, kommen die im Nachfolgenden angeführten Mittel, je nach den Leitsymptomen, zur Anwendung.

—. Entzündungen der mittleren und inneren Gehörorgane erfordern die entsprechenden Mittel wie unter „Entzündung“ definiert. Krankheitszeichen bei allen Entzündungen sind bekanntlich Schmerzen und mehr oder weniger hohes Fieber und wenn es sich um äußerliche, sichtbare Körperstellen handelt, Röte und Anschwellung. Wenn bei auftretenden Schmerzen im Ohr gleich zu Anfang das biochemische Mittel **Ferrum phosphoricum D 6** alle 5–15 Minuten eine Tablette gegeben wird, kann die beginnende Entzündung auf ihren Herd beschränkt und beseitigt werden. Ist die Anfangsbekämpfung versäumt worden und die Entzündung hat schon weiter um sich gegriffen, dann gibt man noch **Kalium chloratum D 6** oder **Kalium phosphoricum D 6** im Wechsel mit Ferrum alle 5–10–15 Minuten.

Ist die Mittelohrentzündung aber schon weit vorgeschritten, bestehen heftigste, pulsierende, ziehende Schmerzen, dann ist die Entzündung meist schon in Eiterung übergegangen. In diesem Falle, oder wenn sich schon eitriger Ausfluß zeigt, dann gibt man **Ferrum phosph. D 4** im Wechsel mit **Mercurius solubilis D 4–6** und **Calcium jodatum D 3,** – dieses ist wohl das beste und sicher helfende Mittel bei eitrigem Ohrenfluß – sowie **Silicea D 6.**

—. Entzündungen der Weichteile, Knorpel und Knochen des Ohres, mit sehr übelriechenden Absonderungen, bei großer Empfindlichkeit gegen Berührung. **Asa foedita D 2–6.**

—. Brausen, Klingen, Summen und allerlei Geräusche in den Ohren; wiederholen von Tönen, besonders der eigenen Stimme; Taubheit mit Geräuschen, schlimmer bei schönem, klarem Wetter, besser bei feuchtem, trübem Wetter; Brennen der Ohren (äußerlich) und diese sind sehr rot. **Causticum D 6–30.** Das letztere Symptom hat auch **Sulfur D 10–30** sehr. Beide Mittel haben große Ähnlichkeit miteinander und passen gut aufeinander oder im Wechsel, besonders in chronischen Fällen.

—. Hartnäckiges Rauschen und Sausen in den Ohren. **Silicea D 200–30–6,** das wichtigste Mittel bei allen chronischen Störungen und Krankheiten des Mittelohres.

—. Summen oder Sausen in den Ohren mit Schwindel, Übelkeit, durchdringende, schneidende Kopfschmerzen einseitig, Schwäche, Zittern; Kopf erscheint viel zu groß; Verschlimmerung durch Aufregung, in geschlossenem Raume, durch grelle Beleuchtung. **Argentum nitricum D 6–15–30–100.**

—. Reißende, drückende, anfallweise auftretende Ohrenschmerzen. **Chamomilla D 2–4.**

—. Schwerhörigkeit, als ob das Ohr verstopft wäre, oder infolge Verstopfung der Eustachischen Röhre; Drücken, Reißen, Kitzeln in den Ohren. **Manganum aceticum D 3–6.**

—. Ohrenfluß skrofulöser Kinder **Silicea D 30, + Sulfur D 30** als Konstitutionsmittel und bei übelriechendem Ausfluß. **Psorinum D 30.**

—. Eitrigen Ausfluß bei chronischen Mittelohrkatarrhen; Schwerhörigkeit besonders nach Masern. **Hepar sulfur. D 3–4.**

—. Ohren entzündet, eitrig; Polypen in den Ohren. **Thuja D 6–15–30.**

—. Chronische, langwierige Eiterung, meist als Folge von Scharlach in der Kindheit. **Tellurium D 6.**

—. Katarrhe und Flüsse aus den Ohren. Verschlimmerung bei warmem Wetter, bei Abwärtsbewegungen. **Borax D 6–30.**

—. Taubheit durch Entzündung und Verschluß der Eustachischen Röhre. **Kalium chloratum D 3–30.**

—. Schwerhörigkeit nach Erkältung. **Dulcamara D 6.**

—. Mittelohrkatarrhe, eitriger Ohrenfluß oder das Ohr sondert schwarzes Blut ab. Leitsymptome: Große Empfindlichkeit gegen Kälte und nassem Wetter; Kältegefühl im Magen, eiskalte Füße, Hände und Unterarme bläulich angeschwollen. **Elaps corallinus D 6.**

—. Ablagerungen durch Stoffwechselproduktion bei Leuten in mittleren und älteren Jahren lösen sich durch **Nux vomica D 4** im Wechsel mit **Sulfur D 4–6** und **Hepar sulfuricum D 3.**

—. Verkalkung der Ohren bei bestehender Arterienverkalkung **Baryum jodatum D 3,** – welches Mittel sich auch bei Ohrensausen älterer Leute bewährt hat – sowie Phosphorus D 12 und Kalium muriaticum D 4.

Pollutionen

Pollutionen. Siehe Geschlechtstrieb.

Polypen

Polypen. Siehe Wucherungen.

Prostata

Prostata. Siehe Vorstehersrüse.

Puls

Puls. Langsamer und schwacher Puls in der Ruhe, bei Bewegung jedoch stark beschleunigt. **Gelsemium D 30,** das beste Mittel gegen langsamen Puls im Alter.

—. *Außerordentlich langsamer* Puls, kann zuweilen aber auch sehr beschleunigt oder unregelmäßig sein. Dabei Gesicht, Lippen, Nägel rot, blaurot bis blau; Atemnot. **Digitalis D 2–4.**

—. Siehe auch Herzleiden.

Reaktion

Reaktion, mangelhafte. In allen vorkommenden Fällen, wo das deutlich indizierte Mittel versagt, also nicht wirkt, ist ein sogenanntes Reaktions- oder Energisator-Mittel als Zwischenmittel einzuschalten. Oft ist dies auch notwendig, wenn eine anfängliche Besserung zum Stillstand oder man mit der Heilung nicht recht vorwärts kommt.

Im Nachfolgenden sind einige der bekanntesten solcher Mittel angeführt. Im übrigen sind in solchen Fällen die Konstitutionen und die Konstitutionsmittel besonders zu beachten.

—. Wichtige, oft erforderliche Zwischenmittel bei den durch Psora komplizierten Fälle sind: **Sulfur D 30–15, Kalium carbonicum D 15–30, Lycopodium D 30–15, Psorinum D 30–15.** Bei skrofulösen Typen: **Calcium carbonicum D 30–15, Tuberculinum D 30–15.** Die Leitsymptome genannter Mittel sind unter Konstitution Seite 160–172 ausführlich angeführt.

—, besonders bei Brust- und Herzleiden mit den Symptomen Blausucht, Atemnot, Verschlimmerung beim Aufsitzen, mangelnde Lebenskraft, mangelnde Nervenreaktion. **Laurocerasus D 1–4.**

—. Kälte der Knie, kalter Atem, völlige Indifferenz, Kollaps. **Carbo vegetabilis D 6–10.**

—. bei Personen mit schlaffer Muskulatur. Leitsymptome: Kalte Nase, purpurrote Schleimhäute. **Capsicum D 4–10.**

—, bei Nervenleiden. **Valeriana D 3–6** bei Überreizung, **Ambra D 2–3** bei Schwäche und bei alten Leuten.

Regel

Regel. Siehe Frauenkrankheiten Seite 65–73.

Rheumatismus

Rheumatismus. Der häufig vorkommende *akute Gelenkrheumatismus* gehört zur Kategorie der Infektionskrankheiten, ist aber nicht ansteckend. Das Krankheitsbild: Schwellung der Gelenke mit heftigsten Schmerzen und Fieber ist bekannt. Bei der Behandlung geht man am besten wie folgt vor: Man gebe $^1/_2$–1stündlich, je nach Schwere der Erkrankung, **Aconitum D 4** im Wechsel mit **Bryonia D 4.** Dazwischen 2–3mal täglich **Chininum sulfuricum D 4.** Die geschwollenen Gelenke mit **Bryonia** ∅ behutsam einreiben oder feuchte heiße Wickel mit Zusatz von 30 Tropfen **Populus Fluid, 30 Korn G 11 und Fb 2** (Iso-Komplex-Mittel) zusammen in einem Liter heißem Wasser aufgelöst.

Bei *besonders schweren akuten Fällen* gibt man als Zwischengaben oder nach den vorgenannten Mitteln **Ferrum phosph. D 3** im Wechsel mit **Natrium nitricum D 1–3** zur raschen Ausscheidung der Krankheitsstoffe und zur möglichen Verhütung von Herzklappendefekten. Bei Nierenaffektionen oder Erscheinungen die auf eine Nierenentzündung weisen **Apis D 4** in öfteren Gaben.

Sind die vorgenannten Mittel nicht rechtzeitig zu Beginn der Erkrankung eingesetzt worden und ist diese bereits auf mehrere Gelenke übergegangen, dann ist **Colchicum D 3–4,** 3–4mal täglich, *das Mittel der Wahl.* Ist das Herz schon in Mitleidenschaft gezogen, dann kommen die entsprechenden Herzmittel, je nach den entsprechenden Leitsymptomen wie unter Herzkrankheiten Seite 104 ff. beschrieben, zum Einsatz.

—. *Chronischer Gelenkrheumatismus.* Hier kommen die bei akuten Fällen anfangs genannten Mittel je nach den Leitsymptomen, aber hauptsächlich in etwas höherer Potenz zum Einsatz. Dazu kommen noch **Calcium phosphoricum D 6** und **Caulophyllum D 4** als weitere, wertvolle, wichtige Mittel bei chronischen, langwierigen Fällen.

—. Bei allen rheumatischen Leiden ist die Konstitution besonders zu beachten, die Umstimmung des Blutes und der Säfte zu erstreben. Hierzu sind folgende Mittel von großer Wichtigkeit: **Silicea D 100–30, Sulfur D 200–30, Phosphorus D 100.** Davon Einzelgaben in größeren Zeitabständen – wöchentlich bis monatlich eine Gabe.

Als Nachkur und zur Anregung der Lebertätigkeit gibt man zeitweise **Natrium sulfuricum D 3–6** zweimal täglich 1–2 Tabletten. Um Rückfälle nach Möglichkeit zu verhüten, setzt man zum Schluß noch **Cuprum D 4–6** ein.

—. *Akute Form: Gelenke*, besonders die kleineren, *geschwollen*, *schmerzhaft* und *heiß*, aber *nicht gerötet*, sondern *blaß*. Fängt allgemein an den Füßen an und wandert aufwärts; chronische Form: Gelenke geschwollen und schmerzhaft, schmerzende Knoten und Ablagerungen zuerst in den Fuß-, dann in den Handgelenken, Knochenhaut gegen Druck empfindlich; Fußsohlen sind empfindlich und schmerzhaft. Verschlimmerung nachts und in der Bettwärme. Lebenswärme mangelhaft und trotzdem Besserung durch Kälte. **Ledum D 2–4.**

—. Stechende Schmerzen in den Gelenken und serösen Häuten, besonders bei entzündlichen Erkrankungen der Brustorgane; harnsaure Diathese, besonders bei mageren Personen mit dunkler Gesichtsfarbe; Verschlimmerung durch Bewegung. **Bryonia D 4–6.**

—. Rheumatische Schmerzen in den Gelenken oder anderen Körperteilen, wechselnd veränderlich, wandernd. Besserung in frischer Luft, Verschlimmerung durch Wärme. **Kalium sulfuricum D 3–6.**

—. *Muskelrheuma* mit *Lahmheit*, *Steifheit und Schmerz bei beginnender Bewegung*, beim Aufstehen morgens. Verschlimmerung bei nassem Wetter oder an feuchtem Orte, durch kalte Luft, in der Ruhe. Besserung durch anhaltende Bewegung; *chronischer Rheumatismus* der Muskeln, auch der Sehnen und Bänder; Überanstrengung der Muskeln; *Hexenschuß*; ganz gleich, wo und bei welchen Krankheiten die anfangs erwähnten Symptome auftreten oder sich bei entzündlichen Krankheiten Benommenheit, Betäubung oder Delirien in milder, aber anhaltender Form, mit trockener oder dunkel belegter *Zunge mit einem dreieckigen roten Fleck an der Spitze zeigen*, ist **Rhus toxicodendron D 4–6** das Mittel der Wahl.

—. *Schmerzen* im *Rücken*, *Knochenschmerzen wie zerschlagen* oder wie nach Stoß oder Fall; *Quetschungen und Verletzungen der Knochen und der Knochenhaut; Verrenkungen* und *Verstauchungen der Gelenke;* das Treppenauf- und Treppenabsteigen macht Beschwerden, Durchknicken der Knie oder Gefühl als wären die Sehnen zu kurz. Verschlimmerung bei naßkaltem Wetter, in der Ruhe, abends und nachts. Besserung durch Bewegung. **Ruta D 1–3.** Äußerliche Einreibungen mit **Ruta-Tinktur** pur bei Verrenkungen und Verstauchungen der Gelenke. Ferner verdünnt 30 Tropfen auf $^1/_2$ Liter warmen Wasser gegen Durchliegen, Hautwolf.

—. Stechende, reißende Schmerzen im Rücken mit Steifheit verbunden; Hexenschuß; harnsaure Diathese. Schmerzen die Harnleiter entlang der Blase oder den Hoden zu. Verschlimmerung durch Bewegung, beim Aufstehen vom Sitzen. **Berberis D 2–4.**

— mit Verschlimmerung bei nassem, stürmischem Wetter, besonders *vor* einem Sturm oder Gewitter. *Taubheitsgefühl* und *Ameisenlaufen* oder *Schwäche* und *Lähmungsgefühl* der befallenen Extremitäten ist oft damit verbunden; *chronischer Rheumatismus* der kleineren Gelenke; Schmerzen in den Gliedern, besonders in den Knochen der Arme, Hände und Füße; schmerzhafte Anschwellung im Gelenk der großen Zehe, Gicht. **Rhododendron D 6–30.**

—. Äußerste Empfindlichkeit gegen Schmerzen, Patient glaubt, den Schmerz nicht mehr ertragen oder aushalten zu können; Benommenheit bei Schmerzen; die Schmerzen werden durch Wärme verschlimmert, oder nicht gebessert, anderseits aber ist Patient gegen Kälte und kalte Luft sehr empfindlich; wichtiges Leitsymptom: Überempfindlichkeit, Verdrießlichkeit, ist gleich verärgert. **Chamomilla D 30–15–6.**

—, *akuter, entzündlicher* des *Kniegelenkes.* Die Anfälle kommen plötzlich *mit rasenden Schmerzen.* **Sticta D 3–4.**

—, wandernder, mit Herzbeschwerden – heftige, stürmische Herztätigkeit mit zeitweiser Verlangsamung des Pulses. Schmerzen wechseln plötzlich die Stelle. Die Schmerzen wandern von oben nach unten. **Kalmia D 4.**

—. Wandernde Schmerzen, springen schnell von einem Körperteil zum andern. Rötung und Anschwellung der Gelenke. Besserung durch Kälte. **Pulsatilla D 3–4.**

—. Stechende, reißende, gichtige, luetische Gelenkschmerzen mit Verkrümmung oder Deformationen, Taubheitsgefühl der Glieder mit Hitze. Zerschlagenheitsgefühl und Schwäche der Oberarme und Oberschenkel mit Scheu vor Bewegung oder Berührung. Verschlimmerung beim Sitzen, bei Berührung, beim Aufstehen. **Guajacum D 4.**

—, mit angeschwollenen Gelenken. Ergüsse oder Ausschwitzungen in den Gelenken oder in den serösen Häuten. **Kalium chloratum D 6.**

— oder rheumatische Schmerzen mit *stechendem, amoniakalisch riechendem Urin,* meist klar, alkalischer Reaktion. Zuweilen schleimig-eitriges Sediment, Harnsäure, Grieß, Sand; akuter und *chronischer Gelenkrheumatismus,* besonders der kleinen Gelenke; Gicht, Gichtknoten an Händen und Füßen mit starken Schmerzen; Überbeine; Herzerkrankungen auf rheumatischer Grundlage. **Acidum benzoicum D 1–3.**

—, chronischer; rheumatische, gichtische Entzündungen mit Zusammenziehen der Beugemuskeln und Steifheit der Gelenke; *Steifheit* und *Schmerz* im *Nacken, Hals, Rücken, Extremitäten,* besonders beim Aufstehen vom Sitzen, *Gefühl als ob die Muskeln gefesselt wären;* Knacken der Gelenke; dumpfe, *ziehende, reißende Schmerzen* in den Gliedern mit Deformationen; Arthritis, Arthrosis, *schlimmer* bei klarem, schönem Wetter und im Freien, *besser* im Bett. *Lähmung* der unteren oder oberen Glieder, oder beider. *Große Schwäche, fortschreitend* bis zur allmählichen Lähmung, vorwiegend rechtsseitig, aber *auch örtliche oder Teillähmungen; Ohrgeräusche* der verschiedensten Art mit *Schwerhörigkeit* oder *Taubheit.* **Causticum D 12–30–200.** Ein sehr wirksames Ergänzungs- bzw. Zwischenmittel hierzu, das sehr vorteilhaft mit eingeschaltet werden kann oder sollte, ist **Sulfur D 30–200.** Beide Mittel bei chronischen Fällen in seltenen Gaben.

—, chronischer; harnsaure Diathese, verbunden mit Herzklappendefekten; rheumatische Schmerzen in der Herzgegend; Herzflattern; Anschwellung und Röte der kleinen Gelenke mit großer Empfindlichkeit. Im Urin finden sich häufig große Mengen von Harnsaäure, Schleim und Eiter. **Lithium carbonicum D 6–12.**

—. *Schmerzen im rechten Arm und Schulter*, kann den Arm nicht hochheben; *schlimmer nachts im Bett*. **Sanguinaria D 1–1000.**

—. Chronische Formen von Rheumatismus als Folge einer vorausgegangenen Gonorrhoe (Tripper), aber auch dann, wenn derartige Krankheit nicht nachweisbar und wenn folgende Symptome vorhanden sind: *Heftige Schmerzen* und *Steifheit* in *Gelenken*, *Knochen*, *Fußsohlen*, *schlimmer am Tage*, **Medorrhinum D 200–1000–100 000.** Wenn die *Schmerzen* hauptsächlich oder *am schlimmsten nachts* sind, dann **Syphilinum D 200–1000–100 000.** In beiden Fällen wenige und seltene Gaben.

—. Rheumatische Muskel- und Nervenschmerzen, stechend, reißend, mit Zerschlagenheitsgefühl, Schweregefühl; gichtisch rheumatische Beschwerden mit vorgenannten Erscheinungen, schlimmer bei feuchtem Wetter und bei Temperaturwechsel, bei Bewegung und Berührung. **Ranunculus D 6–12.**

—. Rheumatische *Schmerzen*, *Steifheit* im Nacken, im Rücken, in den Gliedern mit *Lahmheit* infolge Erkältung *durch Witterungswechsel von warm zu kalt*, *vor allem feuchte Kälte*, *hervorgerufen* oder verschlimmert. **Dulcamara D 4–6,** in chronischen Fällen **D 30.**

—. Harnsaure Diathese; ziehende, knackende Gelenkschmerzen; Muskelschmerzen der Arme und Beine. Müdigkeit, Mattigkeit, Erschöpfung, unfähig zu körperlicher und geistiger Arbeit; Grippeartige Erscheinungen oder Infektionskrankheiten nach Erkältungen; Zahnschmerzen auf rheumatischer Grundlage, besonders bei schlechten Zähnen. **Natrium nitricum D 3–6.**

—. Harnsaure Diathese; *chronisches Rheuma*, Gicht, Neuralgien; steife gespannte Gelenke, Kreuz- und Gliederschmerzen; Schwitzen bei jeder Anstrengung. Verschlimmerung bei naßkaltem Wetter; große Schwäche, Müdigkeit, anämische Erscheinungen. **Natrium muriaticum D 30–200.**

—, *chronischer*, *hartnäckiger*, wenn folgende Erscheinungen und Symptome dabei vorhanden sind: gespaltene Fingernägel mit hornartigen Auswüchsen; außerordentliche Empfindlichkeit der Fußsohlen, mit Schwielen und Hühneraugen. Die Beschwerden werden durch *Hitze verschlimmert*, dasselbe ist aber auch durch Kaltwasseranwendungen der Fall. **Antimonium crudum D 4–6.**

— mit dem charakteristischen Symptom: *Die Schmerzen wandern*, wechseln die Seiten, springen von einem Gelenk zum andern über und wieder zurück, sind fast jeden Tag an einer anderen Stelle. **Lac caninum D 200–1000.**

—. Harnsaure Diathese. Steifheit, krampfartige Schmerzen im Nacken, Rücken, Lenden, Beinen; Schwere, Mattigkeit, Lähmungsgefühl der Glieder; Einschlafen der Füße mit Fußschweiß; Spannen und Ziehen der Muskeln, Knacken der Gelenke; Starrkrampf. *Leitsymptom: Verschlimmerung morgens*. **Angustura D 4–6.**

—. Rheumatisch-gichtige Affektionen der Nerven und der Gelenke mit Erschöpfung der Kräfte, zeitweise Kongestionen nach Gehirn und Lungen mit Herzklopfen; reißende, stechende, zuckende Schmerzen überall; Gelenk-Knochenschmerzen, besonders in der Ruhe; Besserung durch Bewegung. Verschlimmerung nachmittags und abends; ungewöhnlicher Schwindel mit heftigem Kopfschmerz mit dem Gefühl als ob ein Büschel Haare auf dem Scheitel hochgezogen würde. **Indigo D 3–6.**

—. Beachte auch Reaktion, Seite 222.

Risse

Risse (siehe Fissuren).

Rippenfellentzündung

Rippenfellentzündung (siehe Entzündung, Ergüsse).

Röte

Röte, tiefe, der *Lippen*, *Ohren*, *Augen*, After und sonstiger *Schleimhäute*, besonders bei oder nach vorangegangenen Ausschlägen oder nach Unterdrückung solcher. **Sulfur D 15–30.**

—, *purpurrote* bis *dunkelblaue Färbungen* der Schleimhäute, bei Wunden, Geschwüren, septischen Erscheinungen. Ein charakteristisches Leitsymptom für **Lachesis D 10–15–30.**

—, *brennend rote Lippen*, als ob das Blut heraustreten wollte. **Sulfur D 15–30, Tuberculinum D 15–30.**

—. Plötzliches Erröten (Schamröte), durch geringste Anstrengung oder Erregung; plötzlicher Blutandrang nach dem Kopf. **Ferrum metallicum D 12–15–30.**

— und *Anschwellung*, mit *stechenden*, *brennenden* Schmerzen. Kälte lindert. **Apis D 4.**

— des Gesichts siehe Blutandrang Seite 37.

Rücken

Rücken. Rückenschmerzen. Diese können die *verschiedensten* Ursachen haben. Z. B. Verkrampfungen im Dickdarm, Erschlaffung der Eingeweide, Magengeschwüre. Oft ist es ein chronischer Katarrh der Nieren und der Harnleiter. Schmerzen unterhalb der Nieren mit andauernder Müdigkeit als Begleiterscheinung weisen darauf hin. Bei Frauen haben die Rückenschmerzen oft ihre Ursache in Störungen der Unterleibsorgane, Gebärmutterverlagerungen, Senkungen, Eierstöcken und oft dazu in Verbindungen mit Nierenleiden. Ferner können Geschwülste aller Art in Bauch- und Beckenhöhle, sowie Erkrankungen des Rückenmarkes und der Wirbelsäule die Ursache der Rückenschmerzen sein. *Man forsche also zuerst nach den möglichen Ursachen* und leite die entsprechende Behandlung nach den markantesten Leitsymptomen ein. Nachfolgend einige wichtige Leitsymptome bei Rückenschmerzen.

—. Schmerzen, Zerschlagenheit, Lahmheit, Steifheit im Rücken, durch Bewegung und Anstrengung verschlimmert; Schmerzen in der Nierengegend beim Gehen, Treppensteigen; alte, hartnäckige Rückenschmerzen, rheumatisch-gichtischer Art; *harnsaure Diathese* vorherrschend; Stein-Diathese; schmerzhafter Druck im Gebiet der Nieren, Lenden, der Blase, schlimmer beim Sitzen oder Liegen, das Aufstehen fällt schwer. *Sehr charakteristische Symptome sind:* 1. Gefühl von Brodeln, Glucksen in der Nierengegend. 2. Schmerzen in der Nierengegend bei Erschütterung oder hartem Auftreten. Bei all diesen Erscheinungen besteht meist große Erschöpfung, Gefühl der Schwäche im Rücken, blasse, erdfahle Gesichtsfarbe mit eingesunkenen Augen und eingefallenen Backen, blaue Augenringe; Harn oft krankhaft verändert mit ziehenden Schmerzen an der Blase und entlang der Harnleiter, Stechen und Brennen in diesen Organen. **Berberis D 3–6.**

—. *Heftige Rückenschmerzen* infolge Nieren- und Blasenleiden mit Harndrang und Brennen beim Wasserlassen; Harn durch blutige Beimengungen rot bis braunschwarz. *Hauptleitsymptom* ist: *glatte, glänzende, rote Zunge; stark aufgetriebener Bauch* mit großer Empfindlichkeit gegen Druck. **Terebinthina D 6–12.** Auch ein bewährtes Mittel bei Blutungen, Blutharnen, Blutspucken, Darmblutungen.

—. *Kreuzschmerzen*, meist in Kreuzbeingegend, *schlimmer im Bett oder im Stehen*, oft auch in Verbindung mit Hämorrhoiden; Rückenschmerzen infolge Onanie oder geschlechtlichen Ausschweifungen; Schmerzen im Verlaufe des Rückenwirbels, in der Lendengegend; Hexenschuß, schlimmer nachts im Bett mit Steifigkeit und Unfähigkeit sich herumzudrehen; Gefühl im Rücken wie lahm oder gequetscht und steif; multipler Sklerose. **Nux vomica D 4–30.** Das Mittel wirkt allgemein auf Rückenmark, sowie auf die motorischen und sensitiven Nervenzentren.

—. *Kreuzschmerzen, besser beim Gehen* und *Stehen, aber heftig beim Aufstehen vom Sitzen*, dabei große *Abgespanntheit* mit *Ermüdung der Unterarme, Unterschenkel*, besonders der Waden und hauptsächlich wenn dabei noch *Schwindel und Zittern* der Glieder auftritt und das *Gefühl* besteht, *als ob sich der ganze Körper* oder *Teile desselben ausdehnen wollte;* Schwindel, Summen, Sausen im Kopf und Ohren mit allgemeiner Schwäche und Zittern; kann nicht mit geschlossenen Augen gehen. **Argentum nitricum D 4–10–30.**

—. *Schmerzen* über *Kreuz* und *Hüften, durch Gehen* und *Bücken bedeutend verschlimmert*, mit allgemeinem *Vollheitsgefühl*, besonders im Becken und mit *Hämorrhoiden; Gefühl* von *Klopfen* und *Hämmern.* **Aesculus D 1–3.**

—. *Rückenschmerzen*, meist *im Zusammenhang mit Leiden* der *Geschlechtsorgane* und mit dem eigentümlichen *Symptom: schlimmer nachts* im Bett *und morgens vor dem Aufstehen.* **Staphysagria D 3–6–15–30.**

—. Scharf lanzierende Nerven- und Muskelschmerzen an verschiedenen Körperteilen vor allem im Kreuz und Bauch und besonders wenn sie mit

Störungen der weiblichen Unterleibsorgane zusammenhängen und mit Geistes- und Gemütssymptomen verbunden sind. **Cimicifuga D 3–6,** hauptsächlich ein Mittel für Frauen.

—. Heftiger *Rücken-* und *Kopfschmerz, Schmerz-* und *Zerschlagenheitsgefühl* im ganzen Körper mit dem *Gefühl, „sich bewegen zu müssen"* und *doch verschlimmert Bewegung die Schmerzen ganz bedeutend; Schmerzen* in den *Knochen,* in der *Knochenhaut,* in den *Drüsen; Verschlimmerung* durch Wärme und durch feuchte Kälte; Modalität: Neigung die *Zähne zusammenzubeißen.* **Phytolacca D 4–6–15.**

—. *Rückenschmerzen* nach Erkältungen, Durchnässungen oder durch Überanstrengung, Heben schwerer Lasten, Hexenschuß (Lumbago); *Lahmheit, Steifheit der Rückenmuskeln* mit *Schmerzen bei Beginn der Bewegung* nach Ruhe oder beim Aufstehen morgens mit *Besserung durch anhaltende Bewegung.* Hauptleitsymptom: Trockene oder dunkel belegte Zunge mit einem dreieckigen roten Fleck auf der Spitze. **Rhus toxicodendron D 4–6–15.**

—. Schmerzen, Stiche unter dem *linken* Schulterblatt **Chenopodium D 6–12,** unter dem rechten Schulterblatt **Chelidonium D 4–6–10.**

—. Rückenschmerzen mit Steifheit, Lahmheit nach Erkältungen. Charakteristisches *Leitsymptom* ist: *Alle Beschwerden oder Krankheitserscheinungen werden durch Witterungswechsel von warm zu kalt ausgelöst oder verschlimmert.* **Dulcamara D 3–6–30.**

—. *Rückenwirbelentzündung.* Als konstitutionell wirkendes Mittel sofort **Conchae D 6** im Wechsel mit **Symphytum D 2** einsetzen. Als Zwischenmittel **Natrium mur. D 6.** Bei Abszeßbildung **Calcium jodatum D 3–4** im Wechsel mit **Sulfur D 6–10** und **Silicea D 3–6.** Weitere Mittel, oder wenn das Rückenmark in Mitleidenschaft gezogen ist, sind nach den Leitsymptomen einzusetzen.

—. *Beständiger Rückenschmerz* mit dem *Gefühl als ob die Beine den Dienst versagen müßten,* also völliger *Erschöpfungszustand,* oft mit ausbrechendem Schweiß verbunden. Der Rückenschmerz strahlt oft bis in die Hüften und die Gesäßmuskeln aus. Herzmuskelschwäche ist dabei meist vorhanden. Dieser Zustand findet sich häufig bei Frauen in den Wechseljahren. *Hauptleitsymptome* sind: *Stechende Schmerzen* unabhängig von Bewegung oder Ruhe. Ferner: die auffällige *Verbindung* von *Schweiß, großer Schwäche, beständiger Rückenschmerz* und als drittes: *Verschlimmerung morgens 3 Uhr.* **Kalium carbonicum D 15–30–200.**

—, siehe auch Rheumatismus Seite 223.

Rückenmark

Rückenmark. Rückenmarksschwäche fortschreitend bis zur allgemeinen Entkräftung. Die *geistigen* und *körperlichen Kräfte lassen außerordentlich nach bis zur* völligen *Erschöpfung.* Dieser Zustand kann bis zur Lähmung fortschreiten. *Hauptleitsymptome: Niedergeschlagenheit,* Zuspruch verschlimmert nur;

Trockenheit (oder nur Gefühl solcher) der Schleimhäute; Bläschen an den Lippen; Verlangen nach Salz. **Natrium muriaticum D 30–200.**

—. *Rückenmarksleiden mit* folgenden *Symptomen:* Ohrensausen mit Schwere und Eingenommenheit des Kopfes; Kopfhaut, Schädelknochen, selbst die Haare schmerzen bei Berührung; plötzliche Schmerzen im Brustkorb, stechende, reißende Schmerzen in der Seiten-, Rücken- und Lendengegend, in den Armnerven; schmerzhafte Zuckungen in den Unterschenkeln, nachts; Druck- und Taubheitsgefühl in den Beinen; großes Trägheits-, Mattigkeits- und Lähmungsgefühl, Kältegefühl und Schauern an den Gliedern. **Cinnabaris D 6–15–30.**

—. *Rückenmarkschwindsucht* (Tabes) kann im Anfangstadium mit **Argentum nitricum D 6, Cocculus D 6, Euphorbium D 6–30** im Wechsel gegeben, aufgehalten werden.

—. Weitere *wichtige* Mittel und deren Leitsymptome siehe *unter Lähmungen* und unter Nervenkrankheiten.

Saures Aufstoßen

Saures Aufstoßen. Siehe Aufstoßen, Magenkrankheiten.

Schlaf

Schlaf, krankhafter. *Große Schläfrigkeit* und Müdigkeit, Erschöpfung, zuweilen fast bis zur Bewußtlosigkeit gesteigert; *große Übelkeit*, durch Erbrechen gebessert; Gesichtsfarbe meist blaß, zuweilen bläulichrot (zyanotisch), ruhige, normale Atmung, weicher schwacher Puls. **Tartarus emeticus D 4–12–30.**

—. *Betäubender Schlaf* mit rasselndem Atem, *Gesicht rot bis purpurrot*, blutunterlaufene, halbgeöffnete Augen, kalter Schweiß; *Bewußtlosigkeit*, *keine Reaktion* auf Licht, Berührung oder Geräusch. Dieser Zustand kann bei vielen Krankheiten z. B. Typhus, Lungenentzündung u. a. auftreten. Bei jeder Krankheit, wo diese Symptome auftreten, ist **Opium D 30–200** das erste Mittel das einzusetzen ist. Ferner *bei allen Krankheitserscheinungen* wo *jede Reaktion fehlt*, bei vollkommener Schmerzlosigkeit bzw. Unempfindlichkeit gegen Schmerzen; Lähmung bzw. Atonie des Darmes, aufgehobene Peristaltik desselben, es besteht kein Verlangen nach Stuhlgang; *Unempfindlichkeit; teilweise* oder *völlige Lähmung.* Opium D 30–200 ist das beste Gegenmittel gegen allopathische verabfolgte, starkwirkende Opiumgaben.

—, krankhafter. *Unüberwindliche Schlafsucht; Betäubung; Gedächtnisschwäche*, muß erst mühsam die Gedanken sammeln; *Gedächtnisverlust; launenhafte*, sehr wechselnde *Stimmung; außerordentliche Trockenheit des Mundes;* Blähungsbeschwerden mit stark aufgetriebenem Bauch unmittelbar nach dem Essen; Brechdurchfall mit oben genannten Gehirnsymptomen. **Nux moschata D 3–4–200.**

—, krankhafter, tiefer, betäubender, durch schrilles Aufschreien unterbrochen (cri encephalique), kommt hauptsächlich bei Gehirnkrankheiten vor. **Apis D 3–4.**

Schlaflosigkeit

Schlaflosigkeit. Bei Nervenschwäche und allgemeiner körperlicher Schwäche; nach Mißbrauch stark wirkender Schlafmittel. **Avena sativa Ø.**

—, nervöse, mit Unruhe in den Beinen; bei nervösen Magenleiden. **Passiflora Ø – D 1 – D 2.**

— nach Mitternacht. Das Erwachen erfolgt regelmäßig zwischen 1–2 Uhr nachts mit der Regelmäßigkeit eines Uhrwerkes. Ursache meist Gallenstörungen. **Bryonia D 4, Lycopodium D 12.**

— mit *verschärftem Gehör*, das Schlagen von Uhren oder anderen Geräuschen aus weiter Ferne hält wach; als sekundäre Erscheinungen vorausgegangener Schläfrigkeit, Betäubung, Unempfindlichkeit. **Opium D 30–200.**

— infolge Gram und Kummer. **Ignatia D 6.**

—, große, infolge überreizter Nerven, durch geistige Nachtarbeit bei nervenschwachen Menschen. Schlaflosigkeit durch Husten nach Masern. **Coffea D 6–15–30.**

— bei großer Unruhe und Angst. **Aconitum D 6.**

— bei großer Furcht und Angst. **Arsenicum alb. D 10–15.**

— infolge Nervosität. **Kalium phosph. D 6.**

— bei Epileptikern und Geisteskranken. **Kalium bromatum D 1–3.** Sind dabei noch Visionen vorhanden, dann wird **Stramonium D 6** diese beseitigen.

—, chronische, in höherem Alter; Schlaflosigkeit und doch große Schläfrigkeit mit Neigung zum Liegen. **Senecio aureus D 1–3.**

Schlaganfall

Schlaganfall. Nach Schlaganfall *sofort* **Cocculus D 3** im Wechsel mit **Arnica D 3** einsetzen. Später folgt **Apis D 3** im Wechsel mit **Bryonia D 3,** da diese beiden Mittel ebenfalls aufsaugende Wirkung bei Blutergüssen und Ausschwitzungen der serösen Häute haben. Bei *Sprachstörungen* **Calendula D 6–30,** bei skandalierenden oder zurückbleibenden Sprachstörungen einige Gaben **Opium D 200.** Bei *Stimmbandlähmung* **Causticum D 4–6.** Man studiere die anderweitig angegebenen Leitsymptome der genannten Mittel, die beim Einsatz immer maßgebend sind. Gegen die bestehende Arterienverkalkung, die die Ursache der Schlaganfälle ist, gebe man täglich 2–3mal eine Messerspitze **Baryta jod. D 3.**

S

—, *drohender.* Leitsymptome: *Blutandrang* nach dem Kopf, *Hinterhauptkopfschmerz*, *Druck im Gehirn*, in *den Augen*, rotes Gesicht. **Asterias rubens D 3.** Ist große Gefahr im Anzuge, dann sofort einige Blutegel ansetzen, sind solche nicht greifbar, dann Blutentnahme durch den Arzt machen lassen (100–150 ccm).

Schleimhäute

Schleimhäute. Unter Schleimhäute versteht man all die Auskleidungen der Höhlen und Körperöffnungen im ganzen menschlichen Organismus, von der Nase, Stirnhöhle, Mund, Rachen bis zum After, Harnröhre und Scheide. Zur gleichen Kategorie gehören auch die *serösen* Häute, die das Gehirn, die Lungen und das Herz umkleiden und die Herz-Innenhäute. Alle diese feinen Gebilde, denen die Derbheit der Außenhaut fehlt, sind naturgemäß weit mehr als diese allen möglichen Erkrankungen ausgesezt und unterworfen. An erster Stelle stehen Entzündungen mit ihren mannigfaltigen Begleiterscheinungen und Auswirkungen bis zur Eiterung und nekrotischem Zerfall, z. B. Entzündung, Vereiterung der Stirnhöhle, des Innen- und Mittelohres, der Nase, des Halses mit den Mandeln, Brust-, Rippenfell, mit wässerigen Ausschwitzungen (feuchte Rippenfellentzündung genannt) bis zur Eiterung. Entzündung der Herzinnenhäute mit mehr oder weniger wässerigen Ausschwitzungen bis zur Herzbeutelwassersucht. Dann weiter die weitverbreiteten Entzündungen, Katarrhe der Schleimhäute der weiblichen Geschlechtsorgane (Weißfluß genannt), einschließlich der Harnröhre. Das ganze Heer all dieser genannten Erkrankungen möchte ich unter dem Sammelnamen *Schleimhauterkrankungen* zusammenfassen, einfach aus dem Grunde weil die hierfür in Betracht kommenden homöopathischen Mittel den *gesamten Symptomen-Komplex der Schleimhauterkrankungen erfassen*, ganz gleichgültig, an welchem Organ dieselben gerade in Erscheinung treten.

Für die Entstehung und Entwicklung der Schleimhauterkrankungen gibt *der Schnupfen*, den wohl jeder Erwachsene in allen seinen Phasen an sich selbst schon erlebt hat, ein geradezu klassisches Schulbeispiel: Die nach Erkältung beginnende erst wässerige Ausscheidung der Nasenschleimhaut, Katarrh genannt, die sich immer mehr verdichtet und zuletzt eine eitrige Beschaffenheit annimmt (Stockschnupfen) und sich nicht selten zu einem Stirnhöhlenkatarrh oder -eiterung, zu Hals-, Rachen- und Lungenkatarrhen, je nach dem Grade der Erkältung und der im Organismus noch vorhandenen Abwehrkräfte, auswirken kann. Nach diesem Schulbeispiel entwickeln sich ausnahmslos alle Schleimhauterkrankungen, die, wenn sie nicht richtig behandelt und bekämpft werden, oft in das chronische Stadium übergehen und eine mehr oder weniger dauernde Plage für den davon Betroffenen werden kann, wenn nicht gar vorher bei besonders empfindlichen Schleimhäuten, (Gehirn, Herz, Lunge) die Erkrankung derselben das Leben vorzeitig beendet.

Schleimhauterkrankungen

Nach dieser etwas ausführlichen Einleitung über Schleimhäute und deren Erkrankungen will ich gleich hier mit der Besprechung der Sofortmaßnahme, die nach eingetretener Erkältung unverzüglich getroffen werden muß, beginnen, die den Zweck und das Ziel haben, einen aufkommenden *Schnupfen* gleich von vornherein mit Erfolg zu unterbinden, abzustoppen und die Entstehung und Ausweitung einer Entzündung mit allen ihren möglichen Folgen zu verhüten. Das hier Gesagte gilt nicht nur für den Schnupfen, sondern analog des Entstehungs-Beispieles auch für alle *beginnenden, im Entstehen begriffenen Schleimhauterkrankungen* jeder Art und an allen dazu disponierten Körperteilen.

Nun die *Sofortmaßnahme:* Sobald sich nach einer Erkältung die ersten Anzeichen eines beginnenden Schnupfens, also die laufenden dünnwässerigen Ausscheidungen der Nasenschleimhaut bemerkbar machen, gebe man sofort:

I.	**Ferrum phosphoricum D 12**	2 Tabletten
	Kalium chloratum D 6	1 Tablette
	Kalium sulfuricum D 6	1 Tablette
	Silicea D 12	2 Tabletten

zusammen also 6 Tabletten,

II.	**Natrium phosphoricum D 6**	1 Tablette
	Natrium sulfuricum D 6	1 Tablette

zusammen also 2 Tabletten,

alle 10–15–30 Minuten und in der Reihenfolge I, I, II, I, I, II usw. im Wechsel, einen ganzen Tag lang, (Tabletten trocken, auf der Zunge zergehen lassen) ein. Die angegebenen Zwischenpausen richten sich je nach der Schwere der stattgefundenen Erkältung, bzw. der zu befürchtenden Auswirkungen. Auf alle Fälle tut man gut anfangs mit der 10-Minuten-Folge zu beginnen und erst nach einigen Stunden die Einnehmepause zu verlängern. Niemals könnte durch Zuviel-Einnehmen ein Schaden entstehen, da es sich bei den genannten Mitteln um biochemische körpereigene Mineralsalze, also um die von Dr. Schüßler begründete biochemische Therapie handelt.

Noch einfacher ist *diese Sofortmaßnahme* mit meinen Ewiplexen Nr. 1 und 2 wie folgt durchzuführen:

Bereite zwei Lösungen:

I. Lösung: Löse in ¼ Liter abgekochtem erkaltetem Wasser 10 Tabletten Ewiplex Nr. 1 auf.

II. Lösung: Löse in derselben Wassermenge 10 Tabletten Nr. 2 auf.

Gebe von Lösung I und II alle 5–10–15 Minuten einen kleinen Schluck im Wechsel, also abwechselnd zuerst von Lösung I und nach dem genannten Zeitabstand Lösung II usw. ein. Je schwerer die Krankheitserscheinungen sind, desto kürzer die Einnahmefolge. Dazwischen gibt man noch 3–4-mal täglich 3–5 Tabletten Nr. 3, je nach dem Alter des Patienten trocken auf die Zunge.

Mittels dieser angegebenen Sofortmaßnahme, richtig und gleich zu Beginn der ersten Krankheitserscheinungen energisch und konsequent durchgeführt, wird es gelingen, einen beginnenden Schnupfen oder jede beginnende Schleimhauterkrankung mit Sicherheit von vornherein abzustoppen und zu beseitigen. Man hat dabei nur zu beachten, daß mit dem Einnehmen der Mittel nicht *zu bald* aufgehört wird, sondern über das Verschwinden der *letzten* Krankheitsymptome *hinaus*, noch eine zeitlang – wenn auch in größeren Pausen – eingenommen werden muß.

Da nun nach Erkältungen nicht immer der am leichtesten kontrollierbare und erkennbare Schnupfen auftreten kann oder muß, sondern gleich Entzündungen und Katarrhe der Lunge oder der Schleimhäute anderer Organe eintreten können, die nicht so schnell als z. B. ein Schnupfen, subjektiv oder objektiv, wahrgenommen werden, tut man gut, *nach jeder* eingetretenen *Erkältung vorbeugend* mit der besprochenen *Sofortmaßnahme einzusetzen* und man wird damit den Ausbruch einer Erkrankung von vornherein mit Sicherheit verhüten. *Das möchte ich hiermit eindringlich vor Augen führen.*

Was nun aber, wenn der *rechtzeitige* Einsatz der Mittel verpaßt wurde und schon einige Tage seit der Erkältung und Erkrankung verstrichen sind? Nun dann schaltet man zu den Sofortmaßnahmen wie unter I und II angegeben noch einen weiteren Komplex ein, der aus folgenden, wiederum biochemischen Mittel, besteht, also:

III.	**Kalium phosphoricum D 6**	2 Tabletten
	Calcium phosphoricum D 6	1 Tablette

zusammen 3 Tabletten,

und gebe nun in der Reihenfolge I, III, I, III, II, I, III, I, III, II usw. wie oben angeführt ein und man wird mit dieser Maßnahme in den meisten Fällen die drohende Gefahr noch einmal abwenden können. Freilich wird in solchen Fällen die Bekämpfung und Beseitigung – je nach dem Grade der Versäumnis des frühzeitigen Einsatzes – nun mehrere Tage oder gar Wochen Zeit in Anspruch nehmen.

Für veraltete, chronische und Sonderfälle von Schleimhauterkrankungen sind im Folgenden die spezifischen, homöopathischen Mittel nach ihren Leitsymptomen angeführt.

—. *Schleimhauterkrankungen schwerer* und schwersten *Charakters*, *Katarrhe*, *Entzündungen*, *Rötung* bis *blaurot* mit *Schwellungen*, *schwammiges Aussehen* mit Neigung zu *Blutungen.* Zuerst dünne, scharfe, übelriechende Absonderungen, die *später schleimig*, *gelb-eitrige Formen* annehmen; *fressende*, *stinkende Geschwüre*, Granulationen *mit Neigung zum Zerfall und Brand*, mit schlechter Heilungstendenz; *Frostschauer*, Glieder kalt, feucht; ausgedehnte *Nachtschweiße ohne Linderung* der Beschwerden; *Verschlimmerung* durch *Wärme*, besonders *Bettwärme.* **Mercurius corrosivus D 6–30.** Das Mittel paßt besonders bei akuten, heftigen, stürmisch verlaufenden, gefahrdrohenden Krankheiten entzündlichen Charakters. Merc. corr. ist unter den Mercur-Präparaten das stärkste und tiefgreifendste Mittel und soll unter D 6 zur Anwendung kommen. Am besten gibt man 5–10 Tropfen, je nach dem Alter des Patienten, in einem Weinglas Wasser gelöst, Teelöffelweise ein.

Das am meisten in der Homöopathie zur Anwendung kommende Mercur-Mittel ist **Mercurius solubilis D 4–12–30.** Es paßt gut bei chronischen und akuten, aber nicht so stürmisch verlaufenden Erscheinungen.

Mercurius cyanatus D 4–6 paßt besonders gut bei *Diphtherie*, vor allem *bei der septischen, bösartigen Form* derselben, mit großer Schwäche, Entkräftung und drohendem Kollaps.

Mercurius jodatus flavus D 4–6 kommt zum Einsatz bei dem ins Auge springenden, *hervorragendem Leitsymptom: Zunge*, besonders an der Basis, *dick, schmutzig-gelb belegt, Spitze* und *Seitenränder rot* mit *Zahneindrücken;* die Erkrankung beginnt zuerst *rechtsseitig* oder beschränkt sich vornehmlich auf die rechte Seite.

—. *Schleimhaut-Katarrhe.* Absonderungen oder *Ausflüsse* von *zähem, klebrigem, festsitzendem* und lange Fäden ziehendem *Schleim;* ferner *gallertartige Absonderungen* oder derartige Durchfälle; Bildung von *Krusten* oder *Pfropfen in der Nase; Geschwüre, tief wie* mit dem Locheisen *ausgestanzt, mit glatten* Rändern; heftige *Stirnkopfschmerzen* infolge derartigen Krankheitserscheinungen. **Kalium bichromicum D 30–200.**

—. Sehr *hartnäckiger, chronischer*, die Harnröhre *verklebender Ausfluß.* In der Regel als Folge einer Schwäche oder Schlaffheit der männlichen Geschlechtsorgane und häufige Samenergüsse die dünn und wäßrig sind. **Sepia D 30–15–6** bringt dies, oft in kurzer Zeit, in der Mehrzahl der Fälle in Ordnung. In den übrigen Fällen schafft es **Kalium jodatum D 30–15** und wenn schon lange bestehende, *dicke* Absonderungen, mit Schmerzen und Brennen beim Urinieren bestehen, wird **Capsicum D 6–12** die Heilung vollenden.

—. *Schleimhautkatarrhe, ekelhafte, faulig riechende Absonderungen* bei stark herabgesetzter Lebenskraft; *Geschwürbildung; Weißfluß* riecht *faulig, scharf ätzend*, färbt die Wäsche gelb, juckt und brennt, kratzen lindert nicht; zeitweilig einsetzende *Blutungen* außerhalb der Menses oder im Klimakterium; *Gebärmutterkrebs* mit den beschriebenen Absonderungen. **Kreosotum D 30–200.**

—. *Schleimhautkatarrhe* des *Mundes, Mundfäule*, Katarrhe und Entzündungen der Augenlider mit Zusammenkleben derselben; *Katarrhe der Nase*, mit Schorfbildung; *der Ohren, Ohrenflüsse;* grüne Stühle bei Kindern in Verbindung mit Mundgeschwüren; *starker eiweißähnlicher Ausfluß* bei Frauen mit dem Gefühl als ob warmes Wasser herunterliefe. Weitere Leitsymptome: große Nervosität, *große Empfindlichkeit gegen Geräusche* aller Art; Furcht zu fallen bei Bewegungen nach unten. **Borax D 3–6–30.**

—. *Schleimhauterkrankungen, Geschwüre, Ausflüsse* mit klebrigen, fadenziehenden Eigenschaften, und wenn besondere charakteristische Leitsymptome für andere Mittel fehlen. **Hydrastis D 30–15–6.**

—. *Schleimhauterkrankungen.* Alle Absonderungen, auch die von *Geschwüren*, sind *sehr übelriechend* und es besteht große Empfindlichkeit gegen Berührung. Weitere Leitsymptome: starke *Blähungen* mit Aufstoßen, alles *drückt nach oben.* **Asa foedita D 2–6.**

—. *Schleimhautkatarrhe, Ausflüsse*, wenn sie mit anhaltenden Kreuzschmerzen, Hämorrhoiden, Vollheitsgefühl oder Gefühl von Klopfen oder Hämmern verbunden sind. **Aesculus D 1–3–6.**

—. *Chronische Schleimhautkatarrhe*, starker *Ausfluß*, *scharf*, *ätzend*, der die Wäsche angreift. Außerordentlicher *Hunger*, *Wohlgefühl bei* oder nach dem *Essen*, und trotzdem *fortschreitende Abmagerung*, ist *das hervorstechendste Leitsymptom* für **Jodum D 30–200–15.**

—. *Schleimhautkatarrh*, starker Ausfluß, der zuweilen so stark wie die Monatsregel fließt, und das Tragen einer Binde erforderlich macht, bei blutarmen, bleichsüchtigen, schwachen und müden Frauen; dabei besteht häufig ein sonderbarer Appetit nach ungenießbaren Dingen, z. B. Kreide, Kohle usw.; kann keine Kartoffeln vertragen. **Alumina D 10–15–30–200.** Das Mittel paßt gut für magere Personen.

—. *Dicker*, *gelblich-eitriger Ausfluß* aus der *Harnröhre mit Brennen nach dem Harnen*. **Cubeba D 6–12,** wenn sich alle Symptome nachts verschlimmern **Mercurius solubilis D 4–6–12.**

—. *Schleimhautkatarrhe*, *Ausflüsse* oder *Auswurf dick*, *mild*, *gelblichgrün*, schmeckt bitter; *wandernde Schmerzen*, *Symptome wechseln*, *Besserung* durch *Kälte*, kalte Anwendungen. **Pulsatilla D 6–10–15–30–200.** Ähnliche Leitsymptome hat auch **Kalium sulfuricum D 6.** Handelt es sich bei den genannten Erscheinungen um Personen mit dem bekannten Pulsatilla-Temperament (siehe Konstitution) so gebe man das Erstere, andernfalls das Letztere oder beide im Wechsel.

—. *Schleimhautkatarrhe*, *Entzündung oder chronischer Katarrh der Harnröhre*, der sich bis zum Blasenhals ausgedehnt hat, mit dem Symptom: *heftiger und plötzlicher Drang zum Urinieren*, Kinder trippeln vor Schmerz und Drang hin und her; Jucken in der Harnröhre oder Brennen und Kribbeln durch die ganze Harnröhre bis zum Blasenhals. **Petroselinum D 2–4.**

—. *Schleimhautkatarrhe* und *Entzündungen* der *Harnwege* oder der *Harnröhre* mit dünnflüssigen oder, in einem späteren Stadium dickflüssigen Absonderungen. Besonders *charakteristische Symptome* sind: *Heftiges Brennen der befallenen Schleimhäute* und *große Empfindlichkeit gegen Berührung* oder *Druck*. Wärme bessert *nicht*. Wenn sich die Entzündung bis zur Blase fortgepflanzt hat, tritt häufig in kurzen Intervallen Rückenschmerz auf. **Capsicum D 4–12.**

—. Schleimhautkatarrhe, chronische Bronchialkatarrhe mit ausgedehntem Auswurf von grünlichen, oder grauen, eitrigen Massen; Entzündung der Harnröhre mit dünnem, milchigem Ausfluß, oder zähem Schleim oder Blut und Schleim im Urin. **Copaiva D 6–10.**

—. *Schleimhautkatarrhe* der Harnröhre, des Ohres, mit Anzeichen von Strikturbildung (Strikturen sind Verengerungen von Kanälen, Harnröhre, Speiseröhre, Gallengang usw. durch Anschwellung, Verhärtungen, Narbenbildungen usw.). **Clematis D 30–200.**

—. Außerordentliche *Trockenheit der Schleimhäute*. Die Lippen sind wie ausgedörrt, trocken, rissig. Dieser Zustand kann sich bis zum Mastdarm erstrecken, in diesen Fällen sind die Stühle hart, trocken, wie verbrannt. Dieser trockene Zustand kann sich auch auf die serösen Häute, Brust und Rippenfell, erstrecken, es besteht harter, trockener Husten mit Wundheitsgefühl und Schmerz in der Brust, Entzündungen im zweiten Stadium; besonders charakteristisches Symptom ist: *Stechende Schmerzen*. Weitere Symptome: *Außerordentlicher Durst*, der nur durch große Schlucke Wasser gestillt werden kann; *Verschlimmerung durch Bewegung*. **Bryonia D 3–6.**

—. Schleimhautkatarrhe, Entzündungen mit *purpurroter* oder *blauer Färbung der Schleimhaut. Äußerste Empfindlichkeit gegen Berührung oder Druck. Verschlimmerung beim oder nach dem Einschlafen; wunder Mund* im letzten Stadium der Lungenschwindsucht. **Lachesis D 30–200,** ein vorzüglich *linksseitig* wirkendes Mittel.

—. Große *Trockenheit* der Mundschleimhaut, *ohne Durst; schlechter Geschmack* im Munde, besonders frühmorgens, oder *überhaupt kein Geschmack* oder nichts schmeckt gut. **Pulsatilla D 6–10.**

—. *Große Trockenheit der Mundschleimhaut*, Schlund ganz trocken, *ohne Durst*. Dabei launenhaft, wechselnde Stimmung, oder Schlafsucht, Betäubungs-Schlaf, Gedächtnisschwäche bis Gedächtnisverlust oder sonstige Störungen des Sensoriums. **Nux moschata D 4–200.**

—. *Schmerzhaftigkeit* der *Schleimhautoberflächen*, *Brennen*, mit dem Gefühl als ob alles wund wäre. **Causticum D 6.**

—. *Entzündung der Harnröhre* oder der *Blase* mit dem *charakteristischen Symptom: brennender*, *schneidender Schmerz beim Urinieren* mit mehr oder weniger häufigem Harndrang. **Cantharis D 6.** Auch Krankheiten der Atmungsorgane mit zähen Schleimabsonderungen, werden durch dieses Mittel geheilt, wenn der eingangs erwähnte charakteristisch brennende, schneidende Schmerz beim Harnen vorhanden ist.

—. *Außerordentliche Blässe der Schleimhäute*, besonders der Mundhöhle. (Zeichen der Blutarmut, siehe diese **Ferrum metallicum D 12–30.**

—. Die *Schleimhäute* der Mundhöhle, Zunge, Lippen, Nase, *sehen roh wie, blutig, aus*. Trotz heftiger Schmerzen nagen und bohren die Kranken an den rohen Stellen bis zum Aufschreien. Wenn diese Symptome bei irgendeiner Krankheit auffällig in Erscheinung treten, so besonders bei Scharlach, dann ist **Arum triphyllum D 2–6** das Mittel der Wahl.

Schmerzen

Schmerzen mit *außerordentlicher Empfindlichkeit* und Steigerung bis zur Benommenheit, ja Ohnmacht. Der Patient jammert: „O, ich kann den Schmerz nicht mehr aushalten!" Dabei steht der Schmerz oft in gar keinem Verhältnis zur Schwere des Falles. Die Schmerzen werden *durch Wärme verschlimmert*, aber *nicht durch Kälte gebessert*, es besteht sogar große Empfindlichkeit gegen Kälte und kalte Luft. Bei solchen Zuständen ist **Chamomilla D 200–30** geradezu spezifisch.

—. *Reißende, schneidende Schmerzen*, mit großer *Unruhe*, *Angst*, *Furcht;* kann die Schmerzen nicht ertragen, verträgt keine Berührung. Schmerzen wechseln oft oder sind in Verbindung mit *Taubheitsgefühl*, *Kribbeln* oder *Ameisenlaufen*. Verschlimmerung abends, nachts. **Aconitum D 4–6.**

—. Schmerzen *erscheinen plötzlich* und *verschwinden* nach einiger Zeit *ebenso plötzlich* wie sie gekommen sind; *pulsierende, klopfende Schmerzen;* die Schmerzen werden *durch Bücken* oder *Niederlegen sehr verschlimmert.* **Belladonna D 4–6.**

—. *Stechende Schmerzen, unabhängig von Bewegung,* besonders in der *rechten* unteren *Brust* bis zum Rücken hindurch, oder auch an anderen Körperteilen; *ständige Rückenschmerzen,* mit dem Gefühl als ob Rücken und Beine den Dienst versagen wollten; Schmerz strahlt oft bis in die Hüften und Gesäßmuskeln aus, oft in Verbindung mit Herzmuskelschwäche. **Kalium carbonicum D 6–30.**

—. Schmerzen an engumschriebenen Stellen, die mit der Fingerspitze bedeckt werden können. **Kalium bichromicum D 30–200.**

—. *Brennende, schneidende Schmerzen* beim *Harnen,* mit *Harndrang.* **Cantharis D 4–6.**

—. *Brennende, stechende Schmerzen,* wie der Stich einer Biene oder Wespe, durch Kälte gebessert. **Apis D 4–6.**

—, *stechende,* mit *Verschlimmerung bei der geringsten Bewegung* und *Besserung durch Druck,* hauptsächlich in den serösen Häuten, Brust-, Rippenfell, Herz, Gehirn; plötzliche Kopfschmerzen, als ob der Kopf zerspringen wollte. **Bryonia D 4–6–15.**

—. *Wandernde Schmerzen,* hierfür sind folgende Symptome zu beachten und zu unterscheiden:

Die Schmerzen springen *plötzlich* von einem Organ zum andern; Anschwellungen der Gelenke; Rheumatismus; Veränderlichkeit der Symptome, welcher Art sie auch sein mögen. Besserung durch Anwendung von Kälte. **Pulsatilla D 4–30.**

Die *Schmerzen wechseln* von einem Körperteil zum andern, sind veränderlich, bei Rheumatismus; *Besserung* in *freier Luft; Verschlimmerung* in *warmer Luft* und *abends.* **Kalium sulfuricum D 6–12.** Dieses Mittel hat ganz ähnliche Symptome wie Pulsatilla und kommt zum Einsatz wenn dieses versagt oder jedes Anzeichen des bekannten Pulsatilla-Temperamentes fehlt.

Die *Schmerzen springen von einer Stelle zur andern, bleiben* an *engumschriebenen Stellen* die man mit der Fingerspitze bedecken kann, *stehen, verschwinden plötzlich* oder erscheinen plötzlich; die *Symptome wechseln,* z. B. rheumatische Schmerzen mit Darmerscheinungen. **Kalium bichromicum D 30.** Das Mittel paßt besonders gut für fettleibige, blonde Personen und für skrofulöse Kinder.

—. *Wandernde Schmerzen,* und zwar die Schmerzen *wechseln die Seiten wiederholt.* Ganz gleich, um welche Krankheit es sich auch handelt, ob um Gelenkrheuma oder Entzündung der Schleimhäute, wenn das genannte Symptom augenfällig in Erscheinung tritt, dann wähle man **Lac caninum D 30–200.**

—. *Wandernde Schmerzen.* Die Schmerzen wandern oder wechseln *kreuzweise.* **Manganum aceticum D 4–6.**

—. *Schmerzen in der rechten unteren Brust* mit *Schweiß* ohne Linderung des Leidens, feuchter Mund mit üblem Geruch und intensivem Durst, Zunge geschwollen, zeigt die Eindrücke der Zähne. **Mercurius solubilis D 6–15.**

—. *Reißende* oder *krampfartige Schmerzen* mit dem *Gefühl* von *Wundheit* und *Roheit;* Gesichtsschmerzen rheumatischen oder psorischen Ursprungs als Folge von unterdrückten Hautleiden. Verschlimmerung abends, im warmen Zimmer, Besserung im Freien. **Causticum D 6–30–200.**

—. Heftige, *schneidende, stechende, bohrende, blitzartig kommende* und *vergehende Schmerzen,* wechselnd in fast unerträglichen Anfällen und *krampfartig;* neuralgische, schmerzhafte Monatsregel, mit den charakteristischen Schmerzen. Modalität: Besserung durch heiße Aufschläge. **Magnesium phosphoricum D 30–200;**

—. Die *Schmerzen beginnen langsam,* werden allmählich heftiger und *hören dann plötzlich auf* oder vermindern sich plötzlich. **Acidum sulfuricum D 3–6.**

—. *Heftige Schmerzen,* ganz gleich wo und an welchen Organen sie auch auftreten, wenn sie *mit Krämpfen, Zuckungen* oder *geistiger und körperlicher Erschöpfung* einhergehen; **Cuprum metallicum D 10–15** oder **Cuprum aceticum D 4–6.**

—. Heftigste, *kolikartige* Schmerzen, die nur durch Zusammenkrümmen oder Druck erträglich sind; *fürchterliche Koliken des Leibes* oft von Erbrechen oder Durchfall begleitet; *neuralgische Schmerzen* des Bauches, des Gesichtes; Ischias. **Colocyntis D 6–15–30.**

—. Schmerzen bei Leberleiden mit dem charakteristischen Symptom: *Festsitzender Schmerz unter dem unteren, inneren rechten Schulterblattwinkel.* **Chelidonium D 2–6.** Schmerzen unter dem linken Schulterblatt **Chenopodium D 6.**

—, unerträgliche, die zur Verzweiflung treiben; Patient wirft sich in heftiger Angst hin und her. Besonders gern treten diese Schmerzen im Kopf und meist nur einseitig auf, mit einem Gefühl, als wenn ein Nagel in den Kopf getrieben würde; Gesichtsschmerz in Folge schlechter Zähne. **Coffea D 6–15–30.**

—. Schmerzen nehmen allmählich bis zum höchsten Grade zu und dann ebenso wieder ab, verbunden mit großer Schwäche. **Stannum D 10–15–30–200.**

—. Schmerzen nehmen langsam zu und ebenso wieder ab; die Schmerzen sind von Taubheit der befallenen Stellen begleitet. **Platinum D 10–15–30.**

—. *Heftige Schmerzen* in den *Gliedern,* im *Rücken,* mit *Zerschlagenheitsgefühl* als ob die Knochen zerbrochen wären; Knochenschmerzen; *Schmerzen* und *Empfindlichkeit* in den *Armen,* in den *Handgelenken,* wie zerbrochen oder verrenkt; Empfindlichkeit und Schmerzen in den *unteren Gliedern* mit Steifheit und Schmerz beim Aufstehen. **Eupatorium perfoliatum D 6–15.**

—. *Schmerzen* überall, in *Gelenken, Knochen, Knochenhaut,* wie ein *ziehendes Reißen,* besonders im Rückgrat, Kreuzbein, Oberschenkel, Knien. **China D 4–6–15.**

—. *Heftige Schmerzen* am *After* nach dem Stuhlgang; *stechender Schmerz* wie Nadelstiche. **Acidum nitricum D 3–6.**

—. Intensiver *Schmerz von der Brustwarze* aus *nach dem Rücken* zu bei stillenden Müttern. **Croton Tiglium D 4–12.**

—. *Heftiger Schmerz in der oberen linken Brust* nach dem Schulterblatt zu. **Myrtus com. D 4–6.**

— durch *die obere rechte Brust.* **Calcium carb. D 4–6.**

— durch die *untere linke Brust.* **Natrium sulf. D 6–12.**

—. *Brennende Schmerzen* haben folgende Mittel: **Arsenicum alb., Capsicum, Phosphorus, Acidum sulf., Sulfur, Carbo veg.** Die Auswahl erfolgt jeweils nach den weiteren Leitsymptomen.

—. *Stechende Schmerzen* haben: **Bryonia, Kalium carb., Apis, Acidum nitr., Scilla**; immer entscheidend für den Einsatz sind die weiteren Leitsymptome.

—. *Pulsierende, klopfende Schmerzen* haben: **Belladonna, Glonoinum, Melilotus.**

—. Zur *Schmerzbekämpfung* und Linderung gegen Schmerzen jeder Art stehen dem Homöopathen folgende Mittel zur Verfügung: **Atropinum sulfuricum D 4,** 10–15 Tropfen in $^1/_8$ Liter heißem Wasser, 1–2 Gaben innerhalb $^1/_4$ Stunde. Ferner: **Magnesium phosphoricum D 4–6,** 5–10 Tabletten in $^1/_8$ Liter heißem Wasser in 1–2–3 Gaben innerhalb $^1/_4$ Stunde.

—. Siehe auch unter: *Entzündung, Knochenschmerzen, Kolik, Kopfschmerzen, Nervenkrankheiten* und *Rücken.*

Schnupfen

Schnupfen, siehe Schleimhäute Seite 232–237, Schleimhauterkrankungen, Nase.

Schreck

Schreck. Leiden die durch Schreck entstanden sind oder sich nach solchem verschlimmert haben; schlimmer in trockener, kalter Luft; große Unruhe und Angst. **Aconitum D 4–6.**

—. *Schreck* und *Folgeerscheinungen* eines solchen; *seelische Erschütterungen, Kummer,* lange *Seufzer;* große *Veränderlichkeit der Stimmung.* **Ignatia D 6–30.**

—. Siehe auch Geistes- und Gemütssymptome.

Schrunden

Schrunden, siehe Fissuren.

Schwäche. Außerordentliche Schwäche. Lebenskräfte fast erschöpft. Außenseite des Körpers kalt, besonders von den Füßen bis zu den Knien; liegt regungslos, wie tot, da; *Puls* aussetzend, *fadenförmig, kalter Schweiß* an den Gliedern; *Stauungen des Blutes* in den Kapillaren, *bläuliches Aussehen*, Hautblutungen; Patient ist so schwach, daß er kaum atmen kann und nach Luft keucht. *Schwächezustände* die *durch frühere Krankheiten* entstanden oder seitdem zurückgeblieben sind. **Carbo vegetabilis D 4–15–30.**

—. *Große, allgemeine Schwäche* besonders nach Blutverlust oder Verlust von anderen Körpersäften; blasses, gelbliches Aussehen, eingesunkene Augen mit dunklen Ringen; Nachtschweiße, Schwitzen nach der geringsten Bewegung oder Anstrengung; klopfende Kopfschmerzen; Auftreibung und Völlegefühl des Bauches, Aufstoßen erleichtert nicht; große Empfindlichkeit gegen Berührung, selbst die Haare tun weh. **China D 2–6–30.** China ist das Komplementär- oder Ergänzungsmittel zu Carbo vegetabilis.

—. Finden wir *große Schwäche in Verbindung mit Schweiß*, beständigem *Rückenschmerz, stechende Schmerzen, Verschlimmerung gegen 3 Uhr früh*, dann ist **Kalium carbonicum D 15–30–200** das Mittel der Wahl, ganz gleich um welche Krankheit es sich auch handelt.

—. *Große Schwäche*, Mangel an Energie, *Erschöpfung*, mit *Neigung zu Anschwellungen, Verhärtungen, Vereiterungen der Drüsen* vorwiegend in Achsel, Brüste und Leistengegend; *Geschwülste* nehmen einen *krebsartigen Charakter* an; zu starke Menstruation infolge *Gebärmutterverhärtung.* **Carbo animalis D 3–6.**

—. *Große, allgemeine Schwäche;* kurzer Spaziergang ermüdet sehr; Patient *wird leicht schwach* oder *gar ohnmächtig infolge Kälte oder Hitze* oder aus anderen Veranlassungen; große *Schwäche bei Frauen in Verbindung mit Unterleibsstörungen, bei Schwangerschaft*, im Wochenbett, während der Stillzeit, nach schwerer Arbeit usw. **Sepia D 6–30.**

—. *Große, ohnmachtsähnliche Schwäche; sinken der Kräfte mit Zittern; Herabfallen der Augenlider;* die *Schwäche* schreitet fort *bis zur allmählich erscheinenden Lähmung*, meist ganzseitig rechts, aber auch örtlich; *Lähmungen der Stimmorgane, der Schlingmuskel, Zunge, Augenlider, Gesicht, Blase, Glieder; Nervenzuckungen* aller Art, *Veitstanz, Epilepsie;* schlimmer bei klarem, schönem Wetter, besser bei trübem, feuchtem Wetter. **Causticum D 6–30.**

—. *Kindlicher oder seniler Marasmus* (Altersschwäche), geistige Schwäche; allgemeine Abmagerung bei Kindern, Bauch dabei stark vergrößert, ißt aber genug, ja es kann sogar Heißhunger bestehen. Übelriechender Fußschweiß, unverhältnismäßig großer Kopf, Empfindlichkeit gegen Kälte und bei feuchtem Wetter. **Baryum carbonicum D 6–30.**

—. Symptome wie vorstehend, dazu aber noch übermäßiger Kopfschweiß. **Calcium carbonicum D 6–30.**

—. Schnelles Sinken der Kräfte, *vollständige Erschöpfung, Kollaps*, bei *Cholera* durch übermäßige Entleerungen aus Magen und Darm; *große Kälte der Körperoberfläche*, hippokratisches Gesicht, *kalter Schweiß*, besonders auf der Stirne. **Veratrum album D 3–6–30.**

—. *Erschöpfende Nachtschweiße mit großer Schwäche* bei Erkrankungen der Atmungsorgane; *profuser Auswurf*, von tief unten aus der Brust, *mit Schmerz zwischen den Schultern hindurch;* Auswurf, dick, grün; schmeckt salzig. **Kalium jodatum D 6–15–30.**

—. *Vollständige Kraftlosigkeit und Schwäche*, Kollaps, *kalter Schweiß und Atem, der ganze Körper eiskalt;* stöhnt und rutscht im Bett herab infolge der großen Schwäche; Unterkiefer fällt herab, Zunge trocken, lederartig, zusammengeschrumpft, Puls schwach, aussetzend; gegen Berührung sehr empfindlich. **Acidum muriaticum D 3–6.** Die vorgenannten Symptome geben ein getreues Bild eines schweren Typhusfalles. Acid. mur. ist auch eines der besten Mittel gegen schweren und schwersten Typhus. (Siehe auch unter Typhus.)

—. Große allgemeine und nervöse Schwäche bis zur Ohnmacht mit Krämpfen oder Aufschreien; *eingefallenes, erdfahles Gesicht* (hippokratisches Gesicht genannt) mit *starren Augen* und *furchtbarer, krampfhafter Verzerrung der Gesichtsmuskeln; Verlust des Bewußtseins. Scheintot.* Aufhören aller wahrnehmbaren Lebensfunktion, unfühlbarer Puls, drohende Lähmung des Gehirns, der Lungen, des Schlundes mit Krampf, *Erscheinungen*, wie sie *im letzten Stadium der Cholera* auftreten. **Acidum hydrocyanicum D 4–6.** Das Mittel ist stets angezeigt in akuten Krankheitsfällen wenn *höchste Todesgefahr* droht.

—. Große *allgemeine Schwäche* und *Erschöpfung* bei akuten und chronischen Krankheiten, besonders bei typhusähnlichen Krankheitszuständen, *mit der charakteristischen Unruhe*, daß der Patient, trotz größter Erschöpfung bei der geringsten Anstrengung, sich fortwährend bewegt oder bewegt sein will. **Arsenicum album D 6–30.**

—. *Vollständige Erschlaffung* und *Erschöpfung des ganzen Muskelsystems, mit teilweiser* oder *völliger Lähmung der motorischen Nerven.* Die Beine oder Hände zittern beim Heben; *Gefühl der Abspannung* oder *allgemeiner Ermüdung;* die Muskeln wollen dem Willen nicht mehr gehorchen; *Schwindel mit Gesichtstrübung, Doppeltsehen, Gefühl als ob man berauscht wäre; Nachlassen der geistigen Arbeitskraft*, kann weder klar denken noch sich auf etwas konzentrieren; *Patient* ist *träge, schläfrig*, scheut Bewegung. **Gelsemium D 4–6–30.** Das Mittel hat großen Einfluß auf das Nervensystem, Sensorium und Gehirn.

—. Große *geistige* und *körperliche Schwäche infolge geistiger Überanstrengung* oder *Schlaflosigkeit*, besonders wenn *mit Krämpfen verbunden;* Kollaps (plötzlicher Schwächeanfall) mit Krampf im Magen oder in den Gliedern; der Krampf fängt mit Zuckungen und Zittern der Finger an. **Cuprum metallicum D 15–30–200.**

—. Großes *Müdigkeits-* und *Mattigkeitsgefühl, geistig* und *körperlich;* gleichgültig, willenlos, niedergeschlagen; große *Schwere in den Beinen*, kann sie kaum vom Boden erheben. Schwere im Hinterkopf, mit Nachlassen der Verstandeskraft und unfähig zu denken oder zu geistiger Arbeit. Rückenschmerzen, Kopfschmerzen, meist im Hinterkopf und Nackengegend, schlimmer durch geistige Anstrengung, bei überarbeiteten Personen, durch Kummer bedrückt, kurz, *ein Bild vollkommener nervöser Erschöpfung.* **Acidum picrinicum D 6–12.**

—. *Allgemeine Schwäche, Erschöpfung,* tiefe *Verzweiflung, Depression,* zuweilen von heftigem, drückendem Kopfschmerz begleitet. Zustand von *Bewußtlosigkeit* oder *Betäubungsschlaf* ohne zu wissen was um sich herum vorgeht, *aber beim Erwachen sofort bei vollem Bewußtsein; große Schwäche* und *Niedergeschlagenheit im Sensorium und Nervensystem; Schwächegefühl in der Brust beim Sprechen,* besonders bei jungen, hochaufgeschossenen, schnellgewachsenen Menschen. Weiteres Leitsymptom: reichlicher *heller, wäßriger, milchiger Urin.* **Acidum phosphoricum D 3–4.**

—. *Große Schwäche,* besonders *in der Brust,* bei Kehlkopf- und Lungenleiden. *Auswurf dick, klumpig, gelbgrün, von süßlichem Geschmack;* allgemeine Schwäche bei mageren, entlräfteten Personen, bei Gebärmutterverlagerungen, Weißfluß; vorhandene Schmerzen nehmen allmählich bis zum höchsten Grade zu und ebenso allmählich wieder ab; Besserung durch Druck; gewöhnlich ist Niedergeschlagenheit, Mutlosigkeit mit Hang zum Weinen vorhanden. **Stannum D 6–15–30–200.**

—. *Schnelles Sinken der Lebenskraft bis zur völligen Erschöpfung* oder Ohnmacht *mit großer Kälte der Körperoberfläche* und mit der *Eigentümlichkeit: der Kranke will sich nicht zudecken lassen.* Ganz gleich um welche Krankheit es sich auch handelt, wenn die genannten Symptome auftreten, dann ist **Camphora Rubini** das Mittel der Wahl. Bei allen im Entstehen begriffenen Krankheiten, besonders Infektionskrankheiten, nach starken Erkältungen, 2–8 Tropfen Camphora Rubini alle 5–10 Minuten in einem Löffel Wasser verabreicht, wird in den meisten Fällen den Aus- oder Durchbruch einer Krankheit verhindern. Camphora Rubini ist das *Hauptmittel bei Cholera,* wenn die anfangs erwähnten Symptome vorherrschen und von großartigem Erfolg, wenn es gleich zu Beginn der Erkrankung eingesetzt wird.

—. *Sinken der Lebenskraft, mangelhafte Reaktionskraft,* besonders bei Brust- und Herzleiden; *Erstickungsanfälle* vom Herzen ausgehend, *Scheintod bei Neugeborenen* mit bläulicher Verfärbung der Haut; lang *anhaltende Ohnmachtsanfälle;* ein weiteres *charakteristisches Symptom* bei *Herzleiden* ist: *die Blaufärbung der Haut und Lippen sowie die Atemnot verschlimmert sich beim Aufsitzen.* **Laurocerasus D 1–4.**

—. Außerordentliche *allgemeine* und *geschlechtliche* Schwäche, Erschöpfung der Nervenkraft als Folge erschöpfender Krankheiten, sexueller Exzesse oder Pollutionen. Es besteht starke Geschlechtslust, aber die Erektionen erfolgen langsam und schwach, die Samenergüsse beim Coitus zu schnell mit folgender großer Schwäche und Verdrießlichkeit; die geschlechtliche Schwäche steigert sich bis zur *Impotenz,* es tritt langsame *Abmagerung,* besonders *im Gesicht,* an den *Händen* und *Oberschenkeln* auf. **Selenium D 10–30–200.** Das Mittel wirkt hauptsächlich auf das Nervensystem, Rückenmark, sowie auf die männlichen Geschlechtsorgane.

—. *Herzflattern* mit *Schwäche* und *Ohnmachtsgefühl*, unregelmäßiges *Aussetzen des Herzschlages*, schlimmer beim Liegen auf der linken Seite; *Schwäche im Rückenmark*, in den *Gliedern mit Taubheit und Kribbeln* in Finger und Zehen, besonders bei blutarmen Kranken. **Natrium muriaticum D 200–30.**

—. *Große Schwäche*, *tiefe Erschöpfung*, bei *Sepsis* oder nach schweren Krankheiten, bei *Blutarmut*, oder bei *bösartigen Geschwülsten;* charakteristisches Symptom: *starker*, *anhaltender Schweiß wie gebadet*. **Chininum arsenicosum D 3–4.**

—. Große Müdigkeit, Schläfrigkeit, Scheu vor jeder geistigen und körperlichen Arbeit, Teilnahmslosigkeit; bei Blutvergiftungen und infektiösen Prozessen aller Art; Verschlimmerung abends; müde und abgespannt schon frühmorgens nach dem Erwachen, müde, schmerzende Augen. **Echinacea ∅ – D 2,** ein ganz *hervorragendes antiseptisches Mittel*, tief eingreifend auf das Drüsensystem, bei allen bösartigen Erkrankungen, Eiterungen, Sepsis und brandigen Erscheinungen. Die Tinktur 1 : 8–10 mit Wasser verdünnt, wirkt als Umschlag äußerlich bei allen derartigen Prozessen ganz hervorragend.

—. Große *Erschöpfung* und *Schwäche* bis zur Bewußtlosigkeit gesteigert, *kalter Schweiß*, *unbeständige Übelkeit*, *durch Erbrechen gebessert; Durchfall;* große, sich *steigernde Müdigkeit oder Schläfrigkeit*. **Tartarus emedicus D 30–200.**

Schwangerschaft

Schwangerschaft. Abortneigung; Abort, das Austragen der Frucht ist infolge der verkümmerten kleinen Gebärmutter nicht möglich; *Überempfindlichkeit der Geschlechtsteile; Überempfindlichkeit* gegen den *geringsten* Druck. **Plumbum D 30–200.**

—. *Drohender Abort* mit den *Symptomen: Schmerz der im Rücken anfängt, um die Lenden bis zur Gebärmutter geht und dort mit Krämpfen endet.* **Viburnum opulus ∅ – D 4.** Zur *Verhütung* von *wiederholt eintretendem Abort* wirkt **Viburnum prunifolium ∅ – D 4** noch besser, es ist ein wirksames Kräftigungsmittel für die Gebärmutter.

—. Eine *leichte* und *schnelle Geburt* – normale Lage des Kindes und Bau der Beckenorgane vorausgesetzt – bewirkt **Caullophylum D 3–6.** Es verstärkt die Wehen oder ruft diese hervor. Anwendung: 20–30 Tropfen in einem Glas Wasser auflösen und bei Beginn der Geburt und Eintritt der Wehen alle 5 Minuten einen Schluck der Lösung einnehmen.

—. *Drohender Abortus im dritten Monat* mit dem charakteristischen Symptom: *Schmerz vom Rücken nach der Schamgegend ausstrahlend.* Bei *Neigung zu Fehlgeburt* und um eine solche zu verhüten, gibt man gleich zu Beginn der Schwangerschaft 1–2mal täglich 10 Tropfen **Sabina D 6.**

—. *Neigung zu Abortus;* hartnäckiges *Schwangerschaftserbrechen* mit *Ekel* und *Schwindel; Verlagerungen, Senkungen, Vorfall* der Gebärmutter, *Erschlaffung des Unterleibes* und der *Haltebänder*. **Aletris farinosa D 4–12,** es ist das

„Tonikum“ der Gebärmutter und das „China“, d. h. Stärkungs- und Kräftigungsmittel der weiblichen Geschlechtsorgane.

—. *Schwangerschaftserbrechen; Übelkeit* und *Brechwürgen* frühmorgens mit Speichelfluß; Besserung durch kleine Mengen Speise und Trank. **Lobelia D 3–6.**

—. *Schwangerschaftserbrechen* siehe weitere Symptome unter Erbrechen.

Schweiß

Schweiß. Tag- und *Nachtschweiße; schwitzt leicht* bei der *geringsten Bewegung* oder *Anstrengung;* große *Schwäche*, meist blasses, eingefallenes Gesicht mit dunklen Augenringen; *außerordentliche Empfindlichkeit gegen Berührung.* **China D 2–6.**

—. *Schweiß* in Verbindung *mit großer Schwäche*, ständigem *Rückenschmerz* und *Verschlimmerung gegen 3 Uhr früh* erfordert **Kalium carbonicum D 15–30.**

—. *Erschöpfende Nachtschweiße* mit großer *Schwäche* bei Erkrankungen der Atmungsorgane. *Profuser Auswurf*, mit Schmerz zwischen den Schultern hindurch. Auswurf dick, grün, *mit salzigem Geschmack.* **Kalium jodatum D 12.**

—. *Ausgedehnte Nachtschweiße* mit *großer Schwäche* in der Brust, sowie allgemeine große Schwäche. *Patient* ist *mutlos*, leicht zum Weinen geneigt; vorhandene *Schmerzen nehmen allmählich zu und ebenso wieder* ab; Auswurf schmeckt süßlich. **Stannum D 6–30–200.**

—. *Tag- oder Nachtschweiße* mit dem *charakteristischen Symptom: Patient kommt zum Schwitzen sobald er schläft* oder auch nur die Augen schließt. **Conium D 6–30.**

—. *Starker Kopfschweiß* bei Kindern mit verhältnismäßig großem Kopf und mit offenen Fontanellen; *partielle Schweiße* mit *kalter Haut*, besonders an den unteren Gliedern. **Calcium carbonicum D 4–15–30.**

—. *Ausgedehnte Schweiße ohne Linderung des Leidens*, ja, die Beschwerden nehmen mit dem Schweiß noch zu. Verschlimmerung nachts, durch Wärme, besonders in der Bettwärme. **Mercurius solubilis D 4–12.**

—. Der Kranke *schwitzt Tag und Nacht ohne Linderung des Leidens.* Wichtigstes Leitsymptom ist: *Überempfindlichkeit gegen Berührung*, oder gegen *Schmerzen* und *gegen kalte Luft.* **Hepar sulfuris D 4–15–30.** Das Mittel paßt gut nach Mercurius oder im Wechsel mit diesem.

—. *Kalter Schweiß*, besonders auf der Stirn, *mit großer Schwäche*, *Erschöpfung* oder Ohnmacht; ganz gleich, wie die Krankheit auch heißen mag, wenn folgende Symptome vorliegen: *schnelles Sinken der Kräfte*, *vollständige Erschöpfung*, *kalter Schweiß*, *kalter Atem*, *der ganze Körper und Glieder eiskalt*, blaue, blaurote kalte Haut, spitze Nase (Hippokratisches Gesicht) dann ist **Veratrum album D 3–3–30** das gegebene Mittel.

—. Erschöpfende *Nachtschweiße* bei *bleichen*, *blutarmen* und schwachen *Patienten*, bei entzündlichen Krankheiten im Anfangsstadium mit Blutandrang nach dem Kopfe und Fieber. **Ferrum phosphoricum D 12.**

—. *Warmer Kopfschweiß* der die Haare durchnäßt, oder das *Gesicht schwitzt* nach dem Essen und Trinken. Hervorragendes *Leitsymptom* ist: Patient ist *ärgerlich, schlecht gelaunt, boshaft, weiß nicht was er will.* **Chamomilla D 30–15–6.**

—. *Ausgedehnter Schweiß beim Wachsein* und *trockene Hitze* während des Schlafes. **Sambucus D 3–30.**

—. Ausgedehnter, anhaltender Schweiß, wie gebadet, hohe Fiebertemperaturen wechseln mit niederen bzw. Frost ab; septische Erscheinungen; tiefe Erschöpfung. **Chininum arsenicosum D 2–3.**

—. *Schweiß* an *unbedeckten* Körperteilen. **Thuja D 6–12.**

—. Schweiß an bedeckten Körperteilen. **Belladonna D 4–6.**

—. *Einseitige Schweiße.* **Pulsatilla D 4–30.**

—. *Anhaltende, übermäßige Schweiße* die anderen Mitteln nicht weichen. **Acidum sulfuricum D 3–6.**

—. *Übermäßiger Schweiß* mit heißer, feuchter Haut; Fieber-, Nervenstärkungsmittel. **Acidum phosphoricum D 3–4.**

—. *Übermäßiger,* ausgedehnter *Schweiß mit Linderung des Leidens* haben **Arsenicum album, Natrium muriaticum, Psorinum.** Man beachte die Leitsymptome dieser Mittel.

—. *Unterdrückte Schweiße* (z. B. Fußschweiß) stellt wieder her bzw. beseitigt die Folgezustände gewaltsam unterdrückter Schweiße **Silicea D 30–15.**

—. Vergleiche auch Entzündungen, Fieber.

Schwielen

Schwielen siehe Fußsohlen.

Schwindel

Schwindel. Schwindel der sich durch Seitwärtsdrehen des Kopfes sehr verschlimmert oder *beim Liegen* das *Gefühl* hat *als ob sich das Bett drehe.* Dieses ist ein sehr wichtiges Symptom, man findet es häufig *bei alten Leuten, bei Rückenmarksleiden mit Lähmungen* die von unten nach oben weiterschreiten, sowie bei Eierstocks- und Gebärmutterleiden. **Conium D 4–15–30.**

—. *Schwindel im Alter;* chronischer Blutandrang nach dem Kopf und das *Gefühl von Brennen* im Gehirn ist hervorragendes Leitsymptom, ferner *aufsteigende Hitze im Rücken.* **Phosphorus D 30–15–10,** eines der besten und am häufigsten angezeigten Mittel.

—. *Schwindelgefühl, Benommenheitsgefühl,* mit Verschlimmerung durch geistige Anstrengung, ist unfähig zu denken oder geistige Arbeit zu leisten; große Niedergeschlagenheit, stets mit traurigen Gedanken beschäftigt. **Natrium carbonicum D 30.**

—. *Starker Schwindel,* oft *mit Summen* in den Ohren, mit allgemeiner Schwäche und Zittern; kann nicht mit geschlossenen Augen gehen; Rükkenmarksleiden. **Argentum nitricum D 3–6.**

—. *Schwindel durch Blutandrang* oder *Blutleere* im Kopf; *Schwindel beim schließen der Augen; Schwindel nach Schlaf; blaurote Färbung* des Gesichtes oder der Schleimhäute. **Lachesis D 15–30.**

—. *Schwindel mit der Neigung nach vorn zu fallen;* kann nicht rückwärts gehen ohne zu fallen; Koordinationsstörungen. **Manganum aceticum D 4–30.**

—. Schwindelanfälle mit Taubheit, Ohrensausen, Ohrenklopfen, Übelkeit, Erbrechen, Pulsverlangsamung, die Symptome der sog. *Menière Symptomenkomplex.* **Acidum benzoicum,** besonders dann, wenn rheumatisch-gichtische Konstitution vorliegt. Ein *Hauptleitsymptom* für das Mittel ist: *spärlicher Urin* von *dunkelbrauner Farbe* und *sehr intensivem Geruch* der lange anhält und sich auf Kleidung oder Krankenzimmer überträgt.

—. *Schwindel mit Übelkeit* besonders bei geschlossenen Augen, oder durch geringstes Geräusch, jeder Laut dringt durch den ganzen Körper, Übelkeit und Schwindel hervorrufend. Dieser Schwindel kommt bei verschiedenen Kopf- und Magenleiden vor. **Theridion D 10–15–30.**

— bei Arterienverkalkung. **Baryum jodatum D 3–6.**

— beim Aufwärtssehen. **Pulsatilla, Silicea.**

— beim Hinabsehen. **Phosphorus, Spigelia, Sulfur.**

— beim Bewegen des Kopfes. **Conium, Bryonia, Calc. carb.**

— beim Aufstehen aus dem Bett. **Bryonia, Cocculus.**

— beim Erheben vom Sitz. **Bryonia, Phosphorus.**

— beim Aufrichten aus gebückter Stellung. **Belladonna.**

— beim Bücken. **Belladonna, Nux vom., Pulsatilla, Sulfur.**

— beim Hinaufsteigen. **Calcium carbonicum.**

— beim Hinabsteigen. **Borax, Ferrum.**

— beim Gehen. **Natrium mur., Nux vomica, Phosphorus, Pulsatilla.**

— beim oder nach dem Essen. **Pulsatilla, Nux vom., Gratiola.**

— von unterdrückter Regel. **Cyclamen, Pulsatilla,** bei der Wahl all der vorgenannten Mittel brachte man möglichst immer die weiteren wichtigen Leitsymptome derselben.

Seekrankheit

Seekrankheit, **Cocculus D 6, Petroleum D 4** 1–2stündlich 6–10 Tropfen.

Sinne

Sinne. Alle Sinne schärfer; Geruch, Geschmack, Tastsinn übermäßig scharf; besonders erhöhtes Empfindungsvermögen für leichte passive Bewegungen; *ungewöhnliche geistige und körperliche Lebhaftigkeit; voller Ideen,* schnell im Handeln und in Entschlüssen, daher *schlechter Schlaf; lebhafte Phantasien,* voller Zukunftspläne; *Erschütterungen, plötzliche Überraschungen, unglückliche Liebe.* **Coffea D 200–30.**

—. Siehe auch Geistes- und Gemütssymptome und Modalitäten.

Skrofulose

Skrofulose. Skrofulöse, in der *Entwicklung zurückgebliebener Kinder*, körperlich und geistig schwach, *mangelhaftes Wachstum*, *Drüsenschwellungen*, besonders der Mandeln; *Schwachsinn* bis zur Idiotie; geistige und körperliche *Schwäche im Alter*, kindisches Benehmen, *Gedächtnisverlust*, Schlaganfall alter Leute mit Neigung hierzu; Abmagerungen, Zerfallserscheinungen bei Kindern oder im Alter (Marasmus). **Baryum carbonicum D 6–15–30.**

—. *Skrofulöse Diathese; allgemeine Entkräftung* und *starke Abmagerung trotz Heißhunger* und vielem Essen; fühlt sich nach oder während dem Essen am wohlsten; *Drüsenanschwellungen*, besonders der Schilddrüse und der Mesenterialdrüsen (Eingeweide); Verschlimmerung aller Symptome im warmen Zimmer. **Jodum D 30–15–6.**

—. Siehe auch Konstitution.

Sodbrennen

Sodbrennen, siehe Aufstoßen und Magenkrankheiten.

Sonnenstich

Sonnenstich. Man gebe sofort **Aconitum D 3–4** im Wechsel mit **Apis D 3** und **Salvia D 3.** Sowie ¼stündlich 8–10 Tropfen **Camphora D 1** als wichtigstes Mittel.

—. *Sonnenstich* oder *strahlende Hitze* und *die unmittelbaren Folgen.* **Glonoinum D 4–6–12.**

—. Siehe auch Kopfschmerzen.

Symptome

Symptome. Veränderlichkeit der Symptome. Die Beschwerden oder Schmerzen sind bald in dem einen Organ oder Körperstelle dann wieder in einem anderen; wandernde Schmerzen springen schnell von einer Stelle zur andern, auch mit Anschwellung und Röte der Gelenke; wechselnde Gemütsverfassung; besonders wenn bei den genannten Erscheinungen noch das sog. Pulsatilla-Temperament vorliegt. **Pulsatilla D 6–30.**

—. *Wechselnde Symptome.* Hände und Füße sind *abwechselnd* heiß. Wenn die Füße heiß sind, sind die Hände kalt und umgekehrt. **Sepia D 6–10.**

—. *Veränderlichkeit der Symptome*, besonders auf *hysterischer Grundlage.* **Ignatia D 4–6–10.**

—. *Wechselnde Symptome.* Trocken und heiß oder schwitzend. **Apis D 4–6.**

—. *Fortwährend wechselnde Symptome* bei chronischen Krankheiten, plötzlich anfangend, plötzlich aufhörend. Mal sitzt das Leiden an irgendeinem Organ, dann am anderen Tage wieder an einem anderen usw. Besonders dann, wenn die Anamnese in der Familiengeschichte einen oder mehrere Fälle von Tuberkulose aufweist. **Tuberculinum D 200–1000.**

—. *Festsitzender Schmerz* unter dem unteren, inneren, *rechten Schulterblattwinkel;* bei Leberleiden, Lungenentzündung usw., *rechtsseitige Neuralgien, rechtsseitige Lungenentzündung, hartnäckiger Husten* mit heftigem *Schmerz* an der *rechten* Brustseite; stechende, ziehende Schmerzen in der rechten Hüfte, rechter Oberschenkel, Beinen oder Füßen; *rechter Fuß* eiskalt, linker natürliche Wärme. **Chelidonium D 2–6,** ein *besonders rechtsseitig* gut wirkendes Mittel.

—. Krankheiten und Beschwerden, die *rechtsseitig* beginnen und sich nach links ausbreiten; *rechtsseitige* Brüche; *Verschlimmerung nachmittags 16–20 Uhr* ist charakteristisch. **Lycopodium D 12–30,** das Komplementärmittel zu Chelidonium bei Leber-, Lungenleiden, *vorwiegend rechtsseitig* wirkendes Mittel.

—. Siehe auch Modalitäten und Geistes- und Gemütssymptome.

Stauungen

Stauungen und Störungen *im Pfortaderkreislauf* und im *Gebiet der Leber* auftretend. **Sulfur D 12.** Bei Frauen noch besser wirkend ist **Sepia D 4–6,** oder noch vorteilhafter ist, wenn man beide Mittel im Wechsel gibt, da Sulfur tiefen Einfluß auf Stauungserscheinungen überhaupt hat und mit Vorteil bei allen chronischen Organerkrankungen eingesetzt wird.

— allgemeiner Art und Anschwellungen der Beine abends durch langes Stehen, siehe unter Herzkrankheiten.

—, siehe auch Blutandrang und Herzkrankheiten.

Stimmung

Stimmung, siehe Geistes- und Gemütssymptome.

Stuhlgang

Stuhlgang. Saure Stühle, oft mit kolikartigem Schmerz und Drang vor dem Stuhl; nicht nur der Stuhl, sondern *der ganze Patient riecht sauer.* Dieser saure Geruch ist aber weder durch abwaschen noch durch baden zu beseitigen. **Rheum D 2–3.**

—. Grüne Stühle mit Aphten im Munde. **Borax D 3–6–30.**

—. *Grüne, schleimige,* flockige, *spritzende Stühle,* wie gehackter Spinat, mit Schleimhautfetzen und Abgang *lauter* Blähungen. **Argentum nitricum**

D 6–15. Spritzende Stühle mit lautem Blähungsabgang bei Kindern, wenn offene Fontanellen und Kopfschweiß vorhanden ist (langsame Knochenentwicklung). **Calcium phosphoricum D 6.** Beide Mittel haben starke Abmagerung, das Kind sieht alt und verschrumpft aus. Bei Calc. phosph. besteht Verlangen nach Schinken, Rauchfleisch, bei Argentum nitr. nach Zucker und Süßigkeiten,

—. *Heftiger Schmerz nach dem Stuhlgang*, selbst bei weichem Stuhl; sehr *schmerzhafte, berstende und blutende Hämorrhoidalknoten* mit *Schrunden und Rissen* im After, *stechende Schmerzen wie von Splittern.* **Acidum nitricum D 3–6.**

—. Schmerzen nach dem Stuhlgang sind für kurze Zeit bedeutend gemildert. **Nux vomica D 4–12.**

—. Stuhl trocken und hart, kein Drang. **Bryonia D 6–30.**

—. Stuhl und Urin gehen unbewußt ab; akute und chronische Leiden als Folge von Verletzungen. **Arnica D 4–15–30.**

—. *Atonie, Erschlaffungszustand des Darmes*, der Kot wird nur sehr schwer entfernt, auch wenn er weich und lehmartig ist; *Abmagerung, Verfall*, von *Durchfall begleitet.* Die Entleerungen riechen sauer; *Verlangen nach sauren Sachen.* **Hepar sulfuris D 4–15.**

—. *Atonie, Untätigkeit des Mastdarmes*, selbst weicher Stuhl erfordert große Anstrengung, es bestehr *kein Verlangen nach Entleerung.* **Alumina D 30–15–10.** Das Mittel paßt gut für dürre, magere Personen, bei kleinen Kindern und bei bleichsüchtigen, anämischen Zuständen. **Bryonia** ist Ergänzungsmittel mit ähnlichen Symptomen.

—. Siehe auch Durchfall und Verstopfung.

Stuhldrang

Stuhldrang. Zusammenziehendes Gefühl als ob der After verschlossen wäre, zuweilen mit Klopfen und Hämmern; *Drängen nach unten* und wenn *Entleerung versucht wird, treten starke Schmerzen auf;* übelriechender Stuhl. **Lachesis D 10–15–30.**

—. *Schmerzhaftes Zusammenziehen*, welches den Stuhlgang hemmt oder verhindert; unvollständige, unzulängliche Entleerungen. **Lycopodium D 15–30.**

—. *Häufiger, aber erfolgloser Stuhldrang* oder Abgang nur geringer Mengen. **Nux vomica D 3–15.**

—. *Häufiger, aber erfolgloser Stuhldrang*, mit heftigem Schmerz und Anstrengung und Rötung des Gesichts; Hämorrhoiden, die den Stuhlgang verhindern, geschwollen, stechend, schmerzend, *brennend*, juckend, wund und feucht; Verschlimmerung durch Gehen, durch Sprechen, beim Darandenken. **Causticum D 6–15.**

—. Beständiger, heftiger Stuhldrang, der auch nach der Entleerung bestehen bleibt. **Mercurius corrosivus D 6–12.**

—. Siehe auch Durchfall und Verstopfung.

Taubheit

Taubheit. Durch Entzündung und Verschluß der Eustachischen Röhre. **Kalium chlor. D 6.**

—. Mit Summen, Klingen, Brausen und sonstigen Geräuschen in den Ohren. Widerhall von Tönen besonders der eigenen Stimme. **Causticum D 30–15–6.**

—. Siehe auch Ohrenleiden.

Taubheitsgefühl

Taubheitsgefühl. Kribbeln und Lähmung der Glieder mit dem Symptom: große Kälteempfindung der Körperoberfläche und dennoch kann der Kranke das Zudecken nicht vertragen. **Secale cornutum D 2–6.**

—. Kribbeln der Zunge, Lippen, Finger und Zehen. **Natrium muriaticum D 200–30–12.**

—. Kribbeln, Ameisenlaufen mit dumpfem Schmerzen und Empfindlichkeit. **Rhus tox. D 6–10.**

— in den Fersen beim Auftreten, ungemein schwach und müde, muß sich setzen. **Alumina D 12–30.**

— bei oder als Folge neuralgischer Schmerzen. **Kalmia D 4–6.**

—. Taubheitsgefühl in den Händen, Beinen; Einschlafen einzelner Körperteile; Kältegefühl. **Ambra D 2–4.**

Temperament

Temperament. Siehe Konstitution.

Trockenheit

Trockenheit. Trockenheit aller Schleimhäute mit Rissen und Spalten an Lippen und Mundwinkeln, mit Durst. **Natr. mur. D 6–30.**

— des Mundes, morgens, *ohne Durst;* schlechter Geschmack, besonders frühmorgens, oder überhaupt keinen Geschmack. **Pulsatilla D 4–6–12.**

—. Außerordentliche oder mangelhafte Absonderung der Schleimhäute oder der serösen Häute (Rippen-, Brustfell, Bauchfell, Herzbeutel); Lippen ausgedörrt und trocken wie verbrannt; außerordentlicher Durst, der nur durch viel Wasser gestillt werden kann. Wichtigste Leitsymptome: stechende Schmerzen, Verschlimmerung durch Bewegung, Besserung durch Druck. **Bryonia D 4–6.**

—, ungemein große des Mundes, der Zunge, der Lippen, ohne Durst; Schlund ganz trocken; Begleitsymptome: Betäubung, Schlafsucht, Gedächtnisschwäche, launenhafte Stimmung. **Nux moschata D 2–3–30.**

— der Lippen, wie ausgedörrt und aufgesprungen, mit unbeschreiblichem Durst. **Arsenicum album D 12–6.**

Trunksucht

Trunksucht. Gewohnheitstrinkern gibt man morgens 10 Tropfen **Passiflora ∅** in einer Tasse Tee aus zwei Teilen Schafgarbe und je einen Teil Johanniskraut und Pfefferminz, statt Kaffee. Schnapstrinkern gibt man noch einen Eßlöffel einer Lösung von 2 Tropfen Schwefelsäure auf 100 ccm Wasser in den Tee. Es stellt sich bald völlige Abscheu vor dem Branntwein ein. Genannter Tee allein, statt Kaffee, längere Zeit getrunken, verliert jede Lust zum trinken von Alkohol.

Magenbeschwerden durch Trinken werden mit **Nux vomica D 3** wirksam bekämpft.

—. Unwiderstehliche Sucht nach alkoholischen Getränken. **Selenium D 200.**

Tuberkulose

Tuberkulose der *Lunge* oder des *Kehlkopfes.* Der Erreger dieser gefürchteten Krankheit, der Tuberkelbazillus, kann sich nur ansiedeln, wenn die Lunge ihre normale Spannung und Beschaffenheit verloren hat. Dies ist besonders dann der Fall, wenn ein Nierenkatarrh – meist ohne Eiweiß im Harn – besteht, zu wenig Urin abgeht und das Lungengewebe sulzig geworden ist. Das ist der Boden für die Ansiedlung und das Gedeihen der Tuberkelbazillen. Grundregel für die erfolgreiche Behandlung der Tuberkulose ist daher eine ausgesprochene Nierendiät mit basenreicher Ernährung, also Obst, Salate, Gemüse unter völliger Ausschaltung des Kochsalzes, neben Zufuhr von Kalk- und Kieselsäure, am besten mit den biochemischen Funktionsmitteln **Silicea D 6, Calcium phosph. D 6, Calcium fluor. D 12, Magnesium phos. D 6,** sowie reichliche Zufuhr von Sauerstoff durch angepaßte Atemübungen in reiner, am besten Waldluft, und Licht-, Luftbäder (keine Sonnenbäder). Getreidespeisen, vor allem solche aus Weißmehl, aufs äußerste einschränken, noch besser ganz ausschalten, weil, Mehlspeisen vor allem, die Kohlensäureanhäufung noch fördert bzw. hervorruft. Die meist nach Mitternacht auftretenden Nachtschweiße sind das Zeichen des vorhandenen Nierenkatarrhes. Die Haut ist eine große dritte Niere und wird vom Organismus zur Ausscheidung mit herangezogen, wenn die Nieren nicht mehr richtig funktionieren. Der Schweiß, bzw. das Schwitzen ist der Gradmesser des Nierenzustandes.

Bei der Tuberkulose ist es unbedingt notwendig, daß *alle* Organe richtig funktionieren, in erster Linie die Harnorgane, dann Leber und Galle, damit der Krankheitsprozeß in der Lunge abheilen, diese gewissermaßen trocken gelegt und damit den Bazillen der Nährboden entzogen wird.

Für die innere Therapie kommen in Frage: **Kalium carb. D 4** und Salbeiblättertee zur Bekämpfung der Nachtschweiße; zur Anregung der Nierenfunktion **Berberis D 2, Solidago D 1–2,** und als biochemisches Funktionsmittel **Natrium phosph. D 6.** Auf die Leberfunktion wirken: **Bryonia D 3, Chelidonium D 3, Natrium sulf. D 6.** Bei Blähungen und Verstopfung **Lycopodium D 3–4.**

Direkt auf die Bazillen wirkt **Arsenicum jodatum D 4–6,** eine Gabe täglich, wenn Fieber vorhanden. Ferner wirkt stark desinfizierend **Kreosotum D 4** und **Jodum D 4.**

Bei Lungenblutungen **Millefolium D 2,** im Wechsel mit **Viscum album D 2** 1/4stündlich 6 Tropfen und 1/2stündlich 1 Teelöffel **Hamamelis-Extrakt.**

Als *Umstimmungs-* und *Konstitutionsmittel* **Tuberculinum D 100–1000–CM** in seltenen Gaben (monatlich eine Gabe), sowie **Bacillinum D 30–1000, Psoricum D 100–1000.**

Bei übelriechendem Auswurf und Atem **Sanguinaria D 3** im Wechsel mit **Phellandrium D 3.**

Bei hohem Fieber **Viburnum opulus D 3–30** und **Sambucus D 3–30.**

Und hier nun ein Beispiel eines Heilplanes von dem in Amerika verstorbenen homöopathischen Arzte Dr. Freiherr Ferd. v. Hohenstein bei einer Lungen- und Kehlkopftuberkulose, der, neben richtiger Diät, volle Heilung brachte:

Phosphorus D 30 + Calcium carbonicum D 12 dreistündlich eine Gabe im Wechsel. Nach 14 Tagen eine Gabe **Tuberculinum D 200** als Zwischenmittel. Später **Jodum D 4** vierstündlich 6 Tropfen, kurze Zeit; dann **Phosphorus D 30** und **Calcium carbonicum D 30** je eine Gabe täglich.

—. Tuberkulöse Erkrankungen der serösen Häute, Rippenfell, Lungenfell, der Lymphdrüsen im ersten und zweiten Stadium. Nierentuberkulose, Darmtuberkulose, Hauttuberkulose; Infiltrationen in den Lungen und Drüsen; tuberkulöse Exsudate, Ausschwitzungen im Brust-, Rippen-, Bauchfell; trockener Husten, kurz, quälend, fast gar kein Auswurf, oder schwer löslicher, zäher, fadenziehender, oder glasiger, oder weißlicher Auswurf; Abmagerung, große Schwäche, Erschöpfung. Verschlimmerung nach Mitternacht. **Arsenicum jodatum, Trit. D 4–6,** 2–3mal täglich eine Gabe, längere Zeit hindurch. (Das Mittel muß, weil nicht lange haltbar, möglichst frisch sein.)

—. Lungen-, Knochen-, Gelenk-, Drüsentuberkulose; Tuberkulose der Hoden. **Teucrium scorodonia** ∅ – **D 2,** 3–4mal täglich 6–10 Tropfen. Das Mittel hat sich empirisch bei Tuberkulose bewährt und verschiedentlich Fälle von Tbc. zur Ausheilung gebracht.

—, angeborene, oder erworbene, oder Disposition hierzu; schwere Erkrankungen jeder Art mit den verschiedenartigsten Symptomen und Beschwerden, die auf tuberkulöser, aber nicht als solche erkannter, Grundlage beruhen; bei erblich oder tuberkulös Belasteten. **Tuberculinum D 100–CM** und **Bacillinum D 200–1000** als *Konstitutions-Umstimmungsmittel* in seltenen Gaben (1–4wöchentlich eine Gabe).

—. Siehe auch Lungenkrankheiten.

Typhus

Typhus. Siehe Infektionskrankheiten.

Überempfindlichkeit

Überempfindlichkeit. Außerordentliche Überempfindlichkeit der Haut, kann keine Berührung vertragen; schmerzhafte Überempfindlichkeit bei Entzündungen oder Geschwülsten durch Bewegung, besonders wenn diese eine bläulich-rote Farbe annehmen. **Plumbum D 200–30.** (Nash berichtet auf Seite 222 seines Buches: „Leitsymptome" ... von einer völligen Heilung einer postdiphtherischen Lähmung der Beine mit einer Gabe Plumbum D 40 000 auf Grund des erstgenannten Symptomes.)

— des Nervensystemes gegen leiseste Berührung, selbst die Haare tun weh, aber seltsamerweise starker Druck lindert. **China D 2–6–30.**

—, das geringste Geräusch erschreckt; Überempfindlichkeit gegen Arzneien; Überempfindlichkeit gegen Äußerungen, ist gleich beleidigt. **Nux vomica D 30–200–6.**

—. Außerordentliche Empfindlichkeit gegen Schmerzen, gegen Berührung, gegen kalte Luft; nervöse, geistige Überempfindlichkeit, ist leicht gereizt, wird heftig und aufbrausend. **Hepar sulfuris D 6–10–30.**

Unruhe

Unruhe. Ängstliche, nicht zu beruhigende Ungeduld, Hitze mit Durst, trockener, heißer Haut, voller Puls bei Entzündungsfiebern; ist außer sich, wirft sich in Todesangst hin und her. Unbeschreibliche, grundlose, stete Unruhe und Angst; Angst daß sich etwas ereignen könnte. Unerträgliche Schmerzen jeder Art und gleich wo, wenn sie von Unruhe, Angst und Furcht begleitet sind; schlimmer gegen abend und nachts. **Aconitum D 4–6.**

—, große, mit großer Schwäche, die geringste Bewegung erschöpft sehr, trotzdem verlangt die Unruhe wiederholt Stellungs- oder Lagerwechsel; Todesfurcht, oder Besorgnis, oder das Gefühl, daß alle angewandten Mittel nutzlos seien, weil die Krankheit unheilbar sei und es doch zum Sterben komme. – Ganz gleich wie eine Krankheit auch heißen mag, wenn *große, beständige Unruhe* und *große Schwäche* vorhanden ist, dann denke man an **Arsenicum album D 6–15–30.** Die Hauptsymptome dieses Mittels sind: Außerordentliche *Unruhe*, *Erschöpfung*, *Brennen* und *Verschlimmerung gegen Mitternacht.*

— mit dem Drang sich ständig zu bewegen, weil Bewegung Besserung und Linderung bringt, dagegen Ruhe Verschlimmerung. Das Motiv der mäßigen Unruhe ist also die Besserung durch Bewegung. Diese Erscheinungen treten am häufigsten bei akuten und chronischen Rheumatismus, Hexenschuß, Hautkrankheiten, Gesichtsrose, Scharlach auf, bei welchen

Krankheiten **Rhus toxicodendron D 4–6–10** ein ganz hervorragendes Mittel ist. (Nash nannte Aconitum, Arsenicum album und Rhus tox. die Mittel der „Unruhe-Trias“.)

—. Ständige Unruhe, kann nicht einen Augenblick ruhig sitzen, ruhen oder stehen; fürchtet das Alleinsein, ist ängstlich im Dunkeln, bei Gewittern; Gefühl von Brennen; anfangs Überempfindlichkeit aller Sinne mit langsam fortschreitendem *Verlust* der Empfindlichkeit. **Phosphorus D 200–100–30–12.** Das tief eingreifende Mittel auf Nervensystem, Gehirn und Rückenmark.

—. Unruhige Hände und Finger, der Patient muß fortwährend mit ihnen tätig sein oder spielen; allgemeine Erregung des Nervensystems mit folgenden Lähmungserscheinungen; Schlaflosigkeit, Aufschrecken aus dem Schlafe, Krämpfe und Zuckungen. **Kalium bromatum D 12.**

—. Unruhe und Schlaflosigkeit, Beängstigung; rheumatische Schmerzen treiben den Patienten aus dem Bett und bewegen ihn hin und her; das Kind kann nur durch umhertragen beruhigt werden; Patient ist schlecht gelaunt, ärgerlich, boshaft; Empfindlichkeit gegen an sich unwesentliche Schmerzen. **Chamomilla D 30–200.**

—. Unaufhörliches Unruhegefühl in den Beinen und Füßen, Händen, Fingern, muß sie fortwährend bewegen; krampfhaftes *Zucken* in Muskeln; allgemeines *Zittern*, verliert die Herrschaft über seine Bewegungen; Schwäche, Erschöpfung. **Zincum D 200–100–30.** Ein wichtiges Mittel bei Gehirnerkrankungen.

Urin

Urin, spärlich, dunkelbraun, *sehr intensiver Geruch*, dieser Geruch erscheint beim Harnen und hält lange an; fürchterlicher Geruch ohne jeden Bodensatz, meist im Zusammenhang mit Rheuma, Gicht, Wassersucht, Gebärmutterleiden und anderen Krankheiten. **Acidum benzoicum D 2–4.**

—. Weißer, sandiger Bodensatz mit spärlichem, schleimigem oder flokkigem Harn, bei Nierenleiden, Nierenkolik, bei chronischem Rheumatismus. Hauptsymptom: Heftiger, fast unerträglicher Schmerz gegen Ende des Harnens, häufig gleichzeitig starker Harndrang; Abmagerung, vorwiegend am Halse mit Faltenbildung daselbst. **Sarsaparilla D 1–4.**

—. Blasser, reichlicher Urin; plötzlicher, heftiger Harndrang; Bettnässen während des ersten, sehr tiefen Schlafes; Urin kann nur im Liegen gelassen werden. **Kreosotum D 4–6–200.**

—. Reichlichen, blassen Urin, der, wenn er eine Zeitlang steht, milchig wird, in Verbindung mit Wurmsymptomen. (Siehe diese unter Würmer.) **Cina D 1–3–30–200.**

—. Urin *sehr übelriechend*, rötlich oder auch blutig, Bodensatz wie gebrannter Lehm; Druck auf die Blase mit häufigem Urinieren und aufgetriebenem Bauch; Bettnässen bei Kindern während des ersten Schlafes. **Sepia D 6–15 –30–200.**

—. Dunkler bis schwärzlicher Urin mit üblem Geruch, eiweißhaltig mit wassersüchtigen Anschwellungen von bläulich-schwärzlicher Farbe. **Lachesis D 15–30–200.**

—. Häufiger Abgang großer Mengen Urin mit niederem spez. Gewicht von 1001–1010, bei hysterischen, oder Gemütssymptomen, Kummer, Seufzen, wechselnden Stimmungen. **Ignatia D 30–15–6.**

—. Reichlicher, heller, wässeriger oder milchig-flockiger Urin (Ausscheidung von Phosphaten) weist auf allgemeine, nervöse Depressionen oder Nervenüberreizung hin. **Acidum phosphoricum D 3–6.**

—. Dunkler Urin, der wie Pferdeharn riecht. **Acidum nitricum D 3–6.**

—. Unangenehmer, widerlicher Geruch des Urins mit *trübem* Bodensatz. **Berberis D 2–4.**

—. Unangenehmer, widerlicher Geruch des Urins mit *weißem* Bodensatz. **Calcium carbonicum D 4–12–30.**

—. *Roter Sand* – nicht das rötliche Ziegelmehl-Sediment, sondern ein sandiges, grießiges Sediment – das sich im sonst klaren Urin im Grunde absetzt. **Lycopodium D 6–12–30–200.**

—. Spärlicher Urinabgang, oder ganz verhalten, zuweilen Kaffeesatzähnliches Sediment, meist bei schweren Gehirnkrankheiten im vorgeschrittenen Stadium. (Siehe Gehirnleiden Helleborus.) **Helleborus D 30–200.**

Venen-Erkrankungen

Venen-Erkrankungen. Venenentzündung, Venenerweiterungen, Schmerzhaftigkeit im Verlauf der Venen, wie zerschlagen. **Hamamelis D 1–3.**

—. Hochgradige Venenentzündung und Stauungen mit Spannungen im Verlauf der Venenstränge. **Lachesis D 15** sofort oder als Zwischengabe, am wirksamsten als Injektion subkutan. Dann **Apis D 3** im Wechsel mit **Hamamelis D 1–3.** Bei bösartigen Erscheinungen **Chininum arsenicosum D 4.**

—. Krampfadern, *rechtsseitig*, als Hauptmittel **Carduus marianus** ∅ – **D 3** 2–3stündlich 8–10 Tropfen; *linksseitig* **Ceanothus D 2–3.** Am besten gibt man bei Krampfadern beide Mittel im Wechsel, längere Zeit hindurch. Bei heftigen Schmerzen und bei dicken spannenden Knoten **Calcium fluor. D 12–20** und **Acidum fluor. D 6** im Wechsel mit **Collinsonia D 2,** ganz besonders bei Schwangerschaft. Später das Lebermittel **Lycopodium D 6–12** im Wechsel mit **Avena sativa D 3** einschalten.

—. Krampfadern, Krampfadergeschwüre, Verhärtungen, Venenknoten und Stauungen, Erschlaffung der Blutgefäße, Eiterungen, Fisteln. **Calcium fluoricum D 12.** Das Mittel wirkt sehr langsam und ist in einzelnen Gaben – wöchentlich 2–3mal – lange Zeit hindurch zu geben.

—, siehe unter Krampfadern.

—. Venenentzündung; weiße Schenkelgeschwulst bei Wöchnerinnen, Thrombose, Krampfadern, Krampfadergeschwüre, die immer wieder aufbrechen und eitern; Stechen und Brennen längs der Venen; Gefühl als wolle das Bein platzen; Verhärtungen der Venen; Herzschwäche mit blauen Lippen; große Angst mit Drang und Enge zum Herzen; Abmagerung und Schwäche. **Vipera Berus D 15–30.**

Veitstanz

Veitstanz. Siehe Nervenkrankheiten.

Vergeßlichkeit

Vergeßlichkeit. Siehe Gedächtnis.

Verdauungsstörungen

Verdauungsstörungen mit den Symptomen: schlechter Geschmack im Munde, besonders frühmorgens, oder nichts schmeckt, oder überhaupt kein Geschmack; große Trockenheit des Mundes morgens, mit *wenig oder gar keinem Durst; verdorbener Magen durch schwere* oder *zu fette Nahrung; Gefühl als ob ein Stein im Magen läge;* Übelkeit und Erbrechen abends und nach dem Essen; Leitsymptome: „Besser in kalter Luft und durch Kälteanwendung." „Verschlimmerung durch Wärme und warme Speisen." **Pulsatilla D 6–12–30.** Paßt besonders gut für Frauen (Pulsatilla-Temperament).

—. *Gefühl als ob ein Stein im Magen läge,* mit wenig Durst; schlechter, *saurer Geschmack* im Munde; *Übelkeit* und *Erbrechen* nachmittags und nach dem Essen; fühlt sich *schlechter morgens nach dem Erwachen, nach geistiger Anstrengung, nach dem Essen, in kalter Luft.* **Nux vomica D 6–12–30.**

— mit den Hauptsymptomen: Zunge dick, milchweißer Belag; Magenstörungen durch Überessen, mit viel Übelkeit und Unbehagen; Aufstoßen schmeckt nach den genossenen Speisen; Brechreiz; Verstopfung abwechselnd mit Durchfall, häufig bei alten Leuten. Modalitäten: die Beschwerden werden *durch Hitze,* besonders durch Sonnenhitze, *verschlimmert,* aber *auch kalte Wasseranwendungen verschlimmern* den Zustand oder rufen ihn hervor. **Antimonium crudum D 3–6.**

— mit den Symptomen: saures Aufstoßen, saures Erbrechen geronnener Milch, saure Durchfälle, sogar saurer Geruch des ganzen Körpers; der Durchfall ist nach Farbe und Konsistenz verschieden und *nachmittags schlimmer;* der Magen ist geschwollen und erscheint nach oben ausgedehnt (Flatulenz); der Unterleib ist durch das geschwollene Eingeweide und Gekröse sehr aufgetrieben, selbst wenn der übrige Körper sehr abgemagert ist. **Calcium carbonicum D 3–12–30,** ganz besonders dann, wenn es sich um den typischen Calcium-Typ handelt, also: bleiche, weiße Gesichtsfarbe, langsame, träge, schwerfällige Bewegungen, phlegmatisches Temperament.

—. Verdauungsstörungen mit folgenden Symptomen: trockene, ausgedörrte, aufgesprungene Lippen, unbeschreiblicher Durst – trotzdem kann der Patient nur wenig Wasser auf einmal vertragen. Die geringste Aufnahme von Nahrung oder Getränken macht im Magen oder Darm Beschwerden oder verursacht heftige Schmerzen mit Erbrechen oder Durchfall. Bei allen diesen Erscheinungen besteht *Brennen*, *Unruhe*, *Erschöpfung* mit *Verschlimmerung gegen Mitternacht. Besserung durch Hitzeanwendung.* **Arsenicum album D 12–30–6.**

—. Auftreibung des Bauches mit Rumpeln und Glucksen; schmerzlose, farblose oder gelblich-wässerige Stühle, ohne besondere körperliche Schwäche oder Erschöpfung. Leitsymptom: Depression und große Schwäche des Nervensystems. **Acidum phosphoricum D 6.**

—. Flatulenz; stark aufgetriebener Bauch, Gefühl wie vollgepackt, mit dem Verlangen Aufzustoßen, durch solches aber nicht im geringsten erleichtert; schmerzlose Durchfälle, wäßrig gelb, mit Blähungsabgang; Heißhunger meist charakteristisch, doch kann auch Appetitlosigkeit bestehen. **China D 2–6.**

—. *Übermäßige Blähungen im Magen.* Allgemeiner Meteorismus (Aufgetriebenheit); alle Symptome schlimmer beim Niederlegen; große, allgemeine Schwäche und Erschöpfung, Körper kalt, besonders die unteren Glieder, kalter Schweiß an den Gliedern, Atem kalt, Puls aussetzend, fadenförmig. **Carbo vegetabilis D 30–15–6.**

—. Übermäßige Blähung und Auftreibung, alles Essen scheint sich in Gase zu verwandeln; große Empfindlichkeit in der Magengegend, Gefühl als ob er platzen wollte; Vollheitsgefühl, Hitze und Spannung im Unterleib unmittelbar nach dem Essen; der Zustand verschlimmert sich beim Liegen auf der erkrankten Seite. **Kalium carbonicum D 6–15–30.** Das Mittel paßt gut für alte, geschwächte Leute.

—. Gefühl als ob ein Stein im Magen läge, mit *viel Durst*, schlechter, bitterer Geschmack im Munde; Übelkeit und Erbrechen; *Verschlimmerung bei Bewegung; Besserung durch Druck* auf die erkrankte Stelle; *außerordentliche Trockenheit der Schleimhäute* (Lippen, Mund, Nase) sind die charakteristischen Leitsymptome für **Bryonia D 4–6.**

—, siehe auch Magenkrankheiten und Darm.

Verhärtungen

Verhärtungen. Siehe Geschwülste.

Verfärbungen

Verfärbungen. Siehe Aussehen, Flecken, Röte.

Vergiftungen

Vergiftungen. Bei Anzeichen von Vergiftungserscheinungen durch Quecksilber, Jodkalium, Sublimat, Impfvergiftungen. **Hepar sulfuricum D 3.**

—. Bleivergiftung. Kennzeichen: Bleisaum, blaue Linie längs am Rande des Zahnfleisches. **Plumbum D 12–30.**

—. Bei allen Anzeichen irgendwelcher Vergiftungserscheinungen suche man zuerst festzustellen um welche Giftstoffe es sich handelt. Ist die Zufuhr durch Einnehmen, also über Magen-Darm erfolgt, dann sofort das Gift durch erzwungenes Erbrechen aus dem Magen herauszubefördern. Sind seit der Einnahme schon einige Stunden verstrichen und das Gift schon in den Darm gelangt, dann drastisches Abführmittel oder reichlich Rizinusöl einnehmen.

Bei *Säurevergiftungen* reichlich verdünnte Laugen, schleimige Getränke oder Magnesia-Kreide-Kalkwasser trinken.

Bei *Laugenvergiftungen*, Sauermilch, oder Zitronenwasser oder Essigwasser reichlich trinken.

— durch verdorbene Lebensmittel oder Pilze siehe unter Infektionskrankheiten: *die bakterielle Lebensmittelvergiftung* Seite 138. Ferner ebenfalls unter Infektionskrankheiten: *Die Sepsis*, Seite 136; sowie unter *Blutvergiftung* Seite 41.

Verletzungen

Verletzungen. Verletzungen aller Art, besonders Quetschungen, Erschütterungen durch Stoß oder Fall mit Zerschlagenheitsgefühl, alles worauf der Kranke liegt, erscheint ihm zu hart; Krankheitserscheinungen aller Art als Folge früherer Verletzungen; Blutergüsse, blaue Flecken unter der Haut. **Arnica D 3** bei frischen Verletzungen, **Arnica D 15–30–200** bei Folgen früherer Verletzungen. Arnica ist das beste innere Wundheilmittel.

Bei allen frischen Verletzungen sofort *feuchte Verbände* mit **Arnica Tinktur,** 1: 10 mit abgekochtem Wasser verdünnt. Auch **Calendula Tinktur** in derselben Verdünnung kann zur Anwendung kommen, auch beide Mittel kombiniert.

—. Blutunterlaufene Körperstellen nach Verletzungen, blaue Flecken von Stößen und Quetschungen, blaues Auge durch Schlag, Stoß oder Stich. **Ledum D 200–30.** Das Mittel paßt gut nach Arnica, wenn dieses aus irgend einem Grunde versagen oder doch nicht befriedigend wirken sollte.

—. Blutunterlaufungen nach Verletzungen besonders bei geschwächter Konstitution mit Neigung zu Blutzersetzung oder bei der Blutfleckenkrankheit. Leitsymptome: Entkräftung (Marasmus), saurer Geruch, Empfindung von innerlichem Zittern. **Acidum sulfuricum D 3–6.**

— und *Quetschungen* an Knochen und Knochenhaut mit dem Gefühl wie zerschlagen. **Ruta D 4–6.**

— der *Knochen, Knochenbrüche.* Neben der bei Knochenbrüchen erforderlichen chirurgischen Behandlung als inneres, die Callusbildung sehr förderndes Mittel, gibt man **Calcium phosph. D 6** und **Symphytum D 3** im Wechsel. Das Letztere wirkt auf die verletzte Beinhaut.

— *der Nerven* durch Stoß, Stich oder Fall bis zu den heftigsten Gehirn- und Rückenmarkerschütterungen. **Hypericum D 3** daneben im Wechsel als weiteres wichtiges Mittel **Euphorbium D 3.**

—. Rißwunden; tiefe, zerrissene, zackige, stark blutende Wunden mit oder ohne Substanzverlust; ferner Wunden solcher Art die vernachläsisgt sind und stark eitern. *Äußere Behandlung:* **Calendula-Tinktur** mit 10–15 Teilen abgekochten, lauwarmem Wasser verdünnt und feuchte Verbände anlegen. *Innerlich:* **Calendula D 3** im Wechsel mit **Silicea D 6–12,** je nach der Schwere der Verletzung 2–3–4stündlich.

—. *Verrenkungen, Verstauchungen:* **Arnica D 3–4** als Hauptmittel, daneben kann noch **Rhus toxicodendron D 6, Calcium carbonicum D 4–6** und **Nux vomica D 4–6** zum Einsatz kommen. Äußerlich feuchte Packungen mit **Arnica** ∅ 10: 1 mit Wasser verdünnt. Auch Lehm- oder Heilerdepakkungen am besten mit vorgenannter Arnicaverdünnung zu Brei angerührt, 2–3–4stündlich eine Packung, die 30–60 Minuten liegen bleiben muß, nie darf dabei der Lehm trocken werden.

—. Merke bei vorkommenden Verletzungen folgendes: Bestes inneres Wundheilmittel bei frischen Verletzungen, besonders bei Quetschungen ist **Arnica D 3–4;** bestes Wundheilmittel bei *glatten, scharfen Schnittwunden* ist **Staphysagria D 4;** bestes inneres Antiseptikum bei Verletzungen ist **Aconitum D 3–4;** bei infizierten Wunden **Apis D 3** im Wechsel mit **Echinacea** ∅ 1/2–1stündlich 7 Tropfen. Siehe auch Blutvergiftung Seite 41.

—. *Verbrennungen, Brandwunden.* **Echinacea** ∅ äußerlich, unverdünnt als Umschläge oder **Echinacea-Salbe,** beseitigt den Schmerz und fördert sehr die Heilung. Auch **Oleum hyperci** (Johanniskrautöl) als Verband angelegt, ist von gleicher Wirkung. Innerlich gibt man **Echinacea** ∅ **– D 1** 1–2stündlich 5–10 Tropfen in einem Löffel Wasser.

Bei *größeren Brandwunden* und *Verbrennungen* als innerliches Unterstützungsmittel: **Arsenicum album D 6, Causticum D 4–6, Salvia D 4** im Wechsel. Ist Entzündung eingetreten dann **Aconitum D 3–4** oder **Hypericum D 3** oder beide Mittel im Wechsel; bei eintretender Eiterung **Calendula D 3** und **Silicea D 3–4** im Wechsel.

—. Gegen alte Wunden, von Verbrennung herrührend, ist **Causticum D 6** ein sehr wirksames Mittel.

Vererbung

Vererbung. Siehe Konstitution.

Verstauchungen

Verstauchungen. Sofort Umschläge mit **Arnica-Tinktur.** Ein Eßlöffel voll Tinktur auf 1/2 Liter Wasser, Temperatur 20–22° C. Auch die oben unter Verrenkung angegebene Lehmpackung ist äußerst wirksam. Innerlich gibt man **Aconitum D 4** gegen die Entzündung, **Symphytum D 2** für die Beinhaut und **Thymus vulg. D 3** für Sehnen und Bänder, einstündlich im Wechsel. Ferner bei stechenden Schmerzen **Bryonia D 3–4.**

Verschlimmerung

Verschlimmerung. Siehe „Modalitäten".

Verstopfung

Verstopfung. Hartnäckige Stuhlverstopfung. Stühle unregelmäßig, hart, wie Schafkot, oder in großen Stücken abgehend; Trockenheit der Schleimhäute; Stechen im Mastdarm, schlechte Laune verursachend; Trägheit des Darmes ohne Schmerz; schwieriger, harter Stuhl mit Afterriß und Blutung und Gefühl von starker Wundheit; *Hämorrhoiden;* bei Addisonscher Krankheit, Erkrankung der Nebennieren, auch *Bronzekrankheit* genannt. **Natrium muriaticum D 6–12.**

— infolge mangelhafter Tätigkeit oder Lähmungszustand des Mastdarmes; Gefühl als ob ein Knollen oder Pflock im After wäre, der herausdrükken möchte. **Anacardium D 6–30.**

—. *Untätigkeit des Mastdarmes,* selbst weicher Stuhl erfordert große Anstrengung, es besteht kein Drang oder Verlangen nach Entleerung. **Alumina D 10–30–200.** Das Mittel paßt gut für dürre, magere Personen, bei bleichsüchtigen, blutarmen Menschen und bei kleinen Kindern. **Bryonia D 6–15–30** ist Ergänzungsmittel mit ähnlichen Symptomen.

—. Häufiger und erfolgloser *Stuhldrang,* oder *Abgang sehr geringer Mengen Kot; ungenügende Entleerung* infolge mangelhafter Peristaltik. Besonders bei dunkelhaarigen Personen mit braunen Augen, aufgetriebenem Bauch, belegter Zunge; *Hämorrhoiden.* **Nux vomica D 6–15–30–200.**

—. Stuhl hart, trocken, bröckelig, zuweilen mit Schleim überzogen, wird schwer entleert. Weinerliche, verdrießliche Stimmung; Verschlimmerung abends und nachts. **Amonium muriaticum D 3–4.**

—. Harte, knotige, bröckelnde, ungenügende Stühle; aufgetriebener, harter Bauch; Neigung zu Krämpfen; Verschlimmerung in der Ruhe, durch essen; Besserung bei Bewegung und im Freien. **Magnesium muriaticum D 30–15–4.**

— durch Sekretionsmangel, Stuhl *trocken, hart,* kein Drang; Verschlimmerung durch Bewegung; Besserung durch Druck. **Bryonia D 4–6.**

—. Hartnäckige Verstopfung mit Stuhldrang; Verstopfung bei Schwangeren; Stühle haften am After wie weicher Lehm. Leitsymptome: Überhebliches, stolzes, herablassendes Benehmen; große Empfindlichkeit; hysterische Aufregungszustände im Zusammenhang mit dem Geschlechtstrieb; Verschlimmerung in der Ruhe, im Zimmer und abends. **Platinum D 4–6–12.** Hauptsächlich Frauenmittel.

—. *Verstopfung abwechselnd mit Durchfall*, meist bei alten Leuten; Durchfall mit unverdauten Speiseresten; gleichzeitig feste und flüssige Ausleerungen; Magendrücken; Verschlimmerung durch Hitze, nach dem Essen, nach kalten Wasseranwendungen. **Antimonium crudum D 4–6.**

—. Atonie bzw. Lähmung des Darmes, die Peristaltik ist vollständig aufgehoben; oder Untätigkeit des Darmes infolge Erschlaffung und bei Verkrampfung mit trockenem, knolligem Stuhl; es besteht kein Verlangen oder Drang nach Stuhlgang. **Opium D 8–30** im Wechsel mit **Nux vomica D 4.**

— durch mangelhafte Peristaltik, kolikartigen, heftigen Schmerzen, eingezogener Bauch, dieser hart mit Schmerz um den Nabel; Verstopfung mit harten, trockenen, schwarzen Kotballen; Verschlimmerung durch Kälte, Essen, nach und durch leichten Druck; Besserung durch starken Druck, Wärme. **Plumbum D 30–15–10.**

—. Chronische, hartnäckigste Verstopfung, alle 1–2 Wochen *nur einmal* Stuhlgang auf starke Abführmittel. (Ein interessantes Beispiel einer solchen, schon zwei Jahre bestehenden, Verstopfung und ihre vollständige Heilung innerhalb eines Monats, bringt Nash in seinem Buche auf Seite 323.) **Collinsonia canadensis D 6–30–200.** Das Mittel ist auch sehr wirksam gegen *Hämorrhoiden*, vor allem solche mit Blutungen; ferner bei *Darmkoliken.*

—. Plötzlich eintretende, hartnäckige, einige Tage anhaltende Stuhlverstopfung mit Auftreibung des Bauches und Gefühl als ob sich im Bauche etwas bewege; chronische Verstopfung, harte, dunkle, oft auch sehr große Kotballen; der Stuhl schlüpft sehr gern wieder zurück. **Thuja D 6–15–30.** Das Mittel paßt gut für die lymphatische Konstitution, siehe diese unter Konstitution.

—. Chronische Verstopfung, oft mit Hämorrhoiden und Blähungsbeschwerden einhergehend; chronischer Magenkatarrh mit dumpfem Schmerz und ohnmächtiges Schwächegefühl. **Hydrastis D 1–4.** Das Mittel paßt gut für alte Leute, bei Dyskrasie (Blutentmischung), Krebsneigung, da es ein Säfte verbesserndes Mittel ersten Ranges ist.

—. Häufiger, vergeblicher Stuhldrang mit heftigem Schmerz durch Anstrengung und Gesichtsröte; erschwerter Stuhlgang durch *Hämorrhoiden*, juckend, brennend, schmerzend, wund; Verschlimmerung durch Gehen, durch lautes Sprechen. **Causticum D 6–15–30.**

—. Verstopfung bei Frauen während der Schwangerschaft oder bei gleichzeitig vorhandenen Unterleibsleiden. **Sepia D 6, Graphites D 3–4.**

—. Verstopfung bei *Blinddarmreizung.* **Bryonia D 3,** besonders bei blonden, blauäugigen Personen; **Nux vomica D 4** bei braunäugigen.

—. Anhaltende, hartnäckige Stuhlverstopfung **Lycopodium D 6,** in chronischen Fällen **Lycopodium D 30** und öfters eine Zwischengabe **Sulfur D 30,** besonders bei gichtischer Anlage und bei Nieren-, Blasen- und Unterleibsleiden.

—. Chronische Stuhlverstopfung, besonders mit Kopfschmerzen und Blähsucht verbunden; trockener, schwer zu entleerender Stuhl mit Neigung zu Vorfall des Mastdarmes; diese Erscheinungen treten besonders bei Leber- und Gallenleiden auf. **Podophyllum D 2–6.**

Visionen

Visionen bei Epilepsie und Geisteskrankheiten beseitigt **Stramonium D 6–30–200.** Das ist eines der wirksamsten Mittel bei seelischen Gemütsstörungen und bei Manien aller Art.

—. Siehe auch Geistes- und Gemütssymptome.

Vorsteherdrüse

Vorsteherdrüse. Vergrößerung und Schwellung der Vorsteherdrüse (Prostata-Hypertrophie); Ausfluß von Saft der Drüse; Kältegefühl in den Genitalien; Harnverhaltung infolge Schwellung der Drüse; Harndrang, Schmerzen in den Hoden und Nebenhoden; Blasenentzündung als Folge von Prostata-Hypertrophie. **Sabal serrulata ∅ – D 3.**

—. Vergrößerung der Vorsteherdrüse; unwillkürliche Unterbrechung des Harnstrahles ist sehr charakteristisch für **Conium D 4–6.**

—. Prostatahypertrophie alter Männer, mit Harnträufeln; Harn riecht fürchterlich, ist aber ohne jeden Bodensatz; der Harn in der Kleidung riecht aufdringlich und breitet sich aus. **Acidum benzoicum D 3–6.**

—. Beschwerden oder Entzündungen der Vorsteherdrüse bei älteren Männern mit häufigem Harndrang und Harnträufeln; große Mengen zäher Schleim im Urin. **Staphisagria D 4–6.**

—. Beschwerden oder Leiden der Vorsteherdrüse mit schmerzhaftem, anhaltendem Drang in der Blase. **Pulsatilla D 4–6.**

—. Prostatahypertrophie mit Verstopfung; Beschwerden mit dem Gefühl der Anschwellung im Darm oder After, als ob man auf einem Ball säße; akuter oder chronischer Blasenkatarrh mit spärlichen, trüben, übelriechenden Harn; Harndrang, Brennen während des Harnens. **Chimaphila umbelata D 2–3,** wenn große Mengen Schleim-Harn. **Cannabis D 6.**

Wadenkrämpfe

Wadenkrämpfe. Siehe Krämpfe.

Warzen

Warzen. Kondylome (Feigwarzen); blutige schwammige Wucherungen; Hautmale. **Thuja D 30–200.**

—. Runde, glatte Warzen. **Causticum D 4,** eines der besten Mittel neben Thuja.

—. Feigwarzen, oder blumenkohlähnliche Auswüchse, gleich, wo sie auch auftreten. **Staphysagria D 200–30.**

—. Warzen an Händen und Gesicht. Ein in vielen Fällen sehr wirksames Mittel ist **Carduus marianus D 6.**

—. Bei allen hartnäckigen Fällen von Warzen als Zwischengabe **Sulfur D 6–12.**

—. Als weiteres Mittel bei Warzen kann noch **Acitum nitricum D 4–6** in Betracht kommen.

Wasserkopf

Wasserkopf. Ausgedehnte Kopfschweiße; offene Fontanellen. **Calcium carbonicum D 30–15–6.** Siehe auch unter Konstitution.

—. Wasserkopf mit brennenden, stechenden Schmerzen. **Apis D 6.**

—. Wasserkopf auf tuberkulöser Grundlage oder bei erblicher Belastung. **Tuberculinum D 200–1000.**

Wassersucht

Wassersucht. Diese ist keine Krankheit an und für sich, sondern stets das Symptom von Krankheiten oder Funktionsstörungen verschiedener Organe, besonders aber des Herzens, der Nieren und Leber. Man forsche also bei allen wassersüchtigen Erscheinungen nach dem Grundleiden, behandle dieses und setze nach den Leitsymptomen die entsprechenden Mittel ein, wie sie im folgenden beschrieben sind.

Zur Ausscheidung des angesammelten Wassers sind Kräuter in Pulverform oder als starke Aufgüsse oder Abkochungen von großem Nutzen, wobei sich folgende Kombinationen sehr bewährt haben: Attichwurzel, Goldrute, Zinnkraut, Löwenzahnwurzel, Holunderblüten und Rosmarin in Mischung zu gleichen Teilen.

Als wassertreibende Kräuter, die einzeln eingesetzt werden, sind als sehr wirksam zu empfehlen: Birkenblätter, Bohnenhülsen, Petersilienwurzel und die Blüten von Wiesengeisblatt (Flores spiraea ulmaria) als Tee in starkem Aufguß zubereitet.

Trockendiät, Entziehung des Kochsalzes, heiße Kompressen oder aber rohe, zerquetschte Zwiebel als Auflage auf die Nierengegend, sind weitere wichtige Hilfsmittel zur Unterstützung jeder Therapie.

—. Herzwassersucht, besonders bei Frauen, mit den Symptomen: Schmerzen im Unterleib mit Herzklopfen. **Convallaria D 2–6.**

—, als Folge von Herz- und Nierenleiden; blasses, gedunsenes Gesicht mit kaltem Schweiß oder kann überhaupt nicht schwitzen. Außerordentlich großer Durst mit Übelkeit und Brechreiz; schmerzlose Durchfälle, herausschießend, wässerig, reichlich, mit Abgang von Blähungen. **Apocynum ∅ – D 1** im Wechsel mit **Apis D 3.**

—. Wassersucht bei spärlichem Urinabgang, *kein Durst*, Wärme wird unangenehm empfunden; teigige Schwellungen; Ausgangspunkt die Nieren. **Apis D 3,** zweistündlich 8 Tropfen. Wenn der Patient immer Durst und Verlangen nach kleinen Schlucken Wasser und Angst gegen Mitternacht hat, die Beschwerden durch Wärme gelindert werden und außerdem das Herz in Mitleidenschaft gezogen ist, kommt noch **Arsenicum album D 4–6** hinzu. Als Zwischengabe öfters **Scilla D 1–3.**

—. Brustwassersucht infolge Herzleiden mit dem charakteristischen Symptom: Verschlimmerung gegen 3 Uhr früh. **Kalium carbonicum D 200–30.** (Nash bringt in seinem Werk Seite 87 ein sehr interessantes Beispiel über die Wirkung des Mittels in Hochpotenz.)

—. Wassersucht infolge Leberleiden. **Bryonia** ∅ 20 Tropfen in $^1/_8$ Liter Wasser, tagsüber schluckweise, bis Harnabgang zunimmt, im Wechsel mit **Carduus marianus** ∅, ebenfalls 20 Tropfen in Wasser und in der gleichen Weise. Sobald der Wasserabgang nachläßt, beide Mittel wieder im Wechsel bis zum Erfolg einsetzen.

—. Allgemeine Hautwassersucht, Haut blaß, wachs- oder erdfarbig, mit starkem Durst. **Arsenicum album D 6–12.**

—. Hautwassersucht, mit den Symptomen: Trockenheit der Schleimhäute, oder Gefühl solcher; Herzflattern, Herzklopfen; Niedergeschlagenheit, Zuspruch verschlimmert. **Natrium muriaticum D 200–30.**

—. Brust- und Bauchwassersucht mit folgenden Symptomen: Brennen oder Schmerzen in der rechten Brust bis zum Schulterblatt; Atemnot, schneller, kurzer Atem, kann nicht liegen; wäßrige Stühle mit Brennen und Wundheit des Afters; großer Harndrang, aber dunkler, spärlicher Urin, oder heller Urin der sich trübt mit Schaumbildung. **Mercurius sulfuricum D 4–6.**

—. Wassersucht, allgemeine; ödematöse Anschwellungen mit blauschwarzer Färbung, dunklem, schwärzlichem, übelriechendem Urin mit Eiweiß. **Lachesis D 15–30.**

—. Wassersucht nach Scharlach, Urin spärlich oder ganz verhalten, zuweilen kaffeesatzähnlicher Niederschlag. **Helleborus D 30–200.**

—. Bauchwassersucht nach Brechdurchfall, mit Übelkeit, blassem Gesicht, **Apis D 3** im Wechsel mit **Ipecacuanha D 4,** zweistündlich 8–10 Tropfen.

—. Eierstockswassersucht. **Apisinum D 4–6.**

—. Weitere Mittel für Wassersucht entsprechend den Symptomen: Bei Gehirn-, Brust-, Bauch-, Hodenwassersucht, mit *außerordentlich langsamem Puls* und blaurotem Gesicht und Lippen. **Digitalis D 3–2;** bei spärlichem dunkelbraunem, fürchterlich riechendem Urin, ohne jeden Bodensatz. **Acidum benzoicum D 2–4.** Wassersucht mit Ekel vor dem Geruch kochender Speisen, oder heftiges Brennen und eisiger Kälte im Magen. **Colchicum D 6.**

—. Siehe auch Ergüsse.

Wechseljahre

Wechseljahre der Frau. Siehe Blutandrang Seite 37, Frauenkrankheiten Seite 65–73.

Wucherungen

Wucherungen, blutende, schwammige; Feigwarzen; Hautmale. **Thuja D 30–200.**

—. Blumenkohlähnliche Auswüchse und Wucherungen, besonders an Schleimhäuten. **Staphysagria D 200.**

—. Polypen in der Nase. **Marum verum D 1–4.**

—. Siehe auch Geschwülste.

Wunden

Wunden. Siehe Verletzungen.

Würmer

Würmer. Spulwürmer und Beschwerden die von solchen herrühren. Hauptsymptome sind: Unruhe nachts, Schreien im Schlafe; glühende Röte auf beiden Backen abwechselnd mit einem blassen, kränklichen Gesicht mit dunklen Ringen um die Augen; oder rotes Gesicht mit starker Blässe um Mund und Nase; Heißhunger wechselnd mit völliger Appetitlosigkeit; reichlicher Harnabgang von blasser Farbe, welcher milchig wird, wenn er eine Weile steht. **Cina D 200–30–6.**

—. Spulwürmer. Symptome: Gesicht häufig auf der einen Seite rot und heiß, auf der anderen Seite blaß und kalt; das Kind bohrt und stochert fortwährend in der Nase, knirscht im Schlafe mit den Zähnen; Gefühl des Erstickens mit Husten; eigensinnig und launisch, weiß nicht, was es will. **Chamomilla D 30–200–6.**

—. Spulwürmer, wenn Krämpfe, Zuckungen, Zittern als Begleitsymptome dabei auftreten **Cuprum D 6–12.** Zur Verbesserung der Konstitution und um den Würmern den Boden ihres Gedeihens zu entziehen gibt man **Calcium carbonicum D 6** im Wechsel mit **Sulfur D 6–12.**

—. Spulwürmer. Ein sehr gutes Mittel gegen diese ist **Marum verum ∅ – D 3,** das in vielen Fällen, wo alle Mittel zu versagen scheinen, noch prompt geholfen hat.

—. Madenwürmer. **Mercurius sublimatus corrosivus D 6,** 1–2mal täglich eine Gabe. Eine sehr zweckmäßige und wirksame Bekämpfuung sind ferner Knoblauch in Milch abgekocht und abgeseiht als Klistiere, mehrmals durchgeführt in 2–3tägigen Abständen.

—. Bandwürmer. Ein natürliches Mittel um den Bandwurm zu vertreiben ist folgendes: Zunächst 1–2 Tage Fasten. Wer das nicht fertig bringt, esse zwei Tage lang nur rohes Sauerkraut, morgens, mittags und abends etwa 300 Gramm. Am dritten Tag früh nüchtern nimmt man eine ordentliche Portion rohes Sauerkraut mit viel Knoblauch, fein gewiegt, ein. Dann folgen 60 Gramm zerstoßene Kürbiskerne mit Preiselbeeren gemischt.

Nach etwa zwei Stunden nimmt man 2–3 Eßlöffel Rizinusöl ein, bleibt zu Hause und wartet der Dinge, die da kommen werden. Der kommende Stuhl ist durchzuwaschen und nach dem Bandwurm zu fahnden und vor allem darnach zu sehen, ob der etwa Stecknadelkopfgroße Kopf des Bandwurms mit dabei ist. Ist dies der Fall, hat man den Wurm endgültig los; fehlt jedoch der Kopf und sind nur Glieder des Bandwurms abgegangen, dann muß man die Kur nach geraumer Zeit wiederholen.

—. Bandwurm. Eine andere Bandwurmkur ist die folgende: Man zerstampfe möglichst fein 20 trockene Kürbiskerne, 10 entsteinte Pflaumenkerne, und vermische diese mit 200 Gramm Preiselbeermarmelade. Man nehme von dieser Mischung 8 Tage lang morgens nüchtern einen Eßlöffel voll ein, esse aber sonst nichts, auch keinen Kaffee, bis zum Mittag.

Zähne

Zähne. Zur Förderung der Zahnbildung und Durchbruch der Zähne bei kleinen Kindern gebe man **Calcium carbonicum D 6,** ganz besonders bei solchen, die dem Calcium-Typ angehören, wie unter Konstitution näher beschrieben.

—. Die biochemischen Mittel zur Zahnbildung sind **Calcium phosphoricum D 6, Silicea D 6–12, Calcium fluoratum D 12** und **Magnesium phosphoricum D 6.** Dies sind die Substanzen, aus denen die Zähne aufgebaut sind. Schwangere Frauen sollten von Beginn der Schwangerschaft an diese Mittel im Wechsel laufend einnehmen, dreimal täglich eine Tablette je Mittel, trocken auf der Zunge zergehen lassen. Dadurch wird das Ausfallen der Zähne und der Haare, welches oft bei Frauen nach der Geburt beobachtet wird, vermieden. Und warum fallen die Zähne und Haare aus bei den Frauen nach Geburten? Weil der mütterliche Organismus nach dem Gesetz der Erhaltung der Art, dem werdenden Kinde unter allen Umständen die genannten Substanzen zuführt, die zum Knochenaufbau des Kindes benötigt werden. Fehlen in der Nahrung der Schwangeren – was häufig der Fall ist – diese Substanzen oder ist die Zufuhr ungenügend, dann entnimmt in weiser Fürsorge der Organismus aus den Knochen und Zähnen der Mutter eben einfach das erforderliche Baumaterial heraus und verwendet es zum Knochenaufbau des Kindes, ohne jede Rücksicht auf Leben und Substanz der Mutter. Das ist die alleinige Ursache des Ausfallens der Zähne und der Haare nach Geburten.

Natürlich sind die genannten Mittel bei Kindern vom Kleinsten bis zum Größten zum Aufbau und Erhalt der Zähne und Knochen von außerordentlicher Wichtigkeit und da unsere Nahrung in der üblichen Zubereitung sehr arm an diesen Aufbaustoffen ist, ist es geradezu Erfordernis, den Kindern die genannten Mittel in der beschriebenen Weise, regelmäßig zuzuführen.

—. Beschwerden und Krankheiten während der Zahnung bei Kindern mit dem charakteristischen Symptom: *Unwiderstehliche Neigung, die Zähne bzw. die Gaumen zusammenzubeißen,* beseitigt prompt **Phytolacca D 6–12.**

—. Die Zähne werden, sobald sie kommen, am *Wurzelhals* stockig, die Krone bleibt oben gesund. **Thuja D 4–6.**

—. Schlechte Zahnbildung, Erkrankungen der Zähne mit Zerfallserscheinungen, Zahnschmerzen, Fistelbildung, Eiterung. **Calcium fluoricum D 12.** Ein sehr langsam, aber nachhaltig wirkendes Mittel, das monatelang, wöchentlich 2–3 Gaben, gegeben werden muß. Es ist ratsam, daneben noch **Silicea D 12,** jeden zweiten Tag dreimal eine Tablette mit einzuschalten.

Zahnfleischerkrankungen

Zahnfleischerkrankungen. Die gefürchtetste und schwerste Zahnfleischerkrankung ist der Zahnfleischschwund die sogenannte Paradendose mit folgendem Krankheitsbild: Zahnfleisch entzündet, blutet bei der geringsten Berührung und macht das Kauen beschwerlich. Oft tritt bei Druck auf das Zahnfleisch Eiter aus. Das Zahnfleisch schwindet nach und nach, der Zahn wird frei bis zum Zahnhals, ja bis zur Wurzel, verliert seinen Halt, wird wackelig und fällt zuletzt aus. Das Röntgenbild zeigt, daß auch der Kieferknochen geschwunden ist, so daß der Zahn oder die Zähne jeglichen Halt verlieren und schließlich ausfallen.

Die Paradendose ist ein bedenkliches Symptom einer langsam fortschreitenden Degeneration der heutigen Menschheit. In meinen Schriften: „Der Weg zur Gesundheit" und „Eine besinnliche Stunde" habe ich mit folgenden Worten mit Nachdruck auf diese Degeneration hingewiesen:

„Als erste und grundlegende Ursache der Krebskrankheit – wie aller Krankheiten überhaupt – sehe ich die Abkehr von der natürlichen, ungekochten Nahrung an, die dem Menschen, der nach Anlage von Gebiß und Verdauungsorganen unzweifelhaft zur Gattung der Fruchtesser zählt, von Natur aus zugedacht ist, aber im Laufe der Jahrhunderte durch Kochkunst, Küchen- und Nahrungsmitteltechnik und den gastrischen Errungenschaften der Kultur und Agrikultur, durch Alkohol- und Tabakgenuß und sonstiger zweifelhafter Ge‚nüsse' auf den heutigen Zustand umgebildet wurde . . ."

Die Paradentose ist also in erster Linie eine Kulturkrankheit, eine Mangelkrankheit und hauptsächlich durch den Vitamin C-Mangel ausgelöst. Die Therapie hat also nach dieser Richtung hin einzusetzen und sie heißt daher: *zurück zur Natur*, bezüglich der Ernährung und Lebensführung, wie ich es in meinem Werke „Der Weg zur Gesundheit" ausführlich dargelegt habe. Einen anderen Weg gibt es für diese Krankheit nicht; es gibt keine „Mittel", weder homöopathische, biochemische noch allopathische, die diese Krankheit zu heilen vermögen. Solche können allenfalls als unterstützende Faktoren mit herangezogen werden, wobei die biochemischen Mittel **Calcium phosph. D 6, Silicea D 6–12, Calcium fluoricum D 12, Magnesium phosphoricum D 6** und das homöopathische Mittel **Calcium carbonicum D 4–6** an erster Stelle stehen. Hauptmittel aber ist und bleibt die reichlichste Zufuhr von Vitamin C in natürlichen, möglichst frischen Nahrungsmitteln, nach vorhergehender Umstimmung des Organismus, die allein auch die Aufnahmefähigkeit des Organismus für das natürliche Vitamin C sowie der Mineralsalze in einer sorgfältig in dieser Hinsicht ausgewählten Nahrung, verbürgt. Und diese Umstimmung erreicht man am schnellsten durch eine energisch durchgeführte Fastenkur. Wer nicht den Mut und die Entschlossenheit zu einer strengen Fastenkur aufbringt, kann das Ziel – wenn auch langsamer – durch Teilfasten, oder Obst- und Safttage, das heißt Tage an denen ausschließlich nur Obst gegessen oder Obstsaft genossen wird, erreichen. Damit erfüllen wir das Kernproblem oder die Hauptforderung: *Erst Reinigung, dann Heilung*, die eigentlich zu Beginn *jeder Erkrankung*, die allererste Maßnahme einer Krankenbehandlung sein müßte.

Zahnfleischerkrankungen. Zahnfleisch entartet, schwammig, blutet, schiebt sich von den Zähnen zurück, schmerzt und wird wund beim Kauen. **Carbo vegetabilis D 4–6.**

—. Zahnfleisch schwammig, geschwollen, sehr schmerzhaft, dunkelrot oder blaß aussehend; die Zähne werden meist hohl, sobald sie durchgebrochen sind; *schmerzhafte Zahnung* bei Kindern. **Kreosotum D 30–200–6–4.**

—. Zahnfleisch geschwollen, blutig, schwammig, Zunge zeigt den Eindruck der Zähne. **Mercurius solubilis D 4–6.**

—. Zahnfleisch geschwollen, schwammig, leicht blutend, blaurote Farbe. **Lachesis D 10–15.** Das Mittel paßt gut nach Mercurius.

—. Blaue Linie längs am Rande des Zahnfleisches, der sogenannte Bleisaum, das Zeichen der Bleivergiftung. **Plumbum D 30–200.**

—. Zahnfleisch geschwürig, geschwollen, schwammig – ein Zustand, der sich bis zum Schlund erstrecken kann – als Folge von starken Quecksilbergaben. **Acitum nitricum D 4–6.**

—. Siehe auch Schleimhauterkrankungen, Geschwüre.

Zahnkaries

Zahnkaries. Dies ist eine Erkrankung der Zähne, ein langsamer Abbau und Zerfall des Gebisses, der in den letzten Jahrzehnten einen erschreckenden Umfang angenommen und sich schon auf das Kindesalter erstreckt hat. Ursache ist allein der Verstoß gegen die elementaren Ernährungsgesetze wie unter Zahnfleischerkrankungen Paradentose in kurzen Worten geschildert. Heilung und erfolgreiche Bekämpfung wie dort beschrieben. Doch kann man mit den biochemischen und homöopathischen Mitteln **Calcium carb. D 4–6, Calcium phosph. D 6, Calcium fluoricum D 12, Silicea D 6–12, Magnesium phosphoricum D 6** bei richtiger Dosierung viel erreichen und dem Fortschreiten dieser Krankheit Einhalt gebieten. Ich habe nach längeren Erprobungen eigene biochemische Komplexe entwickelt, die unter dem Namen Ewiplexe Nr. 1–7 von der Firma Bika, Stuttgart hergestellt und in den Handel gebracht wurden. Diese erleichtern wesentlich die Therapie, indem z. B. bei Zahnkrankheiten, die genannten Mittel im proportionalen Verhältnis zu einem Komplex zusammengefaßt sind. In diesem Falle ist es Ewiplex Nr. 4 und 5, der bei Zahnkaries mit großem Vorteil zum Einsatz kommt.

Zahnschmerzen

Zahnschmerzen. Schmerzhafte Zahnung, durch Wärme verschlimmert, aber *nicht* durch Kälte gebessert; äußerste Empfindlichkeit bei Schmerzen bis zur Benommenheit oder Ohnmacht; launische, wechselhafte Gemütsstimmung, Unruhe, Schlaflosigkeit. **Chamomilla D 30–200–6.**

—. Zahnschmerzen infolge schlechter Zähne, nachts, *schlimmer* in der Ruhe, *umhergehen* lindert. **Magnesium carbonicum D 30–200–6.**

—. Zahnschmerzen, schlimmer durch Wärme, *besser* in kalter Luft und durch Anwendung von Kälte, ein sehr charakteristisches Symptom für **Pulsatilla D 6–15–30.**

— von hohlen Zähnen ausgehend, schlimmer nachts. **Antimonium crudum D 6–30.**

—. Zahnschmerzen und Gesichtsschmerzen infolge schlechter Zähne; Besserung durch Kälte. **Coffea D 6–30.**

Zerschlagenheitsgefühl

Zerschlagenheitsgefühl. Siehe Gefühl Seite 77.

Zittern

Zittern, siehe Nervenkrankheiten Seite 210.

Zorn

Zorn. Das leitende Mittel für zornige, ärgerliche, mürrische, reizbare Kranke ist **Chamomilla D 30–200–6.** Es kann zuweilen aber auch **Nux vomica D 6–30** besonders für Erwachsene, **Cina D 6, Colocyntis D 6, Staphisagria D 4–6** angezeigt sein.

Zuckerkrankheit

Zuckerkrankheit. Diabetes mellitus. Diese Krankheit beruht auf einer Funktionsstörung der Bauchspeicheldrüse, welche nicht mehr in der Lage ist, genügend Insulin zu produzieren, das die Eigenschaft hat, den Blutzuckerspiegel des Blutes auf der erforderlichen Höhe zu halten und den Zucker in der Leber für den Bedarfsfall des Organismus aufzuspeichern. Der Diabetes fällt also unter die Kategorie der Stoffwechselkrankheiten.

Als Einleitung einer homöopathischen Therapie kommt zunächst zur Anregung der Leber-, Gallen-, Nieren- und Milzfunktion, sowie der Bauchspeicheldrüse **Natrium sulfuricum D 4–6–12,** zweimal täglich eine Gabe etwa 1–$^1/_2$ Stunde vor dem Essen und zweimal täglich 10 Tropfen **Lycopodium D 12–6** als Grundpfeiler einer spezifischen Behandlung in Betracht.

Hauptmittel für die Bauchspeicheldrüse, also gegen die Zuckerkrankheit an sich ist **Uranium nitricum D 4–6** mit den Leitsymptomen: große Schwäche, Mattigkeit, Müdigkeit, Erschöpfung, Kältegefühl, Schwindel, schwerer, eingenommener Kopf, Schmerzen am Hinterkopf; mürrische Gemütsstimmung; Anschwellung der unteren Augenlider, Lichtscheu, Tränenfluß.

Bei großer Abmagerung und Kräfteverfall **Arsenicum D 6–30;** bei Niedergeschlagenheit, Müdigkeit, Erschöpfung, Gedächtnisschwäche, Rükkenschmerzen **Kreosotum D 4–30,** und bei Gemütsdepressionen und Brennen in der Nierengegend **Acidum phosphoricum D 3–4–6.**

—. Wenn außer Durst und Heißhunger noch rheumatische Schmerzen in den Gelenken bestehen, ist **Acidum lacticum D 6–200** ein wichtiges und wirksames Mittel.

—. Bei Trockenheit aller Schleimhäute, *mit Durst* und Erscheinungen von Blutarmut **Natrium muriaticum D 200–30.**

—. Kommen bei der Zuckerkrankheit neben den üblichen Symptomen wie reichlicher Harnabgang, übermäßiger Durst, große Trockenheit des Mundes, Zuckergehalt des Urines noch folgende Symptome hinzu: lockere, wäßrige Stühle, Abmagerung, Appetitlosigkeit, Schläfrigkeit, dann haben wir in **Magnesium sulfuricum D 4–6** ein weiteres gutes Mittel.

—. Nach amerikanischen Autoren soll **Syzygium Jambolanum D 2** ein Hauptmittel gegen Zuckerkrankheit und mittelschwere Fälle bis zu 8% Zucker mit täglich einer Gabe in einigen Wochen geheilt worden sein. Einige andere Ärzte haben mit der gepulverten Rinde des Syzygium Jamb., dreimal täglich 0,3 Gramm, gleiche Erfolge erzielt. Auch Aufgüsse von Rindenpulver wurden erfolgreich verwendet. Nach einem weiteren Bericht wurde ein schwerer Fall von Zuckerkrankheit durch täglich viermal zwei Tropfen der Tinktur geheilt.

—. Bei jeder Zuckerkrankheit ist es natürlich selbstverständlich, daß eine entsprechende Diät eingehalten werden muß, wie sie vom Arzte in der Regel vorgeschrieben wird.

—. Diabetes insipidus. Bei dieser Form handelt es sich um eine Anomalie des Wasserstoffwechsels, anhaltende Ausscheidung sehr reichlicher Harnmengen, Polyurie genannt, von niedrigem spezifischem Gewicht, bei quälendem Durst, ohne anatomische Veränderung der Nieren. Der Harn enthält weder Zucker noch Eiweiß. Ursache ist: Störung der im Zwischenhirn liegenden Regulations-Zentren unter Beteiligung der Hypophyse, infolge Reizung, Entzündung oder Verletzung. Das homöopathische Hauptmittel hierfür ist **Acidum phosphoricum D 2.**

—. Man kennt nun noch eine dritte Art der Zuckerkrankheit Diabetes venalis bzw. Diabetes innocens (innocens — harmlos), bei welcher Zuckerausscheidung im Harn vorliegt, trotz völlig *normalem* Blutzuckergehalt, (70–110 mg$^0/_0$) und unabhängig von der aufgenommenen Nahrung. Es fehlen aber die charakteristischen Begleitsymptome wie sie bei dem Diabetes mellitus auftreten. Ursache ist eine erhöhte Sekretionsbereitschaft für Zukker und eine gesteigerte Reizbarkeit und Durchlässigkeit der Nieren. Übergang zum Diabetes mellitus kommt vor.

Die homöopathische Behandlung richtet sich ganz nach den jeweils in Erscheinung tretenden allgemeinen Symptomen.

Zunge

Zunge. Zunge geschwollen, schlaff, zeigt die Eindrücke der Zähne, übler Geruch, feucht und trotzdem Durst. **Mercurius solubilis D 6–30.**

—. Zunge trocken oder dunkel belegt, mit einem dreieckigen, roten Fleck an der Spitze, bei Fieber oder entzündlichen Krankheiten gleich welcher Art, mit Betäubung, Benommenheit, Delirien in milder aber anhaltender Form, Unruhe, ist Hauptsymptom für **Rhus toxicodendron D 6–30.**

—. Zunge dick, geschwollen, schmutzig-gelb belegt, besonders an der Basis, Spitze und Ränder rot – können aber auch blaß sein – schlaff mit Zahneindrücken; stinkender Mundgeruch und Atem.
Diese charakteristische Zunge findet man bei Diphtherie, Mandel- und Rachenentzündung, bei Magen- und Leberleiden. **Mercurius jodatus flavus D 3–6**; ein besonders, gut rechtsseitig wirkendes Mittel.

—. Dickbelegte, sehr weiße, milchweise Zunge, **Antimonium crudum D 3–6.**

—. Zunge an der Basis dick-gelb belegt; saurer Geschmack, saures Aufstoßen, Sodbrennen, saures Erbrechen, saure Durchfälle, brennende Magenschmerzen. **Natrium phosphoricum D 6–12.**

—. Kann die Zunge nur sehr schwer hervorstrecken. Diese ist *sehr trokken*, zittert und bleibt an den unteren Zähnen hängen – ein sehr charakteristisches Symptom – Mund sehr trocken mit üblem Geruch. **Lachesis D 10–30.**

—, rissige, sogenannte Landkartenzunge. Hierfür kommen folgende Mittel in Betracht: **Natrium muriaticum D 6–30, Arsenicum album D 12–30, Acidum nitricum D 6–15, Lachesis D 30, Taraxacum D 1–4.**

Zungenkrebs

Zungenkrebs wurde in zwei Fällen durch betupfen mit **Viburnum prunifolium** ∅ geheilt.

Arzneimittelverzeichnis

Abrotanum 16, 22, 73, 93
Acalypha indica 39
Acidum benzoicum 86, 93, 225, 247, 255, 263, 265
Acidum fluoricum 156, 177, 256
Acidum hydrocyan. 141, 242
Acidum lacticum 110, 271
Acidum muriaticum 47, 97, 119, 241
Acidum nitricum 39, 52, 65, 93, 97, 98, 117, 177, 208, 240, 250, 255, 264, 269, 272
Acidum oxalicum 108
Acidum phosphoricum 29, 45, 83, 98, 119, 174, 213, 243, 246, 255, 258, 271
Acidum picrinicum 80, 87, 153, 213, 243
Acidum sulfuricum 39, 65, 78, 204, 207, 239, 246, 259
Aconitum 18, 22, 26, 30, 47, 57, 62, 72, 79, 85, 92, 96, 114, 116, 119, 123, 134, 153, 193, 205, 223, 231, 237, 240 248, 254, 260
Aesculus hypocastanum 67, 78, 97, 228, 235
Aethusa 59, 82
Agaricus 73, 99, 215
Agnus castus 18, 83, 87, 152
Ailanthus 115
Aletris farinosa 70, 244
Aloe 51
Alumina 34, 48, 71, 78, 95, 215, 236, 250, 251, 261
Ambra 17, 72, 98, 112, 223, 251
Ammonium bromatum 117
Ammonium carbonicum 38, 41, 116, 210
Ammonium muriaticum 47, 61, 153, 154, 261
Ammonium phosphoricum 93
Amylium nitrosum 38, 108
Anacardium 17, 77, 78, 82, 100, 201, 261
Angustura 156, 226
Anisum stellatum 47
Anthracinum 42, 90, 132, 138, 140, 143
Antimonium arsenicosum 20, 194
Antimonium crudum 53, 62, 64, 71, 73, 97, 99, 207, 226, 257, 262, 270, 272
Apis 22, 33, 42, 44, 47, 57, 60, 64, 79, 85, 90, 91, 92, 93, 94, 96, 103, 114, 116, 117, 119, 134, 135, 138, 152, 207, 210, 216, 223, 227, 231, 238, 240, 248, 249, 256, 260, 264, 265
Apisinum 265
Apocynum 105, 264
Aqua marina 187, 204
Aqua silicata 85
Aralia racemosa 19, 210
Aranea avicularis (Myale) 93
Aranea diadema 64, 155, 206
Argentum nitricum 21, 24, 30, 58, 78, 82, 92, 95, 98, 152, 176, 179, 188, 203, 207, 214, 221, 228, 230, 246, 249
Arnica 18, 22, 28, 41, 62, 65, 67, 73, 75, 77, 79, 85, 86, 93, 112, 154, 177, 219, 231, 250, 259, 260
Arsenicum album 16, 19, 20, 22, 26, 27, 35, 41, 42, 47, 53, 54, 59, 60, 63, 64, 72, 79, 97, 98, 100, 119, 120, 122, 128, 132, 138, 140, 153, 171, 186, 195, 201, 206, 217, 231, 240, 242, 246, 252, 254, 258, 260, 265, 271, 272
Arsenicum jodatum 26, 47, 66, 85, 86, 101, 112, 177, 196, 199, 253
Artemissia 204
Arum triphyllum 104, 115, 208, 237
Asa foedita 29, 157, 213, 221, 235
Asarum europaeum 79, 212
Asclepias tuberosa 196
Asterias rubens 89, 231
Aurum 18, 20, 22, 83, 89, 106, 152, 154, 156, 172, 209
Aurum muriaticum natronatum 44, 62, 84, 190, 191, 220
Aurum jodatum 91, 156, 165, 187, 209, 218
Atropinum sulfuricum 19, 71, 75, 113, 151, 159, 179, 189, 203, 211, 240
Avena sativa 177, 231, 256

Bacillinum 194, 197, 253
Badiaga 187
Baptisia 28, 64, 78, 118, 119, 138, 140, 143
Baryum carbonicum 17, 18, 49, 74, 75, 77, 95, 164, 241, 248

Baryum jodatum 18, 108, 164, 187, 221, 231, 247
Baryum muriaticum 18, 98, 164
Belladonna 22, 25, 28, 33, 38, 49, 57, 58, 72, 78, 85, 91, 92, 95, 96, 114, 115, 116, 117, 123, 125, 134, 135, 138, 141, 152, 176, 178, 193, 238, 240, 246, 247
Bellis perennis 22, 99
Berberis 76, 93, 217, 224, 228, 253, 255
Bismutum 52, 187, 203, 204
Borax 21, 56, 208, 212, 221, 235, 247, 249
Bovista 71, 159
Bromum 49
Bryonia 20, 22, 23, 26, 27, 33, 46, 47, 57, 60, 62, 72, 73, 75, 79, 85, 88, 109, 111, 114, 119, 135, 138, 189, 193, 194, 195, 204, 205, 223, 224, 231, 237, 238, 240, 247, 250, 251, 253, 258, 261, 262, 265

Cactus grandiflorus 18, 60, 78, 104, 105, 195
Cadmium sulfuricum 65, 186, 191, 204
Calcium carbonicum 22, 24, 26, 35, 41, 46, 59, 61, 62, 86, 91, 93, 101, 104, 154, 156, 158, 163, 187, 199, 204, 210, 220, 222, 240, 241, 245, 247, 253, 256, 257, 260, 264, 266, 267, 268, 269
Calcium fluoricum 21, 44, 47, 50, 66, 69, 97, 98, 156, 164, 177, 198, 220, 252, 256, 267, 268, 269
Calcium hypophosphoricum 55, 89, 112, 138, 158, 164, 199
Calcium jodatum 33, 49, 66, 85, 158, 164, 165, 187, 204, 220, 229
Calcium phosphoricum 21, 26, 52, 85, 98, 156, 157, 164, 169, 187, 198, 207, 223, 234, 250, 252, 259, 267, 268, 269
Calcium renalis 218
Calcium sulfuricum 55, 199, 218
Calendula 186, 231, 259, 260
Camphora 154, 248
Camphora Rubini 36, 42, 53, 106, 128, 154, 179, 210, 243
Cannabis 47, 93, 174, 263
Cannabis indica 30, 76
Cantharis 30, 43, 47, 52, 93, 101, 196, 237, 238
Capsicum 43, 62, 74, 78, 111, 175, 223, 235, 236, 240
Carbo animalis 36, 55, 65, 66, 89, 103, 132, 186, 241
Carbo vegetabilis 17, 19, 26, 29, 36, 39, 42, 44, 45, 97, 104, 177, 194, 195, 202, 222, 240, 241, 258, 269
Carboneum sulfuratum, phosphoratum 22
Carduus marianus 76, 85, 97, 177, 190, 191, 256, 264
Castoreum 179
Caulophyllum 39, 69, 93, 223, 244
Causticum 20, 23, 27, 30, 44, 61, 78, 84, 86, 94, 95, 97, 103, 119, 134, 188, 208, 211, 221, 225, 231, 237, 239, 241, 250, 251, 260, 262, 263
Ceanothus 36, 177, 204, 256
Cedron 20, 64
Cepa allium 20, 209, 210
Cetraria islandica 196
Chamomilla 18, 23, 29, 55, 83, 104, 109, 110, 155, 159, 207, 221, 225, 237, 246, 255, 266, 270
Chelidonium 47, 65, 76, 84, 85, 154, 177, 189, 191, 229, 239, 249, 253
Chelone 76
Chenopodium 229, 239
Chimaphilla umbelata 31, 263
China 19, 20, 23, 29, 52, 56, 64, 84, 98, 110, 158, 167, 176, 177, 179, 189, 195, 205, 239, 241, 245, 254, 258
Chininum arsenicosum 16, 42, 118, 119, 122, 211, 244, 245, 256
Chininum sulfuricum 64, 223
Cicuta virosa 80, 102, 178
Cimex 64, 79, 86
Cimicifuga 70, 175, 215, 229
Cina 23, 109, 110, 113, 207, 255, 266, 270
Cinnabaris 101, 230
Cistus canadensis 50, 66, 99, 155
Clematis recta 100, 109, 236
Coca 17
Cocculus 29, 72, 78, 84, 159, 176, 215, 230, 231, 247
Coccus cacti 75, 113, 195, 217
Codeinum 112
Coffea 56, 211, 231, 239, 247, 270
Colchicum 30, 44, 52, 93, 155, 202, 206, 223, 265
Collinsonia 48, 97, 159, 177, 256, 262
Colocyntis 75, 127, 153, 159, 210, 239, 270
Comocladia 103
Conchae 22, 32, 91, 96, 177, 229
Condurango 85, 89, 187, 208
Conium 18, 20, 21, 31, 49, 66, 85, 87, 89, 152, 186, 188, 245, 246, 247, 263
Convallaria 69, 108, 264

Copaiva 236
Corallium rubrum 91, 112, 151, 187
Cornus florida 64
Crataegus 18, 104
Crocus 39, 82, 215
Crotalus 39, 42, 85, 107, 132, 190
Croton Tiglium 50, 100, 240
Cubeba 236
Cumarinum 210
Cuprum aceticum 239
Cuprum metallicum 54, 58, 115, 116, 155, 177, 224, 239, 242, 266
Cuprum arsenicosum 54
Cyclamen 61, 71, 247

Damiana 88
Digitalis 105, 222, 265
Dioscorea 29, 33, 73, 75, 88, 158, 210
Dolichos 76
Drosera 103, 112, 151
Dulcamara 205, 221, 226, 229

Echinacea 26, 33, 42, 54, 96, 119, 132, 138, 140, 143, 152, 244, 260
Elaps corrallinus 155, 200, 209, 221
Elaterinum 53
Equisetum 28, 31, 32, 177
Erica vulgaris 97
Erigeron 38, 39, 97
Eupatorium perfoliatum 63, 64, 74, 77, 93, 103, 157, 239
Eupatorium purpureum 32, 63
Euphorbium 44, 103, 116, 210, 230, 260
Euphrasia 21, 22, 111
Evonymus europea 32

Felix. mas. 33
Ferri chlorati aethera 41
Ferrum aceticum tinktura Rademacher 278
Ferrum metallicum 23, 27, 38, 59, 71, 110, 202, 227, 237, 247
Ferrum phosphoricum 26, 28, 33, 37, 38, 41, 53, 58, 74, 93, 114, 115, 119, 123, 138, 140, 191, 194, 198, 220, 223, 233, 245
Ferrum muriaticum 117
Ferrum oxydatum 93
Fucus vesiculosus 62

Gaultheria 154
Gelsemium 20, 22, 74, 80, 82, 94, 103, 119, 134, 175, 188, 214, 222, 242
Geranium 41, 54
Glechoma 77
Glonoinum 18, 37, 44, 109, 175, 178, 206, 240, 248
Gnaphalium 153
Graphites 21, 51, 62, 65, 89, 101, 103, 116, 144, 262
Gratiola 247
Grindelia 19
Guajacum 158, 177, 225
Gutti-Cambioga 51

Hamamelis 39, 58, 78, 109, 187, 197, 253, 256
Helleborus 80, 256, 265
Heloderma 155, 216
Helonias dioica 67
Hepar sulfuris 19, 22, 26, 27, 31, 46, 48, 53, 54, 55, 73, 85, 86, 90, 93, 95, 96, 98, 102, 112, 138, 174, 177, 203, 204, 210, 221, 245, 250, 254, 258
Hydrastis 191, 202, 235, 262
Hyoscyamus 49, 58, 81, 111, 178, 194
Hypericum 97, 260

Jalapa 159, 207
Jatropha 51, 128
Ignatia 47, 58, 63, 74, 83, 95, 98, 176, 178, 195, 203, 207, 215, 231, 240, 248, 256
Indigo 227
Ipecacuanha 19, 20, 39, 46, 51, 59, 63, 64, 78, 112, 127, 151, 175, 194, 195, 201, 265
Inula helenium 113, 151
Jodum 16, 40, 50, 110, 165, 186, 187, 194, 196, 210, 236, 248, 253
Iris versicular 43, 59, 153, 175, 191
Juglans cinerea 176, 190
Juglans regia 102
Juniperus 32

Kalium arsenicosum 42, 79, 101, 107, 199, 218
Kalium bichromicum 22, 33, 91, 95, 118, 152, 175, 202, 209, 235, 238
Kalium bromatum 212, 231, 255
Kalium carbonicum 19, 28, 34, 45, 56, 57, 60, 62, 68, 85, 108, 111, 138, 163, 195, 200, 202, 206, 212, 222, 229, 238, 240, 241, 245, 252, 258, 265

Kalium chloratum 57, 60, 96, 220, 221, 225, 233, 251
Kalium jodatum 18, 20, 26, 46, 50, 58, 60, 80, 85, 89, 90, 93, 98, 111, 165, 174, 194, 199, 235, 242, 245
Kalium permanganum 35, 73, 90
Kalium phosphoricum 16, 28, 98, 108, 176, 194, 212, 220, 231, 234
Kalium sulfuricum 27, 111, 224, 233, 236, 238
Kalmia 105, 211, 225, 251
Kreosotum 28, 40, 53, 59, 87, 91, 187, 196, 235, 253, 255, 269, 271

Lac caninum 66, 95, 188, 226, 238
Lachesis 26, 33, 38, 42, 48, 55, 58, 65, 68, 73, 78, 82, 89, 90, 94, 97, 106, 108, 115, 118, 119, 132, 138, 140, 141, 143, 174, 177, 188, 189, 200, 205, 208, 227, 237, 247, 250, 256, 265, 269, 272
Lachnantes 176
Lapis albus 43, 50, 186, 187, 204
Laurocerasus 108, 196, 222, 243
Lava Heklae 156
Ledum 27, 29, 61, 65, 73, 74, 152, 224, 259
Lilium tigrinum 68, 72, 78, 83, 106
Lithium carbonicum 20, 106, 218, 225
Lithium chloratum 199
Lithium benzoicum 93
Lobelia 20, 60, 195, 245
Lycopodium 20, 22, 23, 29, 44, 64, 75, 76, 80, 85, 88, 93, 95, 97, 98, 110, 152, 153, 166, 177, 190, 194, 201, 205, 206, 210, 218, 222, 231, 249, 250, 253, 256, 262, 271
Lycopus 107

Magnesium carbonicum 24, 26, 52, 60, 72, 86, 88, 157, 170, 270
Magnesium muriaticum 72, 108, 178, 190, 191, 261
Magnesium phosphoricum 25, 27, 60, 72, 75, 112, 151, 154, 178, 198, 203, 210, 239, 240, 252, 267, 268, 269
Magnesium sulfuricum 271
Mancinella 84, 102
Manganum aceticum 61, 78, 86, 157, 221, 238, 247
Manganum sulfuricum 77, 84
Mallcinum 142
Marum verum (Teucrium) 209, 266
Medorrhinum 75, 158, 226
Melilotus 38, 39, 240
Mephitis 112, 151
Menta aquatica 186
Mercurius corrosivus 31, 96, 153, 177, 234, 250
Mercurius cyanatus 96, 104, 117, 235
Mercurius dulcis 53, 62, 75, 85, 190
Mercurius jodatus flavus 90, 99, 235, 272
Mercurius solubilis 21, 22, 26, 30, 33, 38, 46, 54, 55, 63, 74, 86, 94, 99, 101, 114, 115, 138, 152, 157, 165, 191, 206, 220, 234, 236, 239, 245, 269, 272
Mercurius sublimas 127, 132, 264
Mercurius sulfuricus 265
Mezereum Daphne 79, 100, 103, 116, 157
Millefolium 35, 97, 112, 197, 253
Moschus 213
Murex purpurea 69, 87
Myrica cerifera 85, 190
Myristica sebifera 50, 66, 90, 91
Myrtus communis 46, 111, 240

Naja 106, 132
Natrium carbonicum 28, 34, 83, 86, 156, 175, 205, 206, 209, 246
Natrium jodatum 18
Natrium muriaticum 16, 19, 20, 22, 26, 27, 31, 34, 49, 52, 54, 60, 64, 65, 70, 83, 86, 98, 102, 106, 110, 176, 226, 229, 230, 244, 246, 247, 251, 261, 265, 271, 272
Natrium nitricum 34, 223, 226
Natrium phosphoricum 198, 233, 253
Natrium sulfuricum 24, 46, 52, 76, 86, 93, 111, 167, 190, 206, 218, 223, 233, 240, 253, 271, 272
Nux moschata 28, 29, 53, 72, 77, 82, 208, 230, 237, 251
Nux vomica 26, 44, 52, 56, 60, 63, 71, 85, 88, 109, 119, 134, 169, 176, 191, 200, 206, 220, 228, 247, 250, 252, 254, 257, 260, 261, 262, 270

Oleander 51, 189
Oleum hyperici 260
Ononis spinosa 22, 42
Opium 27, 31, 48, 58, 188, 207, 230, 231, 262
Origanum vulgare 85, 87

Pareira brava 32
Paris quadrifolia 23, 104, 212
Passiflora 212, 231, 252
Petasites 32
Petroleum 65, 73, 86, 102, 176, 247
Petroselinum 30, 236
Phellandrium 66, 200, 253
Phosphorus 18, 22, 32, 34, 35, 38, 39, 43, 46, 51, 54, 62, 78, 80, 87, 103, 109, 110, 112, 119, 153, 156, 165, 188, 191, 193, 199, 203, 209, 215, 223, 240, 246, 247, 253, 255
Phytolacca 61, 63, 73, 77, 89, 94, 118, 153, 157, 158, 175, 188, 206, 229, 267
Pimpinella 74
Plantago major 28
Platinum 70, 81, 87, 176, 212, 220, 239, 261
Plumbum 16, 25, 32, 47, 55, 58, 67, 84, 89, 99, 187, 216, 219, 244, 254, 259, 262, 269
Podophyllum 47, 51, 63, 69, 76, 262
Populus tremuloides 31
Potentilla 153
Psorinum 23, 51, 55, 74, 83, 100, 162, 221, 222, 246, 253
Ptelea 189
Pticta 209
Pulsatilla 21, 24, 27, 28, 32, 33, 71, 75, 83, 88, 91, 109, 114, 169, 201, 205, 208, 225, 236, 237, 238, 246, 247, 248, 251, 257, 263, 270
Pyrogenium 26, 33, 41, 91, 118, 119, 120, 132, 138, 140

Radium bromatum 154
Radium carbonicum 17
Ranunculus 47, 101, 103, 116, 226
Raphanus 96
Ratanhia 97
Rheum 53, 86, 249
Rhododendron 109, 205, 224
Rhus radican 116
Rhus toxicodendron 22, 27, 63, 77, 85, 93, 103, 108, 116, 119, 125, 132, 153, 205, 224, 229, 251, 255, 260, 272
Rubia tinctorum 34, 72, 218
Rumex 53, 110
Ruta 20, 22, 47, 77, 224, 259

Sabadilla 96, 210
Sabal serulata 31, 263
Sabina 40, 70, 86, 93, 244
Salvia 65, 116, 177, 248, 260
Sambucus nigra 19, 63, 96, 209, 246, 253
Sanguinaria 38, 68, 69, 75, 111, 174, 195, 226, 253
Sanguisorba 40, 73
Sanicula 16, 44, 53, 74, 84
Sarsaparilla 16, 30, 43, 176, 218, 255
Scilla maritima 111, 205, 240, 265
Scrofularia 186
Secale cornutum 17, 40, 43, 53, 58, 71, 98, 154, 188, 251
Selenium 16, 32, 88, 152, 207, 243, 252
Senecio aurens 17, 35, 67, 231
Senega 19, 20, 111
Sepia 28, 31, 47, 52, 58, 65, 68, 69, 78, 83, 102, 109, 170, 175, 201, 235, 241, 248, 249, 255, 262
Silicea 26, 27, 44, 49, 50, 55, 66, 69, 73, 74, 85, 86, 90, 98, 152, 158, 165, 186, 198, 204, 210, 220, 221, 223, 229, 233, 246, 247, 252, 260, 268, 269
Solidago virga aurea 217, 253
Spartium scoparium 107
Spigelia 105, 211, 247
Spongia 20, 45, 95, 107, 111, 187
Sulfur 42, 44, 60, 62, 64, 85, 90, 93, 96, 97, 100, 102, 109, 125, 134, 152, 154, 158, 162, 191, 204, 221, 222, 223, 225, 227, 229, 240, 247, 249, 262, 264, 266
Sulfur jodatum 26, 33, 48, 50, 85, 90, 93, 102, 163, 165, 210
Symphytum 73, 85, 93, 157, 229, 259, 260
Syzygium Jambolanum 271
Syphilinum 226
Stannum 24, 45, 68, 111, 159, 170, 195, 239, 243, 245
Staphisagria 21, 31, 43, 56, 71, 81, 88, 102, 159, 206, 228, 260, 263, 266, 270
Sticta 78, 108, 110, 174, 225
Stillingia 157
Stramonium 48, 58, 81, 231, 263
Strontium carbonicum 157
Strophantus 107
Strychninum 141

Tabacum 21, 59, 80, 108, 159, 213
Tarantula hispanica 68, 178, 211
Tarantula cubensis 56, 90, 143
Taraxacum 22, 205, 272
Tartarus emedicus 45, 47, 59, 109, 194, 230, 244

Tellurium 221
Terebinthina 39, 218, 228
Teucrium Scorodonia 200, 253
Theridion 56, 247
Thimus vulgaris 85, 261
Thlapsi Bursa pastoris 40
Thuja 21, 24, 48, 52, 65, 82, 93, 96, 98, 152, 165, 175, 209, 210, 221, 246, 262, 263, 266, 268
Thyreodinum 25, 50
Trillium pendulum 40, 71
Tuberculinum 26, 50, 67, 85, 86, 158, 162, 197, 199, 222, 227, 249, 253, 264
Tussilago farfara 196

Uranium nitricum 271
Urtica urens 66, 93, 97
Ustilago Maydis 40, 71
Uva ursi 28, 30
Uzara 53

Vaccinium 152
Valeriana 56, 61, 78, 153, 211, 223
Veratrum album 53, 71, 81, 128, 154, 159, 242, 245
Veratrum viride 42, 57, 59, 107, 138, 178
Verbascum 32, 111, 211
Verbena 58
Veronica officinalis 190
Viburnum Obulus 70, 72, 196, 244, 253
Viburnum prunifolium 70, 244, 272
Viola ordorata 91
Viola tricolor 102
Vipera Berus 257
Viscum album 216, 253

Wyethia 96

Yerba santa 19

Zincum 58, 80, 115, 214, 255
Zincum valerianicum 56

Inhaltsverzeichnis

Abmagerung **16–17**, 23, 24, 33, 50, 55, 89, 110
Abortus 70, 244
Abszesse, siehe Eiterungen, Geschwüre, Geschwülste
Afterfissuren, siehe Fissuren Seite 65
Afterjucken, siehe Jucken
Afterschrunden 97
Aftervorfall 51, 68
Aktinomykose 145
Altersbrand 17
Alterserscheinungen 17, 44
Anämie **33–36**
Angst **17**, 19, 46, 80, 107
Appetitlosigkeit 18, 23, 84, 110
Ärger **18**, 81, 83
Arterienverkalkung **18**, 106
Asthma **19**, 45, 46, 111
Atmung 19, 105, 106, 112
Atrophie (Schwund) 16–17
Aufstoßen 20, 110
Augen **20**
Augenkrankheiten **21–23**
Aussehen **23–24**, siehe auch Blut und Blutkrankheiten Seite **33–37**
Auswurf, siehe Brust, Husten
Ausflüsse, siehe Schleimhäute, Schleimhauterkrankungen
Ausschläge, siehe Hautkrankheiten

Bandwurm **266**
Bangsche Krankheit 122
Bartflechten, siehe Hautkrankheiten
Basedowsche Krankheit **25**, 107
Bauch **25**
Bauchfellentzündung **25**
Bauchschmerzen, siehe Kolik und Schmerzen
Beißen, siehe Jucken
Begierde **26**
Belastung, erbliche **26**
Benommenheit, siehe Betäubung
Besserung **27**
Betäubung **27–28**, siehe auch Delirium Seite 48
Bettnässen **28**
Bindehautentzündung, siehe Augenkrankheiten **21–23**
Bisse 29
Blähungen **29–30**, 51, 52, 53
Blähungskolik **29–30**
Blasenleiden **30–32**

Blasenlähmung 30–32, siehe auch Lähmungen
Blauer Husten, siehe Husten
Blaufärbungen des Gesichts, der Haut, der Hände 19, 46
Bleichsucht, siehe Blutkrankheiten
Bleikolik 16–17, 32
Bleivergiftung 16–17, 32
Blinddarmentzündung **32,** 48, 91
Blindheit, zeitweise 33
Blutkrankheiten **33–37**
Blutandrang **37–38,** siehe auch Delirium, Entzündungen, Frauenkrankheiten, Hitze
Blutarmut **33–37,** 67, 70
Blutdruck, hoher, siehe Arterienverkalkung, Herzkrankheiten
Bluterbrechen, siehe Blutzersetzung Seite 42
Blutfleckenkrankheit, siehe Blut und Blutkrankheiten, Flecken
Bluthusten 112
Blutgeschwüre, siehe Geschwüre **89–92**
Blutungen **38–41**
Blutvergiftung **41–42,** 90, 91
Blutzersetzung 42, 90, 91
Brandwunden, siehe Verletzungen **259**
Brechdurchfall, siehe Durchfall
Brennen **42–44**
Bronchialkatarrh, siehe Brust
Bronchitis 19, 44–46, 111, **195**
Bronzekrankheit 261
Bruchleiden **44**
Brust **44–47,** 111
Brustdrüsenentzündung 65, 66
Brüste, weibliche 65, 66, 89
Brustfellentzündung 45, 46, 195, 196

Cholera 127

Darmkrankheiten **47–48,** 54, 55
Delirium **48–49,** 57, 63, 81, 82, 91
Depressionen, siehe Geistes- und Gemütssymptome
Diabetes, siehe Zuckerkrankheit
Diphtherie 94, 95, 95, **116**
Druckgefühl 19, 55, 78, 94
Drüsenerkrankungen **49–50,** 54, 55, 66
Drüseneiterungen 49–50, 54–55, 90, 241
Drüsenschwellungen } siehe Drüsen,
Drüsenverhärtungen } Geschwülste
Durchfall **50–54**
Durst **54,** 105
Dyskrasie, siehe Blut und Blutkrankheiten, Konstitution, Krebs

Ekel 30
Eiterungen **54–55,** 66, 90, 91
Einschnürungsgefühl 37
Eitergeschwülste **54–55,** siehe Geschwülste, Geschwüre
Eiweiß im Urin, siehe Nierenkrankheiten
Ekzem, siehe Hautkrankheiten
Empfindlichkeit **55–56,** 68, 81, 82, 83, 84, 89, 98, 99, 153, 237
Englische Krankheit, siehe Konstitution
Entzündungen **56–58**
Entzündungen der Augen, siehe Augenkrankheiten
— des Blinddarms 32, 33
— der Lunge, siehe Brust
— der Zellgewebe, siehe Blutvergiftung
Epilepsie **58**
Erbrechen 59–60, 74, 80, 112, 113
Erfrierungen, siehe Frostbeulen 73
Ergüsse 45, 46, 47, 60, 85, 93
Erkältung, siehe Entzündungen 56–58, Fieber 62–64, Rheuma
Erschöpfung 16, 17, 42, 44, 49, 51, 52, 57, 59, 86, 104, 105, 154, 159, siehe auch Schwäche
Erstickungsanfälle, siehe Atmung, Halsleiden, Husten
Exsudate, siehe Ergüsse
Exantheme, siehe Hautkrankheiten

Fahrkrankheit, siehe Seekrankheit **247**
Fehlgeburt, siehe Blutungen, Frauenkrankheiten
Fersen 61
Fettsucht **61–62**
Fieber **62–64**
Fingergeschwür (Fingerwurm), siehe Geschwüre
Fingernägel 51, **64,** 101
Fischvergiftung 139
Fissuren **65**
Flechten, siehe Hautkrankheiten
Flecken auf den Augen, der Haut 65
Flecken, rote **113**
Fleckthyphus **120**
Fleischvergiftung **139**
Frauenkrankheiten **65–73**

Frost, Frösteln **73–74**
Frostbeulen 73
Furunkel, siehe Geschwüre
Fußbrennen 74
Fußgeschwüre, siehe Krampfadergeschwüre
Fußschweiß **74**, 95
Fußsohlen 74, 158, siehe auch „Brennen"

Gabenlehre 15
Galleerbrechen, siehe „Gelbsucht"
Gallenblasenentzündung 75
Gallensteinkrankheit 75, 76
Gebärmutterleiden, siehe Frauenkrankheiten
Gebärmutterverlagerung 65–73
Gebärmuttervorfall **65–73**
Geburt, leichte und schnelle, siehe Schwangerschaft
Gedächtnisschwäche 16, 17, 53, 76–77, 80, 81, 82, 84
Gefühl 19, 37, 38, 44, 63, 68, 69, 74, **77**, **78**, **79**, 95, 97, 103, 111
Gehirnkrankheiten 79–80
Gehirnentzündung **79**, **134**
Geistes- und Gemütssymptome **81–84**
Gelbfieber **150**
Gelbsucht 42, 53, **84**, **85**, 144
Gelbsucht der Neugeborenen 53
Gelenkerkrankungen 85–86
Gelenkrheumatismus 42, 46, 104, 148
Gemütskrankheiten, siehe Geistes- und Gemütssymptome
Genickstarre 80, **132**
Gerstenkorn, siehe Augenkrankheiten
Geruch 24, 51, 53, **86**
Geruch, übler aus dem Munde 86
Geschlechtstrieb 16, 68, 80, **87–88**
Geschmack 20, 24, **88**
Geschwüre **89–92**
Geschwülste 49, 50, 66, 67, 71, 80, **88–89**
Gesichtsneuralgie, siehe Nervenkrankheiten
Gesichtsrose, siehe Rose, Rotlauf Seite 116
Gesichtsschmerzen, siehe Nervenkrankheiten, Schmerzen
Gicht **92–93**
Gram, siehe Geistes- und Gemütssymptome
Grippe 93, 94, 125
Gürtelrose **116**

Haarausfall 97–98
Halskrankheiten 94–96
Hämorrhoiden 39, 51, 52, **97**
Harndrang 16, **30–32**, 43, 68
Harnsaure Diathese 166
Haut 98
Hautjucken 23, 24, 90, **99–103**
Hautkrankheiten 23, 24, 57, 90, **99–103**
Hautschrunden, siehe Fissuren Seite 65
Heiserkeit, siehe Halsleiden **94–96**
Herzkrankheiten 18, 33, 34, 68, 69, **104 bis 108**
Herzklappenfehler 104–108
Herzklopfen, nervöses 18, 33, 34, 38, **104–106**
Herzentzündungen 42, 45, **104–108**
Heuasthma, Heufieber, Heuschnupfen 108
Hexenschuß 108
Hinken, unfreiwilliges der Kinder, siehe Hüftgelenkentzündung
Hirnentzündung, Hirnkrämpfe, Hirnschlag, Hirnwassersucht – siehe Gehirnkrankheiten
Hitze 34, 38, 40, 69, 80, **109**
Hitzschlag 109
Hornhautgeschwüre 22, 55, 91
Hüftgelenkentzündung 55, **85–86**
Hühneraugen 75
Hunger 16, 23, 29, **109–110**
Husten 45, 46, 94, 95, 107, 110–112
Hypochondrie, siehe Geistes- und Gemütssymptome
Hysterie 56, 69, 70, 79, 82, 87, 212, 213

Impfen, Impfschäden 152
Impotenz 87, 88, **152**
Infektionskrankheiten 57, **113–152**
Insektenstiche 152
Ischias **153**

Jucken der Haut 24, siehe auch Hautkrankheiten
Jucken der Kopfhaut 97, 98

Kachexie (Kräfteverfall) 16, 53, 88, 89
Kältegefühl 34, 40, 43, 47, 51, 53, 59, 63, 64, 71, 73, 74, 98, 107, 108
Kälte 154, 155
Karbunkel 42
Katarrhe, siehe Entzündungen, Fieber, Schleimhäute

Kehlkopfentzündung 111
Kehlkopftuberkulose 112
Keuchhusten 45, 46, 47, 110–112, **150**
Kindbettfieber, siehe Fieber
Kinderkrankheiten, siehe Infektionskrankheiten
Kinderlähmung, spinale 133
Klimakterium, siehe Wechseljahre der Frau
Kniegelenkentzündung 85, 86
Kniegeschwulst, siehe Geschwülste
Knochen, 41, **155, 156**
Knochenbrüche 157
Knocheneiterungen 54, 55, 91, 155, 156
Knochenhautentzündung 41, **157**
Knochenschmerzen 74, 93, **157, 158**
Knochentuberkulose 158
Kolik 29, 97, 158, 159
Kongestionen, siehe Blutandrang
Konstitution und Konstitutionsmittel **160–172**
Kondylome (Feigwarzen), siehe Warzen
Kopf **37–38,** 97, 98
Kopfschmerzen 24, 34, 37, 69, 70, **79, 80, 173–176**
Kopfschuppen 97–98
Körnerkrankheit **151**
Kräfteverfall 16, 42, 51, 53, 55, 88, 89, 105, 106, 159
Kräftigungsmittel 16
Krämpfe 40, 42, 69, 70, 72, 107, 177, 178, 179,
Krampfadern 40, 177
Krampfadergeschwüre 40, 100, 177
Krampfhusten, siehe „Husten"
Krebs 43, 88, 89, 90, 91, 100, 101, **179–187**
Kreuzschmerzen 67, 68, 70, 71, 93
Kribbeln 43
Kropf 49, 50, 107, 187
Krupphusten, siehe Husten
Kummer, siehe Geistes- und Gemütssymptome

Lähmung 21, 27, 38, 43, 80, 91, **188, 189**
Leberflecken 65
Leberkrankheiten 76, 84, 97, **189–191**
Lebensmittelvergiftung 138
Leberkrebs, siehe Krebs
Leibschmerzen, siehe Schmerzen
Lunge 55
Lungenblutung 39
Lungenentzündung 45, 46, 47, **191**
Lungenkrankheiten 19, 46, 47, **191**
Lungenschwindsucht 46, 47, 112, siehe Lungenkrankheiten
Lupus 89, 91

Madenwürmer, siehe Würmer
Magenkrankheiten **200–204**
Magenbeschwerden 20, 29, 43, 44, 59
Magenleiden 20, 43, 44, 59
Magengeschwüre 20, 92, **200–204**
Magenkrebs 44, 59, siehe Krebs
Magenschmerzen 20, 29, 44, 59, 60, 200, 201, siehe auch Schmerzen
Malaria, siehe Fieber **62–64, 128–130**
Mandelentzündung, siehe Halskrankheiten
Manien, siehe Geistes- und Gemütssymptome
Masern 113
Mastdarm 47, 92, 97
Mastdarmvorfall **47**
Melancholie 18, 67, 81–84, 87
Menstruation, siehe Frauenkrankheiten
Meteorismus (Gasauftreibung), siehe Blähungen
Migräne 38, 43, 80, 105, siehe auch Kopfschmerzen **173–176**
Milchausscheidung bei Wöchnerinnen 87
Milchschorf, siehe Hautkrankheiten
Milzbrand 142
Milzkrankheiten 204, 205
Mittelohrentzündung, siehe Ohrenkrankheiten
Mittelohrkatarrh, siehe Ohrenkrankheiten
Modalitäten **205–207**
Müdigkeit 75, siehe auch Schwäche
Multiple Sklerose, siehe Gehirn- und Nervenkrankheiten
Mumps (Ziegenpeter), siehe Fieber, Geschwülste
Mund, Mundkrankheiten 54, 65, 94, 95, **207, 208**
Mundwinkel, rissige, siehe Fissuren 65
Muskelrheumatismus, siehe Rheuma
Muskelschwäche 16
Muttermale 65, 99

Nachtschweiße 46, 47, 110
Nagelgeschwüre 91
Narben 208

Nasenbluten als Folge von Blutandrang 38
Nasenkatarrh 94, 110, **208–210**
Nasenkrankheiten 208–210
Nasenpolypen 208, 210
Nase, übler Geruch (Stinknase) 208, 209
Nebennieren-Erkrankung, siehe Bronzekrankheit
Nervenkrankheiten **210–216**
Nervenschmerzen (Neuralgie) **210–216**, siehe auch Schmerzen
Nervenschwäche (Neurasthenie) 16, 87, 212–216
Nervosität 55, 56, 210–212
Nesselausschlag, siehe Hautkrankheiten
Niedergeschlagenheit 33, 34, 70, 81, 82, 83, 84
Niereneiterung 54
Nierenkrankheiten **216–219**
Nierenentzündung **216–219**
Nierensteine, siehe Nierenkrankheiten
Nierensteinkolik 159, 218

Ödeme (wassersüchtige Anschwellungen), siehe Ergüsse
Ohnmacht 51, 55, 87, **106**
Ohrenkrankheiten **220, 221**
Onanie, siehe Geschlechtstrieb

Papageienkrankheit 149
Paradentose, siehe Zahnfleischerkrankungen **268**
Pest 131
Pilzvergiftung, siehe Lebensmittelvergiftung 138
Pocken 124
Podagra, siehe Gicht
Pollutionen 87, 88
Polypen 209, 210
Prostataleiden 30, 31, siehe Vorsteherdrüse **263**
Puls 85, 105, 222

Quecksilbervergiftung, siehe Vergiftung
Quetschungen, siehe Verletzungen

Rachenkrankheiten, siehe Hals-, Schleimhauterkrankungen, Diphtherie
Rachitis, siehe Knochen
Reaktion 222
Regel (Monatsregel), zu früh
—, schmerzhafte
—, zu schwach
—, zu stark
—, unterdrückte
—, ausbleiben derselben
(siehe Frauenkrankheiten)
Reißen, siehe Rheumatismus
Rheumatismus, akuter 56, 57, 74, 86, **223–226**
— der Gelenke 56, 57, **223, 224**
—, chronischer 74, 86, 99, 105, 224, 225, 226
Risse, Schrunden in Lippen, Mundwinkel, After, siehe Fissuren
Röte der Nase, der Haut, des Gesichts 39, 49, 73, 99, 102, 109
Röteln 123
Rose, Rotlauf 41, 102
Rote Flecken, siehe Masern 113
Rotz 141
Rücken 67, 68, 69, **227–229**
Rückenmark 80, **229, 230**
Rückenschmerzen 34, 40, 67, 68, 69, 70, 71, 72, 88, 227–229
Rückenwirbelentzündung 229
Rückfallfieber 121
Ruhr 50–54, **126**

Samenflüsse, unfreiwillige, siehe Geschlechtstrieb (Pollutionen)
Saures Aufstoßen 20, 86
Saußen im Ohr, siehe Ohrenerkrankungen
Scharlach **114**
—, unterdrückter, zurückgetretener **114**
Scharlachdiphtherie 114, 116
Schielen der Kinder, siehe Lähmungen
Schilddrüsenerkrankungen, siehe Drüsen
Schlaf 27, 28, 83, **230**
Schläfrigkeit, Schlafsucht 45 (siehe auch Geistes- und Gemütssymptome) 230
Schlaflosigkeit 16, 44, 56, 70, 84, 104, 231
Schlagaderverkalkung, siehe Arterienverkalkung
Schlaganfall oder die Folgen davon **231**
Schleimhäute 42, 43, 49, 50, 66, 91, 232
Schleimhautgeschwüre, siehe Geschwüre
Schleimhauterkrankungen **94–96**, 232 bis 237
Schmerzen im Bauch 29, 158, 159, **237, 238**

Schmerzen im Kopf 57, **173–176**, 237, 238
— im Magen 29, **200–204**
Schnittwunden, siehe Verletzungen
Schnupfen 232, 233
Schreck 240
Schrumpfniere 218
Schrunden am After **65**
— an der Brust **65**
— an Füßen und Händen **65**, 75
— an den Lippen **65**
Schüttelfrost, siehe Fieber, Frost
Schwäche 16, 24, 34, 44, 52, 55, 59, 66, 68, 72, 107, **241–244**
Schwämmchen bei Neugeborenen, siehe Schleimhäute
Schwangerschaft 244
Schwangerschaftserbrechen 70, 244, siehe auch Erbrechen
Schweiß, Schwitzen 19, 23, 24, 34, 45, 51, 53, 55, 57, 59, 63, 67, 71, 80, 94, 102, 107, 110, 154, **245**, **246**
Schwerhörigkeit 95
Schwielen 75
Schwindel 18, 71, 80, **246**, **247**
Schwindsucht 111, 112
Seekrankheit 247
Sehschwäche 20, 21
Sehstörungen 20, 80
Sepsis, siehe Blutvergiftung 136
Skrofulose 248
Sinne 247
Sodbrennen 20, 43, 88, 203
Sonnenstich 248
Sorgen, siehe Geistes- und Gemütssymptome
Sprachstörungen 77, 84
Spinale Kinderlähmung 133
Spulwürmer, siehe Würmer **266**
Symptome, wechselnde 81, 82, 83, **248**, **249**
Star, siehe Augenkrankheiten 22
Starrkrampf **140**
Stichwunden, siehe Verletzungen
Stillen, Beschwerden beim, siehe Brüste
Stimmbandlähmung 104, siehe auch Hals
Stimmritzenkrampf 112
Stinknase (Ozeana) 91
Stirnhöhlenkatarrh, siehe Schleimhautkatarrhe
Stockschnupfen, siehe Schnupfen
Strahlenpilzkrankheit 145
Stuhl, siehe Darm, Durchfall
Stuhldrang, siehe Durchfall
Stuhlgang, siehe Darm, Durchfall
Stuhlverstopfung, siehe Verstopfung **261**

Taubheit 251
Taubheitsgefühl 34, 43, 104, 153, 251
Temperament, siehe Konstitution
Tollwut **141**
Tränen der Augen, siehe Augenkrankheiten
Trachom **151**
Traurigkeit, siehe Geistes- und Gemütssymptome
Trichinenkrankheit 143
Trockenheit 46, 53, 251
Trunksucht 252
Tuberkulose der Lunge 147, **252**, **253**
— der serösen Häute 253
— der Knochen 253
Tularämie 149
Typhöse Lungenentzündung, siehe Lungenentzündung
Typhus 64, **118**

Übelkeit 42, 46, **59**, 80, 105, 201
— mit Erbrechen 42, 46, **59**, 80
— beim Fahren, siehe Seekrankheit
— während der Schwangerschaft 105
Überempfindlichkeit 43, 98, 99, 111, 254, siehe auch Nervenkrankheiten
Übler Mundgeruch 86
Unempfindlichkeit 27
Unfruchtbarkeit 87
Unruhe 16, 17, 18, 56, 153, siehe auch Nervenkrankheiten
Unterleibstyphus, siehe Typhus 118
Unterschenkelgeschwüre 40, 89, 90, 100
Urämie 107
Urin 28, **255**, **256**
Urinverhaltung **255**, **256**

Venenentzündung 256
Venenerweiterung 256
Veitstanz, siehe Nervenkrankheiten
Verbrennungen 260
Verdauungsstörungen **257**
Vererbung, siehe Konstitution 160
Vergeßlichkeit, siehe Gedächtnis 76
Vergiftungen **258**, **259**
Verhärtungen 36, 55, **89**, 100
Verlagerungen 35, siehe auch Frauenkrankheiten

Verlangen nach besonderen Speisen 34, 110, 201, 203
Verletzungen, äußere **259, 260**
Verrenkungen 260
Verschleimungen der Lunge, siehe Lungenkrankheiten
— des Magens, siehe Magenleiden
Verschlimmerung 38, 154, siehe auch Modalitäten
Verstauchung 260
Verstopfung (Stuhlverstopfung) 48, 70, 71, 97, **261**
Visionen **263,** siehe auch Geistes- und Gemütssymptome
Vollheitsgefühl 33, 34, 67, siehe auch Blähungen, Gefühl
Vorsteherdrüse 263

Wachstumsstörungen 24, siehe auch Konstitution
Wadenkrämpfe, siehe Krämpfe
Wanderniere 219
Wanderrose, siehe Rose
Warzen 24, **263**
Wasserkopf 264
Wasserpocken 125
Wassersucht 32, 105, 106, 107, 108, **264, 265**
Wechselfieber, siehe Fieber
Wechseljahre der Frau **37, 38,** 68, 69, 70, 71, 72
Wehen bei der Entbindung, siehe Geburt 244
Weinerlichkeit, siehe Geistes- und Gemütssymptome
Weißfluß 40, 50, 59, 70, siehe Schleimhäute und Schleimhauterkrankungen
Windpocken 125
Witterungswechsel, Beschwerden bei, siehe Verschlimmerung
Wochentölpel, siehe Geschwülste
Wöchnerinnen, Krämpfe nach der Geburt, siehe Krämpfe
Wucherungen 94, 95, **266**
Würmer **266**
Wunden, siehe Verletzungen 259
Wundfieber, siehe Fieber
Wundheitsgefühl 19, 45, 46, 94, 95, 96, 111, 112
Wurm am Finger, siehe Fingergeschwür
Wurstvergiftung 139
Wutanfälle, siehe Geistes- und Gemütssymptome

Zähne **267**
Zahnen der Kinder 53, **267**
Zahnfistel, siehe Geschwüre, Eiterungen
Zahnfleischerkrankungen 91, 94, 95, 96, **268**
Zahnfleischblutungen 91, 94, 95, 96, **268**
Zahngeschwüre 91
Zahnkaries 269
Zahnmarkentzündung, siehe Entzündung
Zahnschmerzen 270
Zerschlagenheitsgefühl 63, 67, **77, 78,** 93, 153
Zittern 79, 80, siehe auch Geistes- und Gemütssymptome, Nervenkrankheiten
Zorn **270,** siehe Geistes- und Gemütssymptome
Zuckungen 49, 56, 68, 70, 79, 80, siehe auch Nervenkrankheiten
Zuckerkrankheit 91, 110, **270**
Zunge 28, 34, 39, 42, 43, 59, 62, 78, 107, **272**
Zungenkrebs 272, siehe auch Krebs
Zusammenschnürungsgefühl 18, 95, 104

Literaturverzeichnis

Zur Einführung:

Dr. med. Gerard Bakker, Positive Homöopathie, Ulm 1960
Dr. med. Artur Braun, Methodik der Homöotherapie, Biologische Taschenbuchreihe, Band 4, Regensburg 1975
Dr. med. Mathias Dorcsi, Personotrope Medizin und Homöopathie, Heidelberg 1970
Dr. med. Adolph von Gerhardt, Handbuch der Homöopathie, 12. Auflage, Leipzig 1929
Samuel Hahnemann, Organon der Heilkunst, 6. Auflage, herausgegeben von Dr. Richard Haehl, Ulm 1958
Kurt Hochstetter, Einführung in die Homöopathie und ergänzende Behandlungsmöglichkeiten, Band 2 der biologischen Taschenbuchreihe, Regensburg 1973
Zur Theorie der Homöopathie, James Tylor Kents Vorlesungen über Hahnemanns Organon, übersetzt von Jost Künzli von Fimelsberg, Leer/Ostfriesland
Dr. med. et phil. Otto Leeser, Homöopathie, Reclams Universal Bibliothek Nr. 7175, Stuttgart 1953
Dr. med et phil. Otto Leeser, Lehrbuch der Homöopathie, Allgemeiner Teil: Grundlagen der Heilkunde, III. Auflage, Ulm 1963
Dr. med. Julius Mezger, Kompendium der homöopathischen Therapie, Stuttgart 1950
Dr. med. Clotar Müller, Der homöopathische Haus- und Familienarzt, 14. Auflage, Leipzig 1919
Dr. med. Karl von Petzinger, Warum Homöopathie? Heidelberg 1958
Dr. med. A. Pfister, Homöopathie – Homöotherapie, Heidelberg 1970
Gerhard Risch, Der sanfte Weg – Eine Information über Homöopathie für jedermann, Kleinjörl 1978
Dr. med. Hans Ritter, Samuel Hahnemann, Heidelberg 1974
Dr. med. Karl Stauffer, Homöotherapie, 3. Auflage, Regensburg 1939
Dr. med. A. Voegeli, Heilkunst in neuer Sicht, Ulm 1955
Dr. med. A. Voegeli, Das ABC der Gesundheit, Ulm 1957
Dr. med. A. Voegeli, Die korrekte homöopathische Behandlung in der täglichen Praxis, Ulm 1958
Dr. med. Henri Voisin, Die vernünftige kritische Anwendung der Homöopathie, übersetzt und herausgegeben von Dr. med. Fritz Stockebrand, Ulm 1960
Dr. med. J. Zinke, Kurzgefaßte Einführung in die Denkweise und Praxis der klassischen Homöopathie, Ulm 1962

Arzneimittellehren

Boericke, Homöopathische Mittel und ihre Wirkungen, Materia medica und Repertorium, Leer 1972

Dr. med. Gilbert Charette, Homöopathische Arzneimittellehre für die Praxis, Stuttgart 1958

Dr. W. A. Dewey, Katechismus der reinen Arzneiwirkungslehre, 5. Auflage, Ulm 1958

E. A. Farrington M. D., Klinische Arzneimittellehre, aus dem Englischen übersetzt von Dr. med. Hermann Fischer, 3. Auflage, Leipzig 1931

A. v. Fellenberg-Ziegler, Homöopathische Arzneimittellehre, 12. Auflage, Ulm 1960

Dr. med. O. Julian, Materia medica der Nosoden, übersetzt von H. Friz, Ulm 1960

Kent's Arzneimittelbilder, Vorlesungen zur homöopathischen Materia medica, von Prof. Dr. James Tylor Kent, neu übersetzt und herausgegeben von Med.-Rat Dr. Edward Heits, Ulm 1958

Dr. med. et phil. Otto Leeser, Lehrbuch der Homöopathie, Spezieller Teil: Arzneimittellehre C: Tierstoffe, Ulm 1961

Dr. med. Julius Mezger, Gesichtete Homöopathische Arzneimittellehre, 2 Bde. 3. Auflage, Ulm 1964

Dr. med. George Royal, Abriß der homöopathischen Arzneimittellehre, übersetzt von Dr. med. H. Balzli, Regensburg 1926

Dr. med. Benno Schilsky, Homöopathiefibel für Ärzte, 5. erw. Aufl., Heidelberg 1969

Schmidt's Lehrbuch der homöopathischen Arzneimittel, 3. völlig neu bearbeitete Auflage von Prof. Dr. phil. et med. K. Saller, Saulgau 1952

Leitfaden für die homöopathische Praxis, 2. Auflage, Berlin 1954

Dr. med. Heinz Schoeler, Homöopathie von A–Z, Ulm 1955

Dr. med. Karl Stauffer, Klinische Homöopathische Arzneimittellehre, bearbeitet von M. Schlegel, 4. Auflage, Regensburg 1955

Stauffers Homöopathisches Taschenbuch, 7. Auflage, herausgegeben von Dr. Martin Schlegel, Berlin–Saulgau 1953

Prof. Dr. med. Alfons Stiegele, Homöopathische Arzneimittellehre, Stuttgart 1949

Dr. Henri Voisin, Materia medica des homöopathischen Praktikers, Übersetzung von Dr. med. H. Gerd-Witte, Heidelberg 1969

Dr. med. Walter Zimmermann, Homöopathische Arzneitherapie, Band I der biologischen Taschenbuchreihe, Regensburg 1972

Synthetisches Repertorium, herausgegeben von Dr. med. Horst Barthel, Bd. I: Gemütssymptome, Heidelberg
Bd. III: Schlaf, Träume, Sexualität, Heidelberg 1974
Dr. med. Glen Irving Bidwell, Der richtige Gebrauch des Repertoriums, neu herausgegeben und bearbeitet von Dr. Heinz Zulla, Ulm 1960
Dr. C. von Bönninghausen, Die Körperseiten und Verwandtschaften, Heidelberg 1967
Dr. med. Mathias Dorcsi, Symptomenverzeichnis, Ulm 1965
Kent's Repertorium der homöopathischen Arzneimittel, 3 Bde., neu übersetzt und herausgegeben von Dr. med. Georg von Keller und Dr. med. Künzli von Fimelsberg, Ulm 1960
Bernhard Kronenberger, Codex interner Homöo-Therapie, Kahl (Main) 1931
Dr. med. Hans Leers, Sammlung seltener Symptome, Heidelberg 1973
Dr. Lippe's charakteristische Symptome von T. L. Bradford, ins Deutsche übertragen von Dr. R. Haehl, Heidelberg 1967
E. B. Nash, M. D., Leitsymptome in der homöopathischen Therapie, 4. Auflage, Ulm o. J.
Ottinger-Tabellen, 5. Auflage, Freiburg/Breisgau
Dr. med. Emil Rehm, Bewährte homöopathische Rezepte, Bietigheim 1974
Dr. Robert Stahl (Herausgeber), Beziehungen der Arzneien unter sich nach Kent, Guernsey, Bönninghausen, Lutze, H. C. Allen, Chiron, usw., Ulm 1959
Dr. med. Karl Stauffer, Symptomenverzeichnis nebst vergleichenden Zusätzen zur Homöopathischen Arzneimittellehre, 2. Auflage, Regensburg 1936

Prof. Dr. med. Karl Kötschau

Naturmedizin - Neue Wege

ISBN 3-89575-079-4

Aktive Gesundheitsvorsorge ist wesentlich vorteilhafter und billiger als späte Fürsorge. Grundlegendes und Richtungsweisendes für Ihre Gesundheit und deren Erhaltung, um die körpereigenen Abwehrkräfte zu steigern und das Immunsystem zu stärken. 250 Seiten

Christopher Markert

So retten Sie Ihre Zähne

ISBN 3-89575-101-4

Der Autor vermittelt das Wissen und gibt Tipps, wie Sie die Selbstheilungskräfte Ihrer Zähne und des Zahnbettes wieder aktivieren können. 190 Seiten

Georg Otto

Das Risiko krank zu sein

ISBN 3-89575-009-3

Georg Otto schildert den Lebens- oder Leidensweg, den Erkrankte in unserer zivilisierten Welt durchleben müssen. 217 Seiten

Georg Otto

Wir Selbstmörder des 20. Jahrhunderts

ISBN 3-89575-100-6

Warum wachsen unsere Zivilisationskrankheiten an? Warum sind unsere Medikamente nicht in der Lage, diese in den Griff zu bekommen?

In diesem Buch werden Hintergründe unserer Selbstvernichtung durchleuchtet und Wege aufgezeigt, wie Sie dazu beitragen können, die sich anbahnende Katastrophe zu verhindern. 281 Seiten

Raffael Boriés

Sterben - Wandlung im Leben

ISBN 3-89575-107-3

Das Sterben können wir nicht vorwegnehmen. Wir können uns nur dem Geheimnis annähern. Aber durch Annehmen und Loslassen der täglich sich stellenden Aufgaben, werden wir dem großen Wandlungsmoment besser entgegensehen.

Verschiedene Betrachtungsweisen zu den Themen Sterben und Tod helfen dem Leser, die Angst zu vermindern und mutig das Leben zu leben.

Die Sichtweisen des Autors sind der Versuch, Hilfe und Ratschlag in Situationen zu geben, die letztlich jeder allein durchstehen muß. 107 Seiten